Y0-ARI-149

HEYNE
BÜCHER

HEIMAT

EIN DEUTSCHES LESEBUCH

Herausgegeben
von
Manfred Kluge

Originalausgabe

WILHELM HEYNE VERLAG
MÜNCHEN

HEYNE ALLGEMEINE REIHE
Nr. 01/7906

Printed in Germany 1989
Umschlagfoto: Mauritius/Rossenbach, Mittenwald
Umschlaggestaltung: Atelier Ingrid Schütz, München
Satz: Schaber, Wels
Druck und Bindung: Ebner Ulm

ISBN 3-453-03328-0

Inhalt

* Die mit einem Stern versehenen Titelformulierungen stammen vom Herausgeber

Heimat ist ein Wort, das unser Sprachgeist geschaffen hat, das in andern Sprachen nicht zu finden ist und das völlig andere Gefühle weckt, stillere, stetigere, zeit- und geschichtslosere, als das leidenschaftliche Wort Vaterland. Wir verlassen die Heimat, um uns hinaus in die Fremde zu begeben. Wo endet Heimat, wo beginnt das Unvertraute, das Andere? Bei jedem neuen Menschen, der uns begegnet, stellt sich die Frage: wie weit reicht seine Heimat, wo vermag er wirklich zu Hause zu sein? Jede Bemühung um Selbsterkenntnis wie um Kenntnis der Andern schließt diese Frage ein. Ihre Beantwortung lehrt uns, daß gerade dort, wo das Heimatgefühl das allerweiteste ist, die Grenzen des wirklich Fremden und Nichtentsprechenden am deutlichsten gezogen sind.

Carl Jacob Burckhardt

(aus: Heimat. Ansprache anläßlich der Verleihung des Friedenspreises des Deutschen Buchhandels, 1954)

Der Mensch lebt noch überall in der Vorgeschichte, ja alles und jedes steht noch vor Erschaffung der Welt, als einer rechten. Die wirkliche Genesis ist nicht am Anfang, sondern am Ende, und sie beginnt erst anzufangen, wenn Gesellschaft und Dasein radikal werden, das heißt sich an der Wurzel fassen. Die Wurzel der Geschichte aber ist der arbeitende, schaffende, die Gegebenheiten umbildende und überholende Mensch. Hat er sich erfaßt und das Seine ohne Entäußerung und Entfremdung in realer Demokratie begründet, so entsteht in der Welt etwas, das allen in die Kindheit scheint und worin noch niemand war: Heimat.

Ernst Bloch

(aus: Das Prinzip Hoffnung)

MARTIN WALSER

Rede über das eigene Land

Ist man fähig oder gar verpflichtet, Kindheitsbilder nachträglich zu bewerten, oder darf man sich diesem allerreichsten Andrang einfach für immer überlassen? Ich habe das Gefühl, ich könne mit meiner Erinnerung nicht nach Belieben umgehen. Es ist mir, zum Beispiel, nicht möglich, meine Erinnerung mit Hilfe eines inzwischen erworbenen Wissens zu belehren. Die Erinnerung reicht zurück in eine Zeit, von der ich inzwischen weiß, daß sie furchtbar gewesen ist. Jedes Parteigesicht, jede Militärerscheinung, jede Lehrperson und alle Gesichter aus der Nähe zeigen, daß sie aus jener Zeit stammen. Aber das Furchtbare selber zeigen sie nicht. Ein Sechs- bis Achtzehnjähriger, der Auschwitz nicht bemerkt hat. Kindheit und Jugend entfalten ihren unendlichen Hunger und Durst, und wenn Uniformen, Befehlshabergesichter und dergleichen angeboten werden, dann wird eben alles verschlungen. Der Ortsgruppenleiter erscheint mir als das, was er für mich schon damals gewesen ist: ein hilflos bairisch-fränkisch quakender Mann in einer schreiend gelbbraunen Uniform, die nirgends hingehörte, nicht in die Gegend und nicht in die Jahreszeit. Er wirkte, als habe es ihn seinen ganzen Mut gekostet, mit dieser grotesken Uniform seine Beamtenwohnung zu verlassen und auf die Dorfstraße hinauszutreten. Jeder weitere Schritt muß weiteren Mut gekostet haben. Wenn er dann an seinem Versammlungsziel ankam, brachte er nur noch dieses verzagte Quaken heraus.

Das Licht, in dem mir die Erinnerung Gegenstände und Menschen von damals präsentiert, ist ein festhaltendes Licht, eine Art Genauigkeitselement. Man hat nicht gewußt, daß man sich das für immer so genau merken wird. Man hat vor allem nicht gewußt, daß man diesen Bildern nichts mehr hinzufügen können wird. Keinen Kommentar, keine Aufklärung, keine Bewertung. Die Bilder sind jeder Unterrichtung unzugänglich. Alles, was ich inzwischen erfahren habe, hat diese Bilder nicht verändert. Wenn ich die Bilder umkreise mit den Maßstäben von heute, kommt mir vor, die Bilder bedürften der Belehrung auch gar nicht. Das erworbene Wissen über die mordende Diktatur ist eins, meine Erinnerung ist ein anderes. Allerdings nur so lange, als ich diese Erinnerung für mich behalte. Sobald ich jemanden daran teilhaben lassen möchte, merke ich, daß ich die Unschuld der Erinnerung nicht vermitteln kann. Ich habe nicht den Mut oder nicht die Fähigkeit, Arbeitsszenen aus Kohlenwaggons der Jahre 1940 bis 1943 zu erzählen, weil sich hereindrängt, daß mit solchen Waggons auch Menschen in KZs transportiert worden sind. Ich müßte mich, um davon erzählen zu können, in ein antifaschistisches Kind verwandeln. Ich müßte also reden, wie man heute über diese Zeit redet. Also bliebe nichts übrig als ein heute Redender. Einer mehr, der über damals redet, als sei er damals schon der Heutige gewesen. Ein peinliches Vorgehen. Für mich. Vergangenheit von heute aus gesehen — kann es etwas Überflüssigeres geben? Etwas Irreführenderes sicher nicht. Irreführend, wenn damit Vergangenheit dargestellt werden soll. Die meisten Darstellungen der Vergangenheit sind deshalb Auskünfte über die Gegenwart. Die Vergangenheit liefert den Stoff, in dem einer heute sich human bewährt.

Historiker, die so vorgehen würden wie ich, rechnet man, glaube ich, zum Historismus. Eine offenbar momentan nicht besonders geschätzte Schule. Es gibt aber, zum Beispiel in England, immer noch Forscher, die damit Wichtiges zutage bringen.

Ich habe das vorweg sagen müssen, weil Deutschland für mich ein Wort aus jener Vergangenheit ist. Ich weiß über diese Vergangenheit soviel Nachträgliches wie jeder andere auch. Das Ausmaß unserer Verbrechen. Und wenn es schon schwer zu erklären ist, wie man jede Kindheitsszene von dem freihalten kann, was diese Kindheit direkt umgab, wie soll man erklären, daß man sogar ein Wort wie Deutschland noch retten möchte? Retten für weiteren Gebrauch. Zuerst glaubt man natürlich, man könne über dieses Land, über *unser* Land reden, ohne von Deutschland reden zu müssen. Aber die Geschichte ist unerläßlich. Wenn sie gutgegangen wäre, wäre Deutschland sicher nicht zu einem solchen Tag- und Nachtthema geworden. Wenn die Geschichte gutgegangen wäre, würde ich heute abend in Leipzig ins Theater gehen, und morgen wäre ich in Dresden, und daß ich dabei in Deutschland wäre, wäre das Unwichtigste. Aber weil es fehlt, hat Thüringen mich besetzt mit Heiligen und Handwerkern, mit Spielzeug und Eßzeug, mit Köhlern und Wäldern, mit einer bis ins Erdinnere reichenden Gliederungsvielfalt. Wenn ich heute mit dem Zug an Magdeburg vorbeifahre, weiß ich vor Verlegenheit und Bedauern nicht, wo ich hinschauen soll. Und wenn mir Königsberg einfällt, gerate ich in einen Geschichtswirbel, der mich dreht und hinunterschlingt. Jedesmal komme ich wie der Fischer in Edgar Allan Poes Maelström-Geschichte noch weißhaariger zurück. Daß man nicht einverstanden sein kann mit dem, was passiert ist, zehrt. Das liegt am Jahrgang. Jüngere sind frei davon. Was ist ihnen Hekuba bzw. Königsberg. Aber auch jahrgangsnähere Zeitgenossen sind freier davon als ich. Das ist die Erfahrung, über die ich zu berichten habe. Das ist mein Problem. Ich werde vorerst noch nicht müde, es auszusprechen, in der Hoffnung, dadurch doch noch zu erfahren, daß es nicht nur mein Problem sei.

Wenn sich das Gespräch um Deutschland dreht, weiß man aus Erfahrung, daß es ungut verlaufen wird. Egal ob ich mich allein in das Deutschland-Gespräch schicke, ins Selbstgespräch also, ob ich es schreibend oder diskutierend versuche — es verläuft jedesmal ungut: ich gerate in Streit mit mir und anderen. Das Ende ist Trostlosigkeit. Sogar das Selbstgespräch über Deutschland ist peinlich, weil man ja nicht wirklich allein ist dabei, man reagiert auf Argumente, die einem die anderen aufgedrängt haben, die man, obwohl sie einem nicht genehm sind, nicht mehr los wird. Gerade beim Deutschland-Gespräch erlebt man, daß jeder recht hat. Gibt es etwas, was man über Deutschland sagen kann, was nicht auch noch zutrifft? — Bei mir kann diese Erfahrung auf gut und gern zehn Jahre zurückblicken. Auch mit alten Bekannten, Fastschonfremden endet das Gespräch jedesmal in Frost, Abstand, Peinlichkeit. Allmählich wird mir klar, daß jeder bei diesem Gespräch eine andere Geschichte aufarbeitet. Seine eigene und oft noch seine ganze Familiengeschichte. Nie böllern aus mir die Schlagwörter so unbremsbar heraus wie beim Deutschland-Gespräch. Aber beim Diskussionspartner doch auch. Aber wer hat angefangen? Und schon ist die Kriegsschulddebatte unser eigenster Text, aus Diskussionspartnern sind Gegner geworden, und die Schlagwörter, die uns jetzt als Personen gar nicht mehr brauchen, donnern im peinlich engen und gänzlich deutschen Raum. Vielleicht sollten wir einander so trösten: Wer beim Deutschland-Gespräch nicht unter sein Niveau gerät, hat keins. Ich will ein paar dieser Wörter, die mich regelmäßig erbittern, ein paar Reizwörter also, hier aufsagen: Deutschland habe es sowieso nie gegeben. Von tausend Jahren nur die paar Jahrzehnte von 1870 bis 1945. Und das seien in der ganzen Geschichte doch wahrhaft die schlimmsten gewesen. Mit gutem Grund habe Clemenceau die Friedensverhandlungen 1919 am 18. Januar eröffnet, also an dem Tag, an dem 48 Jahre vorher das sogenannte Deutsche Reich in Versailles gegründet worden sei. Also nie mehr Deutschland. Denn nie mehr dürfe von deutschem Boden ... Diese Phrasen kennt jeder. Ohne jede Aussicht, die Drescher zu beeindrucken, zitiere ich den kanadischen Sozialdemokraten und Friedensforscher Hans Sinn (1986): »Heute befinden sich auf dem Gebiet der DDR und der BRD mehr Massenvernichtungsmittel als irgendwo anders auf der Welt.« Und das ist doch wohl zuerst eine Folge unserer Nicht-Souveränität in Ost und West. Eine Folge der Teilung. Schlimmer als diese zwei waffenstarrenden Deutschlandfragmente könnte ein vereintes Deutschland, in etwa österreichischer oder schweizerischer Weltzugewandtheit, nicht sein. Und Kriege finden in Europa sowieso nicht mehr statt. Das ist keine Leistung, sondern Ergebnis eben jener 75 Jahre, jener zwei letzten Großkriege. Neuerdings wissen es sogar die Falken hier und dort. Also komme keiner und sage: ein weniger geteiltes, ein ganzes Deutschland sei eine Gefahr für den Frieden. Das Paradeargument zur Rechtfertigung der Teilung — ich habe es gehört von Intellektuellen hüben und drüben —, daß es Deutschland nie gegeben habe, immer nur die hadersüchtigen Kleinstaaten, erklärt einfach die von feudalen Kabinetten verfaßte Staatenkarte zur deutschen Geschichte schlechthin. Als die universalistische Reichsidee, die ja immerhin die *deutsche Nation* im Titel führte, ausgelitten hatte, wurde doch vom Volk sowohl die reale, nämlich nationale Einigung versucht. *Vaterländisch* zu sein, war 1848 ein Verbrechen, es hieß soviel wie demokratisch sein, die nationale Einheit wollen. Die Kommunistische Partei hat im Jahre 1848 formuliert: »Ganz Deutschland wird zu einer einigen, unteilbaren Republik erklärt.« Was 1871 gegründet wurde, war nicht das, was 1848 gewollt worden war. Zwei Beispiele aus dem historischen Alltag der Deutschen. Der Arzt Dr. Karl Christian Wolfart aus Berlin schrieb 1812 in einer von Heinrich Zschokke in der Schweiz herausgegebenen Zeitschrift über den aus der Bodenseegegend stammenden Arzt Franz Anton Mesmer, der dreißig Jahre vorher durch das nach ihm benannte Heilverfahren berühmt geworden war: »Die Ehre dieser großen Entdeckung gehört unstreitig Deutschland an, sowie es die Wiege ihres Urhebers war.« Und ein Frankfurter Arzt schreibt, auch 1812, in einem Brief an Franz Anton Mesmer: »Ich kann nicht umhin, Ihnen meine Freude zu bezeugen über den Beweis, den Sie kürzlich von der großen Aufmerksamkeit der deutschen Ärzte und einer deutschen Regierung auf Ihre Lehre ... erhalten haben.« *Der* deutschen Ärzte und *einer* deutschen Regierung. Das ist sehr genau, also doch wohl zuverlässig. Es hat Deutschland gegeben, trotz mehrerer deutscher Regierungen. Und so ist es heute wieder. Nur: damals wollte man, daß das sogenannte Vaterland eine politische Fassung erhalte; heute haben sich zumindest die Wortführer — und zwar die hellsten, die gescheitesten — abgefunden mit dem Strafprodukt Teilung. Dazu leben sie mit einer Auswahl aus der deutschen Geschichte, die ihrem aktuellen Bedürfnis dient. An dieser Stelle des Deutschland-Gesprächs werde ich regelmäßig auf Österreich hingewiesen. Wolle ich denn Österreich auch wieder heimholen? Ich will nicht. Der gutgemeinten, aber doch simplen Selektion jetzt herrschender Geschichtsbilder darf man zur Entsimplifizierung mitteilen, daß sich die »Provisorische Nationalversammlung« in Wien am 12. November 1918 auf das durch Präsident Wilson proklamierte Selbstbestimmungsrecht der Völker berief und einen Beschluß faßte, dessen Artikel 2 so ausging: »Deutschösterreich ist ein Bestandteil der deutschen Republik.« Der Sozialdemokrat Karl Renner, der erste Regierungschef des demokratischen Österreich, hat damals dokumentiert: »Der Artikel 2 ist ein Bekenntnis.« Und am 21. März 1919 beschließt die Weimarer Nationalversammlung: »Deutschösterreich tritt als Ganzes als ein Gliedstaat dem Deutschen Reiche bei.« Aber schon im September desselben Jahres ließ Clemenceau diesen Einigungsversuch verbieten. Österreich mußte sich und konnte sich verselbständigen. Die allmähliche Verselbständigung Österreichs kann aber nicht mit einer Teilung verglichen werden. Teilung ist das Gegenteil von Entwicklung. Worauf in Wien zu bauen war, das kann sich in Ostberlin niemals bilden. Teilung ist Eingriff, Machtausübung, Strafaktion. Daß ich Jalta Teheran und die Folgen Strafaktion nenne, ruft Stirnrunzeln hervor. Ich beeile mich zu sagen, daß wir die verdient hatten. Aber doch nicht für immer. Strafe dient nicht der Sühne, sondern doch wohl der Resozialisierung. Fühlen wir uns nicht resozialisiert? In Ost- und Westdeutschland kein Anzeichen irgendeiner Rückfallmöglichkeit. Daß Deutschland je harmlos sein könne, wird nicht geglaubt. Ich wiederum bitte, mir keine Fotos von einem Schlesiertag und Meldung über zwei Wehrsportneurotiker vorzuhalten. Dabei kommt es mir schon sehr ungerecht vor, Schlesierschmerz und Neonazitum in einem Atemzug zu nennen. Aber wenn mit solchen Argumenten deutsche Geschichtsentwicklungen verhindert werden dürften, müßte US-Amerika in eine geschlossene Anstalt eingeliefert werden. Diagnose: rassistisch-religiöser Autismus; ist aber nicht nötig, weil die Diagnose trotz aller Clan- und Fernsehpredigerpeinlichkeiten überhaupt nicht stimmt. Also: wenn die Rückfallgefahr ausgeschlossen ist — und wer das nicht sieht, der verneint schlicht unsere letzten 40 Jahre —, dann gibt es nur noch ein Motiv für die Fortsetzung der Teilung: das Interesse des Auslands. In östlichen und westlichen Ländern. Ein Interesse, das zwar alles entscheidet, das aber nicht mehr mit genaueren Namen benannt werden darf. Das gehört auch zu der simplen, aber uns beherrschenden Meinungsselektion. Wir nicken zu gar allem vor lauter Angst, sonst für Nazis gehalten zu werden. Und das Ausland tut so, als sei ein nicht mehr geteiltes Deutschland wieder eine Gefahr wie in der ersten Jahrhunderthälfte. In allen europäischen Ländern ist das in den letzten 30 Jahren oft genug so formuliert worden. Es ist das Interesse des Auslandes, unter diesem Vorwand die deutsche Teilung ungemildert zu erhalten. Grotesk ist nur, daß im Inland, vor allem im westlichen Inland, dieser Vorwand inbrünstig nachgesprochen wird. Am meisten von Intellektuellen. Viele kommen sich fortschrittlich vor, wenn sie diese letzte Kriegsfrucht für vernünftig halten. Sie ziehen, je nach Fach, einschlägig behäkelte Trostdeckchen über den Trennungsspalt: Geschichtsnation; Kulturnation; Sportnation (durch Medaillenaddition während der Olympischen Spiele). *Dagens Nyheter* stellte Erich Honecker 1986 folgende Frage: »Während der jetzt stattfindenden Fußball-Weltmeisterschaft haben wir gemerkt, daß man hier, seit die DDR nicht mehr an der Ausscheidung teilnimmt, für die BRD-Mannschaft die Daumen drückt. Tun Sie das auch, Herr Honecker, und sollten wir das als Zeichen deutscher Zusammengehörigkeit werten?« Honecker war so unfrei, so verklemmt, verbaut, verkorkst, daß er nur sagen konnte: »Das glaube ich nicht. Wenn man ein richtiger Fußballanhänger ist, dann fiebert man für die beste Mannschaft. Ich möchte das nicht als eine politische Stellungnahme verstanden wissen«, und so weiter.

Wahrscheinlich ist der Zwang, unter dem solche Slalom-Sätze entstehen, historisch schon überwunden. Moskau ist nicht mehr so imperialistisch, daß es seine eigensüchtige Internationalismusforderung noch mit unempfindlicher Macht vertreten könnte. Esten, Letten, Litauen und andere melden den nationalen Anspruch an. Und die Deutschen basteln Slalom-Sätze! Warum schlagen wir nicht wenigstens unseren westlichen Freunden vor, sich eine Grenze wie die zwischen uns einmal am Ohio, an der Loire oder zwischen Rom und Florenz vorzustellen? Vielleicht könnte das einem Andreotti die Grenze an der Elbe vorstellbarer machen. Nur wenn die Gefahr bestünde, daß wir ins Hohenzollern- oder Hitlerdeutsche zurückfielen, wäre die Teilung gerechtfertigt, ja geradezu notwendig. Uns diese Gefahr nachzusagen ist grotesk.

An dieser Stelle mache ich gern den Fehler, meinen Widersachern vorzuwerfen, sie verewigten den Faschismus dadurch, daß sie auf antifaschistischen Haltungen bestünden. Dann fliegt mir natürlich das Brechtzitat an den Kopf, daß der Schoß, aus dem das kroch, noch fruchtbar sei.

Ich: Das Bild sei genial, weil genau geschöpft aus den Verhältnissen der ersten Jahrhunderthälfte. Auch hier sei nur der erste ein Genie. Dann wird mir also die heutige Version serviert: »Die Deutschen sind alle Nazis ... ganz gleich, wo wir Nudeln einkaufen, es sind immer nur Nazis.«

(In diesem Fall Bernhard, aber genauso laut und simpel gibt es das von Achternbusch u. a. Geradezu dankbar meldet man, daß einem so was von Peter Handke nicht zugefügt wird; von Botho Strauß und Werner Herzog schon gar nicht.) Wer diesem polit-masturbatorischen Modeton widerspricht, zieht sich die schlimmste Ahndung zu: der versteht keinen Spaß. Verstehen wir also Spaß, seien wir eben alle Nazis. Nein. Der Kurswert ist zwar enorm, aber der Nennwert nur gering. Darüber müssen einmal Geschichtsschreiber sich wundern: wie viele bedeutende Leute Jahrzehnte nach der Erledigung des Faschismus ihren Zorn *und* ihr gutes Gewissen lebenslänglich durch antifaschistische Regungen belebten. Wenn wir »alle« noch »Nazis« wären, müßten wir um die Fortsetzung der Teilung geradezu bitten! Zum Glück hat es den Historiker-Streit gegeben. Vielleicht war da ein bißchen zuviel gutes Gewissen auf der einen Seite. Trotzdem darf man sehr dankbar sein, daß Jürgen Habermas diesen Streit, wie Sontheimer formulierte, »losgetreten« hat.

Dieser Streit hat ein Angebot von Sichtweisen und Urteilsarten entfaltet. Statt der paar Parolen, die vorher kursierten, eine Vielfalt von Auffassungen. Jetzt können wir, wenn wir über Deutschland reden, von diesen Angeboten Gebrauch machen. Anstatt mit Sportlern kann man sich auch einmal mit einem Historiker identifizieren. Da sie einander nicht gelten lassen, wissen wir am Ende auch nichts Sicheres, aber unsere Unsicherheit besteht aus deutlicheren Positionen, die Widersprüche sind schärfer in uns vorhanden. Ich habe dabei eine Erfahrung gemacht: je mehr sich einer als der einzig Wissende und vor allem als der einzig Gerechtfertigte aufführt, desto weniger kann ich mir seine Ansicht über unsere Geschichte zu eigen machen. Am meisten habe ich mich von Christian Meier an- und ausgesprochen gefühlt. Aber keine dieser gegeneinander streitenden Ansichten war mir ganz fremd. Was da so polemisch gegeneinander wütete, ist mir als eigenes Innenleben bekannt. Habermas *und* Hillgruber haben meinungsmäßig bequem in mir Platz. Um das Unmögliche meiner Einstellung noch deutlicher zu machen: mir scheint, die deutsche Frage sei nicht von »rechts« oder von »links« aufzufassen. Da sehe ich schon, wie ich in der nächsten Runde des Deutschland-Gesprächs von *FAZ* und *konkret* Wilhelm II. ins Ärmchen geschubst werde, weil der einmal nur noch Deutsche kennen wollte.

Ein Beispiel, wie die nationale Frage unter eher literarischen Intellektuellen gehandelt wird:

In der *FAZ* (17. 12. 86) wurde ein Satz von Franz Xaver Kroetz mitgeteilt: »Mir ist die DDR so fremd wie die Mongolei.« Dazu Marcel Reich-Ranicki, der ja nicht gerade ein Genie der Zustimmung ist: »Das gefällt mir außerordentlich.« Und noch einmal Kroetz: »Es ist schon eine weise Sache, daß wir zwei Deutschlands haben.« Weil dadurch der »Weltfrieden« weniger in Gefahr sei. Also wieder die unbeweisbarste, abgegriffenste aller Formeln zur Rechtfertigung der Teilung. Reich-Ranicki: »... Respekt vor einem Mann, der sich der hierzulande jetzt üblichen nationalen, mitunter ins Nationalistische übergehenden Heuchelei mit einer solchen Erklärung widersetzt.« Ist das so? Ist »hierzulande« jetzt »üblich« eine »nationale, mitunter ins Nationalistische übergehende Heuchelei«? Soviel versteht man: wenn einem »die DDR so fremd« ist »wie die Mongolei«, dann »gefällt« man Reich-Ranicki »außerordentlich«. Argumentiert muß da nicht werden, man gefällt oder gefällt nicht. Und das argumentlose persönliche Gefallen wird ausgestattet mit Zeitungsmacht. Ein solcher Satz als solcher sagt ja herzlich wenig. Aber in der *FAZ* macht er Stimmung zugunsten der deutschen Teilung. Daß ich mich, anders als Kroetz, mit der Teilung nicht abfinden kann, erklärt der Kritiker damit, daß ich Bonner »Losungen« verfallen sei; »vierzig Jahre lang« seien mir die Alemannen und die Schwaben »ungleich wichtiger« gewesen »als die ganze deutsche Frage«; ich bin also schlicht opportunistisch den neuesten Trends verfallen. Eigenartig ist das schon: anstelle eines Arguments die Unterstellung eines Motivs, eines möglichst schlimmen natürlich. Ist also mein Deutschland-Interesse eine Wirkung neuester Bonner »Losungen«? Da muß ich jetzt über ein Jahrzehnt zurückgreifen und aus einer Rede zitieren, die am 30. 8. 1977 in nächster *FAZ*-Nachbarschaft, in Bergen-Enkheim, gehalten wurde und die seit 1978 gedruckt zu haben ist. Damals habe ich mich so zu fassen versucht: »Daß es diese zwei Länder gibt, ist das Produkt einer Katastrophe, deren Ursachen man kennen kann. Ich halte es für unerträglich, die deutsche Geschichte — so schlimm sie zuletzt verlief — in einem Katastrophenprodukt zu lassen ... Wenn jemand von 1955 bis 1975 das deutsche Problem nur als Konsument der sogenannten Medien wahrgenommen hat, dann wartet er heute, wenn er sich konservativ informiert hat, in einem gotischen Kyffhäuser-Gewölbe auf den ehernen Wiedervereinigungstag, oder er ist, wenn er sich liberaler orientiert hat, bereit, für immer als narkotisierter Pragmatiker um eine offene Wunde herumzutänzeln. Ich könnte nicht einen einzigen praktischen Schritt nennen zur Überwindung des tragikomischen Un-Verhältnisses zwischen den beiden Deutschländern. Aber ich spüre ein elementares Bedürfnis, nach Sachsen und Thüringen reisen zu dürfen unter ganz anderen Umständen als denen, die jetzt herrschen. Sachsen und Thüringen sind für mich weit zurück und tief hinunter hallende Namen, die ich nicht unter ›Verlust‹ buchen kann. Nietzsche ist kein Ausländer. Leipzig ist vielleicht momentan nicht unser. Aber Leipzig ist mein. Aus meinem historischen Bewußtsein ist Deutschland nicht zu tilgen. Sie können neue Landkarten drucken, aber sie können mein Bewußtsein nicht neu herstellen. Ich weigere mich, an der Liquidierung von Geschichte teilzunehmen. In mir hat ein anderes Deutschland immer noch eine Chance. Die Welt müßte vor einem solchen Deutschland nicht mehr zusammenzucken. Und doch ist es im Augenblick reine Utopie, ist ›Wunschdenken‹. Der historische Prozeß richtet sich nach dem Bedürfnis. Ja, er entsteht sogar aus ihm. Also liegt es wirklich an uns. Allerdings an uns allein. Wir alle haben auf dem Rücken den Vaterlandsleichnam, den schönen, den schmutzigen, den sie zerschnitten haben, daß wir jetzt in zwei Abkürzungen leben sollen. In denen dürfen wir nicht leben wollen. Wir dürften, sage ich vor Kühnheit zitternd, die BRD so wenig anerkennen wie die DDR. Wir müssen die Wunde namens Deutschland offenhalten.«

Ende des Redezitats aus dem Jahre 1977. Auch ein prominenter *FAZ*-Redakteur kann nicht alles, ja, er darf nicht alles wissen. Je weniger einer weiß, um so infallibler ist er. Und am infallibelsten ist immer der Papst. Interessant für mich war, daß mein Geständnis, ich könne mich nicht mit der Teilung abfinden, im Jahr 1986 von *FAZ* und von *konkret* mit gleichgestimmtem Hohn beantwortet wurde. Das drückt aus, wie abgemeldet oder, aktuell ausgedrückt, wie wenig angesagt das nationale Thema ist. Zu den guten Gründen für diesen Zustand gehört der konservative Mißbrauch und das Adenauersche Wiedervereinigungsgedös. Andererseits haben Brandt und Bahr zur Zeit des Grundlagenvertrags noch von der offenen deutschen Frage gesprochen. Heute metaphert Brandt die deutsche Frage zur »Schizophrenie« herab, mit der wir der Welt nicht länger lästig fallen sollen, und Bahr empfiehlt uns »Verfassungspatriotismus«. Das Wort riecht nach dem Abfindungslabor, aus dem es stammt. Alles, was uns angeboten wird, riecht nach Ersatz. Und zum Realismus Schilys, der zur Vermeidung weiterer 17.-Juni-Heucheleien die Verfassungspräambel, die uns Deutschland zur Pflicht macht, streichen will, fehlt mir der kühle Mut. Also lieber noch weiterheucheln?! Was ich denn vorschlagen könne?! Die Lösung, bitte?!

Es ist immer mehr möglich, als Fachleute auszurechnen imstande sind. Das konnte man schon vor Gorbatschow sagen. Zwei vernünftige Leute gleichzeitig im Amt, einer in Washington, einer in Moskau, und in Bonn und Ostberlin keine bloßen Verwalter, dann schrumpft die Trennung. Seit Gorbatschow fällt es leichter, so etwas zu sagen. Seit er im Amt ist, ist die Welt weniger scharf geteilt. Ich will mich nicht als Kreml-Astrologe betätigen und die jeweils letzten Gorbatschowsätze nachkauen und deuten. Was auch immer er formulieren mag und muß — der von ihm entfachte Wirbelwind Perestroika wird eines Tages auch die DDR erreichen, dann wird die politische Sprache ihre pseudoreligiösen Blenden abwerfen, und Deutsche werden einander wieder verstehen. Jetzt wird schon eine Zeit vorstellbar, in der man die Adenauer-Ulbricht-Feindseligkeit mit dem Kopfschütteln betrachten wird, mit dem wir längst die grotesken Zwiste zwischen Katholiken und Protestanten betrachten. Hans Magnus-Enzensberger hat das »Deutschland-Problem« schon im Jahre 66 im *Kursbuch 4* als einen »Anachronismus« bezeichnet, es sei ein »besonders komplexer, lang verschleppter, überständiger Streitfall aus der Zeit des Kalten Krieges«. Enzensberger hat damals so positiv und voller Geschichtsfantasie wie kein anderer Vorschläge gemacht, hat die »Respektierung der DDR« empfohlen, weil sie »eine zukünftige Einigung, vielleicht sogar Vereinigung« begünstige. Er will die beiden Deutschländer konföderieren, daraus einen »Deutschen Rat« entstehen lassen, in dem Delegierte des Bundestages und der Volkskammer zusammenarbeiten. In Artikel 61 seines *Katechismus der deutschen Frage* fragt er sich, welche Rückwirkungen seine Vorschläge auf die »gesellschaftlichen Ordnungen in Deutschland« haben könnten, und antwortet: »Sie verlören ihre Geschlossenheit; sie müßten voneinander lernen; sie könnten einander Versionen ihrer Zukunft anbieten.« Leider haben die zwei deutschen Staatsbahnen dieses Kursbuch nicht zur Kenntnis genommen. Und trotzdem ist das nicht umsonst geschrieben worden. Was einen an diesem Katechismus heute noch freuen kann: ein Intellektueller geht mit unserem Problem um, als sei es für ihn lebensnotwendig das Problem zu lösen. Am Ende zeigt ein Satz, den man als eine Genauigkeitstrophäe bezeichnen kann, was einem passiert, wenn man sich der deutschen Frage aussetzt: »… das Notwendige scheint mit dem Unmöglichen identisch« zu sein. Erinnert das nicht an die mecklenburgische Standfestigkeit, mit der Uwe Johnson bis zuletzt darauf bestanden hat, daß er mit dem Wechsel von der DDR in die BRD nicht den Staat, sondern nur den Wohnort gewechselt habe!

Es hat sich aber seit Enzensbergers Katechismus und Uwe Johnsons Behauptungsarbeit die Vereitelungspotenz des Kalten Krieges so sehr erschöpft, daß wir, nahezu unversehens, dem Frieden näher sind als je zuvor.

Vielleicht liegt eine Art Vernunft darin, daß der 1945 beendete Krieg bis jetzt ohne Friedensschluß geblieben ist. Auf einen Frieden à la Versailles oder Jalta kann man verzichten. Vielleicht wird diesmal der Frieden erst geschlossen, wenn die, die ihn schließen, wirklich friedfertig geworden sind. Und daß dann eine Teilung nicht mehr nötig ist, müssen sogar die zugeben, die sie bis jetzt als eine Voraussetzung für den Frieden ansehen. Jetzt kommt es darauf an, daß die Teilung in unserer Empfindung keine Zukunftswürdigkeit hat. Das wäre momentan schon genug »Lösung«. Politik, Schule und Medien, die Wortführer also, haben, mit kraß verschiedenen Motiven, viel getan, die Teilung vernünftig zu machen.

Linke Intellektuelle und rechte sind sich bei uns im Augenblick wahrscheinlich über wenig so einig wie darüber: Die Teilung ist annehmbar. Der BRD-Erfolgsmensch will seine hart erarbeiteten Standards — auch die demokratischen — nicht auf jetziges Magdeburg zurückschrauben. Das versteht man. Am meisten Angst habe ich im Deutschland-Gespräch immer vor der Frage: Was fehlt Ihnen denn? Weil der Mangel, den ich ausdrücken will, offenbar schwer verständlich zu machen ist, weiche ich aus auf das, was anderen fehlt. Ich zitiere, was ein Edward Vogelgesang, aus Polen in die BRD gekommen, in der *FAZ* schreibt (nicht im Literaturteil): »Trotz des Aufgebens der deutschen Sprache hat meine Mutter, eine Frau mit starkem deutschem Bewußtsein, auch mir dieses Gefühl vermittelt. Doch sind wohl Spuren einer psychischen Spaltung geblieben. Die Deutschen, die aus irgendwelchen Gründen oder Zwängen in den ehemaligen deutschen Ostgebieten blieben, haben einen hohen Preis dafür bezahlt; sie bezahlten mit dem Verlust ihrer Muttersprache und nicht selten (die Jüngeren) mit dem Verlust ihrer nationalen Identität.«

Dann zieh' ich gleich noch einen Brief heraus und zitiere, was meiner Nachbarin Ricarda aus Dresden geschrieben wird: »Nun seien Sie bloß nicht sauer, wenn ich doch etwas gemeckert habe, aber es geht einfach nicht mehr anders. Aber Ihnen das Leben hier verständlich zu machen, das gelingt sowieso nicht, der Unterschied ist zu riesengroß. Wenn ich damit nur erreicht habe, daß Sie glücklich und froh sind, daß Ihre Familien seinerzeit bei der Teilung Deutschlands auf der richtigen Seite gewohnt haben. Daß Sie mich nicht vergessen werden, das macht mich sehr froh ...«

Damit will ich beweisen, es gebe noch Deutsche. Das muß man beweisen, weil einem im Deutschland-Gespräch auch Karthago und die Azteken vorgehalten werden. Und wenn ich behaupte, es gebe noch Deutsche, dann habe ich keinerlei Flaggenhissung und Hymnen im Sinn. Ich weiß ja, wie wenig ernst der BRD-Erfolgsmensch seinen Paß nimmt. Er ist mindestens Europäer. Er muß allerdings damit rechnen, daß er in Paris vor allem Franzosen, in London Engländern und in Rom Italienern begegnen wird. Was ist er dann? Gerade im Ausland erfährt man, daß man ein Deutscher sei. Selbst Metternich hat sich (1813) im Gespräch mit Napoleon offenbar als Deutschen bezeichnet. Heute ist es jedesmal eine eher traurig als selig machende Erfahrung, wenn man im Ausland daran erinnert wird, daß man ein Deutscher sei. Aber wer wäre man, wenn man den deutschen Schatten, den man offenbar wirft, schick zupuderte?

Es soll in den letzten dreißig Jahren öfter vorgekommen sein, daß Deutsche im Ausland durch entgegenkommend gemeintes, betont undeutsches Auftreten besonders unangenehm deutsch gewirkt haben.

Es gibt immer noch Deutsches, das man im Ausland als »German to the bone« bezeichnen würde und das so ehrenwert geblieben ist wie seine französische oder polnische oder italienische Entsprechung. Es gibt, zum Beispiel, eine deutsche Sprache, eine literarische Tradition, die von 35 bis 45 nicht in Verruf gebracht wurde und die nach 45 nicht im Internationalen aufging. Ich möchte eine Leseerfahrung zitieren. Der Autor: Wulf Kirsten, geboren 1934 in Klipphausen, Kreis Meißen; er wohnt und arbeitet in Weimar. Neuerdings ist sein Gedichtband *Erde in Meißen* sogar bei uns zu haben (Frankfurt 1987). Aus Kirstens Gedicht »die erde bei Meißen«:

zur Elbe winden sich
grün geschuppt die fiedrigen täler wie deichselraine.
schrotmühlen, die wäldischen einsiedler, längs den schotterrunsen
im großväterhabitus, spielen in laubigen kuhlen versteck.
um die schieferzwiebeln geduckt die ortschaften des sprengels.
abseits vom schlehenhack aufgedunsen die stänker: rübensilos.
hinter feldscheunen strohhütten gefeimt.
mit zottelmähnen holpern die feldwege hinaus in die runkelschläge.

Ein Wintergedicht geht so an:

maulfaul hocken die häuser
in zugeknöpften kapuzen
vor ihrem eignen schatten.

Ein Gedicht (»wenig gereist«) geht so an:

flußtälerkühl kommen die abendgerüche vors haus;
von den hügellehnen fallen die jahreszeiten
wie herzliche grüße aus der verwandtschaft,
zuverlässigste chronologie.

In dem Gedicht »werktätig« kommen diese Zeilen vor:

die haferkluppen forscheln und flegeln,
einen steinbock aufbänken und schlegeln,

ein heufender bäumen, das vieh beschicken,
einen brüchigen Topf mit draht einstricken,

kraut schlagen, rüben blatten,
einen reif aufziehn, einen zaun anlatten,

Und der letzte Zweizeiler dieses Gedichts:

eine leiter lehnen, haferstroh häckseln,
das zeitliche mit dem ewigen verwechseln.

Die Kirsten-Sprache ist schwer von Vergangenheit. Eine Sprache, in der man sich verproviantieren kann gegen Geschwindigkeit, Anpassung, Verlust. Jedem westlichen Leser muß bei jedem Kirsten-Gedicht kraß klarwerden: das ist nicht bei uns geschrieben worden. Der lebt ja nicht von Urteil, Idee, mediengerechter Apokalypse. Der lebt von Gegenständen, nächster Nähe. Der lebt wie barfuß. Der erlebt mit Händen und Füßen. Der weiß nicht, was er nicht erfahren hat. Das hat zur Folge: Die Sprache urteilt nicht. Sie schleppt Sachen heran. Gegen das Vergessen. Unsere westlichen Schriftsteller- und Dichtersprachen sind, verglichen mit Kirsten, urteilssüchtig, aussagetüchtig. Über alles wird einfach befunden. Bei uns. Und es wird fast nichts als befunden. Genannt wird wenig. Bewahrt nichts. Wenn ich Wulf Kirsten lese, empfinde ich, was wir in Westdeutschland verloren haben. Wir Schriftsteller, wir Leser. Wirkt, verglichen mit einem Kirsten, viel Westliteratur nicht wie Ideologie? Ich meine: daß die Sätze bei uns deutlicher sagen, was sie sagen wollen, als daß sie es sagen. Das ist, behaupte ich jetzt ein bißchen schnell, der Einfluß der Meinungsmacher auf die Literatur. Sie preisen und verwerten am liebsten das, was tut, was sie selber tun: urteilen, Meinungen machen, à la »Die Deutschen sind alle Nazis«.

Mit einem Kirstensatz kann man ja nichts anfangen. Der Meinungsgehalt eines Kirstensatzes tendiert gegen Null. *Meinung* darf man wohl jenen Inhalt nennen, der im Satz durch den Willen des Schreibenden als durch Gegenständliches vertreten ist.

Kirsten ist drüben im Aufbau-Verlag, Berlin und Weimar, erschienen und im Reclam-Verlag, Leipzig. Seine geniale Beschreibung *Die Schlacht bei Kesseldorf* lebt von der Empfindlichkeit für das Erlittene. Kirsten zerfällt die Geschichte in Kommandierende und Kommandierte. Auch sein »Kleinstadtbild« *Kleewunsch* lebt von diesem Geschichtssinn, der durch nichts zu betrügen ist. Mir ist im Westen noch kein Intellektueller begegnet, bei dem der Anspruch auf Demokratie die ganze Sensibilität ausmacht, beherrscht. In den Kirstensätzen kann man politische und dichterische Empfindungsfähigkeit überhaupt nicht mehr trennen. Eine DDR-Errungenschaft? Oder einfach: dieser Wulf Kirsten?

Die Geschichte des Marktfleckens Kleewunsch wird erzählt bis zur Epoche, in der die »Gesinnungsindustrie« sich entwickelt. Von da an schweigt der Dichter über seinen historischen Ort. Er wendet sich dem *sprengel* zu, ganz allgemein, ganz konkret: *auf der wegränder versipptes gestäud.* Ich habe den Eindruck, Wulf Kirsten habe als DDR-Bürger einen Geschichtssinn, der bei uns fehlt. Es geht nicht um Schuldzuweisungen, sondern um Inventur. Verabschieden wir uns vom deutschen Dichter Kirsten mit ein paar Zeilen aus seinem Gedicht »über sieben raine«:

und ein grobschlächtiger zughund
zerrt ohne gehabe
den erblindeten glorienschein der armut
zu markte.
über den Elbhöhen
wird der tag gekrönt.

Ich glaube, in der DDR sei uns etwas gespart. Man bräuchte die Mächtigkeit des Hölderlinschen Geschichtstons, um zu fassen, was jetzt gerade zwischen uns Deutschen passiert. Um wenigstens die Verlustempfindungen zu wecken aus ihrem selbstvergessenen Schlaf. Daß wir uns doch ein bißchen weniger möglich vorkämen. Abhängiger vom anderen. Nicht so im Recht.

Was mit Kirsten hergerufen werden soll, ist gerade nicht die Abfindungsform Kulturnation, sondern das Empfinden, daß es unblamiertes Deutsches noch gibt. VOR der Literatur. Ihr zugrunde liegend. Sonst gäbe es keinen Wulf Kirsten. Das ist eine Empfindung. Sie wird hier zur Sprache gebracht als eine Art Einladung, es auch einmal in dieser Art zu versuchen. Empfindend. Die Kirstensprache empfindend. Es könnte ja sein, daß daraus eine Erfahrung wird; und wenn sich das unvermeidliche nächste Mal das Gespräch um Deutschland dreht, stellt sie sich vielleicht sogar ein.

Am besten verliefe ein Deutschland-Gespräch, wenn man dabei auskäme ohne Verneinung. Hat man denn, solange man einen anderen verneint, überhaupt etwas zu sagen? Es genügt doch zu sagen, was uns trägt: die Vergangenheit. Was denn sonst, bitte? Jeder Baum, den du siehst, bezieht sich auf einen früheren. Auch das Flüchtigste, das Wetter von heute, wäre nicht, wenn es nicht an frühere Wetter erinnerte. Und wieviel mehr ist das der Fall bei Häusern, Gedanken, Eisenbahnen, Träumen, Polizisten, Kopfbedeckungen, Landesgrenzen ... Manchmal bleibt von der aktuellen Daseinsempfindung fast nichts übrig vor lauter Vergangenheitsandrang. Ob Faser oder Gewebe, Wort oder Text — alles ist aus nichts als Geschichte. Die Gegenwart ist nichts als der jeweils letzte Geschichtsmoment. Das Winzigste überhaupt. Zwar das, worauf es ankommt und worauf alles hinausläuft. Aber ohne die ganze Geschichte ist es wirklich nichts beziehungsweise gar nichts. Jeder Apfel, den ich esse, hat einen Namen. Das mag man bedauern. Aber es ist so. Ich kenne mich im Bewußtsein von Eintagsfliegen nicht aus, nehme aber an, daß jede Regung eines solchen Wesens durch seine ganze Geschichte bestimmt wird. Was ist die Spitze des Eisbergs gegen die Spitze der Zeit! Die Nation ist im Menschenmaß das mächtigste geschichtliche Vorkommen, bis jetzt. *Mächtig* im geologischen, nicht im politischen Sinn. Die Nation wird sich sicher auflösen irgendwann. Aber doch nicht durch eine Teilung. Doch nicht durch Jalta-Churchill-Roosevelt-Stalin. Einer solchen Fehlweisung folgt viel Aktuelles, aber nichts Entscheidendes.

So das zum Beweisen unkräftige, aber trotzdem unabweisbare Gefühl. Falls so was überhaupt sein darf, ein Geschichtsgefühl. Man kann am Ende damit nicht viel anfangen, als das zu bezeugen, daß es existiert. Aber das kann man. Ein Gefühl ist auch nicht vorschreibbar. Man hat es oder hat es nicht. Aber wenn man es hat, kann man ja zugeben, daß man es hat: das Geschichtsgefühl. Ich will es hiermit zugegeben haben.

Wenn alle anderen ein kraß anderes Geschichtsgefühl hätten, müßte man sich einigermaßen verloren vorkommen. Die Mehrheit der Wortführer, links und rechts, arbeitet mit an der Vernünftigmachung der Teilung. Die Grundgesetzpräambel und anderes Institutionelles ist keine belebende Gesellschaft. Und die Leute werden nicht gefragt. Das Volk! Populist wird man geschimpft, wenn man meint, die Deutschland-Frage könne nur vom Volk beantwortet werden. Eine Abstimmung in der DDR, eine bei uns. International überwacht. Das Selbstbestimmungsrecht der Völker praktiziert. So einfach wäre das. Und genauso unmöglich, undenkbar. Wir leben noch in einer Zeit, in der nur von oben nach unten gesprochen wird. Von unten nach oben gibt es die Volksstimme nur demoskopisch verfremdet. Man möchte, geleitet von diesem Geschichtsgefühl, sagen, die Deutschen würden, wenn sie könnten, in ihren beiden Staaten für einen Weg zur Einheit stimmen. Nach allem, was wir vom Ausland bis jetzt hören, genügt eine solche Wahrscheinlichkeit, diese Abstimmung zu verhindern. Also liegt alles an den Regierungen. Und damit im argen. Es sei denn, die beiden Bevölkerungen ließen sich diesen Pragmatismus nicht ewig gefallen. Es gibt demnach nicht die geringste konkrete Aussicht auf einen Anfang der Überwindung der Teilung. Deutschland bleibt demnach ein Wort, brauchbar für den Wetterbericht. Ich wundere mich selber darüber, daß diese konkrete Aussichtslosigkeit bei mir nicht umschlägt in Hoffnungslosigkeit. Vielleicht wirkt da dieses Geschichtsgefühl.

KURT TUCHOLSKY

Heimat

> Aber einen Trost hast du immer, eine Zuflucht, ein Wegschweifen. Selbst auf Umgebungsflachheiten stehen Bäume, Wasseraugen schimmern dich an, Horizonte sind weit, und auch durch düstere Verhängung kommt noch Feldatem.
>
> *Alfons Goldschmidt:* »Deutschland heute«

Nun haben wir auf vielen Seiten Nein gesagt, Nein aus Mitleid und Nein aus Liebe, Nein aus Haß und Nein aus Leidenschaft — und nun wollen wir auch einmal Ja sagen. Ja —: zu der Landschaft und zu dem Land Deutschland.

Dem Land, in dem wir geboren sind und dessen Sprache wir sprechen. Der Staat schere sich fort, wenn wir unsere *Heimat* lieben. Warum gerade sie — warum nicht eins von den anderen Ländern —? Es gibt so schöne.

Ja, aber unser Herz spricht dort nicht. Und wenn es spricht, dann in einer anderen Sprache — wir sagen ›Sie‹ zum Boden; wir bewundern ihn, wir schätzen ihn — aber es ist nicht das.

Es besteht kein Grund, vor jedem Fleck Deutschlands in die Knie zu sinken und zu lügen: wie schön! Aber es ist da etwas allen Gegenden Gemeinsames — und für jeden von uns ist es anders. Dem einen geht das Herz auf in den Bergen, wo Feld und Wiese in die kleinen Straßen sehen, am Rand der Gebirgsseen, wo es nach Wasser und Holz und Felsen riecht, und wo man einsam sein kann; wenn da einer seine Heimat hat, dann hört er dort ihr Herz klopfen. Das ist in schlechten Büchern, in noch dümmeren Versen und in Filmen schon so verfälscht, daß man sich beinah schämt, zu sagen: man liebe seine Heimat. Wer aber weiß, was die Musik der Berge ist, wer die tönen hören kann, wer den Rhythmus einer Landschaft spürt ... nein, wer gar nichts andres spürt, als daß er zu Hause ist; daß das da sein Land ist, sein Berg, sein See, auch wenn er nicht einen Fuß des Bodens besitzt ... es gibt ein Gefühl jenseits aller Politik, und aus diesem Gefühl heraus lieben wir dieses Land. Wir lieben es, weil die Luft so durch die Gassen fließt und nicht anders, der uns gewohnten Lichtwirkungen wegen — aus tausend Gründen, die man nicht aufzählen kann, die uns nicht einmal bewußt sind und die doch tief im Blut sitzen.

Wir lieben es, trotz der schrecklichen Fehler in der verlogenen und anachronistischen Architektur, um die man einen weiten Bogen schlagen muß; wir versuchen, an solchen Monstrositäten vorbeizusehen; wir lieben das Land, obgleich in den Wäldern und auf den öffentlichen Plätzen manch Konditorenbild eines Ferschten dräut —

laß ihn dräuen, denken wir und wandern fort über die Wege der Heide, die schön ist, trotz alledem.

Manchmal ist diese Schönheit aristokratisch und nicht minder deutsch; ich vergesse nicht, daß um so ein Schloß hundert Bauern im Notstand gelebt haben, damit dieses hier gebaut werden konnte — aber es ist dennoch, dennoch schön. Dies soll hier kein Album werden, das man auf den Geburtstagstisch legt; es gibt so viele. Auch sind sie stets unvollständig — es gibt immer noch einen Fleck Deutschland, immer noch eine Ecke, noch eine Landschaft, die der Fotograf nicht mitgenommen hat ... außerdem hat jeder sein Privat-Deutschland. Meines liegt im Norden. Es fängt in Mitteldeutschland an, wo die Luft so klar über den Dächern steht, und je weiter nordwärts man kommt, desto lauter schlägt das Herz, bis man die See wittert. Die See — Wie schon Kilometer vorher jeder Pfahl, jedes Strohdach plötzlich eine tiefere Bedeutung haben ... wir stehen nur hier, sagen sie, weil gleich hinter uns das Meer liegt — für das Meer sind wir da. Windumweht steht der Busch, feiner Sand knirscht dir zwischen den Zähnen ...

Die See. Unvergeßlich die Kindheitseindrücke; unverwischbar jede Stunde, die du dort verbracht hast — und jedes Jahr wieder die Freude und das »Guten Tag!« und wenn das Mittelländische Meer noch so blau ist ... die deutsche See. Und der Buchenwald; und das Moos, auf dem es sich weich geht, daß der Schritt nicht zu hören ist; und der kleine Weiher, mitten im Wald, auf dem die Mücken tanzen — man kann die Bäume anfassen, und wenn der Wind in ihnen saust, verstehen wir seine Sprache. Aus Scherz hat dieses Buch den Titel ›*Deutschland, Deutschland über alles*‹ bekommen, jenen törichten Vers eines großmäuligen Gedichts. Nein, Deutschland steht nicht über allem und ist nicht über allem — niemals. Aber *mit* allen soll es sein, unser Land. Und hier steht das Bekenntnis, in das dieses Buch münden soll:

Ja, wir lieben dieses Land.

Und nun will ich euch mal etwas sagen:

Es ist ja nicht wahr, daß jene, die sich ›national‹ nennen und nichts sind als bürgerlich-militaristisch, dieses Land und seine Sprache für sich gepachtet haben. Weder der Regierungsvertreter im Gehrock, noch der Oberstudienrat, noch die Herren und Damen des Stahlhelms allein sind Deutschland. Wir sind auch noch da.

Sie reißen den Mund auf und rufen: »Im Namen Deutschlands ...!« Sie rufen: »Wir lieben dieses Land, nun wir lieben es.« Es ist nicht wahr.

Im Patriotismus lassen wir uns von jedem übertreffen — wir fühlen international. In der Heimatliebe von niemandem — nicht einmal von jenen, auf deren Namen das Land grundbuchlich eingetragen ist. Unser ist es.

Und so widerwärtig mir jene sind, die — umgekehrte Nationalisten — nun überhaupt nichts mehr Gutes an diesem Lande lassen, kein gutes Haar, keinen Wald, keinen Himmel, keine Welle — so scharf verwahren wir uns dagegen, nun etwa ins Vaterländische umzufallen. Wir pfeifen auf die Fahnen — aber wir lieben dieses Land. Und so wie die nationalen Verbände über die Wege trommeln — mit dem gleichen Recht, mit genau demselben Recht nehmen wir, wir, die wir hier geboren sind, wir, die wir besser deutsch schreiben und sprechen als die Mehrzahl der nationalen Esel — mit genau demselben Recht nehmen wir Fluß und Wald in Beschlag, Strand und Haus, Lichtung und Wiese: es ist unser Land. Wir haben das Recht, Deutschland zu hassen — weil wir es lieben. Man hat uns zu berücksichtigen, wenn man von Deutschland spricht, uns: Kommunisten, junge Sozialisten, Pazifisten, Freiheitsliebende aller Grade; man hat uns mitzudenken, wenn ›Deutschland‹ gedacht wird ... wie einfach, so zu tun, als bestehe Deutschland nur aus den nationalen Verbänden.

Deutschland ist ein gespaltenes Land. Ein Teil von ihm sind wir. Und in allen Gegensätzen steht — unerschütterlich, ohne Fahne, ohne Leierkasten, ohne Sentimentalität und ohne gezücktes Schwert — die stille Liebe zu unserer Heimat.

JEAN AMÉRY

Wieviel Heimat braucht der Mensch?

Es ging durch die winternächtliche Eifel auf Schmugglerwegen nach Belgien, dessen Zöllner und Gendarmen uns einen legalen Grenzübertritt verwehrt haben würden, denn wir kamen ohne Paß und Visum, ohne alle rechtsgültige staatsbürgerliche Identität, als Flüchtlinge ins Land. Es war ein langer Weg durch die Nacht. Der Schnee lag kniehoch; die schwarzen Tannen sahen nicht anders aus als ihre Schwestern in der Heimat, aber es waren schon belgische Tannen, wir wußten, daß sie uns nicht haben wollten. Ein alter Jude in Gummischuhen, die er alle Augenblicke verlor, klammerte sich an den Gürtel meines Mantels, ächzte und versprach mir alle Reichtümer der Welt, wenn ich ihm nur jetzt erlaube, sich an mir festzuhalten, sein Bruder in Antwerpen sei ein großer und mächtiger Mann. Irgendwo, vielleicht in der Nähe der Stadt Eupen, nahm ein Lastwagen uns auf und führte uns tiefer ins Land hinein. Am nächsten Morgen standen meine junge Frau und ich am Bahnhofspostamt von Antwerpen und telegraphierten in mangelhaftem Schulfranzösisch, wir seien glücklich angekommen. Heureusement arrivé — das war anfangs Januar 1939. Seither habe ich so viele grüne Grenzen überschritten, daß es mir jetzt noch fremd und wunderbar erscheint, wenn ich, wohlversehen mit allen erforderlichen Reisepapieren, im Wagen eine Zollstation passiere: Stets klopft dabei mein Herz ziemlich stark, einem Pawlowschen Reflex gehorchend.

Als wir in Antwerpen sehr glücklich angekommen waren und dies in einem Kabel den daheimgebliebenen Angehörigen bestätigt hatten, wechselten wir das uns verbleibende Geld, zusammen fünfzehn Mark und fünfzig Pfennige, wenn ich mich recht entsinne. Das war der Besitz, mit dem wir, wie man so sagt, ein neues Leben zu beginnen hatten. Das alte war von uns abgefallen. Für immer? Für immer. Aber das weiß ich erst jetzt, fast siebenundzwanzig Jahre danach. Mit ein paar fremden Scheinen und Münzen traten wir ins Exil, was für ein Elend. Wer es nicht wußte, den hat es später der Alltag des Exils gelehrt: daß nämlich in der Etymologie des Wortes Elend, in dessen früherer Bedeutung die Verbannung steckt, noch immer die getreueste Definition liegt.

Wer das Exil kennt, hat manche Lebensantworten erlernt, und noch mehr Lebensfragen. Zu den Antworten gehört die zunächst triviale Erkenntnis, daß es keine Rückkehr gibt, weil niemals der Wiedereintritt in einen Raum auch ein Wiedergewinn der verlorenen Zeit ist. Unter den Fragen aber, die sich dem Exilierten schon am ersten Tage gleichsam ins Genick setzen und ihn nicht mehr verlassen, ist eine, die ich in diesem Aufsatz — vergeblich, das weiß ich schon, ehe ich recht begonnen habe — zu erhellen versuche: Wieviel Heimat braucht der Mensch? Was ich dabei herausfinden kann, wird wenig allgemeine Gültigkeit haben, denn ich stelle die Frage aus der sehr spezifischen Situation des aus dem Dritten Reich Exilierten, der zudem sein Land zwar verließ, weil er es unter den gegebenen Umständen auf jeden Fall hätte verlassen wollen, der aber darüber hinaus in die Fremde ging, weil er es *mußte*. Es werden sich denn meine Überlegungen aus mancherlei Gründen sehr deutlich abheben von denen jener Deutschen etwa, die aus ihren im Osten gelegenen Heimatländern vertrieben wurden. Sie verloren ihren Besitz, Haus und Hof, Geschäft, Vermögen oder auch nur einen bescheidenen Arbeitsplatz, dazu das Land, Wiesen und Hügel, einen Wald, eine Stadtsilhouette, die Kirche, in der man sie konfirmiert hatte. Wir verloren das alles auch, dazu aber noch die Menschen: den Kameraden von der Schulbank, den Nachbarn, den Lehrer. Die waren Denunzianten oder Schläger geworden, bestenfalls verlegene Abwarter. Und wir verloren die Sprache. Doch davon später.

Unser Exil war auch nicht vergleichbar der Selbstverbannung jener Emigranten, die ausschließlich ihrer Gesinnung wegen dem Dritten Reich entwichen. Ihnen war es möglich, sich mit dem Reich zu arrangieren, zurückzukehren, sei es reuig, sei es nur schweigend loyal, was manche von ihnen denn auch taten, wie der deutsche Romanschriftsteller Ernst Glaeser. Für uns, die wir damals nicht zurückkehren durften und darum heute nicht zurückkehren können, stellt sich das Problem in einer dringenderen, atemloseren Weise. Es gibt eine Anekdote hierüber, die nicht wegen ihres Humorwerts hier angeführt sei, nur um ihrer illustrativen Brauchbarkeit willen. Der Romancier Erich Maria Remarque, so wird erzählt, sei nach 1933 wiederholt von Emissären des Goebbelsministeriums in seinem Heim im Tessin aufgesucht worden, denn man wollte die »arischen« und darum niemals ganz und gar dem Bösen verhafteten Emigrantenschriftsteller zur Heimkehr, Bekehrung bewegen. Als Remarque unzugänglich blieb, fragte ihn schließlich der Abgesandte des Reiches: Ja, Mann, um Gottes willen, haben Sie denn kein Heimweh? Heimweh, wieso? soll Remarque entgegnet haben, bin ich denn ein Jude?

Was mich betraf, war ich aber sehr wohl ein Jude, wie mir 1935 nach Kundmachung der Nürnberger Gesetze bewußt geworden war, und darum hatte und habe ich auch Heimweh, ein übles, zehrendes Weh, das gar keinen volksliedhaft-traulichen, ja überhaupt keinen durch Gefühlskonventionen geheiligten Charakter hat und von dem man nicht sprechen kann im Eichendorff-Tonfall. Ich spürte es zum ersten Mal durchdringend, als ich mit fünfzehn Mark fünfzig am Wechselschalter in Antwerpen stand, und es hat mich so wenig verlassen wie die Erinnerung an Auschwitz oder an die Tortur oder an die Rückkehr aus dem Konzentrationslager, als ich mit fünfundvierzig Kilogramm Lebendgewicht und einem Zebra-Anzug wieder in der Welt stand, noch einmal überaus leicht geworden nach dem Tode des einzigen Menschen, um dessentwillen ich zwei Jahre lang Lebenskräfte wach erhalten hatte.

Was war, was ist dieses Heimweh der aus dem Dritten Reich zugleich wegen ihrer Gesinnung und ihrer Ahnentafel Vertriebenen? Ungern bediene ich mich in diesem Zusammenhang eines gestern noch modischen Begriffs, aber es gibt wahrscheinlich keinen treffenderen: mein, unser Heimweh war Selbstentfremdung. Die Vergangenheit war urplötzlich verschüttet, und man wußte nicht mehr, wer man war. In diesen Tagen führte ich noch nicht das Schriftstellerpseudonym französischen Klanges, mit dem ich heute meine Arbeiten zeichne. Meine Identität war gebunden an einen schlecht und recht deutschen Namen und an den Dialekt meines engeren Herkunftslandes. Aber den Dialekt habe ich mir nicht mehr gestatten wollen, seit dem Tage, da eine amtliche Bestimmung mir verbot, die Volkstracht zu tragen, in die ich von früher Kindheit an fast ausschließlich gekleidet gewesen war. Da hatte auch der Name nur noch wenig Sinn, mit dem mich Freunde stets in mundartlicher Tonfärbung gerufen hatten. Er war gerade noch gut für die Einschreibung ins Register unerwünschter Ausländer am Antwerpener Rathaus, wo ihn die flämischen Beamten so fremdartig aussprachen, daß ich ihn kaum verstand. Und auch die Freunde waren ausgelöscht, mit denen ich im Heimatdialekt gesprochen hatte. Nur sie? Aber nein, alles, was mein Bewußtsein angefüllt hatte, von der Geschichte meines Landes, das nicht mehr meines war, bis zu den Landschaftsbildern, deren Erinnerung ich unterdrückte: Sie waren mir unleidlich geworden seit jenem Morgen des 12. März 1938, aus dem sogar aus den Fenstern entlegener Bauernhöfe das blutrote Tuch mit der schwarzen Spinne auf weißem Grund geweht hatte. Ich war ein Mensch, der nicht mehr »wir« sagen konnte und darum nur noch gewohnheitsmäßig, aber nicht im Gefühl vollen Selbstbesitzes »ich« sagte. Manchmal geschah es, daß ich im Gespräch mit meinen mehr oder weniger wohlwollenden Antwerpener Gastfreunden beiläufig einwarf: Bei uns daheim ist das anders. »Bij ons«, das klang für meine Gesprächspartner als das Natürlichste von der Welt. Ich aber errötete, denn ich wußte, daß es eine Anmaßung war. Ich war kein Ich mehr und lebte nicht in einem Wir. Ich hatte keinen Paß und keine Vergangenheit und kein Geld und keine Geschichte. Nur eine Ahnenreihe war da, aber die bestand aus traurigen Rittern Ohneland, getroffen vom Anathem. Man hatte ihnen noch nachträglich ihr Heimatrecht entzogen, und ich mußte die Schatten mitnehmen ins Exil.

»V'n wie kimmt Ihr?« — von wo kommen Sie, fragte mich gelegentlich in jiddischer Sprache ein polnischer Jude, für den Wanderschaft und Vertreibung ebenso Familiengeschichte waren wie für mich eine sinnlos gewordene Seßhaftigkeit. Antwortete ich, daß ich aus Hohenems herstamme, konnte er natürlich nicht wissen, wo das liegt. Und war denn nicht meine Herkunft ganz und gar gleichgültig? Seine Vorfahren waren mit dem Bündel durch die Dörfer um Lwow getrottet, die meinen im Kaftan zwischen Feldkirch und Bregenz. Da war kein Unterschied mehr. Die SA- und SS-Leute waren nicht ganz so gut wie die Kosaken. Und der Mann, den sie bei mir zu Hause den Führer hießen, war viel schlimmer als der Zar. Der Wanderjude hatte mehr Heimat als ich.

Wenn es mir schon an dieser Stelle erlaubt ist, eine erste und vorläufige Antwort zu geben auf die Frage, wieviel Heimat der Mensch braucht, möchte ich sagen: um so mehr, je weniger davon er mit sich tragen kann. Denn es gibt ja so etwas wie mobile Heimat oder zumindest Heimatersatz. Das kann Religion sein, wie die jüdische. »Nächstes Jahr in Jerusalem« haben sich von alters her die Juden im Osterritual versprochen, aber es kam gar nicht darauf an, wirklich ins Heilige Land zu gelangen, vielmehr genügte es, daß man gemeinsam die Formel sprach und sich verbunden wußte im magischen Heimattraum des Stammesgottes Jahwe.

Heimatersatz kann auch Geld sein. Noch sehe ich den Antwerpener Juden vor mir, der 1940 auf der Flucht vor den deutschen Eroberern in einer flandrischen Wiese saß, aus seinem Schuh Dollarnoten holte und sie mit gehaltenem Ernst zählte. Wie glücklich Sie sind, daß Sie soviel Bargeld mit sich führen! sagte ihm neidvoll ein anderer. Und würdig darauf der Scheinezähler in seinem jiddisch durchsetzten Flämisch: »In dezen tijd behoord de mens bij zijn geld« — in dieser Zeit gehört der Mensch zu seinem Geld. Er führte die Heimat in guter amerikanischer Währung mit sich: ubi Dollar ibi patria.

Auch Ruhm und Ansehen können zeitweilig stehen für die Heimat. In Heinrich Manns Lebenserinnerungen ›Ein Zeitalter wird besichtigt‹ lese ich diese Zeilen: »Dem Bürgermeister von Paris war mein Name genannt worden. Er kam mit ausgebreiteten Armen auf mich zu: C'est vous, l'auteur de l'Ange Bleu! Das ist der Gipfel des Ruhmes, den ich kenne.« Der große Schriftsteller hatte es da ironisch im Sinne, denn offensichtlich war er verletzt, daß eine französische Persönlichkeit von ihm nur wußte, er habe einen Roman geschrieben, der dem Film ›Der blaue Engel‹ zugrunde lag. Wie undankbar große Schriftsteller sein können! Heinrich Mann war geborgen in der Heimat des Ruhms, und mochte dieser auch nur komisch in den Beinen der Dietrich halb und halb erkennbar gewesen sein.

Was mich betrifft, so war ich, verloren in der Schlange der Flüchtlinge, die vor dem Antwerpener jüdischen Hilfskomitee um die wöchentliche Unterstützung anstanden, entborgen ganz und gar. Die damals berühmten oder auch nur einigermaßen bekannten Emigrantenschriftsteller deutscher Zunge, deren Exilkdokumente heute in dem vom Wegner-Verlag herausgegebenen Band ›Verbannung‹ gesammelt sind, trafen einander in Paris, Amsterdam, Zürich, Sanary-sur-mer, New York. Auch sie hatten Sorgen und redeten über Visum, Aufenthaltserlaubnis, Hotelrechnung. Aber in ihren Gesprächen ging es auch um die Kritik eines jüngst erschienenen Buches, eine Sitzung des Schutzverbandes der Schriftsteller, einen internationalen antifaschistischen Kongreß. Sie lebten zudem in der Illusion, sie seien die Stimme des »wahren Deutschland«, die draußen sich laut erheben durfte für das in die Fesseln des Nationalsozialismus geschlagene Vaterland. Nichts dergleichen für uns Anonyme. Kein Spiel mit dem imaginären wahren Deutschland, das man mit sich genommen hatte, kein formales Ritual einer im Exil für bessere Tage aufbewahrten deutschen Kultur. Die namenlosen Flüchtlinge lebten in einem der deutschen und internationalen Realität gerechteren gesellschaftlichen Sein: das davon bestimmte Bewußtsein gestattete, erforderte, erzwang eine gründlichere Erkenntnis der Wirklichkeit. Sie wußten, daß sie Verjagte waren und nicht Konservatoren eines unsichtbaren Museums deutscher Geistesgeschichte. Sie verstanden besser, daß man sie heimatlos gemacht hatte, und sie konnten, da sie doch über keinerlei mobilen Heimatersatz verfügten, genauer erkennen, wie dringend der Mensch eine Heimat braucht.

Freilich, nur ungern lasse ich mich für einen verspäteten Nachzügler der Blut- und Boden-Armee halten, und darum will ich deutlich aussprechen, daß ich mir auch der Bereicherung und Chancen, welche die Heimatlosigkeit uns bot, wohl bewußt bin. Die Öffnung auf die Welt hin, die die Emigration uns gab — ich weiß sie mir zu schätzen. Ich ging ins Ausland und kannte von Paul Eluard nicht viel mehr als den Namen, aber einen Schriftsteller, der Karl Heinrich

Waggerl hieß, hielt ich für eine wichtige literarische Figur. Ich habe siebenundzwanzig Jahre Exil hinter mir, und meine geistigen Landsleute sind Proust, Sartre, Beckett. Nur bin ich immer noch überzeugt, daß man Landsleute in Dorf- und Stadtstraßen haben muß, wenn man der geistigen ganz froh werden soll, und daß ein kultureller Internationalismus nur im Erdreich nationaler Sicherheit recht gedeiht. Thomas Mann lebte und diskutierte in der angelsächsisch-internationalen Luft Kaliforniens und schrieb mit den Kräften nationaler Selbstgewißheit den exemplarisch deutschen ›Faustus‹. Man lese Sartres Buch ›Les mots‹ und halte es gegen die Autobiographie ›Le Traitre‹ seines Schülers, des Emigranten André Gorz: Bei Sartre, dem Vollfranzosen, die Überwindung und dialektische Assimilation des Erbes der Sartre und der Schweitzer, die seinem Internationalismus Wert und Gewicht geben; bei dem halbjüdischen österreichischen Emigranten Gorz ein hektisches Suchen nach Identität, hinter dem nichts anderes steckt als das Verlangen nach gerade jener Heimatverwurzelung, aus der der andere sich stolz und männlich löste. Man muß Heimat haben, um sie nicht nötig zu haben, so wie man im Denken das Feld formaler Logik besitzen muß, um darüber hinauszuschreiten in fruchtbarere Gebiete des Geistes.

Doch wird es Zeit, daß ich erkläre, was in meinem Sinne die mir so unerläßlich erscheinende Heimat überhaupt bedeutet. Wir müssen uns, wenn wir darüber nachdenken, lösen von althergebrachten, romantisch klischierten Vorstellungen, denen wir allerdings an einem höher gelegenen Punkt der Denkspirale, verwandelt, als Verwandelten wiederbegegnen werden. Heimat ist, reduziert auf den positiv-psychologischen Grundgehalt des Begriffs, *Sicherheit.* Denke ich zurück an die ersten Tage des Exils in Antwerpen, dann bleibt mir die Erinnerung eines Torkelns über schwanken Boden. Schrekken war es allein schon, daß man die Gesichter der Menschen nicht entziffern konnte. Ich saß beim Bier mit einem großen grobknochigen Mann mit viereckigem Schädel, der konnte ein solider flämischer Bürger sein, vielleicht sogar ein Patrizier, ebensogut aber auch ein verdächtiger Hafenbursche, der drauf und dran war, mir seine Faust ins Gesicht zu schlagen und sich meiner Frau zu bemächtigen. Gesichter, Gesten, Kleider, Häuser, Worte (auch wenn ich sie halbwegs verstand) waren Sinneswirklichkeit, aber keine deutbaren Zeichen. In dieser Welt war für mich keine Ordnung. War das Lächeln des Polizeibeamten, der unsere Papiere kontrollierte, gutmütig, indifferent oder höhnisch? War seine tiefe Stimme grollend oder voll Wohlwollen? Ich wußte es nicht. Meinte es der alte bärtige Jude, dessen gurgelnde Laute ich immerhin als Sätze aufnahm, gut mit uns oder waren wir ihm verhaßt, weil wir durch unsere bloße Anwesenheit im Stadtbild eine schon fremdenmüde, von Wirtschaftsnöten geplagte und darum zum Antisemitismus neigende heimische Bevölkerung gegen ihn aufbrachten? Ich wankte durch eine Welt, deren Zeichen mir so uneinsichtig blieben wie die etruskische Schrift. Anders jedoch als der Tourist, für den dergleichen eine pikante Verfremdung sein mag, war ich angewiesen auf diese Welt voll Rätseln. Der Mann mit dem Vierkantschädel, der stimmgrollende Polizeiagent, der gurgelnde Jude waren meine Herren und Meister. Zu Zeiten fühlte ich mich vor ihnen hinfälliger als vor dem SS-Mann daheim, denn von dem hatte ich wenigstens mit Bestimmtheit gewußt, daß er dumm und gemein war und mir nach dem Leben trachtete.

Heimat ist Sicherheit, sage ich. In der Heimat beherrschen wir souverän die Dialektik von Kennen-Erkennen, von Trauen-Vertrauen: Da wir sie kennen, erkennen wir sie und getrauen uns zu sprechen und zu handeln, weil wir in unsere Kenntnis-Erkenntnis begründetes Vertrauen haben dürfen. Das ganze Feld der verwandten Wörter treu, trauen, Zutrauen, anvertrauen, vertraulich, zutraulich gehört in den weiteren psychologischen Bereich des Sich-sicher-Fühlens. Sicher aber fühlt man sich dort, wo nichts Ungefähres zu erwarten, nichts ganz und gar Fremdes zu fürchten ist. In der Heimat leben heißt, daß sich vor uns das schon Bekannte in geringfügigen Varianten wieder und wieder ereignet. Das kann zur Verödung und zum geistigen Verwelken im Provinzialismus führen, wenn man nur die Heimat kennt und sonst nichts. Hat man aber keine Heimat, verfällt man der Ordnungslosigkeit, Verstörung, Zerfahrenheit.

Einwenden läßt sich allenfalls, daß das Exil vielleicht keine unheilbare Krankheit ist, da man doch die Fremde durch ein langes Leben in ihr und mit ihr zur Heimat machen kann; man nennt das: eine neue Heimat finden. Und es ist richtig insofern, als man langsam, langsam lernt, die Zeichen zu entziffern. Man kann unter Umständen im fremden Land so »zu Hause« sein, daß man am Ende die Fähigkeit besitzt, die Menschen nach ihrer Sprache, ihren Gesichtszügen, ihren Kleidern sozial und intellektuell zu situieren, daß man Alter, Funktion, wirtschaftlichen Wert eines Hauses auf den ersten Blick erkennt, daß man die neuen Mitbürger mühelos anschließt an ihre Geschichte und Folklore. Es wird aber gleichwohl auch in diesem günstigen Fall für den Exilierten, der schon als erwachsener Mensch ins neue Land kam, der Durchblick durch die Zeichen nicht spontan sein, vielmehr ein intellektueller, mit einem gewissen geistigen Müheaufwand verbundener Akt. Nur jene Signale, die wir sehr früh aufnahmen, deren Deutung wir zugleich mit der Besitzergreifung der Außenwelt erlernten, werden zu Konstitutionselementen und Konstanten unserer Persönlichkeit: So wie man die Muttersprache erlernt, ohne ihre Grammatik zu kennen, so erfährt man die heimische Umwelt. Muttersprache und Heimatwelt wachsen mit uns, wachsen in uns hinein und werden so zur Vertrautheit, die uns Sicherheit verbürgt.

Und hier begegnen wir nun der herkömmlichen, von Volkslied und banaler Spruchweisheit uns vermittelten Heimatvorstellung wieder, der ich vorerst ausgewichen bin. Was für unerwünschte Anklänge weht es doch herbei! Märchenerzählungen einer alten Kinderfrau, das Gesicht der Mutter überm Bett, Fliederduft aus dem Nachbarsgarten. Und warum nicht gar auch Spinnstuben und Rundgesang an der Dorflinde, die unsereins ohnehin nur aus der Literatur kennt? Man möchte die peinlich lieblichen Töne, die sich mit dem Wort Heimat assoziieren und die recht ungute Vorstellungsreihen heranführen von Heimatkunst, Heimatdichtung, Heimat-Alberei jeder Art, gerne verscheuchen. Aber sie sind hartnäckig, bleiben uns an den Fersen, stellen ihren Wirkungsanspruch. Man muß ja nun auch, bewahre, bei dem Wort Heimat nicht gleich an geistige Inferiorität denken. Man darf Carossa den mittelmäßigen Schriftsteller sein lassen, der er war. Was aber wäre Joyce ohne Dublin, Joseph Roth ohne Wien, Proust ohne Illiers? Auch die Geschichten von der Haushälterin Françoise und der Tante Leonie in der ›Recherche‹ sind Heimatdichtung. Daß rückschrittliche Bärenhäuterei den Heimatkomplex besetzt hat, verpflichtet uns nicht, ihn zu ignorieren. Darum nochmals in aller Deutlichkeit: Es gibt keine »neue Heimat«. Die Heimat ist das Kindheits- und Jugendland. Wer sie verloren hat, bleibt ein Verlorener, und habe er es auch gelernt, in der Fremde nicht mehr wie betrunken umherzutaumeln, sondern mit einiger Furchtlosigkeit den Fuß auf den Boden zu setzen.

Es kommt mir hier darauf an, Ausmaß und Wirkung des Heimatverlustes zu bestimmen, der uns Exilierte des Dritten Reiches betraf, und da muß ich eingehender ausführen, was ich bisher nur andeutete. Alle Implikationen dieser Einbuße wurden mir erst richtig erkennbar, als 1940 die Heimat in Gestalt der deutschen Eroberertruppen uns nachrückte. Ein besonders unheimliches Erlebnis fällt mir ein, das ich 1943 hatte, kurz vor meiner Verhaftung. Unsere Widerstandsgruppe hatte damals einen Stützpunkt in der Wohnung eines Mädchens; dort stand das Vervielfältigungsgerät, auf dem wir unsere illegalen Flugblätter herstellten. Gelegentlich und nebenher hatte die allzu furchtlose junge Person, die später dann auch mit dem Leben bezahlt hat, im Gespräch erwähnt, es wohnten in ihrem Haus auch »deutsche Soldaten«, was uns aber im Hinblick auf die Sicherheit des Quartiers eher günstig erschienen war. Eines Tages nun ereignete es sich, daß der unter unserem Versteck wohnende Deutsche sich durch unser Reden und unsere Hantierungen in seiner Nachmittagsruhe gestört fühlte. Er stieg hoch, pochte hart an die Tür, trat polternd über die Schwelle: ein SS-Mann mit den schwarzen Aufschlägen und den eingewebten Zeichen ausgerechnet des Sicherheitsdienstes! Wir waren alle bleich vor tödlichem Schreck, denn im Nebenzimmer standen die Utensilien unserer, ach, den Bestand des Reiches so wenig gefährdenden Propagandaarbeit. Der Mann aber, in aufgeknöpfter Uniformjacke, wirrhaarig, aus schlaftrunkenen Augen uns anstarrend, hatte gar keine in sein Jagdhundmetier einschlägigen Absichten, verlangte nur brüllend Ruhe für sich und seinen vom Nachtdienst ermüdeten Kameraden. Er stellte seine Forderung — und dies war für mich das eigentlich Erschreckende an der Szene — im Dialekt meiner engeren Heimat. Ich hatte lange diesen Tonfall nicht mehr vernommen, und darum regte sich in mir der aberwitzige Wunsch, ihm in seiner eigenen Mundart zu antworten. Ich befand mich in einem paradoxen, beinahe perversen Gefühlszustand von schlotternder Angst und gleichzeitig aufwallender familiärer Herzlichkeit, denn der Kerl, der mir in diesem Augenblick zwar nicht gerade ans Leben wollte, dessen freudig erfüllte Aufgabe es aber war, meinesgleichen in möglichst großer Menge einem Todeslager zuzuführen, erschien mir plötzlich als ein potentieller Kamerad. Genügte es nicht, ihn in seiner, meiner Sprache anzureden, um dann beim Wein ein Heimat- und Versöhnungsfest zu feiern?

Glücklicherweise waren Angst und Vernunftkontrolle stark genug, mich von dem absurden Vorhaben abzuhalten. Ich stammelte französische Entschuldigungsformeln, die ihn anscheinend beruhigten. Türenschlagend verließ der Mann den Ort der Subversion und mich, die vom Schicksal vorgesehene Beute seiner von Jägerleidenschaft beflügelten Soldatenpflicht. In diesem Augenblick begriff ich *ganz* und für immer, daß die Heimat Feindesland war und der gute Kamerad von der Feindheimat hergesandt, mich aus der Welt zu schaffen.

Es war ein recht banales Erlebnis. Doch niemals hätte dergleichen einem deutschen Ostflüchtling zustoßen können, ebensowenig wie einem Hitleremigranten, der in New York oder Kalifornien am Luftschloß der deutschen Kultur baute. Der deutsche Ostflüchtling weiß, eine fremde Macht hat ihm sein Land genommen. Der in Sicherheit lebende Kulturemigrant glaubte, er spinne weiter am Schicksalsfaden einer nur vorübergehend und gleichfalls von einer fremden, der nationalsozialistischen Herrschaft überwältigten deutschen Nation.

Wir aber hatten nicht das Land verloren, sondern mußten erkennen, daß es niemals unser Besitz gewesen war. Für uns war, was mit diesem Land und seinen Menschen zusammenhing, ein Lebensmißverständnis. Wovon wir glaubten, es sei die erste Liebe gewesen, das war, wie sie drüben sagten, Rassenschande. Was wir gemeint hatten, es habe unser Wesen ausgemacht — war es denn jemals etwas anderes als Mimikry? Bei einiger geistiger Redlichkeit war es uns, die wir während des Krieges unter feindheimatlicher Besatzung lebten, ganz unmöglich, die Heimat als von einer fremden Macht unterdrückt zu denken: zu gut gelaunt waren die Landsleute, denen wir, verborgen hinter den belgischen Landessprachen, getarnt in Kleidern belgischen Schnitts und Geschmacks, in Straßen und Tavernen zufällig begegneten. Zu einhellig erklärten sie sich, wenn wir in absichtlich gebrochenem Deutsch ein Gespräch mit ihnen anknüpften, für ihren Führer und dessen Unternehmungen. Sie sangen, daß sie gegen Engelland fahren wollten, mit den kräftigen Stimmen gläubiger Jugend. Und sie stimmten auch, marschierend, häufig ein ziemlich blödsinniges Lied an, in dem es hieß, die Juden zögen hin und her und durchs Rote Meer, bis endlich die Wellen zuschlügen und die Welt Ruh' habe; rhythmisch kraftvoll und nach Einverständnis klang auch das. In solcher Gestalt hatte die Heimat uns eingeholt, und solcherart schlug die Glocke der Muttersprache an unser Ohr.

Man wird jetzt besser verstehen, was ich meinte, wenn ich von der völlig neuartigen und durch keinerlei literarisch fixierte Gefühlskonventionen bestimmten Qualität unseres Heimwehs sprach. Das traditionelle Heimweh — nun ja, das war uns als kleine Zugabe mitbeschert worden. Wir holten es in anmaßender Wehmut, denn ein Anrecht hatten wir nicht darauf, aus uns heraus, wenn wir im Exil mit Landeseinwohnern von unserer Heimat sprachen. Dann war es da und räkelte sich in voller Tränenseligkeit, denn wohl oder übel mußten wir uns den Belgiern gegenüber als Deutsche oder Österreicher konstituieren, genauer gesagt: wir waren es sogar in diesen Momenten, da doch unsere Gesprächspartner uns die Heimat aufzwangen und die zu spielende Rolle vorschrieben. Das traditionelle Heimweh war für uns — und ist für jedermann, der sich's darin traurig wohl sein läßt — tröstendes Selbstmitleid. Doch war es stets unterströmt von dem Bewußtsein, daß wir es uns widerrechtlich angeeignet hatten. Wir sangen, wenn es sich so fügt, den Antwerpenern, vom Alkohol gelöst, Heimatlieder im Dialekt vor, erzählten von heimischen Bergen und Flüssen, wischten uns verstohlen die Augen. Was für ein Seelenschwindel! Es waren Reisen nach Hause mit gefälschten Papieren und gestohlenen Ahnentafeln. Wir mußten mimen, was wir doch waren, aber zu sein das Recht nicht hatten, welch närrisches, spiegelfechterisches Unterfangen!

Das *echte* Heimweh, das »Hauptwehe«, wenn es mir erlaubt ist, Thomas Mann respektvoll zu bestehlen, war anderer Art und suchte uns heim, wenn wir mit uns allein waren. Dann war kein Lied mehr, keine schwärmerische Beschwörung verlorener Landschaften, kein feuchtes und zugleich zwinkernd um Komplizität bittendes Auge. Das echte Heimweh war nicht Selbstmitleid, sondern Selbstzerstörung. Es bestand in der stückweisen Demontierung unserer Vergangenheit, was nicht abgehen konnte ohne Selbstverachtung und Haß gegen das verlorene Ich. Die Feindheimat wurde von uns vernichtet, und zugleich tilgten wir das Stück eigenen Lebens aus, das mit ihr verbunden war. Der mit Selbsthaß gekoppelte Heimathaß tat wehe, und der Schmerz steigerte sich aufs unerträglichste, wenn mitten in der angestrengten Arbeit der Selbstvernichtung dann und wann auch das traditionelle Heimweh aufwallte und Platz verlangte. Was zu hassen unser dringender Wunsch und unsere soziale Pflicht war, stand plötzlich vor uns und wollte ersehnt werden: ein ganz unmöglicher, neurotischer Zustand, gegen den kein psychoanalytisches Kraut gewachsen ist. Therapie hätte nur die geschichtliche Praxis sein können, ich meine: die deutsche Revolution und mit ihr das kraftvoll sich ausdrückende Verlangen der Heimat nach unserer Wiederkehr. Aber die Revolution fand nicht statt, und unsere Wiederkehr war für die Heimat nichts als eine Verlegenheit, als schließlich die nationalsozialistische Macht von außen gebrochen wurde.

Dem Verhältnis zur Heimat verwandt war in den Jahren des Exils die Beziehung zur Muttersprache. In einem ganz bestimmten Sinn haben wir auch sie verloren und können kein Rückerstattungsverfahren einleiten. In dem schon erwähnten Buch ›Verbannung‹, einer Sammlung von Exildokumenten deutscher Schriftsteller, lese ich eine Aufzeichnung des Philosophen Günther Anders, in der es heißt: »Niemand kann sich ausschließlich jahrelang in Sprachen bewegen, die er nicht beherrscht und im besten Fall nur unzulänglich nachplappert, ohne seinem inferioren Sprechen zum Opfer zu fallen ... Während wir unser Englisch, Französisch, Spanisch noch nicht gelernt hatten, begann unser Deutsch Stück für Stück abzubröckeln, und zumeist so heimlich und allmählich, daß wir den Verlust nicht bemerkten.« Doch hierin ist bei weitem nicht das ganze Sprachproblem des Exilierten eingeschlossen. Statt von einem »Abbröckeln« der Muttersprache würde ich lieber von ihrer Schrumpfung sprechen. Wir bewegten uns nämlich nicht nur in der fremden Sprache, sondern auch, wenn wir uns des Deutschen bedienten, im enge zusammenrückenden Raum eines sich ständig wiederholenden Vokabulars. Notwendigerweise drehten sich Gespräche mit Schicksalsgenossen stets um die gleichen Gegenstände: erst um Fragen des Lebensunterhalts, um Aufenthalts- und Reisepapiere, später, unter der deutschen Besatzung, um die bare Todesgefahr. Die mit uns redeten, führten unserer Sprache keine neuen Substanzen zu, warfen uns nur das Spiegelbild der eigenen zurück. Wir drehten uns allemal im Kreis der gleichen Themen, gleichen Wörter, gleichen Phrasen, und höchstens bereicherten wir unsere Rede aufs häßlichste durch die nachlässige Einführung von Formeln aus der Sprache des Gastlandes.

Drüben, in der Feindheimat, nahm das Sprachgeschehen seinen Lauf. Nicht daß es eine schöne Sprache gewesen wäre, die dort entstand, das nicht. Aber es war — samt Feindbomber, Kriegseinwirkung, Frontleitstelle, ja sogar samt allen Ausdrücken des eigentlichen Nazi-Slangs — eine Sprache der *Wirklichkeit.* Jede entwickelte Rede ist Gleichnisrede, ob sie uns erzählt von einem Baum, der trotzig einen kahlen Ast in den Himmel reckt, oder vom Juden, der vorderasiatisches Gift in den deutschen Volkskörper einträufelt. Material zum Gleichnis gibt stets die sinnfällige Realität. Wir waren aus der deutschen Realität ausgesperrt und darum auch aus der deutschen Sprache. Die meisten von uns verweigerten sich ohnehin den aus Deutschland in die besetzten Länder wehenden Sprachfetzen, mit dem prinzipiell gültigen, in der Praxis aber doch nur teilweise brauchbaren Argument, drüben würde Sprachverderb getrieben und ihre Aufgabe sei es, die deutsche Sprache »rein« zu erhalten. Dabei redeten sie teils ihr Emigranten-Chinesisch, teils eine vor unseren Augen durch Altersfalten sich entstellende Kunstsprache und ahnten zudem nicht, wieviel vom Sprachgut oder meinetwegen Sprachungut dieser Zeit sich in Deutschland erhalten würde, weit über den Zusammenbruch Hitlers hinaus, und bestimmt war, seinerseits in die Literatursprache einzugehen.

Andere, wie ich selbst, machten den aussichtslosen Versuch, sich anzuklammern an die weiterschreitende deutsche Sprache. Täglich las ich trotz äußersten Widerwillens die ›Brüsseler Zeitung‹, das Organ der deutschen Besatzungsmacht im Westen. Es hat meine Sprache nicht verdorben, hat ihr aber auch nicht fortgeholfen, denn ich war ausgeschlossen aus dem Schicksal der deutschen Gemeinschaft und damit auch aus der Sprache. »Feindbomber«, gut, aber das waren für mich die deutschen Flugzeuge, die Englands Städte in Trümmer legten, und nicht die fliegenden Festungen der Amerikaner, die ein gleiches Geschäft in Deutschland besorgten. Der Sinngehalt jedes deutschen Wortes verwandelte sich für uns, und schließlich wurde, wir mochten uns dagegen wehren oder nicht, die Muttersprache ebenso feindselig wie die, welche sie um uns redeten. Auch hierin war unser Geschick sehr verschieden von dem jener Emigranten, die in Sicherheit in den Vereinigten Staaten, in der Schweiz, in Schweden wohnten. Die Wörter waren schwer von einer gegebenen Wirklichkeit, die hieß Todesdrohung. »Füllest wieder Busch und Tal« — da war kein einziges Wort, das nicht auch der mit gezücktem Dolch vor uns stehende Mörder im Munde hätte führen können. Busch und Tal, darin versuchte man vielleicht, sich zu verbergen. Und muß ich erst noch sagen, daß der so schwere Wirklichkeitsgehalt der Muttersprache, der uns im deutsch besetzten Exil erdrückte, von schrecklicher Dauerhaftigkeit war und für uns bis heute in der Sprache lastet?

Es wurde uns aber darum nicht im gleichen Maße, wie die Muttersprache sich feindlich zeigte, die fremde zur wirklichen Freundin. Sie verhielt und verhält sich reserviert und nimmt uns nur zu kurzen Höflichkeitsbesuchen auf. Man spricht bei ihr vor, comme on visite des amis, was nicht dasselbe ist, wie wenn man bei Freunden einkehrt. La table wird niemals der Tisch, bestenfalls kann man sich daran sattessen. Selbst einzelne Vokale, und mochten ihnen die gleichen physikalischen Qualitäten eignen wie den heimischen, waren fremd und sind es geblieben. Da kommt mir in den Sinn, wie ich in den ersten Tagen des Exils in Antwerpen einen Milchjungen in stark flämisch-dialekthaftem Niederländisch an einer Haustür beim Abliefern seiner Ware ein »Ja« mit genau jenem dunklen, dem O sich annähernden A sagen hörte, wie er im gleichen Wort in meiner Heimatmundart üblich ist. Das »Ja« war bekannt und fremd zugleich, und ich begriff, daß ich in der anderen Sprache immer nur Gastrecht auf Widerruf haben würde. Die Mundstellung des Jungen, wenn er »Ja« sagte, war nicht die mir bekannte. Die Tür, vor der er das Wort sprach, sah anders aus als ein Haustor daheim. Der Himmel über der Straße war ein flämischer Himmel. Jede Sprache ist Teil einer Gesamtwirklichkeit, auf die man wohlbegründetes Besitzrecht haben muß, wenn man guten Gewissens und sicheren Schrittes in den Sprachraum eintreten soll.

Ich habe versucht, nach- und aufzuspüren, was der Verlust von Heimat und Muttersprache für uns, die wir aus dem Dritten Reich exiliert waren, bedeutete. Die Frage drängt sich aber auf — und der Titel meiner Arbeit erheischt ja Antwort —, was Heimat überhaupt und allgemein, vom persönlichen Schicksal abgesehen, für den Zeitgenossen meint. Die Gestimmtheit der Epoche ist dem Heimatgedanken nicht günstig, das ist offenbar. Gleich denkt, wer davon reden hört, an engen Nationalismus, an Territorialansprüche von Vertriebenenverbänden, an Gestriges. Heimat — ist das nicht ein verblassender Wert, ein noch emotionsbeladener, aber schon sinnlos werdender, aus abgelebten Tagen mitgeschleppter Begriff, der in der modernen Industriegesellschaft keine Realentsprechung mehr hat? Wir werden sehen. Doch zuvor muß in aller gebotenen Kürze das Verhältnis von Heimat und Vaterland abgeklärt werden, denn eine weitum verbreitete Einstellung will zwar die Heimat in ihrer regionalen folkloristischen Eingeschränktheit wenigstens als einen pittoresken Wert noch gelten lassen, während das Vaterland ihr als demagogisches Schlagwort und Ausdruck reaktionärer Verstocktheit zutiefst verdächtig ist. L'Europe des patries — das klingt nicht gut, ist nur die Obsession eines alten Generals, über den demnächst im Geschwindschritt das Zeitgeschick hinweggehen wird.

Ich bin kein alter General. Ich träume nicht von nationaler Größe, ich finde in meinem Familienalbum keine Militärs und hohen Staatsdiener. Auch habe ich eine tiefe Abneigung gegen Schützen-, Sanges- und Trachtenfeste, bin überhaupt just das, was man in Deutschland vor gar nicht so langer Zeit eine Intelligenzbestie genannt hätte, und weiß mich nicht frei von destruktiven Tendenzen. Aber da ich ein gelernter Heimatloser bin, wage ich einzustehen für den Wert Heimat, lehne auch die scharfsinnige Unterscheidung von Heimat und Vaterland ab und glaube schließlich, daß der Mensch meiner Generation ohne die beiden, die eins sind, nur schlecht auskommen kann. Wer kein Vaterland hat, will sagen: kein Obdach in einem selbständigen, eine unabhängige staatliche Einheit darstellenden Sozialkörper, der hat, so glaube ich, auch keine Heimat. »Kde domow muj — Wo ist mein Vaterland?« sangen die Tschechen, als sie im Vielvölkerstaat der österreichisch-ungarischen Monarchie ihr tschechisches Land, das kein unabhängiger Staat war, weder als Heimat noch als Vaterland finden und empfinden konnten. Sie sangen es, weil sie ein Vaterland erobern und damit ihre Heimat verwirklichen wollten. Gut, kann man einwenden, aber das war die Reaktion eines kulturell und wirtschaftlich unterdrückten, vom deutschen Staatsvolk Österreichs »kolonisierten« Volkes. Wo aus freiem Entschluß sich gleichberechtigte Nationen zusammenschließen in einem größeren Gemeinwesen, dort können sie ihre Heimat in der Pflege eines regionalen und sprachlichen Partikularismus aufbewahren, ohne das Vaterland in staatlicher Gestalt noch nötig zu haben. Ihr Vaterland wird größer sein: ein Kleineuropa morgen, ein Großeuropa übermorgen, die Welt in einer noch nicht erkennbaren, jedoch mit Gewißheit heraneilenden Zukunft.

Ich melde meine Zweifel an. Einerseits glaube ich erfahren zu haben, mit hinlänglicher Deutlichkeit, wie Heimat aufhört, Heimat zu sein, sobald sie nicht zugleich auch Vaterland ist. Als mein Land am 12. März 1938 seine staatliche Unabhängigkeit verlor und ans Großdeutsche Reich kam, wurde es mir wildfremd. Die Uniformen der Polizisten, die Briefkästen an den Häusern, die Wappen an den Ämtern, viele Schilder vor den Geschäften zeigten neue Gesichter, und selbst die Speisekarten in den Gasthäusern wiesen andere, mir unbekannte Gerichte auf. Andererseits geht das größere Vaterland seiner Qualität als Vaterland verlustig, wenn es allzuweit hinauswächst über einen noch als Heimat erfahrbaren Raum. Dann wird es zum Imperium, das seine Bewohner mit Imperialbewußtsein und erhitztem Großreichnationalismus erfüllt, wie die Sowjetunion und die USA. Wenn morgen die Nordamerikaner den ganzen Kontinent mitsamt den lateinischen Staaten eroberten, würde ihr Imperialbewußtsein das gleiche bleiben, das es heute schon ist. Dann würden sie, so wie sie heute von New England nach Iowa oder Kalifornien übersiedeln, mit ihren Familien von New York nach La Paz ziehen, im Hochgefühl, daß all dies weite Land ihnen gehöre und untertan sei dem Präsidenten im Weißen Haus. Von Vaterland und Heimat hätten sie dann nicht mehr als heute schon, wo ihnen zwischen Texas und New Jersey ihr Reich als ein umgreifender Gesellschaftskörper eher durch die standardisierten Gebrauchsgüter der Riesenindustrien bewußt wird als durch die Sprache. Wo die General Motors ist, dort ist ihr Pseudovaterland und ihre Pseudoheimat.

Natürlich kann man sagen: wennschon. Es ist gar kein Unglück für den Menschen, wenn er Heimat und Vaterland verliert. Im Gegenteil. Er wächst mit dem Raum, den er mit Selbstverständlichkeit als sein eigen betrachtet. Ist denn nicht für Deutsche, Franzosen, Italiener, Belgier, Holländer, Luxemburger schon heute das entstehende Kleineuropa, das doch im herkömmlichen Verstande weder Vaterland noch Heimat ist, ein ihnen zugewachsener Besitz? Mit gleicher Sicherheit, so sagen sie, bewegen sie sich in Karlsruhe und Neapel, Brest und Rotterdam. Sie wähnen sich in der Lage des reichen und darum bewegungs- und entscheidungsfreien Mannes, dem schon die *Welt* gehört: Ihn bringen ja die Jets geschwinder von Paris nach Tokio, von New York nach Toronto, als mich vor kaum vier Jahrzehnten ein Bummelzug von Wien in ein Tiroler Dorf fuhr. Der moderne Mensch tauscht Heimat gegen Welt ein. Was für ein glänzendes Geschäft!

La belle affaire! Aber man muß nicht gerade ein stumpfsinnig am Orte tretender Finsterling sein, um auch daran zu zweifeln. Denn mancher vergibt, wenn er einen Kosmopolitismus zweiten Ranges einhandelt für das, was gestern Heimat hieß, den Spatzen in der Hand für den Kolibri auf dem Dach. Gleich glaubt, wer im Kleinwagen von Fürth an die Côte d'Azur reist und dort auf der Caféterrasse deux Martinis bestellt, er sei ein Weltbürger der zweiten Jahrhunderthälfte und habe den Profit des Heimat-Welt-Geschäftes schon eingestrichen. Erst wenn er krank wird und der médecin ihm ein landesübliches Medikament verschreibt, kommen ihm düstere Gedanken über die französische Pharmakologie, und er seufzt nach Bayer und dem Herrn Doktor. Oberflächliche, durch Tourismus und Geschäftsreisen erworbene Welt- und Sprachenkenntnis ist keine Kompensation für Heimat. Das Tauschgeschäft erweist sich als ein dubioses.

Doch damit soll nicht gesagt sein, daß nicht kommende Geschlechter sehr wohl ohne Heimat werden auskommen können, auskommen müssen. Das, was der französische Soziologe Pierre Bertaux die Mutation des Menschen nennt, die psychische Assimilation der technisch-wissenschaftlichen Revolution, ist unvermeidlich. Die neue Welt wird viel durchgreifender *eine* sein, als kühner Großeuropatraum sich dies heute vorstellt. In vollem Umfang werden die Gegenstände des täglichen Gebrauchs, die wir heute noch emotionell besetzen, fungibel. Schon denken amerikanische Städteplaner daran, in der Zukunft das Haus zum Konsumgut zu machen. Man wird, so hört man, in Intervallen von zwanzig bis fünfundzwanzig Jahren ganze Stadtviertel einebnen und neu aufbauen, da Häuserreparaturen sich so wenig lohnen werden, wie dies heute schon bei gewissen Autoreparaturen der Fall ist. Wie aber würde in einer solchen Welt der Begriff Heimat überhaupt noch gebildet werden können? Die Städte, Autobahnen, Servicestationen, die Möbel, die elektrischen Haushaltsgegenstände, die Teller und Löffel werden überall die gleichen sein. Zu denken ist, daß auch die Sprache der Zukunftswelt das rein funktionelle Verständigungsmittel sein wird, das sie für die Naturwissenschaftler heute schon ist: Die Physiker kommunizieren in der Sprache der Mathematik, für die Cocktailparty abends genügt das Basic English. Die werdende Welt von morgen wird Heimat gewiß und Muttersprache möglicherweise aus sich ausstoßen und nur noch als einen Gegenstand historisch gelehrter Spezialforschung am Rande bestehen lassen.

Jedoch, wir sind noch nicht so weit. Noch lange nicht. Noch öffnet uns, was wir Heimat nennen, den Zugang zu einer Realität, die für uns in der Wahrnehmung durch die Sinne besteht. Anders als der Physiker, der nicht im Pendelausschlag eines Kontrollapparates

Wirklichkeit erkennt, sondern in einer mathematischen Formel, sind wir darauf angewiesen zu sehen, zu hören, zu tasten. Wir sind — und vielleicht spreche ich da nicht nur für meine eigene, schon absteigende Generation derer, die um die Fünfzig sind — darauf gestellt, in Dingen zu leben, die uns Geschichten erzählen. Wir brauchen ein Haus, von dem wir wissen, wer es vor uns bewohnt hat, ein Möbelstück, in dessen kleinen Unregelmäßigkeiten wir den Handwerker erkennen, der daran arbeitete. Wir brauchen ein Stadtantlitz, das zumindest schwache Erinnerungen erweckt an den alten Kupferstich im Museum. Für die Städteplaner von morgen, aber nicht nur für sie, sondern auch für die ohnehin nur auf Abruf an topographischen Punkten siedelnden Bewohner wird die Realität einer Stadt in den statistischen Tabellen bestehen, die eine demographische Entwicklung vorausnehmen, in den Bauplänen und Entwürfen neuer Straßen. In unser Bewußtsein aber dringt sie in ihrer Gesamtheit als Wirklichkeit immer noch durchs Auge ein — des alten Gottfried Kellers liebes Fensterlein! — und wird verarbeitet in einem mentalen Prozeß, den wir das *Erinnern* nennen.

Erinnern. Das Stichwort ist gefallen, und unsere Reflexionen schwingen von selbst zurück zu ihrem Hauptgegenstand: dem Heimatverlust dessen, den das Dritte Reich vertrieb. Er ist gealtert, und er hat in einer Zeitspanne, die nun schon nach Jahrzehnten zählt, lernen müssen, daß ihm nicht eine Wunde geschlagen wurde, die mit dem Ticken der Zeit vernarbt, sondern daß er an einer schleichenden Krankheit laboriert, die mit den Jahren schlimmer wird.

Denn mit dem Altern steht es so, daß es uns in steigendem Maße abhängig macht von der Erinnerung an die Vergangenheit. Denke ich zurück an die ersten Jahre des Exils, dann weiß ich zwar, daß ich schon damals Heim- und Vergangenheitsweh verspürte, entsinne mich aber auch, daß beide bis zu einem gewissen Grade aufgehoben wurden durch Hoffnung. Wer jung ist, der gewährt sich selbst jenen unbeschränkten Kredit, den meist auch die Umwelt ihm einräumt. Er ist nicht nur, der er ist, sondern auch der, der er sein wird. Da stand ich mit fünfzehn Mark fünfzig, da verlor ich mich in der Schlange Unterstützungsbedürftiger, da kauerte ich im Deportationszug, da löffelte ich aus einer Konservenbüchse meine Suppe. Genau zu bestimmen wußte ich mich nicht, da man mir doch Vergangenheit und Herkunft konfisziert hatte, da ich doch nicht in einem Hause wohnte, sondern in einer Baracke Nummer soundso, da ich auch den zweiten Vornamen Israel führte, den nicht die Eltern mir gegeben hatten, sondern ein Mensch namens Globke. Das war nicht gut. Das war auch nicht tödlich. Denn ich war ja, wenn auch keine entzifferbare Vergangenheit und Gegenwart, so jedenfalls eine Zukunft: vielleicht ein Mann, der einen Obergruppenführer erschlägt, vielleicht ein Arbeiter in New York, ein Siedler in Australien, ein französisch schreibender Autor in Paris, der Clochard am Seine-Quai, der es sich wohl sein läßt mit der Fuselflasche.

Wer aber altert, dessen Kredit erschöpft sich. Dessen Horizont rückt ihm an den Leib, dessen Morgen und Übermorgen hat keine Kraft und keine Gewißheit. Er ist nur, der er ist. Das Kommende ist nicht mehr um ihn und darum auch nicht in ihm. Auf ein Werden kann er sich nicht berufen. Er zeigt der Welt sein nacktes Sein. Doch kann er gleichwohl bestehen, wenn in diesem Sein ausgewogen ein Gewesen ruht. Auch wissen Sie, sagt der Alternde, dessen zukunftsloses Sein ein sozial nicht dementiertes Gewesensein enthält — ach wissen Sie, da sehen Sie vielleicht nur den kleinen Buchhalter, den mittelmäßigen Maler, den mühselig die Stiegen hinaufkeuchenden Asthmatiker. Sie sehen den, der ich bin, nicht den, der ich war. Aber auch der ich *war*, macht mein Ich noch aus, und da kann ich Ihnen auf Ehre versichern, daß mein Mathematiklehrer große Hoffnungen in mich setzte, daß meine erste Ausstellung brillante Kritiken fand, daß ich ein guter Skifahrer war. Nehmen Sie dies doch bitte hinein in das Bild, das Sie sich von mir machen. Billigen Sie mir die Dimension meiner Vergangenheit zu, ich wäre sonst ganz unvollständig. Es ist nicht wahr oder jedenfalls nicht ganz wahr, daß der Mensch nur ist, was er verwirklichte. Nicht durchaus stimmt es, was Sartre einmal gesagt hat, nämlich: daß für ein zu Ende gehendes Leben das Ende die Wahrheit des Anfangs ist. War es eine klägliche Geschichte? Vielleicht. Aber sie war es nicht in allen ihren Stadien. Meine Potentialitäten von einst gehören ebenso zu mir wie mein späteres Scheitern oder unzulängliches Gelingen. Ich habe mich zurückgezogen auf die Vergangenheit, sie ist das Altenteil, auf dem ich sitze. Ich lebe friedlich mit ihr, danke, es geht mir nicht schlecht dabei. So ungefähr die Worte dessen, der auf seine Vergangenheit ein Anrecht hat.

Der aus dem Dritten Reich Vertriebene wird sie niemals aussprechen, auch nicht denken können. Er blickt zurück — da doch die Zukunft etwas ist, das nur noch auf die Jüngeren zukommt und darum nur ihnen zukommt —, und er erspäht sich nirgendwo. Er liegt unkenntlich in den Trümmern der Jahre 1933 bis 1945. Und das nicht erst heute. Sehr genau entsinne ich mich noch jener geistig schlichten Juden aus dem Kaufmannsstand, die am Anfang des Exils, während sie die Vorzimmer exotischer Konsulate bevölkerten, sich auf ihre eben erst zerstörten sozialen Positionen in Deutschland beriefen. Der hatte ein großes Konfektionshaus in Dortmund besessen, jener ein wohlreputiertes Geschirrgeschäft in Bonn, diesen hatte man gar zum Kommerzienrat und Mitglied des Handelsgerichts gemacht. Sie ließen alle ihre Rodomontaden geschwind bleiben und duckten sich schweigend neben jene anderen hin, die niemals einen Tausendmarkschein in Händen gehalten hatten. Erstaunlich schnell begriffen sie, daß die Kunden in Dortmund und Bonn 1933 alle Käufe wieder rückgängig gemacht hatten. Ihre Vergangenheit als soziales Phänomen war von der Gesellschaft zurückgenommen worden; da war es unmöglich, sie noch als subjektiv psychologischen Besitz zu bewahren. Und je älter sie wurden, desto härter wurde ihnen der Verlust, auch dann, wenn sie längst in New York oder Tel Aviv wieder mit Kleidern und Geschirr lukrativen Handel trieben, was, beiläufig, nur einer vergleichsweise geringen Zahl von ihnen gelang.

Für manche ging es aber nicht um Handelsgut, sondern um luftigen geistigen Besitz, und da wurde der Verlust des Gewesenen zur völligen Verödung der Welt. Das haben nur jene nicht genau erkannt, die schon im Augenblick ihrer Vertreibung alt waren. Im südfranzösischen Lager Gurs, wo ich mich 1941 ein paar Monate lang befand, saß damals auch, fast siebzigjährig, der zu seiner Zeit berühmte Lyriker Alfred Mombert aus Karlsruhe und schrieb an einen Freund: »Alles fließt von mir ab, wie ein großer Regen ... Alles mußte zurückbleiben, alles. Wohnung, versiegelt durch Gestapo. Mitnahme von sage hundert Reichsmark war gestattet. Ich mit meiner 72jährigen Schwester samt der gesamten jüdischen Bevölkerung Badens und der Pfalz, samt Säugling und ältestem Greis binnen einiger Stunden zum Bahnhof, dann abtransportiert via Marseille, Toulouse zu den Basses Pyrenées in ein großes Internierungslager ... Ob Ähnliches je einem deutschen Dichter passiert ist?« Die fast unerträglichen Zeilen sind hier nur angeführt um des ersten und des letzten Satzes willen: zwischen beiden klafft ein Widerspruch, der die ganze Problematik unseres Exils enthält und dessen Auflösung man von dem alten Mann, der ein Jahr nach der Niederschrift des Briefes in der Schweiz starb, wahrhaftig nicht hätte verlangen können. Alles floß ab wie ein großer Regen, damit hat es seine Richtigkeit. Die Vergangenheit des neuromantischen Lyrikers Alfred Mombert, Verfasser des Bandes ›Der himmlische Zecher‹, floß aus der Welt an dem Tag, da man einen Siebzigjährigen namens Alfred Israel Mombert aus Karlsruhe deportierte und keine Hand sich erhob, ihn zu schützen. Und dennoch schrieb er, nachdem das nicht mehr Umkehrbare sich ereignet hatte, von sich als einem »deutschen Dichter«. Er hat in der Baracke von Gurs, hungrig, von Ungeziefer bedrängt, vielleicht brutalisiert von einem ahnungslosen Gendarmen des Vichy-Regimes, unmöglich erkennen können, wozu viele von uns Jahre gesammelten Nachdenkens, Nachspürens nötig hatten: daß ein deutscher Dichter nur ein Mann sein kann, der nicht nur *in* Deutsch dichtet, sondern *für* Deutsche auf deren ausdrückliches Verlangen; daß, wenn alles abfließt, auch die letzten Spuren der Vergangenheit mitgerissen werden. Die Hand, die sich zu seinem Schutze nicht erhob, hat den Alten verstoßen. Die Leser von einst, die gegen seine Deportierung nicht protestierten, hatten seine Verse ungeschehen gemacht. Mombert war, als er den tragischen Brief abfaßte, so wenig mehr ein deutscher Dichter wie der Kommerzienrat noch ein Kommerzienrat war, wenn er sich beim Hilfskomitee einen alten Wintermantel holte. Um dieser oder jener zu sein, brauchen wir das Einverständnis der Gesellschaft. Wenn aber die Gesellschaft widerruft, daß wir es jemals waren, sind wir es auch nie gewesen. Mombert war kein deutscher Dichter in der Baracke von Gurs: So hatte es die Hand gewollt, die sich nicht regte, als man ihn abführte. Er starb ohne Vergangenheit — und hoffen können wir nur, daß er in einigem Frieden starb, weil er es nicht wußte.

Daß alles abfloß wie ein großer Regen, haben gründlicher jene erfahren, die das Dritte Reich überlebten und Zeit hatten, mit sich ins reine zu kommen. Spätestens haben sie es an dem Tag begriffen, an dem sie zum erstenmal sich altern spürten. Es altert sich schlecht im Exil. Denn der Mensch braucht Heimat. Wieviel? Das war natürlich keine echte Frage, nur eine Titelformulierung, über deren Geglücktheit man streiten kann. Es läßt sich, was der Mensch an Heimat nötig hat, nicht quantifizieren. Und doch ist man gerade in diesen Tagen, da die Heimat an Reputation verliert, stark versucht, die bloß rhetorische Frage zu beantworten und zu sagen: Er braucht viel Heimat, mehr jedenfalls, als eine Welt von Beheimateten, deren ganzer Stolz ein kosmopolitischer Ferienspaß ist, sich träumen läßt. Man muß sich wehren gegen unstatthafte Gefühlssteigerung, die einen aus der Überlegungssphäre hinaus ins Sentimentalische reißen würde. Nietzsche ist da mit seinen schreienden, schwirren Flugs zur Stadt ziehenden Krähen und dem Winterschnee, der dem Vereinsamten droht. Weh' dem, der keine Heimat hat, heißt es im Gedicht. Man mag nicht exaltiert erscheinen und verdrängt die lyrischen Anklänge. Was bleibt, ist die nüchterne Feststellung: Es ist nicht gut, keine Heimat zu haben.

Thomas Mann

Ansprache vor Hamburger Studenten

Ich möchte nicht mit der Tür ins Haus fallen und Ihnen so ganz ohne weiteres ein paar Abschnitte aus meinem kleinen erzählerischen Manuskript zum besten geben. Dieser Lebensaugenblick hat für mich etwas Herzbewegendes, das nicht ganz stumm hinter die objektiv-künstlerische Darbietung zurücktreten sollte, sondern nach einem Ausdruck, und sei es der schlichteste, verlangt.

Im Alter atme ich noch einmal die Luft der Heimat, hanseatische Luft, — nicht gerade die Lübecks — es muß ja nicht unbedingt Lübeck sein, Hamburg tut es auch, zumal es früher und ermutigender auf dem Plan war mit dem Wunsch nach einem Wiedersehen als die Vaterstadt, — der ich übrigens von diesem Platze aus meinen herzlichen Gruß sende.

Noch einmal höre ich die Laute meiner Kindheit, das niederdeutsch-waterkantische Sprach-Timbre, urvertraut und seit vielen von wechselreichem Leben erfüllten Jahrzehnten mir aus den Ohren gekommen. Merkwürdige späte Stunde, die mich zu jungen Leuten sprechen läßt, Kindern desselben Bodens, der auch mich hervorgebracht, und in dem Alter etwa, in dem ich mich aus der Heimat davonmachte, um mit sonderbarer Sorglosigkeit das Wagnis eines Künstlerdaseins einzugehen, mit dem es dank einer freundlichen Fügung von oben noch gnädig abgelaufen ist.

Gnade. Nicht umsonst spielt dieser Begriff in meine späteren dichterischen Versuche — schon in die Josephsgeschichten, dann in den ›Faustus‹, dann in die Wiedererzählung der Gregoriuslegende — immer stärker hinein. Gnade ist es, was wir alle brauchen, und jenes »Gnade sei mit euch«, mit dem in der Lübecker Marienkirche allsonntäglich die Predigt begann, — wie mein Blick über Sie hingeht, möchte ich es, das Herz bedrängt von dieser gefährlichen Zeit, jedem einzelnen von Ihnen persönlich, der deutschen Jugend insgesamt, Deutschland selbst und unserem alten Europa wünschend zurufen: Daß Gnade mit ihm sei und ihm helfe, sich aus Wirrnis, Widerstreit und Ratlosigkeit ins Rechte zu finden.

Fünfzehn Jahre von den rund sechzig, die vergangen sind, seit ich aus der Heimat ging, habe ich in Amerika verbracht, diesem Lande des Reichtums und der Großzügigkeit, dessen kurze, glückliche Geschichte einen Befreiungskampf einschließt, von dem Goethe als von einer »Erleichterung für die Menschheit« sprach. Ich schulde diesem

Lande großen Dank, da es den Flüchtling aus Hitler-Deutschland mit hochherziger Bereitwilligkeit aufnahm und seiner Arbeit freundlichste Ehren erwies. Dennoch ist es eine seelische Tatsache, daß ich mir, je länger ich dort lebte, desto mehr meines Europäertums bewußt wurde; und trotz bequemster Lebensbedingungen ließ mein schon weit vorgeschrittenes Lebensalter den fast ängstlichen Wunsch nach Heimkehr zur alten Erde, in der ich einmal ruhen möchte, immer dringlicher werden.

Ich bin zurückgekehrt, habe mit achtundsiebzig noch einmal die Basis meines Lebens gewechselt, was in diesem Alter keine Kleinigkeit ist. Und doch, ich glaube, ich habe recht getan, habe etwas wie eine Pflicht erfüllt, indem ich auf den weiträumigen Komfort des Landes drüben verzichtete und mich dem Leben unseres lädierten, recht abgerissenen Erdteils wieder anschloß. Ist es nicht sogar so, daß es sich heute, wenigstens für einen Menschen wie mich, hier leichter atmet als dort? Das mag an der tieferen historischen Erfahrung und Geprüftheit Europas liegen, an einer größeren Gelassenheit, mit der es die Probleme unserer beschwerlichen Übergangsepoche ins Auge faßt. Enger im Raum ist das Leben hier, aber weiter in der Zeit. Die Jahrtausendperspektive Europas, wie hat sie mich ergriffen, als ich jetzt in Rom war, die Fülle seiner Denkmale diesen tieferen Durchblick vor mir aufriß und das Herz mit einer Wehmut, dem Stolze recht ähnlich, erfüllte. Europas historische Schuld, die eigene tragische Schuld an seiner Gesunkenheit beraubt es für mein Gefühl nicht seines Adels, seiner alten Würde; und ich meine, in dem erneuerten Gefühl dieser Würde, das leider weitgehend verlorengegangen ist, in einem wiedererstarkten europäischen Selbstbewußtsein, müßte es sich finden und zur Einheit gelangen. Goethe sagte: »Mir ist nicht bange, daß Deutschland nicht eins werden wird.« Lassen Sie uns sagen: Uns ist nicht bange, daß die wirkende Zeit nicht ein geeintes Europa bringen wird mit einem wiedervereinten Deutschland in seiner Mitte.

Wir wissen nicht, wie es geschehen, wie das unnatürlich zweigeteilte Deutschland wieder eins werden soll. Es ist uns dunkel, und wir sind auf den Glauben angewiesen, daß die Geschichte schon Mittel und Wege finden wird, das Unnatürliche aufzuheben und das Natürliche herzustellen: *ein* Deutschland als selbstbewußt dienendes Glied eines in Selbstbewußtsein geeinten Europa, — nicht etwa als sein Herr und Meister.

Täuschen wir uns nicht darüber, daß zu den Schwierigkeiten, die die Einigung Europas verzögern, ein Mißtrauen gehört in die Reinheit der deutschen Absichten, eine Furcht anderer Völker vor

Deutschland und vor hegemonialen Plänen, die seine vitale Tüchtigkeit ihm eingeben mag und die es nach ihrer Meinung schlecht verhehlt. Wir wollen nur zugeben, daß diese Besorgnis nicht ganz ohne Fundament und Berechtigung ist. Der Traum von einem deutschen Europa spukt selbst heute, — so elend er in Hitler zuschanden geworden ist. Sache der heraufkommenden deutschen Generation, der deutschen Jugend ist es, dies Mißtrauen, diese Furcht zu zerstreuen, indem sie das längst Verworfene verwirft und klar und einmütig ihren Willen kundgibt — nicht zu einem deutschen Europa, sondern zu einem europäischen Deutschland.

MAX FRISCH

Die Schweiz als Heimat?

Rede zur Verleihung
des Großen Schillerpreises

Herr Präsident, meine Damen und Herren.
Da es die Schweizerische Schillerstiftung ist, die uns versammelt, ließe sich über Friedrich Schiller sprechen, der, als schwäbischer Dichter, nicht die historisch-reale Schweiz zu besingen hatte, und also über Wilhelm Tell; es ließe sich darlegen, warum dieser Armbrust-Vater mit Sohn (bei Hodler ohne Sohn, nie aber ohne Armbrust) von Zeit zu Zeit demontiert werden muß: nicht weil er nie existiert hat — das kann man ihm nicht verargen —, sondern weil er, lebendig als Gestalt der Sage, die eine skandinavische ist, und so wie Friedrich Schiller ihn mit deutschem Idealismus ausgestattet hat, einem schweizerischen Selbstverständnis heute eher im Weg steht —

Ich möchte aber von etwas anderem reden.

Eine Ehrung aus der Heimat (und so sehe ich diesen Anlaß hier und bin bewegt) weckt vor allem die Frage, was eigentlich unter Heimat zu verstehen ist.

Laut Duden:
»Heimat, die (Plural ungebräuchlich): wo jemand zu Hause ist; Land, Landesteil oder Ort, in dem man (geboren und) aufgewachsen ist oder ständigen Wohnsitz gehabt hat und sich geborgen fühlt oder fühlte.« Was der Duden sagt, gilt auch für die Mundart: »Wird oft angewandt, um eine besonders gefühlsbetonte Stimmung auszudrücken oder zu erwecken.« Seit einiger Zeit allerdings nehmen wir das Wort ungern in den Mund; man beißt auf Anführungszeichen: »Heimat-Stil«, »Glocken der Heimat« usw., es erinnert an die Maxime: »Wer nicht schweigen kann, schadet der Heimat«, es riecht weniger nach Land oder Stadt, wo man, laut Duden, zu Hause ist, als nach einer heilen Welt und somit nach Geschichtsfälschung als Heimatkunde.

Liebe Landsleute:
Ich bin in der Helios-Straße geboren ... Quartier als Heimat; dazu gehört das erste Schulhaus (es steht noch) so wie eine Metzgerei, wo ich Fliegen fangen darf für meinen Laubfrosch, ferner ein Tunnel der

Kanalisation (zwischen Hegibach und Hornbach): hier stehe ich gebückt, ein Knirps, barfuß im stinkigen Abwasser, erschreckt schon durch den Hall der eigenen Stimme, und dann dieser andere Hall, wenn sie, die Bande da oben, die deinen Mut prüft, durch einen Schacht hinunter pfeift in die hohle Stille, diese Schreckensstille zwischen einzelnen Tropfen, in der Ferne das viel zu kleine Loch mit Tageslicht — Angst also auch, Überwindung der Angst um der Zugehörigkeit willen: lieber durch die Scheißwässer waten als im Quartier ein Außenseiter sein.

Was weiter gehört zur Heimat?
Was der Duden darunter versteht, ist nicht ohne weiteres zu übersetzen. MY COUNTRY erweitert und limitiert Heimat von vornherein auf ein Staatsgebiet, HOMELAND setzt Kolonien voraus, MOTHERLAND tönt zärtlicher als Vaterland, das mit Vorliebe etwas fordert und weniger beschützt als mit Leib und Leben geschützt werden will, LA PATRIE, das hißt sofort eine Flagge — und ich kann nicht sagen, daß mir beim Anblick eines Schweizerkreuzes sofort und unter allen Umständen heimatlich zumute wird; es kann sogar das Gegenteil eintreten: nie (wenn ich mich richtig erinnere) habe ich so scharfes Heimweh erfahren wie als Wehrmann in der Armee, die sich Unsere Armee nennt.

Wie ist es mit dem Pfannenstiel?
Landschaft als Heimat ... Da kenne ich Flurnamen, die nicht angeschrieben sind, oder wenn ich sie nach Jahrzehnten vergessen habe, so erinnere ich mich, sie gekannt zu haben. Heimat hat mit Erinnerung zu tun; nicht mit Erinnerung an ein ehemaliges Ereignis — Akro-Korinth, wenn die Sonne aufgeht, ist nicht Heimat geworden oder in Mexiko der Monte Alban — Heimat entsteht aus einer Fülle von Erinnerungen, die kaum noch datierbar sind. Fast meint man: diese Landschaft kennt dich (mehr als du es vielleicht willst), diese Kiesgrube, dieser Holzweg ... In diesem Sinn, Landschaft als Szenerie gelebter Jahre, wäre allerdings vieles zu nennen, nicht bloß der Pfannenstiel und der Lindenhof und der Greifensee: auch eine Düne an der Nordsee, einige römische Gassen, ein verrotteter Pier am Hudson —

Unsere Mundart gehört zu meiner Heimat.
Viele Wörter, vor allem Wörter, die Dingliches bezeichnen, bietet die Mundart an; oft weiß ich kein hochdeutsches Synonym dafür. Schon das läßt die Umwelt, die dingliche zumindest, vertrauter erscheinen,

wo ich sie mundartlich benennen kann. Als Schriftsteller übrigens, angewiesen auf die Schriftsprache, bin ich dankbar für die Mundart; sie hält das Bewußtsein in uns wach, daß Sprache, wenn wir schreiben, immer ein Kunst-Material ist. Natürlich reden Mundart auch Leute, denen man nicht die Hand gibt oder nur unter gesellschaftlichem Zwang. Wenn wir uns überhaupt nicht kennen, so kann die Mundart, die gemeinsame, sogar befremden: zum Beispiel im Speisewagen eines T.E.E. von Paris nach Zürich: der Herr gegenüber, der mit dem Kellner das bessere Französisch spricht, eben noch urban und sympathisch, aber schon verleitet uns diese unsere Mundart: wir reden plötzlich nicht mehr, wie wir denken, sondern wie Schweizer unter Schweizern zu reden haben, um einander zu bestätigen, daß sie Schweizer und unter sich sind. Was heißt Zugehörigkeit? Es gibt Menschen, die unsere Mundart nicht sprechen und trotzdem zu meiner Heimat gehören, sofern Heimat heißen soll: Hier weiß ich mich zugehörig.

Kann Ideologie eine Heimat sein?
(dann könnte man sie wählen.)
Und wie verhält es sich mit Heimat-Liebe? Hat man eine Heimat nur, wenn man sie liebt? Ich frage. Und wenn sie uns nicht liebt, hat man dann keine Heimat? Was muß ich tun, um eine Heimat zu haben, und was vor allem muß ich unterlassen? Sie scheint empfindlich zu sein; sie mag es nicht, die Heimat, wenn man den Leuten, die am meisten Heimat besitzen in Hektaren oder im Tresor, gelegentlich auf die Finger schaut, oder wer sonst, wenn nicht diese Leute und ihre honorierten Wortführer, hätte denn das schlichte Recht, uns die Heimatliebe abzusprechen?

Quartier, Landschaft, Mundart —
Es muß noch anderes geben, was Heimatlichkeit hervorbringt, Gefühl der Zugehörigkeit, Bewußtsein der Zugehörigkeit. Ich denke zum Beispiel an eine Baustelle in Zürich: ein Platz der beruflichen Tätigkeit. Der Schreibtisch ist ein solcher Platz auch und trotzdem nicht vergleichbar; mein Schreibtisch kann auch in Berlin stehen. Es hat schon, wie der Duden sagt, mit dem Ort zu tun. In erster Linie war es (für mich) das Zürcher Schauspielhaus. Ein öffentlicher Ort, zürcherisch und antifaschistisch. Proben draußen im Foyer, Proben hier (was immer dabei herausgekommen ist) in einem politischen Konsens, der beim Ausschuß des Verwaltungsrates, einem mehrheitlich fachkundigen Ausschuß, nicht aufhörte. Auch wenn ich kein eignes Stück in der Tasche oder im Sinn hatte: Zugehörigkeit auch

bei den Proben andrer, damals auch bei Proben von Friedrich Dürrenmatt. Das war jedesmal, kaum hatte ich den Koffer im Hotel abgestellt, das erste Ziel in Zürich: das Schauspielhaus, dann erst die eine oder andere Pinte, BODEGA GORGOT — die gibt es noch, besetzt von den Nachfahren, so daß man sich vorkommt wie Rip van Winkle im Märchen: Vergangenheit (Perfekt) als Heimat in der Gegenwart.

Aber es fehlt noch immer etwas.
Die Literatur, die sich um Heimatlichkeit bemüht, indem sie sich mit Geschichte und Gegenwart unsres Landes apriori versöhnt, ist beträchtlich. Heimatlicher zumute wird mir bei Robert Walser: Exil als Schein-Idylle, der Diminutiv als Ausdruck heimlicher Verzweiflung, ein großer Landsmann auf der Flucht in die Grazie. Gottfried Keller gewiß; nur beheimaten mich seine Briefe und Tagebücher mehr als sein Seldwyla, dieses verfängliche Modell der Begütigung. Gotthelf macht mich zum staunenden Gast im Emmental, nicht zum Einheimischen. Pestalozzi beheimatet mich in seinem revolutionären Ethos mehr als in unserer Umwelt — aber dann denke ich auch schon an Georg Büchner, an Tolstoi ...

Oder genügen ganz einfach die Freunde?
Übrigens nicht zu vergessen sind die heimatlichen Speisen, köstliche wie einfache; Weine, die spätestens nach dem zweiten Schluck das gute Gefühl verschaffen, man kenne sich aus in der Welt wenigstens hier. Und vergessen habe ich den Hauptbahnhof der Vaterstadt; anders als alle Bahnhöfe der Welt: Hier kam man nicht zum ersten Mal an, hier fuhr man zum ersten Mal weg.

HEIMAT:
wo dieser Begriff sich verschärft: in Berlin, wenn ich Woche um Woche die Mauer sehe (von beiden Seiten); ihr Zickzack durch die Stadt, Stacheldraht und Beton, darauf das Zementrohr, dessen Rundung einem Flüchtling keinen Griff bietet, Spitzensportler haben getestet, daß diese Grenze kaum zu überwinden ist, selbst wenn nicht geschossen würde, die Wachttürme und Scheinwerferlicht auf Sand, wo jeder verbotene Tritt zu sehen ist, Wachthunde — hüben und drüben dasselbe Wetter und fast noch die gleiche Sprache; die verbliebene Heimat, die schwierige Heimat und die andere, die keine mehr wird.

Mit Freunden ist es so: einer ist Fallschirmspringer der deutschen Wehrmacht gewesen, einer in russischer Gefangenschaft, ein andrer in amerikanischer Gefangenschaft, einer als Schüler im Volkssturm mit Panzerfaust, ein andrer ist in Mecklenburg erzogen worden und vergißt es nicht; ein amerikanischer Freund ist in Korea gewesen und spricht nie davon; wieder ein andrer, Jude, ist unter Stalin zehn Jahre im Kerker gewesen — und man versteht sich nicht weniger als mit Freunden in Biel oder Basel oder Solothurn oder Zürich; nicht weniger, doch anders. Jene sind Freunde, diese sind Freunde und Landsleute: unsere Erfahrungen sind ähnlicher, unsere Lebensläufe vergleichbar, und bei allem Unterschied der Temperamente haben wir schließlich den gleichen Bundesrat, die gleiche Landesgeschichte.

Also doch: Schweiz als Heimat?
Außer Zweifel steht das Bedürfnis nach Heimat, und obschon ich nicht ohne weiteres definieren kann, was ich als Heimat empfinde, so darf ich ohne Zögern sagen: Ich habe eine Heimat, ich bin nicht heimatlos, ich bin froh, Heimat zu haben — aber kann ich sagen, es sei die Schweiz?

Schweiz als Territorium:
kommt man nach Jahren etwa von Rom, so ist der Tessin vergleichsweise helvetisch, um die Seen herum sogar in einem erschrekkenden Grad; wenn die Einheimischen sagen: IL NOSTRO PAESE! so bin ich gerührt, sofern sie damit nicht die verkauften Hänge meinen, sondern die Schweiz: die gleichen Bundesbahnmützen und die gleiche Wehrsteuer, IL NOSTRO PAESE, wobei man in diesen Tälern der schwindenden Italianità natürlich den Unterschied zwischen Deutschschweizern und Deutschen kennt, nur überzeugt er die Einheimischen nicht ganz, und ich selber, wohnhaft im Tessin, würde nie sagen, der Tessin sei meine Heimat, obschon ich mich dort wohlfühle.

Muß man sich in der Heimat wohlfühlen?

Außer Zweifel steht ferner, daß Heimat uns prägt — was sich beim Schriftsteller vielleicht besonders deutlich zeigt, nämlich lesbar. Versammle ich die Figuren meiner Erfindung: BIN auf seiner Reise nach Peking, STILLER, der in Zürich sich selbst entkommen möchte. HOMO FABER, der sich selbst versäumt, weil er nirgendwohin gehört, der heimelige HERR BIEDERMANN usw., so erübrigt sich das Vorzeigen meines Schweizer Passes. ANDORRA ist nicht die Schweiz, nur das Modell einer Angst, es könnte die Schweiz sein; Angst eines Schweizers offenbar. GANTENBEIN spielt den Blinden; um sich mit der Umwelt zu vertragen. GRAF ÖDERLAND, Figur einer supponierten Legende und seinem Namen nach eher skandinavisch, greift zur Axt, weil er die entleerte und erstarrte Gesellschaft, die er als Staatsanwalt vertritt, am eignen Leib nicht mehr erträgt, und obschon eine Revolte dieser Art nicht hier, sondern 1968 in Paris stattgefunden hat, schreibt die französische Presse: »un rêve helvétique« ... so geprägt ist man.

Man wählt sich die Heimat nicht aus.
Trotzdem zögere ich zu sagen: MEINE HEIMAT IST DIE SCHWEIZ. Andere sagen SCHWEIZ und meinen etwas anderes. Unsere Verfassung bestimmt nicht, wer eigentlich zu bestimmen hat, was SCHWEIZERISCH oder UNSCHWEIZERISCH ist — wer: die Bundesanwaltschaft? der Stammtisch? der Hochschulrat? die Finanz und ihre gediegene Presse? die Schweizerische Offiziersgesellschaft?

HEIMAT:
ist Heimat der Bezirk, wo wir als Kind und als Schüler die ersten Erfahrungen machen mit der Umwelt, der natürlichen und der gesellschaftlichen; ist Heimat infolgedessen der Bezirk, wo wir durch unbewußte Anpassung (oft bis zum Selbstverlust in frühen Jahren) zur Illusion gelangen, hier sei die Welt nicht fremd, so ist Heimat ein Problem der Identität, d.h. ein Dilemma zwischen Fremdheit im Bezirk, dem wir zugeboren sind, oder Selbstentfremdung durch Anpassung. Das letztere (es gilt für die große Mehrheit) braucht Kompensation. Je weniger ich, infolge Anpassung an den Bezirk, jemals zur Erfahrung gelange, wer ich bin, um so öfter werde ich sagen: ICH ALS SCHWEIZER, WIR ALS SCHWEIZER; um so bedürftiger bin ich, als rechter Schweizer im Sinn der Mehrheit zu gelten. Identifikation mit einer Mehrheit, die aus Angepaßten besteht, als Kompensation für die versäumte oder durch gesellschaftlichen Zwang verhinderte Identität der Person mit sich selbst, das liegt jedem Chauvinismus zugrunde. Chauvinismus als das Gegenteil von Selbstbewußtsein. Der primitive Ausdruck solcher Angst, man könnte im eignen Nest der Fremde sein, ist die Xenophobie, die so gern mit Patriotismus verwechselt wird — eine andere Vokabel, die auf den Hund gekommen ist; auch sie brauchen wir nur noch in Anführungszeichen. Zu Unrecht. Ein Patriot (ohne Anführungszeichen) wäre einer, der seine Identität als Person gefunden oder nie verloren hat und von daher ein Volk als sein Volk erkennt: ein Pablo Neruda, ein Aufständischer also, im glücklichen Fall ein großer, ein Poet, der seinem Volk eine andere Sprache als die Sprache der Anpassung vorspricht und dadurch seine Identität zurückgibt oder zum ersten Mal verleiht, was unweigerlich, in beiden Fällen, revolutionär ist; denn die Masse der Angepaßten hat keine Heimat, sie hat nur ein Establishment mit

Flagge, das sich als Heimat ausgibt und dazu das Militär besitzt — nicht nur in Chile ...

Was unser Land betrifft:
Es scheint, daß die jüngeren Landsleute weitaus gelassener sind, nicht unkritisch, aber gelassener. Die Schweiz, die sie erfahren, ist die Schweiz nach dem Zweiten Weltkrieg, das heißt: sie fühlen sich weniger, als es für uns viele Jahre lang der Fall gewesen ist, auf dieses Land angewiesen. Wo wir uns aus Erinnerung ereifern, zucken sie die Achsel. Was beheimatet sie? Auch wenn sie im Land bleiben, leben sie im Bewußtsein, daß Vokabeln wie Föderalismus, Neutralität, Unabhängigkeit eine Illusion bezeichnen in einer Epoche der Herrschaft multinationaler Konzerne. Sie sehen, daß von ihrem Land nicht viel ausgeht; die Maulhelden aus dem Kalten Krieg haben ihre Karriere gemacht, sei es als Bankier oder in der Kultur-Politik oder beides zusammen. Was sie, unsere jüngeren Landsleute, politisch beheimaten könnte, ein konstruktiver Beitrag zur Europa-Politik, davon ist wenig zu sehen. Was hingegen zu sehen ist: LAW AND ORDER, und nach außen: eine Schweiz, die sich ausschweigt im Interesse privater Wirtschaftsbeziehungen, verglichen mit andern Kleinstaaten wie Schweden oder Dänemark mehr als zurückhaltend mit offizieller Willenskundgebung, die zwar das Weltgeschehen nicht ändern könnte — immerhin könnte sie unsere moralische Partizipation am Weltgeschehen entprivatisieren, und das wäre schon etwas: wir könnten uns mit der Schweiz solidarisieren.

»UNBEHAGEN IM KLEINSTAAT«
das ist es wohl nicht, verehrter Professor Karl Schmid, was dem einen und anderen Eidgenossen zu schaffen macht; nicht die Kleinstaatlichkeit. BESOIN DE GRANDEUR, das zielt nicht auf Großstaat; die Nostalgie ist eine andere. So gefällig sie auch ist, die These, Unbehagen an der heutigen Schweiz können nur Psychopathen haben, sie beweist noch nicht die gesellschaftliche Gesundheit der Schweiz. Wie heimatlich der Staat ist (und das heißt: wie verteidigungswürdig), wird immer davon abhängen, wieweit wir uns mit den staatlichen Einrichtungen und (das kommt dazu) mit ihrer derzeitigen Handhabung identifizieren können. Das gelingt in manchem. Und dann wieder nicht. Mit der schweizerischen Militär-Justiz, wo die Armee als Richter in eigner Sache richtet, kann ein Demokrat sich schwerlich identifizieren. Wage ich es dennoch, mein naives Bedürfnis nach Heimat zu verbinden mit meiner Staatsbürgerschaft, nämlich zu sagen: ICH BIN SCHWEIZER (nicht bloß Inhaber eines schweize-

rischen Reisepasses, geboren auf schweizerischem Territorium usw., sondern Schweizer aus Bekenntnis), so kann ich mich allerdings, wenn ich HEIMAT sage, nicht mehr begnügen mit Pfannenstiel und Greifensee und Lindenhof und Mundart, nicht einmal mit Gottfried Keller; dann gehört zu meiner Heimat auch die Schande, zum Beispiel die schweizerische Flüchtlingspolitik im Zweiten Weltkrieg und anderes, was zu unsrer Zeit geschieht oder nicht geschieht. Das ist, ich weiß nicht, nicht der Heimat-Begriff nach dem Schnittmuster der Abteilung HEER UND HAUS; es ist meiner. Heimat ist nicht durch Behaglichkeit definiert. Wer HEIMAT sagt, nimmt mehr auf sich. Wenn ich z. B. lese, daß unsere Botschaft in Santiago de Chile (eine Villa, die man sich vorstellen kann, nicht grandios, immerhin eine Villa) in entscheidenden Stunden und Tagen keine Betten hat für Anhänger einer rechtmäßigen Regierung, die keine Betten suchen, sondern Schutz vor barbarischer Rechtlosigkeit und Exekution (mit Sturmgewehren schweizerischer Herkunft) oder Folter, so verstehe ich mich als Schweizer ganz und gar, dieser meiner Heimat verbunden — einmal wieder — in Zorn und Scham.

Ich komme zum Dank.
Ich danke der Schweizerischen Schillerstiftung für die hohe Ehre aus der Heimat, nicht ohne zu wissen um die ernste Verlegenheit des einen und anderen Aufsichtsrates; um so ernster danke ich. Ich danke Adolf Muschg für seine Rede. Ich danke Ihnen, daß Sie hieher gekommen sind.

Friedrich Hölderlin

Heimkunft

An die Verwandten

1

Drin in den Alpen ist's noch helle Nacht, und die Wolke,
Freudiges dichtend, sie deckt drinnen das gähnende Tal.
Dahin, dorthin toset und stürzt die scherzende Bergluft,
Schroff durch Tannen herab glänzet und schwindet ein Strahl.
Langsam eilt und kämpft das freudigschauernde Chaos;
Jung an Gestalt, doch stark, feiert es liebenden Streit
Unter den Felsen, es gärt und wankt in den ewigen Schranken,
Denn bacchantischer zieht drinnen der Morgen herauf.
Denn es wächst unendlicher dort das Jahr, und die heil'gen
Stunden, die Tage, sie sind kühner geordnet, gemischt.
Dennoch merket die Zeit der Gewittervogel, und zwischen
Bergen hoch in der Luft weilt er und rufet den Tag.
Jetzt auch wachet und schaut in der Tiefe drinnen das Dörflein,
Furchtlos, Hohem vertraut, unter den Gipfeln hinauf,
Wachstum ahnend; denn schon wie Blitze fallen die alten
Wasserquellen, der Grund unter den stürzenden dampft,
Echo tönet umher, und die unermeßliche Werkstatt
Reget bei Tag und Nacht Gaben versendend den Arm.

2

Ruhig glänzen indes die silbernen Höhen darüber,
Voll mit Rosen ist schon droben der leuchtende Schnee.
Und noch höher hinauf wohnt über dem Lichte der reine
Selige Gott vom Spiel heiliger Strahlen erfreut.
Stille wohnt er allein, und hell erscheinet sein Antlitz;
Der Ätherische scheint Leben zu geben geneigt,
Freude zu schaffen mit uns, wie oft, wenn kundig des Maßes,
Kundig der Atmenden, auch zögernd und schonend, der Gott
Wohlgediegenes Glück den Städten und Häusern und milde
Regen, zu öffnen das Land, brütende Wolken und euch,
Trauteste Lüfte dann, euch, sanfte Frühlinge, sendet,
Und mit langsamer Hand Traurige wieder erfreut,
Wenn er die Zeiten erneut, der Schöpferische, die stillen

Herzen der alternden Menschheit erfrischt und ergreift,
Und hinab in die Tiefe wirkt und öffnet und aufhellt,
Wie er's liebet, und jetzt wieder ein Leben beginnt,
Anmut blühet, wie einst, und gegenwärtiger Geist kommt,
Und ein freudiger Mut wieder die Fittiche schwellt.

3

Vieles sprach ich zu ihm, denn was auch Dichtende sinnen
Oder singen, es gilt meistens den Engeln und ihm;
Vieles bat ich zulieb dem Vaterlande, damit nicht
Ungebeten uns einst plötzlich befiele der Geist.
Vieles für euch auch, die im Vaterlande besorgt sind,
Denen der heilige Dank lächelnd die Flüchtlinge bringt,
Landesleute! für euch; indessen wiegte der See mich,
Und der Ruderer saß ruhig und lobte die Fahrt.
Weit in des Sees Ebene war's *ein* freudiges Wallen
Unter den Segeln, und jetzt blühet und hellet die Stadt
Dort in der Frühe sich auf; wohl her von schattigen Alpen
Kommt geleitet und ruht nun in dem Hafen das Schiff.
Warm ist das Ufer hier, und freundlich offene Tale,
Schön von Pfaden erhellt, grünen und schimmern mich an.
Gärten stehen gesellt, und die glänzende Knospe beginnt schon,
Und des Vogels Gesang ladet den Wanderer ein.
Alles scheint vertraut, der vorübereilende Gruß auch
Scheint von Freunden, es scheint jegliche Miene verwandt.

4

Freilich wohl! das Geburtsland ist's, der Boden der Heimat,
Was du suchest, es ist nahe, begegnet dir schon.
Und umsonst nicht steht wie ein Sohn am wellenumrauschten
Tor und siehet und sucht liebende Namen für dich,
Mit Gesang ein wandernder Mann, glückseliges Lindau!
Eine der gastlichen Pforten des Landes ist dies,
Reizend hinauszugehn in die vielversprechende Ferne,
Dort, wo die Wunder sind, dort, wo das göttliche Wild,
Hoch in die Ebnen herab der Rhein die verwegene Bahn bricht,
Und aus Felsen hervor ziehet das jauchzende Tal,
Dort hinein, durchs helle Gebirge, nach Como zu wandern,
Oder hinab, wie der Tag wandelt, den offenen See;
Aber reizender mir bist du, geweihete Pforte!

Heimzugehen, wo bekannt blühende Wege mir sind,
Dort zu besuchen das Land und die schönen Tale des Neckars,
Und die Wälder, das Grün heiliger Bäume, wo gern
Sich die Eiche gesellt mit stillen Birken und Buchen,
Und in Bergen ein Ort freundlich gefangen mich nimmt.

5

Dort empfangen sie mich. O Stimme der Stadt, der Mutter!
O du triffest, du regst Langegelerntes mir auf!
Dennoch sind sie es noch! Noch blühet die Sonn' und die Freud'
euch,
O ihr Liebsten, und fast heller im Auge, wie sonst.
Ja! das Alte noch ist's! Es gedeihet und reifet, doch keines,
Was da lebet und liebt, lässet die Treue zurück.
Aber das Beste, der Fund, der unter des heiligen Friedens
Bogen lieget, er ist Jungen und Alten gespart.
Törig red' ich. Es ist die Freude. Doch morgen und künftig,
Wenn wir gehen und schaun draußen das lebende Feld
Unter den Blüten des Baums in den Feiertagen des Frühlings,
Red' und hoff' ich mit euch vieles, ihr Lieben, davon.
Vieles hab' ich gehört vom großen Vater und habe
Lange geschwiegen von ihm, welcher die wandernde Zeit
Droben in Höhen erfrischt und waltet über Gebirgen;
Der gewähret uns bald himmlische Gaben und ruft
Hellern Gesang und schickt viel gute Geister. O säumt nicht,
Kommt, Erhaltenden ihr! Engel des Jahres! und ihr,

6

Engel des Hauses, kommt, in die Adern alle des Lebens,
Alle freuend zugleich, teile das Himmlische sich!
Adle, verjünge, damit nichts menschlich Gutes, damit nicht
Eine Stunde des Tages ohne die Frohen, und auch
Solche Freude, wie jetzt, wenn Liebende wieder sich finden,
Wie es gehört für sie, schicklich geheiliget sei.
Wenn wir segnen das Mahl, wen darf ich nennen? und wenn wir
Ruhn vom Leben des Tages, saget, wie bring ich den Dank?
Nenn ich den Hohen dabei? Unschickliches liebet ein Gott nicht,
Ihn zu fassen, ist fast unsere Freude zu klein.
Schweigen müssen wir oft; es fehlen heilige Namen,
Herzen schlagen, und doch bleibet die Rede zurück?

Aber ein Saitenspiel leiht jeder Stunde die Töne,
Und erfreuet vielleicht Himmlische, welche sich nahn.
Das bereitet, und so ist auch beinahe die Sorge
Schon befriediget, die unter das Freudige kam.
Sorgen wie diese muß, gern oder nicht, in der Seele
Tragen ein Sänger und oft, aber die anderen nicht.

O Bellarmin! wo ein Volk das Schöne liebt, wo es den Genius in seinen Künstlern ehrt, da weht, wie Lebensluft, ein allgemeiner Geist, da öffnet sich der scheue Sinn, der Eigendünkel schmilzt, und fromm und groß sind alle Herzen und Helden gebiert die Begeisterung. Die Heimat aller Menschen ist bei solchem Volk und gerne mag der Fremde sich verweilen. Wo aber so beleidigt wird die göttliche Natur und ihre Künstler, ach! da ist des Lebens beste Lust hinweg, und jeder andre Stern ist besser, denn die Erde. Wüster immer, öder werden da die Menschen, die doch alle schöngeboren sind; der Knechtsinn wächst, mit ihm der grobe Mut, der Rausch wächst mit den Sorgen, und mit der Üppigkeit der Hunger und die Nahrungsangst; zum Fluche wird der Segen jedes Jahrs und alle Götter fliehn.

Und wehe dem Fremdling, der aus Liebe wandert, und zu solchem Volke kömmt, und dreifach weh dem, der, so wie ich, von großem Schmerz getrieben, ein Bettler meiner Art, zu solchem Volke kömmt! —

Genug! du kennst mich, wirst es gut aufnehmen, Bellarmin! Ich sprach in deinem Namen auch, ich sprach für alle, die in diesem Lande sind und leiden, wie ich dort gelitten.

FRIEDRICH HÖLDERLIN

JEAN PAUL

Wanderung von Kuhschnappel nach Baireuth

Die Abdankung des Nachtwächters trieb ihn endlich aus dem Schlafsessel in den gestirnten, wehenden Morgen hinaus.

Er schlich aber vorher noch einmal in die Kammer an das heißträumende Rosenmädchen, drückte ein Fenster zu, dessen kalte Zugluft heimlich ihr wehrloses Herz anfiel, und hielt seine nahen Lippen vom weckenden Kusse ab und sah sie bloß so gut an, als es das Sternenlicht und das blasse Morgenrot erlaubten, bis er das zu dunkel werdende Auge beim Gedanken wegwandte: ich sehe sie vielleicht zum letzten Mal.

Bei dem Durchgange durch die Stube sah ihn ordentlich ihr Flachsrocken mit seinen breiten farbigen Papierbändern, womit sie ihn aus Mangel an Seidenband zierlich umwickelt hatte, und ihr stilles Spinnrad an, das sie gewöhnlich in dunkler Morgen- und Abendzeit, wo nicht gut zu nähen war, zu treten gepflegt; und als er sich vorstellte, wie sie während seiner Abwesenheit ganz einsam das Rädchen und die Flöckchen so eifrig handhaben werde: so riefen alle Wünsche in ihm: es gehe der Armen doch gut, und immer, wenn ich sie auch wiedersehe.

Dieser Gedanke des letzten Mals wurde draußen noch lebhafter durch den kleinen Schwindel, den die Wallungen und der Abbruch des Schlummers ihm in den physischen Kopf setzten, und durch das wehmütige Zurückblicken auf sein weichendes Haus, auf die verdunkelte Stadt und auf die Verwandlung des Vorgrunds in einen Hintergrund und auf das Entfliehen der Spaziergänge und aller Höhen, auf denen er oft sein erstarrtes, in den vorigen Winter eingefrornes Herz warm getragen hatte. Hinter ihm fiel das Blatt, worauf er sich als Blattwickler und Minierraupe herumgekäuet hatte, als *Blätterskelett* herab.

Aber die erste *fremde* Erde, die er noch mit keinen Stationen seines Leidens bezeichnet hatte, sog schon, wie Schlangenstein, aus seinem Herzen einige scharfe Gifttropfen des Grams.

Nun schoß die Sonnenflamme immer näher herauf an die entzündeten Morgenwolken — endlich gingen am Himmel und in den Bächen und in den Teichen und in den blühenden Taukelchen hundert Sonnen miteinander auf, und über die Erde schwammen tausend Farben, und aus dem Himmel brach ein einziges lichtes Weiß.

Das Schicksal pflückte aus Firmians Seele, wie Gärtner im Frühling aus Blumen, die meisten alten, gelben, welken Blättchen aus. — Durch das Gehen nahm das Schwindeln mehr ab als zu. In der Seele stieg eine überirdische Sonne mit der zweiten am Himmel. In jedem Tal, in jedem Wäldchen, auf jeder Höhe warf er einige pressende Ringe von der engen Puppe des winterlichen Lebens und Kummers ab und faltete die nassen Ober- und Unterflügel auf und ließ sich von den Mailüften mit vier ausgedehnten Schwingen in den Himmel unter tiefere Tagschmetterlinge und über höhere Blumen wehen.

Aber wie kräftig fing das bewegte Leben an, in ihm zu gären und zu brausen, da er aus der Diamantgrube eines Tales voll Schatten und Tropfen herausstieg, einige Stufen unter dem Himmeltore des Frühlings. — Wie aus dem Meere, und noch naß, hatte ein allmächtiges Erdbeben eine unübersehliche, neugeschaffne, in Blüte stehende Ebene mit jungen Trieben und Kräften heraufgedrängt — das Feuer der Erde loderte unter den Wurzeln des weiten hangenden Gartens, und das Feuer des Himmels flammte herab und brannte den Gipfeln und Blumen die Farben ein — zwischen den Porzellantürmen weißer Berge standen die gefärbten blühenden Höhen als Throngerüste der Fruchtgöttinnen — über das weite Lustlager zogen sich Blütenkelche und schwüle Tropfen als bevölkerte Zelte hinauf und hinab, der Boden war mit wimmelnden Bruttafeln von Gräsern und kleinen Herzen belegt, und ein Herz ums andere riß sich geflügelt oder mit Floßfedern oder mit Fühlfäden aus den heißen Brutzellen der Natur empor und sumste und sog und schnalzte und sang, und für jeden Honigrüssel war schon lange der Freudenkelch aufgetan. — Nur das Schoßkind der unendlichen Mutter, der Mensch, stand allein mit hellen frohen Augen auf dem Marktplatz der lebendigen Sonnenstadt voll Glanz und Lärm und schauete trunken rund herum in alle unzählige Gassen. — Aber seine ewige Mutter ruhte unverhüllt in der Unermeßlichkeit, und nur an der Wärme, die an sein Herz ging, fühlte er, daß er an ihrem liege ... — Firmian ruhte in einer Bauerhütte von diesem zweistündigen Rausch des Herzens aus. Der brausende Geist dieses Freudenkelchs stieg einem Kranken wie ihm leichter in das Herz, wie andern Kranken in den Kopf.

Als er wieder ins Freie trat, lösete sich der Glanz in Helle auf, die Begeisterung in Heiterkeit. Jeder rote hängende Maikäfer und jedes rote Kirchendach und jeder schillerne Strom, der Funken und Sterne sprühte, warf fröhliche Lichter und hohe Farben in seine Seele. Wenn er in den laut atmenden und schnaubenden Waldungen das Schreien der Köhler und das Widerhallen der Peitschen und das Krachen fallender Bäume vernahm — wenn er dann hinaustrat und die weißen Schlösser anschauete und die weißen Straßen, die wie Sternbilder und Milchstraßen den tiefen Grund aus Grün durchschnitten, und die glänzenen Wolkenflocken im tiefen Blau — und wenn die Funkenblitze bald von Bäumen tropften, bald aus Bächen stäubten, bald über ferne Sägen glitten: — so konnte ja wohl kein dunstiger Winkel seiner Seele, keine umstellte Ecke mehr ohne Sonnenschein und Frühling bleiben; das nur im feuchten Schatten wachsende Moos der nagenden zehrenden Sorge fiel im Freien von seinen Brot- und Freiheitbäumen ab, und seine Seele mußte ja in die tausend um ihn fliegenden und sumsenden Singstimmen einfallen und mitsingen: das Leben ist schön, und die Jugend ist noch schöner, und der Frühling ist am allerschönsten.

Der vorige Winter lag hinter ihm wie der düstere zugefrorne Südpol, und der Reichsmarktflecken lag unter ihm wie ein dumpfiges tiefes Schulkarzer mit triefendem Gemäuer. Bloß über seine Stube kreuzten heitere breite Sonnenstreife; und noch dazu dachte er sich seine Lenette darin als Alleinherrscherin, die heute kochen, waschen und reden durfte, was sie wollte, und die überdies den ganzen Tag den Kopf (und die Hände) davon voll hatte, was abends Liebes komme. Er gönnt' ihr heute in ihrer engen Eierschale, Schwefelhütte und Kartause recht von Herzen den herumfließenden Glanz, den in ihr Petrus-Gefängnis der eintretende Engel mitbrachte, der Pelzstiefel. »Ach, in Gottes Namen«, dacht' er, »soll sie so freudig sein wie ich, und noch mehr, wenns möglich ist.«

Je mehr Dörfer vor ihm mit ihren wandernden Theatertruppen vorüberliefen: desto theatralischer kam ihm das Leben vor* — seine Bürden wurden Gastrollen und aristotelische Knoten — seine Kleider Opernkleider — seine neuen Stiefeln Kothurne — sein Geldbeutel eine Theaterkasse — und eine der schönsten Erkennungen auf dem Theater bereitete sich ihm an dem Busen seines Lieblinges zu ...

Nachmittags um 3½ Uhr wurde auf einmal in einem noch schwäbischen Dorfe, nach dessen Namen er nicht gefragt, in seiner Seele alles zu Wasser, zu Tränen, so daß er sich selber über die Erweichung verwunderte. Die Nachbarschaft um ihn ließ eher das Widerspiel vermuten: er stand an einem alten, ein wenig gesenkten Maienbaum mit dürrem Gipfel — die Bauerweiber begossen die im Sonnenlicht glänzende Leinwand auf dem Gemeindeanger — und warfen den gelbwollichten Gänsen die zerhackten *Eier* und Nesseln als Futter

* Jede Reise verwandelt das Spießbürgerliche und Kleinstädtische in unserer Brust in etwas Weltbürgerliches und Göttlichstädtisches (Stadt Gottes).

vor — Hecken wurden von einem adeligen Gärtner beschoren, und die Schafe, die es schon waren, wurden vom Schweizerhorn des Hirten um den Maienbaum versammelt. — Alles war so jugendlich, so hold, so italienisch — der schöne Mai hatte alles halb oder ganz entkleidet, die Schafe, die Gänse, die Weiber, den Hornisten, den Heckenscherer und seine Hecken ...

Warum wurd' er in einer so lachenden Umgebung zu weich? — Im Grunde weniger darum, weil er heute den ganzen Tag zu froh gewesen war, als hauptsächlich, weil der Schaf-Fagottist durch seine Komödienpfeife seine Truppe unter den Maienbaum rief. Firmian hatte in seiner Kindheit hundertmal den Schafstall seines Vaters dem blasenden Prager und Schäfer unter den Hirtenstab getrieben — und dieser Alpen-Kuhreigen weckte auf einmal seine rosenrote Kindheit, und sie richtete sich aus ihrem Morgentau und aus ihrer Laube von Blütenknospen und eingeschlafnen Blumen auf und trat himmlisch vor ihn und lächelte ihn unschuldig und mit ihren tausend Hoffnungen an und sagte: »Schau' mich an, wie schön ich bin — wir haben zusammen gespielt — ich habe dir sonst viel geschenkt, große Reiche und Wiesen und Gold und ein schönes, langes Paradies hinter dem Berg — aber du hast ja gar nichts mehr! Und bist noch dazu so bleich! Spiele wieder mit mir!« — O wem unter uns wird nicht die Kindheit tausendmal durch Musik geweckt, und sie redet ihn an und fragt ihn: »Sind die Rosenknospen, die ich dir gab, denn noch nicht aufgebrochen?« O wohl sind sie's, aber weiße Rosen warens.

Seine Freudenblumen schloß der Abend mit ihren Blättern über ihren Honiggefäßen zu, und auf sein Herz fiel der Abendtau der Wehmut kälter und größer, je länger er ging. Gerade vor Sonnenuntergang kam er vor ein Dorf — leider ists mir aus dem Gedächtnis wie ausgestrichen, obs Honhart oder Honstein oder Jaxheim war: so viel darf ich für gewiß ausgeben, daß es eines von dreien war, weil es neben dem Fluß Jaxt und an der Ellwangschen Grenze im Anspachschen lag. Sein Nachtquartier rauchte vor ihm im Tal. Er legte sich, eh' ers bezog, auf einem Hügel unter einen Baum, dessen Blätter und Zweige ein Chorpult singender Wesen waren. Nicht weit von ihm glänzte in der Abendsonne das Rauschgold eines zitternden Wassers, und über ihm flatterte das vergoldete Laubwerk um die weißen Blüten, wie Gräser um Blumen. Der Guckguck, der sein eigner Resonanzboden und sein eignes vielfaches Echo ist, redete ihn aus finstern Gipfeln mit einer trüben Klagstimme an — die Sonne floß dahin — über den Glanz des Tages warfen die Schatten dichtere Trauerflöre — unser Freund war ganz allein — und er fragte sich: »Was wird jetzt meine Lenette tun, und an wen wird sie denken, und wer wird bei ihr sein?« — Und hier durchstieß der Gedanke: »Aber ich habe keine Geliebte an meiner Hand!« mit einer Eishand sein Herz. Und als er sich die schöne, zarte weibliche Seele recht klar gemalet hatte, die er oft gerufen, aber nie gesehen, der er gern so viel, nicht bloß sein Herz, nicht bloß sein Leben, sondern alle seine Wünsche, alle seine Launen hingeopfert hätte: so ging er freilich den Hügel mit schwimmenden Augen, die er vergeblich trocknete, hinunter; aber wenigstens jede gute weibliche Seele, die mich liest und die vergeblich oder verarmend geliebt, wird ihm seine heißen Tropfen vergeben, weil sie selber erfahren, wie der innre Mensch gleichsam durch eine vom giftigen Samielwinde durchzogne Wüste reiset, in welcher entseelte, vom Winde getroffne Gestalten liegen, deren Arme sich abreißen von der eingeäscherten Brust, wenn der Lebendige sie ergreift und anziehen will an seine warme. Aber ihr, in deren Händen so manche erkalteten durch Wankelmut oder durch Todesfrost, ihr dürft doch nicht so klagen wie der Einsame, der nie etwas verloren, weil er nie etwas gewonnen, und der nach einer ewigen Liebe schmachtet, von der ihm nicht einmal eine zeitliche ein Trugbild jemals zum Troste zugesandt.

Firmian brachte eine stille, weiche, sich träumend-heile Seele in sein Nachtlager und auf sein Bette mit. Wenn er darin den Blick aufschlug aus dem Schlummer, schimmerten die Sternbilder, die sein Fenster ausschnitt, freundlich in seine frohen hellen Augen und warfen ihm die astrologische Weissagung eines heitern Tages herab.

Er flatterte mit der ersten Lerche und mit ebenso viel Trillern und Kräften aus der Furche seines Bettes auf. Er konnte diesen Tag, wo die Ermüdung seinen Fantasien die Paradiesvogel-Schwingen berupfte, nicht ganz aus dem Anspachischen gelangen.

Den Tag darauf erreichte er das Bambergische (denn Nürnberg und dessen pays coutumiers und pays du droit écrit ließ er rechts liegen). Sein Weg lief von einem Paradies durch das andere — Die Ebene schien aus musivisch aneinander gerückten Gärten zu bestehen — Die Berge schienen sich gleichsam tiefer auf die Erde niederzulegen, damit der Mensch leichter ihre Rücken und Höcker besteige — Die Laubholz-Waldungen waren wie Kränze bei einem Jubelfest der Natur umhergeworfen, und die einsinkende Sonne glimmte oft hinter der durchbrochnen Arbeit eines Laubgeländers auf einem verlängerten Hügel wie ein Purpurapfel in einer durchbrochnen Fruchtschale — In der einen Vertiefung wünschte man den Mittagschlaf zu genießen, in einer andern das Frühstück, an jenem Bache den Mond, wenn er im Zenith stand, hinter diesen Bäumen ihn, wenn er erst aufging, unten an jener Anhöhe vor *Streitberg* die Sonne, wenn sie in ein grünes Gitterbette von Bäumen steigt.

Da er den Tag darauf schon mittags nach *Streitberg* kam, wo man alle jene genannten Dinge auf einmal erleben wollte: so hätt' er recht gut — er mußte denn kein so flinker Fußgänger sein als sein Lebenbeschreiber — noch gegen Abend die Baireuther Turmknöpfe das rot der Abend-Aurora auflegen sehn können; aber er wollte nicht, er sagte zu sich: »Ich wäre dumm, wenn ich so hundemüde und ausgetrocknet die erste Stunde der schönsten Wiedererkennung anfinge und so mich und ihn (Leibgebern) um allen Schlaf und am Ende um das halbe Vergnügen (denn wie viel könnten wir heute noch reden?) brächte. Nein, lieber morgen früh um 6 Uhr, damit wir doch einen ganzen langen Tag zu unserem tausendjährigen Reiche vor uns haben.«

Er übernachtete daher in Fantaisie, einem artistischen Lust- und Rosen- und Blütental, ein halbe Meile von Baireuth. Es wird mir schwer, das papierne Modell, das ich von diesem Seifersdorfer Miniatur-Tal hier aufzustellen vermöchte, so lange zurückzutun, bis ich einen geräumigern Platz vorfinde; aber es muß sein, und bekomm' ich keinen, so steht mir allemal noch hinten vor dem Buchbinderblatte dazu ein breiter offen.

Firmian ging neben Fledermäusen und Maikäfern — dem Vortrab und den Vorposten eines blauen Tages — und hinter den Baireuthern, die ihren Sonntag und ihre Himmelfahrt beschlossen — es war der 7te Mai — und zwar so spät, daß das erste Mondviertel recht deutlich alle Blüten und Zweige auf der grünen Grundierung silhouettieren konnte — — also so spät ging er noch auf eine Anhöhe, von der er auf das von der Brautnacht des Frühlings sanft überdeckte und mit Lunens Funken gestickte Baireuth, in welchem der geliebte Bruder seines Ichs verweilte und an ihn dachte, tränen- und freudentrunkne Blicke werfen konnte ... Ich kann in seinem Namen es mit »Wahrlich« beteuern, daß er beinahe mir nachgeschlagen wäre: ich hätte nämlich mit einem solchen warmquellenden Herzen, in einer solchen von Gold und Silber und Azur zugleich geschmückten Nacht vor allen Dingen einen Sprung getan in den Gasthof zur Sonne, an meines unvergeßlichen Freundes Leibgebers Herz.

HEINRICH VON KLEIST

Würzburg

Ich finde jetzt die Gegend um diese Stadt weit angenehmer, als ich sie bei meinem Einzuge fand; ja ich möchte fast sagen, daß ich sie jetzt schön finde — und ich weiß nicht, ob sich die Gegend verändert hat, oder das Herz, das ihren Eindruck empfing. Wenn ich jetzt auf der steinernen Mainbrücke stehe, die das Zitadell von der Stadt trennt, und den gleitenden Strom betrachte, der durch Berge und Auen in tausend Krümmungen heranströmt und unter meinen Füßen weg fließt, so ist es mir, als ob ich über ein Leben erhaben stünde. Ich stehe daher gern am Abend auf diesem Gewölbe und lasse den Wasserstrom und den Luftstrom mir entgegenrauschen. Oder ich kehre mich um, und verfolge den Lauf des Flusses, bis er sich in die Berge verliert, und verliere mich selbst dabei in stille Betrachtungen. Besonders ein Schauspiel ist mir sehr merkwürdig. Grade aus strömt der Main von der Brücke weg, und pfeilschnell, als hätte er sein Ziel schon im Auge, als sollt ihn nichts abhalten, es zu erreichen, als wollte er es, ungeduldig, auf dem kürzesten Wege ereilen — aber ein Rebenhügel beugt seinen stürmischen Lauf, sanft aber mit festem Sinn, wie eine Gattin den stürmischen Willen ihres Mannes, und zeigt ihm mit edler Standhaftigkeit den Weg, der ihn ins Meer führen wird —— und er ehrt die bescheidene Warnung und folgt der freundlichen Weisung, und gibt sein voreiliges Ziel auf und durchbricht den Rebenhügel nicht, sondern umgeht ihn, mit beruhigtem Laufe, seine blumigen Füße ihm küssend —

Selbst von dem Berge aus, von dem ich Würzburg zuerst erblickte, gefällt es mir jetzt, und ich möchte fast sagen, daß es von dieser Seite am schönsten sei. Ich sah es letzthin von diesem Berge in der Abenddämmerung, nicht ohne inniges Vergnügen. Die Höhe senkt sich allmählich herab und in der Tiefe liegt die Stadt. Von beiden Seiten hinter ihr ziehen im halben Kreise Bergketten sich heran, und nähern sich freundlich, als wollten sie sich die Hände geben, wie ein Paar alte Freunde nach einer lange verflossenen Beleidigung — aber der Main tritt zwischen sie, wie die bittere Erinnerung, und sie wanken, und keiner wagt es, zuerst hinüberzuschreiten, und folgen beide langsam dem scheidenden Strom, wehmütige Blicke über die Scheidewand wechselnd —

In der Tiefe, sagte ich, liegt die Stadt, wie in der Mitte eines Amphitheaters. Die Terrassen der umschließenden Berge dienten statt der Logen, Wesen aller Art blickten als Zuschauer voll Freude herab und sangen und sprachen Beifall, oben in der Loge des Himmels stand Gott. Und aus dem Gewölbe des großen Schauspielhauses sank der Kronleuchter der Sonne herab, und versteckte sich hinter die Erde — denn es sollte ein Nachtstück aufgeführt werden. Ein blauer Schleier umhüllte die ganze Gegend, und es war, als wäre der azurne Himmel selbst herniedergesunken auf die Erde. Die Häuser in der Tiefe lagen in dunklen Massen da, wie das Gehäuse einer Schnecke, hoch empor in die Nachtluft ragten die Spitzen der Türme, wie die Fühlhörner eines Insektes, und das Klingen der Glocken klang wie der heitere Ruf des Heimchens — und hinten starb die Sonne, aber hochrot glühend vor Entzücken, wie ein Held, und das blasse Zodiakallicht umschimmerte sie, wie eine Glorie das Haupt eines Heiligen ——

Vorgestern ging ich aus, einen andern Berg von der Nordseite zu ersteigen. Es war ein Weinberg, und ein enger Pfad führte durch gesegnete Rebenstangen auf seinen Gipfel. Ich hatte nicht geglaubt, daß der Berg so hoch sei — und er war es vielleicht auch nicht, aber sie hatten aus den Weinbergen alle Steine rechts und links in diesen Weg geworfen, das Ersteigen zu erschweren —— gerade wie das Schicksal oder die Menschen mir auf den Weg zu dem Ziele, das ich nun doch erreicht habe. Ich lachte über diese auffallende Ähnlichkeit — liebes Mädchen, du weißt noch nicht alles, was mir in Berlin, und in Dresden, in Bayreuth, ja selbst hier in Würzburg begegnet ist, das alles wird noch einen langen Brief kosten. Damals ärgerte ich mich aber so über die Steine, die mir in den Weg geworfen wurden, ließ mich aber nicht stören, vergoß zwar heiße Schweißtropfen, aber erreichte doch, wie vorgestern, das Ziel. Das Ersteigen der Berge, wie der Weg zur Tugend, ist besonders wegen der Aussicht, die man oben vor sich hat, beschwerlich. Drei Schritte weit sieht man, weiter nicht, und nichts als die Stufen, die erstiegen werden müssen, und kaum ist ein Stein überschritten, gleich ist ein andrer da, und jeder Fehltritt schmerzt doppelt, und die ganze Mühseligkeit wird gleichsam wiedergekaut —— aber man muß an die Aussicht denken, wenn man den Gipfel erstiegen hat. Oh, wie herrlich war der Anblick des Maintales von dieser Höhe! Hügel und Täler und Wasser, und Städte und Dörfer, alles durcheinander wie ein gewirkter Fußteppich! Der Main wandte sich bald rechts, bald links, und küßte bald den einen, bald den anderen Rebenhügel, und wankte zwischen seinen beiden Ufern, die ihm gleich teuer schienen, wie ein Kind zwischen Vater und Mutter. Der Felsen mit der Zitadelle sah ernst auf die Stadt herab, und bewachte sie, wie ein Riese sein Kleinod, und an den Außenwerken herum schlich ein Weg, wie ein Spion, und krümmte sich in jede Bastion, als ob er rekognoszieren wollte, wagte aber nicht in die Stadt zu gehen, sondern verlor sich in die Berge —

Aber keine Erscheinung in der Natur kann mir eine so wehmütige Freude abgewinnen, als ein Gewitter am Morgen, besonders wenn es ausgedonnert hat. Wir hatten hier vor einigen Tagen dies Schauspiel — oh, es war eine prächtige Szene! Im Westen stand das nächtliche Gewitter und wütete, wie ein Tyrann, und von Osten her stieg die Sonne herauf, ruhig und schweigend, wie ein Held. Und seine Blitze warf ihm das Ungewitter zischend zu und schalt ihn laut mit der Stimme des Donners — er aber schwieg, der göttliche Stern, und stieg herauf, und blickte mit Hoheit herab auf den unruhigen Nebel unter seinen Füßen, und sah sich tröstend um nach den andern Sonnen, die ihn umgaben, als ob er seine Freunde beruhigen wollte — Und einen letzten fürchterlichen Donnerschlag schleuderte ihm das Ungewitter entgegen, als ob es seinen ganzen Vorrat von Galle und Geifer in einem Funken ausspeien wollte — aber die Sonne wankte nicht in ihrer Bahn, und nahte sich unerschrocken, und bestieg den Thron des Himmels —— und blaß, wie vor Schreck, entfärbte sich die Nacht des Gewölks, und zerstob wie dünner Rauch, und sank unter den Horizont, wenige schwache Flüche murmelnd ——

Aber welch ein Tag folgte diesem Morgen! Laue Luftzüge wehten mich an, leise flüsterte das Laub, große Tropfen fielen mit langen Pausen von den Bäumen, ein mattes Licht lag ausgegossen über die Gegend, und die ganze Natur schien ermattet nach dieser großen Anstrengung, wie ein Held nach der Arbeit des Kampfes —

JOSEPH VON EICHENDORFF

Die Heimat

An meinen Bruder

Denkst du des Schlosses noch auf stiller Höh'?
Das Horn lockt nächtlich dort, als ob's dich riefe,
Am Abgrund grast das Reh,
Es rauscht der Wald verwirrend aus der Tiefe —
O stille, wecke nicht, es war als schliefe
Da drunten ein unnennbar Weh.

Kennst du den Garten? — Wenn sich Lenz erneut,
Geht dort ein Mädchen auf den kühlen Gängen
Still durch die Einsamkeit,
Und weckt den leisen Strom von Zauberklängen,
Als ob die Blumen und die Bäume sängen
Rings von der alten schönen Zeit.

Ihr Wipfel und ihr Bronnen rauscht nur zu!
Wohin du auch in wilder Lust magst dringen,
Du findest nirgends Ruh',
Erreichen wird dich das geheime Singen, —
Ach, dieses Bannes zauberischen Ringen
Entfliehn wir nimmer, ich und du!

Heimweh

Wer in die Fremde will wandern,
Der muß mit der Liebsten gehn,
Es jubeln und lassen die andern
Den Fremden alleine stehn.

Was wisset ihr, dunkle Wipfel,
Von der alten, schönen Zeit?
Ach, die Heimat hinter den Gipfeln,
Wie liegt sie von hier so weit!

Am liebsten betracht' ich die Sterne,
Die schienen, wie ich ging zu ihr,
Die Nachtigall hör' ich so gerne,
Sie sang vor der Liebsten Tür.

Der Morgen, das ist meine Freude!
Da steig' ich in stiller Stund'
Auf den höchsten Berg in die Weite,
Grüß' dich, Deutschland, aus Herzensgrund!

Bettina von Arnim

Der Rhein bei Bingen

Du wirst doch auch einmal den Rhein wieder besuchen, den Garten deines Vaterlandes, der dem Ausgewanderten die Heimat ersetzt, wo die Natur so freundlich groß sich zeigt; — wie hat sie mit sympathetischem Geist die mächtigen Ruinen aufs neue belebt, wie steigt sie auf und ab an den düstern Mauern und begleitet die verödeten Räume mit schmeichelnder Begrasung, und erzieht die wilden Rosen auf den alten Warten und die Vogelkirsche, die aus verwitterter Mauerluke herablacht. Ja komm und durchwandre den mächtigen Bergwald vom Tempel herab zum Felsennest, das über dem schäumenden Bingerloch herabsieht, die Zinnen mit jungen Eichen gekrönt; wo die schlanken Dreiborde wie schlaue Eidechsen durch die reißende Flut am Mäuseturm vorbeischießen. Da stehst du und siehst, wie der helle Himmel über grünenden Rebhügeln aus dem Wasserspiegel herauflacht, und dich selbst auf deinem kecken, eigensinnigen basaltnen Ehrenfels inmitten abgemalt, in ernste schaurig umfassende Felshöhen und hartnäckige Vorsprünge eingerahmt; da betrachte dir die Mündungen der Tale, die mit ihren friedlichen Klöstern zwischen wallenden Saaten aus blauer Ferne hervorgrünen, und die Jagdreviere und hängenden Gärten, die von einer Burg zur anderen sich schwingen, und das Geschmeide der Städte und Dörfer, das die Ufer schmückt …

Hier sind noch tausend herrliche Wege, die alle nach berühmten Gegenden des Rheins führen; jenseits liegt der Johannisberg, auf dessen steilen Rücken wir täglich Prozessionen hinaufklettern sehen, die den Weinbergen Segen erflehen, dort überströmt die scheidende Sonne das reiche Land mit ihrem Purpur, und der Abendwind trägt feierlich die Fahnen der Schutzheiligen in den Lüften, und bläht die weitfaltigen weißen Chorhemden der Geistlichkeit auf, die sich in der Dämmerung wie ein rätselhaftes Wolkengebilde den Berg hinabschlängeln …

Warst du schon auf dem Rochusberg? — Er hat in der Ferne was sehr Anlockendes, wie soll ich es dir beschreiben? — So, als wenn man ihn gern befühlen, streicheln möchte, so glatt und samtartig. Wenn die Kapelle auf der Höhe von der Abendsonne beleuchtet ist, und man sieht in die reichen, grünen, runden Täler, die sich wieder so fest aneinanderschließen, so scheint er sehnsüchtig an das Ufer des Rheins gelagert mit seinem sanften Anschmiegen an die Gegend, und mit den geglätteten Furchen die ganze Natur zur Lust erwecken zu wollen. Er ist mir der liebste Platz im Rheingau; er liegt eine Stunde von unserer Wohnung; ich habe ihn schon morgens und abends, im Nebel, Regen und Sonnenschein besucht. Die Kapelle ist erst seit ein paar Jahren zerstört, das halbe Dach ist herunter, nur die Rippen eines Schiffgewölbes stehen noch, in welches Weihen ein großes Nest gebaut haben, die mit ihren Jungen ewig aus- und einfliegen, ein wildes Geschrei halten, das sehr an die Wassergegend gemahnt. — Der Hauptaltar steht noch zur Hälfte, auf demselben ein hohes Kreuz, an welches unten der heruntergestürzte Christusleib festgebunden ist. Ich klettere an dem Altar hinauf; um den Trümmern noch eine letzte Ehre anzutun, wollte ich einen großen Blumenstrauß, den ich unterwegs gesammelt hatte, zwischen eine Spalte des Kopfes stecken; zu meinem größten Schreck fiel mir der Kopf vor die Füße, die Weihen und Spatzen und alles, was da genistet hatte, flog durch das Gepolter auf, und die stille Einsamkeit des Orts war Minuten lang gestört. Durch die Öffnungen der Türen schauen die entferntesten Gebirge: auf der einen Seite der Altkönig, auf der andern der ganze Hundsrück bis Kreuznach, vom Donnersberg begrenzt; rückwärts kannst du so viel Land übersehen als du Lust hast. Wie ein breites Feiergewand zieht es der Rhein schleppend hinter sich her, den du vor der Kapelle mit allen grünen Inseln wie mit Smaragden geschmückt liegen siehst; der Rüdesheimer Berg, der Scharlach- und Johannisberg, und wie all das edle Gefels heißt, wo der beste Wein wächst, fangen die heißen Sonnenstrahlen wie blitzende Juwelen auf; man kann da alle Wirkung der Natur in der Kraft des Weines deutlich erkennen, wie sich die Nebel zu Ballen wälzen und sich an den Bergwänden herabsenken, wie das Erdreich sie gierig schluckt, und wie die heißen Winde drüber herstreifen. Es ist nichts schöner, als wenn das Abendrot über einen solchen benebelten Weinberg fällt; da ist's, als ob der Herr selbst die alte Schöpfung wieder angefrischt habe, ja als ob der Weinberg vom eignen Geist benebelt sei. —

HEINRICH HEINE

Aus der Harzreise

Die Sonne ging auf. Die Nebel flohen, wie Gespenster beim dritten Hahnenschrei. Ich stieg wieder bergauf und bergab, und vor mir schwebte die schöne Sonne, immer neue Schönheiten beleuchtend. Der Geist des Gebirges begünstigte mich ganz offenbar; er wußte wohl, daß so ein Dichtermensch viel Hübsches wieder erzählen kann, und er ließ mich diesen Morgen seinen Harz sehen, wie ihn gewiß nicht jeder sah. Aber auch mich sah der Harz, wie mich nur wenige gesehen, in meinen Augenwimpern flimmerten eben so kostbare Perlen wie in den Gräsern des Tals. Morgentau der Liebe feuchtete meine Wangen, die rauschenden Tannen verstanden mich, ihre Zweige taten sich von einander, bewegten sich herauf und herab, gleich stummen Menschen, die mit den Händen ihre Freude bezeigen, und in der Ferne klangs wunderbar geheimnisvoll, wie Glokkengeläute einer verlornen Waldkirche. Man sagt, das seien die Herdenglöckchen, die im Harz so lieblich, klar und rein gestimmt sind.

Nach dem Stand der Sonne war es Mittag, als ich auf eine solche Herde stieß, und der Hirt, ein freundlich blonder junger Mann, sagte mir: der große Berg, an dessen Fuß ich stände, sei der alte, weltberühmte Brocken. Viele Stunden ringsum liegt kein Haus, und ich war froh genug, daß mich der junge Mensch einlud, mit ihm zu essen. Wir setzten uns nieder zu einem Déjeuner dinatoire, das aus Käse und Brot bestand; die Schäfchen erhaschten die Krumen, die lieben, blanken Kühlein sprangen um uns herum, und klingelten schelmisch mit ihren Glöckchen, und lachten uns an mit ihren großen, vergnügten Augen. Wir tafelten recht königlich; überhaupt schien mir mein Wirt ein echter König, und weil er bis jetzt der einzige König ist, der mir Brot gegeben hat, so will ich ihn auch königlich besingen.

König ist der Hirtenknabe,
Grüner Hügel ist sein Thron,
Über seinem Haupt die Sonne
Ist die schwere, goldne Kron.

Ihm zu Füßen liegen Schafe,
Weiche Schmeichler, rotbekreuzt;

Kavaliere sind die Kälber,
Und sie wandeln stolz gespreizt.

Hofschauspieler sind die Böcklein,
Und die Vögel und die Küh,
Mit den Flöten, mit den Glöcklein,
Sind die Kammermusici.

Und das klingt und singt so lieblich,
Und so lieblich rauschen drein
Wasserfall und Tannenbäume,
Und der König schlummert ein.

Unterdessen muß regieren
Der Minister, jener Hund,
Dessen knurriges Gebelle
Widerhallet in der Rund.

Schläfrig lallt der junge König:
»Das Regieren ist so schwer,
Ach, ich wollt, daß ich zu Hause
Schon bei meiner Köngin wär!

In den Armen meiner Köngin
Ruht mein Königshaupt so weich,
Und in ihren lieben Augen
Liegt mein unermeßlich Reich!«

Wir nahmen freundschaftlich Abschied, und fröhlich stieg ich den Berg hinauf. Bald empfing mich eine Waldung himmelhoher Tannen, für die ich, in jeder Hinsicht, Respekt habe. Diesen Bäumen ist nämlich das Wachsen nicht ganz so leicht gemacht worden, und sie haben es sich in der Jugend sauer werden lassen. Der Berg ist hier mit vielen großen Granitblöcken übersäet, und die meisten Bäume mußten mit ihren Wurzeln diese Steine umranken oder sprengen, und mühsam den Boden suchen, woraus sie Nahrung schöpfen können. Hier und da liegen die Steine, gleichsam ein Tor bildend, über einander, und oben darauf stehen die Bäume, die nackten Wurzeln über jene Steinpforte hinziehend, und erst am Fuße derselben den Boden erfassend, so daß sie in der freien Luft zu wachsen scheinen. Und doch haben sie sich zu jener gewaltigen Höhe empor geschwungen, und mit den umklammerten Steinen wie zusammengewachsen, stehen sie fester als ihre bequemen Kollegen im zahmen Forstboden des flachen Landes. So stehen auch im Leben jene großen Männer, die durch das Überwinden früher Hemmungen und Hindernisse sich erst recht gestärkt und befestigt haben. Auf den Zweigen der Tannen kletterten Eichhörnchen, und unter denselben spazierten die gelben Hirsche. Wenn ich solch ein liebes, edles Tier sehe, so kann ich nicht begreifen, wie gebildete Leute Vergnügen daran finden, es zu hetzen und zu töten. Solch ein Tier war barmherziger als die Menschen, und säugte den schmachtenden Schmerzenreich der heiligen Genoveva.

Allerliebst schossen die goldenen Sonnenlichter durch das dichte Tannengrün. Eine natürliche Treppe bildeten die Baumwurzeln. Überall schwellende Moosbänke; denn die Steine sind fußhoch von den schönsten Moosarten, wie mit hellgrünen Sammetpolstern, bewachsen. Liebliche Kühle und träumerisches Quellengemurmel. Hier und da sieht man, wie das Wasser unter den Steinen silberhell hinrieselt und die nackten Baumwurzeln und Fasern bespült. Wenn man sich nach diesem Treiben hinab beugt, so belauscht man gleichsam die geheime Bildungsgeschichte der Pflanzen und das ruhige Herzklopfen des Berges. An manchen Orten sprudelt das Wasser aus den Steinen und Wurzeln stärker hervor und bildet kleine Kaskaden. Da läßt sich gut sitzen. Es murmelt und rauscht so wunderbar, die Vögel singen abgebrochene Sehnsuchtslaute, die Bäume flüstern wie mit tausend Mädchenzungen, wie mit tausend Mädchenaugen schauen uns an die seltsamen Bergblumen, sie strecken nach uns aus die wundersam breiten, drollig gezackten Blätter, spielend flimmern hin und her die lustigen Sonnenstrahlen, die sinnigen Kräutlein erzählen sich grüne Märchen, es ist alles wie verzaubert, es wird immer heimlicher und heimlicher, ein uralter Traum wird lebendig, die Geliebte erscheint — ach, daß sie so schnell wieder verschwindet!

Je höher man den Berg hinauf steigt, desto kürzer, zwerghafter werden die Tannen, sie scheinen immer mehr und mehr zusammen zu schrumpfen, bis nur Heidelbeer- und Rotbeersträuche und Bergkräuter übrig bleiben. Da wird es auch schon fühlbar kälter. Die wunderlichen Gruppen der Granitblöcke werden hier erst recht sichtbar; diese sind oft von erstaunlicher Größe. Das mögen wohl die Spielbälle sein, die sich die bösen Geister einander zuwerfen in der Walpurgisnacht, wenn hier die Hexen auf Besenstielen und Mistgabeln einhergeritten kommen, und die abenteuerlich verruchte Lust beginnt, wie die glaubhafte Amme es erzählt, und wie es zu schauen ist auf den hübschen Faustbildern des Meister Retzsch. Ja, ein junger Dichter, der auf einer Reise von Berlin nach Göttingen in der ersten Mainacht am Brocken vorbei ritt, bemerkte sogar, wie einige belletristische Damen auf einer Bergecke ihre ästhetische Teegesellschaft hielten, sich gemütlich die »Abendzeitung« vorlasen, ihre poetischen Ziegenböckchen, die meckernd den Teetisch umhüpften, als Universalgenies priesen und über alle Erscheinungen in der deutschen Literatur ihr Endurteil fällten; doch, als sie auch auf den »Ratcliff« und »Almansor« gerieten, und dem Verfasser alle Frömmigkeit und Christlichkeit absprachen, da sträubte sich das Haar des jungen Mannes, Entsetzen ergriff ihn — ich gab dem Pferde die Sporen und jagte vorüber.

In der Tat, wenn man die obere Hälfte des Brockens besteigt, kann man sich nicht erwehren, an die ergötzlichen Blockbergsgeschichten zu denken, und besonders an die große, mystische, deutsche Nationaltragödie vom Doktor Faust. Mir war immer, als ob der Pferdefuß neben mir hinauf klettere, und jemand humoristisch Atem schöpfe. Und ich glaube, auch Mephisto muß mit Mühe Atem holen, wenn er seinen Lieblingsberg ersteigt; es ist ein äußerst erschöpfender Weg, und ich war froh, als ich endlich das langersehnte Brockenhaus zu Gesicht bekam. Dieses Haus, das, wie durch vielfache Abbildungen bekannt ist, bloß aus einem Rez-de-Chaussee besteht und auf der Spitze des Berges liegt, wurde erst 1800 vom Grafen Stolberg-Wernigerode erbaut, für dessen Rechnung es auch, als Wirtshaus, verwaltet wird. Die Mauern sind erstaunlich dick, wegen des Windes und der Kälte im Winter; das Dach ist niedrig, in der Mitte desselben steht eine turmartige Warte, und bei dem Hause liegen noch zwei kleine Nebengebäude, wovon das eine, in frühern Zeiten, den Brokkenbesuchern zum Obdach diente.

Der Eintritt in das Brockenhaus erregte bei mir eine etwas ungewöhnliche, märchenhafte Empfindung. Man ist nach einem langen, einsamen Umhersteigen durch Tannen und Klippen plötzlich in ein Wolkenhaus versetzt; Städte, Berge und Wälder blieben unten liegen, und oben findet man eine wunderlich zusammengesetzte, fremde Gesellschaft, von welcher man, wie es an dergleichen Orten natürlich ist, fast wie ein erwarteter Genosse, halb neugierig und halb gleichgültig, empfangen wird. Ich fand das Haus voller Gäste, und wie es einem klugen Manne geziemt, dachte ich schon an die Nacht, an die Unbehaglichkeit eines Strohlagers; mit hinsterbender Stimme verlangte ich gleich Tee, und der Herr Brockenwirt war vernünftig genug, einzusehen, daß ich kranker Mensch für die Nacht ein ordentliches Bett haben müsse. Dieses verschaffte er mir in einem engen Zimmerchen, wo schon ein junger Kaufmann, ein langes Brechpulver in einem braunen Oberrock, sich etabliert hatte.

In der Wirtsstube fand ich lauter Leben und Bewegung. Studenten von verschiedenen Universitäten. Die einen sind kurz vorher angekommen und restaurieren sich, andere bereiten sich zum Abmarsch, schnüren ihre Ranzen, schreiben ihre Namen ins Gedächtnisbuch, erhalten Brockensträuße von den Hausmädchen: da wird man in die Wangen gekniffen, gesungen, gesprungen, gejohlt, man fragt, man antwortet, gut Wetter, Fußweg, Prosit, Adieu. Einige der Abgehenden sind auch etwas angesoffen, und diese haben von der schönen Aussicht einen doppelten Genuß, da ein Betrunkener alles doppelt sieht.

Nachdem ich mich ziemlich rekreiert, bestieg ich die Turmwarte, und fand daselbst einen kleinen Herrn mit zwei Damen, einer jungen und einer ältlichen. Die junge Dame war sehr schön. Eine herrliche Gestalt, auf dem lockigen Haupte ein helmartiger, schwarzer Atlashut, mit dessen weißen Federn die Winde spielten, die schlanken Glieder von einem schwarzseidenen Mantel so fest umschlossen, daß die edlen Formen hervortraten, und das freie, große Auge ruhig hinabschauend in die freie, große Welt.

Als ich noch ein Knabe war, dachte ich an nichts als an Zauber- und Wundergeschichten, und jede schöne Dame, die Straußfedern auf dem Kopfe trug, hielt ich für eine Elfenkönigin, und bemerkte ich gar, daß die Schleppe ihres Kleides naß war, so hielt ich sie für eine Wassernixe. Jetzt denke ich anders, seit ich aus der Naturgeschichte weiß, daß jene symbolischen Federn von dem dümmsten Vogel herkommen, und daß die Schleppe eines Damenkleides auf sehr natürliche Weise naß werden kann. Hätte ich mit jenen Knabenaugen die erwähnte junge Schöne, in erwähnter Stellung, auf dem Brocken gesehen, so würde ich sicher gedacht haben: das ist die Fee des Berges, und sie hat eben den Zauber ausgesprochen, wodurch dort unten alles so wunderbar erscheint. Ja, in hohem Grade wunderbar erscheint uns alles beim ersten Hinabschauen vom Brocken, alle Seiten unseres Geistes empfangen neue Eindrücke, und diese, meistens verschiedenartig, sogar sich widersprechend, verbinden sich in unserer Seele zu einem großen, noch unentworrenen, unverstandenen Gefühl. Gelingt es uns, dieses Gefühl in seinem Begriffe zu erfassen, so erkennen wir den Charakter des Berges. Dieser Charakter ist ganz deutsch, sowohl in Hinsicht seiner Fehler, als auch seiner Vorzüge. Der Brocken ist ein Deutscher. Mit deutscher Gründlichkeit zeigt er uns, klar und deutlich, wie ein Riesenpanorama, die vielen hundert Städte, Städtchen und Dörfer, die meistens nördlich liegen, und ringsum alle Berge, Wälder, Flüsse, Flächen, unendlich weit. Aber eben dadurch erscheint alles wie eine scharf gezeichnete, rein illuminierte Spezialkarte, nirgends wird das Auge durch eigentlich schöne Landschaften erfreut; wie es denn immer geschieht, daß wir deutschen Kompilatoren wegen der ehrlichen Genauigkeit, womit wir alles und alles hingeben wollen, nie daran denken können, das einzelne auf eine schöne Weise zu geben. Der Berg hat auch so etwas Deutsch-ruhiges, Verständiges, Tolerantes; eben weil er die Dinge so weit und klar überschauen kann. Und wenn solch ein Berg seine Riesenaugen öffnet, mag er wohl noch etwas mehr sehen, als wir Zwerge, die wir mit unsern blöden Äuglein auf ihm herum klettern. Viele wollen zwar behaupten, der Brocken sei sehr philiströse, und Claudius sang: »Der Blocksberg ist der lange Herr Philister!« Aber das ist Irrtum. Durch seinen Kahlkopf, den er zuweilen mit einer weißen Nebelkappe bedeckt, gibt er sich zwar einen Anstrich von Philiströsität; aber, wie bei manchen andern großen Deutschen, geschieht es aus purer Ironie. Es ist sogar notorisch, daß der Brocken seine burschikosen, fantastischen Zeiten hat, z. B. die erste Mainacht. Dann wirft er seine Nebelkappe jubelnd in die Lüfte, und wird, eben so gut wie wir übrigen, recht echtdeutsch romantisch verrückt.

Ich suchte gleich die schöne Dame in ein Gespräch zu verflechten: denn Naturschönheiten genießt man erst, wenn man sich auf der Stelle darüber aussprechen kann. Sie war nicht geistreich, aber aufmerksam sinnig. Wahrhaft vornehme Formen. Ich meine nicht die gewöhnliche, steife, negative Vornehmheit, die genau weiß, was unterlassen werden muß; sondern jene seltnere, freie, positive Vornehmheit, die uns genau sagt, was wir tun dürfen, und die uns, bei aller Unbefangenheit, die höchste gesellige Sicherheit gibt. Ich entwickelte, zu meiner eigenen Verwunderung, viele geographische Kenntnisse, nannte der wißbegierigen Schönen alle Namen der Städte, die vor uns lagen, suchte und zeigte ihr dieselben auf meiner Landkarte, die ich über den Steintisch, der in der Mitte der Turmplatte steht, mit echter Dozentenmiene ausbreitete. Manche Stadt konnte ich nicht finden, vielleicht weil ich mehr mit den Fingern suchte, als mit den Augen, die sich unterdessen auf dem Gesicht der holden Dame orientierten, und dort schönere Partien fanden, als »Schierke« und »Elend«. Dieses Gesicht gehörte zu denen, die nie reizen, selten entzücken, und immer gefallen. Ich liebe solche Gesichter, weil sie mein schlimmbewegtes Herz zur Ruhe lächeln. ...

CONRAD FERDINAND MEYER

Firnelicht

Wie pocht' das Herz mir in der Brust
Trotz meiner jungen Wanderlust,
Wenn, heimgewendet, ich erschaut'
Die Schneegebirge, süß umblaut,
  Das große stille Leuchten!

Ich atmet' eilig, wie auf Raub,
Der Märkte Dunst, der Städte Staub.
Ich sah den Kampf. Was sagtest du,
Mein reines Firnelicht, dazu,
  Du großes stilles Leuchten?

Nie prahlt' ich mit der Heimat noch,
Und liebe sie von Herzen doch!
In meinem Wesen und Gedicht
Allüberall ist Firnelicht,
  Das große stille Leuchten!

Was kann ich für die Heimat tun,
Bevor ich geh' im Grabe ruhn?
Was geb' ich, das dem Tod entflieht?
Vielleicht ein Wort, vielleicht ein Lied.
  Ein kleines stilles Leuchten!

GOTTFRIED KELLER

Heimatsträume

Dennoch hatte das Bild der in die Ferne schauenden Mutter ein starkes Gefühl von Heimweh wachgerufen, das mich bisher nur im Schlafe besuchte. Seit ich nämlich die Fantasie und ihr angewöhntes Gestaltungsvermögen nicht mehr am Tage beschäftigte, regten sich ihre Werkleute während des Schlafes mit selbständigem Gebaren und schufen mit anscheinender Vernunft und Folgerichtigkeit ein Traumgetümmel in den glühendsten Farben und buntesten Formen. Ganz wie es wiederum jener irrsinnige Meister und erfahrene Lehrer mir vorausgesagt, sah ich nun im Traume bald die Vaterstadt, bald das Dorf auf wunderbare Weise verklärt und verändert, ohne je hineingelangen zu können, oder wenn ich endlich dort war, mit einem plötzlichen freudelosen Erwachen. Ich durchreiste die schönsten Gegenden des Vaterlandes, die ich in Wirklichkeit nie gesehen, schaute Gebirge, Täler und Ströme mit unerhörten und doch wohlbekannten Namen, die wie Musik klangen und doch etwas Lächerliches an sich hatten.

Über den Mitteilungen des Landsmannes waren mir das Mädchen Hulda von gestern abend und die heutigen Morgenpläne aus dem Gedächtnisse geschwunden; ermüdet eilte ich den Schlaf zu suchen und verfiel auch gleich wieder dem geschäftigen Traumleben. Ich näherte mich der Stadt, worin das Vaterhaus lag, auf merkwürdigen Wegen, am Rande breiter Ströme, auf denen jede Welle einen schwimmenden Rosenstock trug, so daß das Wasser kaum durch den ziehenden Rosenwald funkelte. Am Ufer pflügte ein Landmann mit milchweißen Ochsen und goldenem Pfluge, unter deren Tritten große Kornblumen sproßten. Die Furche füllte sich mit goldenen Körnern, welche der Bauer, indem er mit der einen Hand den Pflug lenkte, mit der anderen aufschöpfte und weithin in die Luft warf, worauf sie als ein goldener Regen auf mich niederfielen. Ich fing ihrer mit dem Hute auf, soviel ich konnte, und sah mit Vergnügen, daß sie sich in lauter goldene Schaumünzen verwandelten, auf welchen ein alter Schweizer mit langem Barte und zweihändigem Schwerte geprägt war. Ich zählte sie eifrig und konnte sie doch nicht auszählen, füllte aber alle Taschen damit; die ich nicht mehr hineinbrachte warf ich wieder in die Luft. Da verwandelte sich der Goldregen in einen prächtigen Goldfuchs, der wiehernd an der Erde scharrte, aus welcher dann der schönste Hafer hervorquoll, den das Pferd mutwillig verschmähte. Jedes Haferkorn war ein süßer Mandelkern, eine Rosine und ein neuer Pfennig, die zusammen in rote Seide gewickelt und mit einem Endchen Schweinsborste eingebunden waren, welches das Pferd angenehm kitzelte, als es sich darin wälzte, so daß es rief: »Der Hafer sticht mich!«

Ich jagte aber den Goldfuchs auf, bestieg ihn, da er schön gesattelt war, ritt beschaulich am Ufer hin und sah, wie der Bauersmann in die schwimmenden Rosen hineinpflügte und mit seinem Gespann darin versank. Die Rosen nahmen ein Ende, zogen sich zu dichten Scharen zusammen und schwammen in die Ferne, am Horizont eine Röte ausbreitend; der Fluß aber erschien jetzt als ein unermeßliches Band fließenden blauen Stahles. Der Pflug des Landmannes hatte sich inzwischen in ein Schiff verwandelt; darin fuhr derselbe, steuerte mit der goldenen Pflugschar und sang: »Das Alpenglühen rückt aus und geht um das Vaterland herum!« Hierauf bohrte er ein Loch in den Schiffsboden; darein steckte er das Mundstück einer Posaune, sog kräftig daran, worauf es mächtig erklang gleich einem Harsthorn und einen glänzenden Wasserstrahl ausstieß, der den herrlichsten Springbrunnen in dem fahrenden Schifflein bildete. Der Bauer nahm den Strahl, setzte sich auf den Rand des Schiffes und schmiedete auf seinen Knien und mit der rechten Faust ein mächtiges Schwert daraus, daß die Funken stoben. Als das Schwert fertig war, prüfte er dessen Schärfe an einem ausgerissenen Barthaare und überreichte es höflich sich selbst, indem er sich plötzlich in den Wilhelm Tell verwandelte, welchen jener beleibte Wirt im Tellenspiel vorgestellt hatte, zur Zeit meiner frühern Jugend. Dieser nahm das Schwert, schwang es und sang mächtig:

Heio, heio! bin auch noch do
Und immer meines Schießens froh!
Heio, heio! die Zeit ist weit,
Der Pfeil des Tellen fliegt noch heut!

Wo guckt ihr hin? Seht ihr ihn nicht?
Dort oben tanzt er hoch im Licht!
Man weiß nicht, wo er stecken bleibt,
Heio, 's ist immer, wie man's treibt!

Dann hieb der dicke Tell mit dem Schwerte von der Schiffswand, die nun eine Speckseite war, einen tüchtigen Span herunter und trat mit demselben feierlich in die Kajüte, einen Imbiß zu halten.

Indessen ritt ich auf dem Goldfuchs weiter und befand mich unversehens mitten in dem Dorfe, darin der Oheim gewohnt. Ich erkannte es kaum wieder, da fast alle Häuser neu gebaut waren. Die Bewohner saßen alle hinter den hellen Fenstern um die Tische herum und aßen, und niemand blickte auf die menschenleere Straße. Dessen war ich aber höchlich froh; denn erst jetzt entdeckte ich, daß ich auf meinem glänzenden Pferde in alten anbrüchigen Kleidern saß. Ich bestrebte mich daher, ferner ungesehen hinter das Haus des Oheims zu gelangen, das ich fast nicht finden konnte. Zuletzt erkannte ich es, wie es über und über mit Efeu bewachsen und außerdem von den alten Nußbäumen überhangen, so daß weder Stein noch Ziegel zu sehen war und nur hie und da ein handgroßes Stückchen Fensterscheibe durch das Grüne blinkte. Ich sah, daß sich etwas dahinter bewegte, konnte aber nichts Deutliches wahrnehmen. Der Garten war von einer Wildnis wuchernder Feldblumen bedeckt, aus denen die aufgeschossenen Gartengewächse baumhoch emporragten, Rosmarin und Fenchelstauden, Sonnenblumen, Kürbisse und Johannisbeeren. Schwärme wild gewordener Bienen brausten auf der Blumenwildnis umher; im Bienenhause aber lag der alte Liebesbrief, den der Wind einst dahin getragen, verwittert und offen, ohne daß ihn die Jahre her jemand gefunden. Ich nahm ihn und wollte ihn einstecken, da wurde er mir aus der Hand gerissen, und als ich mich umsah, huschte Judith damit lachend hinter das Bienenhaus und küßte mich dabei durch die Luft, daß ich es auf meinem Munde fühlte. Der Kuß war aber eigentlich ein Stück Apfelkuchen, welches ich begierig aß. Da es jedoch den Hunger, den ich im Schlafe empfand, nicht stillte, überlegte ich, daß ich wahrscheinlich träume, und daß der Kuchen wohl von den Äpfeln herrühre, die ich einst küssend mit der Judith zusammen gegessen. Ich fand es also um so geratener, in das Haus zu gehen, wo gewiß eine Mahlzeit bereit sein würde. Ich packte einen schweren Mantelsack aus, der sich plötzlich auf dem Pferde zeigte, als ich es an den zerfallenden Gartenzaun band. Aus dem Mantelsack rollten die schönsten Kleider hervor und ein feines neues Hemde, dessen Brust mit einer Stickerei von Weinträubchen und Maiglöckchen verziert war. Wie ich aber dies Staatshemd auseinander faltete, wurden zweie daraus, aus den zweien vier, aus den vieren acht, kurz eine Menge der schönsten Leibwäsche breitete sich aus, welche wieder in den Mantelsack zu schieben ich mich vergeblich abmühte. Immer wurden es mehr Hemden und Kleidungsstücke und bedeckten den Boden umher; ich empfand die größte Angst, von meinen Verwandten bei dem sonderbaren Geschäft überrascht zu werden. In der Verzweiflung ergriff ich endlich eines von den Hemden, um es anzuziehen, und stellte mich schamhaft hinter einen Nußbaum; allein man konnte aus dem Haus an diese Stelle sehen, und ich schlüpfte beschämt hinter einen andern, und so immer fort von einem Baume zum andern, bis ich dicht an das Haus und in den Efeu hineingedrückt in Verwirrung und Eile den Anzug wechselte, die schönen Kleider anzog und doch fast nicht fertig werden konnte, und als ich es endlich war, befand ich mich wieder in größter Not, wo ich das traurige Bündel der alten Kleider bergen solle. Wohin ich es auch trug, immer fiel ein zerlumptes Stück auf die Erde; zuletzt gelang es mit saurer Mühe, das Zeug in den Bach zu werfen, wo es aber durchaus nicht weiterschwimmen wollte, sondern sich auf der gleichen Stelle gemächlich herumdrehte. Ich erwischte eine vermorschte Bohnenstange und quälte mich, die dämonischen Fetzen in die Strömung zu stoßen; aber die Stange brach und brach immer wieder bis auf das letzte Stümpfchen.

Da berührte ein Hauch meine Wangen, und Anna stand vor mir und führte mich in das Haus. Ich stieg Hand in Hand mit ihr die Treppe hinauf und trat in die Stube, wo der Oheim, die Tante, die Basen und Vettern sämtlich versammelt waren. Aufatmend sah ich mich um: die alte Stube war sonntäglich geputzt und so sonnenhell, daß ich nicht begriff, wo all das Licht durch den dichten Efeu hindurch herkomme. Oheim und Tante waren in ihren besten Jahren, die Bäschen und Vettern blühender als je, der Schulmeister ebenfalls ein schöner Mann und aufgeräumt wie ein Jüngling, und Anna sah ich als Mädchen von vierzehn Jahren im rotgeblümten Kleide mit der lieblichen Halskrause.

Was aber sehr sonderbar war, alle, Anna nicht ausgenommen, trugen lange irdene Pfeifen in den Händen und rauchten einen wohlriechenden Tabak, und ich desgleichen. Dabei standen sie, die Verstorbenen und die Lebendigen, keinen Augenblick still, sondern gingen mit freundlich frohen Mienen unablässig die Stube auf und nieder, hin und her, und dazwischen niedrig am Boden hin die Jagdhunde, das Reh, der zahme Marder, Falken und Tauben in friedlicher Eintracht, nur daß die Tiere den entgegengesetzten Strich der Menschen verfolgten und so ein wunderbares Gewebe durcheinander lief.

Der schwere Nußbaumtisch auf seinen gewundenen Füßen war mit einem weißen Damasttuche gedeckt und mit einem aufgerüsteten duftenden Hochzeitsessen besetzt. Mir wässerte der Mund, und ich sagte zum alten Oheim: »Ei, ihr scheint euch da recht wohl sein zu lassen!« »Versteht sich!« erwiderte er, und alle wiederholten: »Versteht sich!« mit angenehm klingenden Stimmen. Plötzlich befahl der Oheim, daß man zu Tische sitze; alle stellten die Pfeifen pyramidenweise zusammen auf den Boden, je drei und drei, wie Soldaten ihre Gewehre. Darauf schienen sie schon wieder zu vergessen, daß sie essen gewollt; denn sie gingen zu meinem Verdrusse nach wie vor umher und fingen allmählich an zu singen:

Wir träumen, wir träumen,
Wir träumen und wir säumen,
Wir eilen und wir weilen,
Wir weilen und wir eilen,
Sind da und sind doch dort,
Wir gehen bleibend fort,
Wem konveniert es nicht?
Wie schön ist dies Gedicht!
Hallo, hallo!
Es lebe, was auf Erden stolziert in grüner Tracht,
Die Wälder und die Felder, die Jäger und die Jagd!

Weiber und Männer sangen mit rührender Harmonie und Lust, und das Hallo stimmte der Oheim mit gewaltiger Stimme an, daß die ganze Schar mit verstärktem Gesange darein tönte und rauschte und zugleich blaß und blässer werdend sich in einen wirren Nebel auflöste, während ich bitterlich weinte und schluchzte. Ich erwachte in Tränen gebadet, und auch das Kopfkissen war davon benetzt. Als ich mich mit Mühe gesammelt, war das erste, dessen ich mich erinnerte, der wohlgedeckte Tisch; denn ich hatte nach den Eröffnungen des Landsmannes am Abend nichts mehr essen können und war erst im Schlafe wieder hungrig geworden. Wie ich nun die Gier bedachte, mit welcher ich trotz des Schmuckes der unbeherrschten Fantasie gezwungen war, schließlich immer nur von Geld und Gut, Kleidern und Essen zu träumen, brach ich über diese Erniedrigung neuerdings in Tränen aus, bis ich abermals einschlief.

In einem großen Walde fand ich mich wieder und ging auf einem wunderlichen schmalen Brettersteige, welcher sich hoch durch die Äste und Baumkronen wand, eine Art endlosen hängenden Brückenbaues, indessen der bequeme Boden unten nach richtiger Traumesart unbenutzt blieb. Aber es war schön hinabzuschauen auf den Waldgrund, da er ganz aus grünem Moose bestand, das in tiefer Dunkelheit lag. Auf dem Moose wuchsen viele einzelne sternförmige Blumen auf schwankem Stengel, und sie wendeten sich immer nach dem oben gehenden Beschauer; bei jeder Blume stand ein kleines Erdmännchen oder Moosweiblein, das mittelst eines in goldenem Laternchen strahlenden Karfunkels die Blume beleuchtete, daß sie aus der Tiefe herauf schimmerte wie ein blauer oder roter Stern, und indem sich diese Blumengestirne, welche oft in schönen Bildern zusammen standen, langsamer oder schneller drehten, gingen die winzigen Leutchen mit ihren Laternchen um sie herum und lenkten sorgfältig den Lichtstrahl auf die Kelche. So sah sich das kreisende Leuchten in der Tiefe von dem hohen Balken- oder Bretterwege wie ein unterirdischer Sternenhimmel an, nur daß er grün war und die Sterne in allen Farben strahlten.

Entzückt ging ich auf der Hängebrücke weiter und schlug mich tapfer durch die Buchen- und Eichenkronen, da ich begriff, ein so zierlicher Grund und Boden sei nicht dazu da, darauf mit Füßen zu wandeln. Manchmal kam ich in eine Föhrengruppe hinein, welche etwas lichter war; das rote, von der Sonne durchglühte, stark duftende Holzwerk der Fichtenkronen bot einen fabelhaften Anblick und Aufenthalt, weil es wie künstlich bearbeitet, gezimmert und mit seltsamem Bildwerk verziert schien und doch ein natürliches Ästewesen war. Manchmal führte der Steg auch ganz über die Bäume hinweg unter den offenen Himmel und Sonnenschein, und ich stellte mich auf das schwankende Geländer, um zu sehen, wo es eigentlich hinausginge; allein nichts war zu erblicken als ein endloses Meer von grünen Baumwipfeln, soweit das Auge reichte, auf dem ein heißer Sommertag flimmerte und Tausende von wilden Tauben, Hähern, Mandelkrähen, Spechten und Weihen herumschwärmten, und das Wunderbare war nur, daß man auch die allerfernsten Vögel deutlich erkannte und ihre Gestalt und Farben unterscheiden konnte. Nachdem ich mich sattsam umgeschaut, blickte ich wieder in die dunkle Tiefe, wo ich jetzt eine Felsschlucht entdeckte, die für sich allein von der Sonne erhellt war. Auf dem tiefsten Grunde lag eine kleine Wiese an einem klaren Bache; mitten auf derselben saß auf ihrem kleinen Strohsessel meine Mutter in einem braunen Einsiedlerkleide und mit eisgrauen Haaren. Sie war alt und gebeugt, und ich konnte ungeachtet der fernen Tiefe jeden ihrer Züge genau erkennen. Mit einer grünen Rute hütete sie eine kleine Herde Silberfasanen, und wenn einer weglaufen wollte, schlug sie leise auf seine Flügel, worauf einige glänzende Federn emporschwebten und in der Sonne spielten. Am Bächlein aber stand ihr Spinnrad, das rings mit Schaufeln versehen und eigentlich ein kleines Mühlrad war und sich blitzschnell drehte. Sie spann nur mit der einen Hand den glänzenden Faden, der sich nicht auf die Spule wickelte, sondern kreuz und quer an dem Abhange herumzog und sich da sofort zu großen Flächen blendender Leinwand gestaltete. Diese stieg höher und höher heran; plötzlich fühlte ich ein schweres Gewicht auf der Schulter und merkte, daß ich den vergessenen Mantelsack trug, der von den feinen Hemden ganz geschwollen war. Jetzt sah ich freilich, woher dieselben kamen. Während ich mich mühselig damit schleppte, entdeckte ich, daß die Fasanen alles schöne Bettstücke waren, welche die Mutter eifrig sonnte und ausklopfte. Dann raffte sie dieselben zusammen und trug sie geschäftig herum und eines ums andere in den Berg hinein. Wenn sie wieder herauskam, so schaute sie mit der Hand über den Augen sich um und sang leise, was ich aber deutlich vernahm:

Mein Sohn, mein Sohn,
O schöner Ton!
Wann kommt er bald,
Geht durch den Wald?

Da ersah sie mich in der Höhe wie in der Luft schwebend und sehnlich zu ihr hinabblickend. Sie stieß einen lauten Freudenruf aus und huschte wie ein Geist davon über Fels und Stein, ohne zu gehen, daß sie mir immer ferner zu entschwinden drohte, während ich vergeblich rufend nacheilte und der Steg sich bog und krachte, die Baumkronen schwankten und rauschten.

Da war der Wald aus, und ich sah mich auf dem Berge stehen, welcher der Heimatstadt gegenüber liegt; aber welchen Anblick bot diese! Der Fluß war zehnmal breiter als sonst und glänzte wie ein Spiegel; die Häuser waren alle so groß wie sonst die Münsterkirche, von der fabelhaftesten Bauart, und glänzten im Sonnenschein, die Fenster mit einer Fülle von Blumen geziert, die schwer über die mit Bildwerken bedeckten Mauern herabhingen. Die Linden stiegen unabsehbar in den dunkelblauen durchsichtigen Himmel hinein, der ein einziger Edelstein schien, und die riesigen Lindenwipfel wehten dran hin und her, als ob sie ihn noch blanker fegen wollten, und zuletzt wuchsen sie in die durchsichtige blaue Kristallmasse hinein.

Zwischen den grünen Laubgebirgen der Linden stiegen die Münstertürme empor, während das ungeheure Steinschiff unter Hügeln von Millionen herzförmiger Lindenblätter lag und nur da oder dort eine purpurrote oder blaue Glasscheibe hervorfunkelte, von einem verlorenen Sonnenstrahl durchschossen. Die goldenen Kronen aber, welche die Turmknöpfe bildeten, schimmerten in der Himmelshöhe und waren voll junger Mädchen; die streckten ihre Lockenköpfe rings durch den gotischen Zierat in die Welt hinaus. Obgleich ich jedes Lindenblatt scharf umrissen erkannte, vermochte ich doch nicht zu sehen, wer alle diese Mädchen waren, und ich beeilte mich, hinüberzukommen, da es mich sehr wundernahm, wer alle diese Mitbürgerinnen sein möchten.

Zur rechten Zeit sah ich den Goldfuchs neben mir stehen, legte ihm den Mantelsack auf und begann den jähen Staffelweg hinunterzureiten, der zur Brücke führte. Jede Staffel war aber ein geschliffener Bergkristall, und darin eingeschlossen lag ein spannelanges Weibchen gleichsam schlafend, von unbeschreiblichem Ebenmaß und Schönheit der Gliederchen. Während der Goldfuchs den halsbrecherischen Weg hinunterstieg und jeden Augenblick seinen Reiter in die Tiefe zu stürzten drohte, bog ich mich links und rechts vom Sattel und suchte mit sehnsuchtsvollen Blicken in den Kern der Kristallstufen zu dringen.

»Tausend noch einmal!« rief ich lüstern vor mich hin, »was mögen das nur für allerliebste Wesen sein in dieser verwünschten Treppe?«

Ohne daß ich mich im geringsten wunderte, fing das Pferd plötzlich an zu sprechen, indem es den Kopf zurückwandte und antwortete: »Was wird's sein? Das sind nur die guten Dinge und Ideen, welche der Boden der Heimat in sich schließt, und die derjenige herausklopft, der im Lande bleibt und sich redlich nährt!«

»Zum Teufel!« rief ich, »ich werde gleich morgen hier herausgehen und mir einige Stufen aufschlagen!«

Und ich konnte meine Blicke nicht wegwenden von der langen Treppe, die sich schon glänzend hinter mir den Berg hinan schmiegte. Das Pferd aber sagte, das sei nur eine leichte Anschürfung, der ganze Boden stecke voll von solchen Sachen. Wir langten jetzt unten bei der Brücke an. Das war aber nicht mehr die alte Holzbrücke, sondern ein Marmorpalast, der in zwei Stockwerken eine endlose Säulenhalle bildete und so als eine nie gesehene Prachtbrücke über den Fluß führte. »Was sich doch alles verändert und vorwärts schreitet, wenn man nur einige Jahre weg ist!« dachte ich, als ich gemächlich und neugierig in die weite Brückenhalle ritt. Während das Gebäude von außen nur in weißem, rötlichem und schwarzem Marmor glänzte, waren die Wände des Innern mit zahllosen Malereien bedeckt, welche die ganze Geschichte und alle Tätigkeiten des Landes darstellten. Das ganze abgeschiedene Volk war sozusagen bis auf den letzten Mann, der soeben gegangen, an die Wand gemalt und schien mit dem lebendigen, das auf der Brücke verkehrte, Eines zu sein; ja manche der gemalten Figuren traten aus den Bildern heraus und wirkten unter den Lebendigen mit, während von diesen manche unter die Gemalten gingen und an die Wand versetzt wurden. Beide Parteien bestanden aus Helden und Weibern, Pfaffen und Laien, Herren und Bauern, Ehrenleuten und Lumpenhunden; der Eingang und Ausgang der Brücke aber war offen und unbewacht, und indem der Zug über dieselbe beständig im Gange blieb und der Austausch zwischen dem gemalten und wirklichen Leben unausgesetzt stattfand, schien auf dieser wunderbar belebten Brücke Vergangenheit und Zukunft nur Ein Ding zu sein.

»Nun möcht ich wohl wissen, was das für eine muntere Sache ist!« summte ich in mich hinein, und das Pferd antwortete auf der Stelle:

»Dies nennt man die Identität der Nation!«

»Ei du bist ein sehr gelehrter Gaul!« rief ich, »der Hafer muß dich wirklich stechen! Woher nimmst du derartige Brocken?«

»Erinnere dich«, sagte der Goldfuchs, »auf wem du reitest! Bin ich nicht aus Gold entstanden? Gold aber ist Reichtum, und Reichtum ist Einsicht.«

Bei diesen Worten merkte ich sogleich, daß mein Mantelsack statt mit Gewand jetzt gänzlich mit jenen goldenen Münzen angefüllt war. Statt zu grübeln, woher sie so unvermutet wieder gekommen, fühlte ich mich höchst zufrieden in ihrem Besitze, und obschon ich dem weisen Gaule nicht mit gutem Gewissen recht geben konnte, daß Reichtum Einsicht sei, fand ich mich doch unvermutet so einsichtsvoll, daß ich wenigstens nichts erwiderte und gemütlich weiterritt.

»Nun sage mir, du weiser Salomo!« begann ich nach einer Weile von neuem: »Heißt eigentlich die Brücke die Identität oder die Leute, so darauf sind? Welches von beiden nennst du so?«

»Beide zusammen sind die Identität, sonst spräche man ja nicht davon!«

»Der Nation?«

»Der Nation, versteht sich!«

»Also ist die Brücke auch eine Nation?«

»Ei, seit wann«, rief das Pferd unwillig, »kann denn ein Vehikel, so schön es ist, eine Nation sein? Nur Leute können eine sein, folglich sind es eben die Leute hier!«

»So! und doch sagtest du soeben, die Nation und die Brücke machen zusammen eine Identität aus!«

»Das sagt ich auch und bleibe dabei!«

»Nun also?«

»Wisse«, antwortete der Gaul bedächtig, indem er sich auf allen Vieren spreizte, »wisse, wer diese heikle Frage zu beantworten und den Widerspruch zu lösen versteht, der ist ein Meister und arbeitet an der Identität selber mit. Wenn ich die richtige Antwort, die mir wohl so im Munde herumläuft, rund zu formulieren verstände, so wäre ich nicht ein Pferd, sondern längst hier an die Wand gemalt. Übrigens erinnere dich, daß ich nur ein von dir geträumtes Pferd bin und also unser ganzes Gespräch eine Ausgeburt und Grübelei deines eigenen Gehirnes ist. Mithin magst du fernere Fragen dir nur selbst beantworten aus der allerersten Hand!«

»Ha! du widerspenstige Bestie!« schrie ich und stieß dem Tiere die Fersen in die Weichen, »um so mehr, du undankbarer Klepper! bist du mir zu Red und Antwort verpflichtet, da ich dich aus meinem so mühselig ergänzten Blute erzeugen und diesen Traum lang speisen und nähren muß!«

»Hat auch was Rechtes auf sich!« sagte das Pferd gelassen. »Dieses ganze Gespräch, überhaupt unsere ganze werte Bekanntschaft ist das Werk und die Dauer von kaum drei Sekunden und kostet dich kaum einen Hauch von deinem geehrten Körperlichen!«

»Wie, drei Sekunden? Ist es nicht schon wenigstens eine Stunde, seit wir auf dieser endlosen Brücke reiten?«

»Drei Sekunden dauert der Hufschlag des nächtlichen Reiters, der meine Erscheinung in dir hervorgerufen; mit ihm wird sie verschwinden, und du kannst wieder zu Fuß gehen!«

»Um des Himmels willen! So verliere keine weitere Zeit, sonst geht der Augenblick vorüber, eh ich über diese schöne Brücke im reinen bin!«

»Es eilt gar nicht! Alles, was wir für jetzt zu erleben und zu erfahren haben, geht vollkommen in das Maß des wackeren Pferdetrittes hinein, und wenn der richtig denkende Psalmist den Herren seinen Gott anschrie: Tausend Jahre sind vor dir wie ein Augenblick! so ist diese Hypothese von hinten gelesen eine und dieselbe Wahrheit: Ein Augenblick ist wie tausend Jahre! Wir könnten noch tausendmal mehr sehen und hören während dieses Hufschlages, wenn wir nur das Zeug dazu in uns hätten, lieber Mann! Alles Drängen oder Zögern hilft da nichts, alles hat seine bequemliche Erfüllung, und wir können uns ganz gemächlich Zeit lassen mit unserm Traum, er ist, was er ist, und nicht mehr noch minder!«

Ich hörte nicht länger auf die Reden des Pferdes, weil ich bemerkte, daß ich von allen Seiten mit biederer Achtung begrüßt wurde; denn schon mehr als einer der Vorübergehenden hatte mit eigentümlichem Griffe meinen strotzenden Mantelsack betastet, ungefähr wie die Metzger tun, wenn sie in den Bauernställen oder auf Märkten ein Stück Rindvieh auf seine Fettigkeit prüfen und ihm Kreuz und Lenden bekneifen.

»Das sind ja absonderliche Manieren!« sagte ich endlich; »ich glaubte, es kenne mich kein Mensch hier!«

»Es gilt auch nicht dir«, meinte der Goldfuchs, »sondern deinem Quersack, deiner dicken Goldwurst, die mir das Kreuz drückt!«

»So? Also das ist die Lösung und das Geheimnis deiner ganzen Identitätsfrage, das gemünzte Gold? Denn du bist ja aus gleichem Stoffe, ohne daß dich ein einziger betastet!«

»Hm!« machte das Pferd, »das ist nicht so genau zu nehmen. Die Leute haben allerdings ihr Augenmerk darauf gerichtet, ihre Identität, die sie in diesem Falle Unabhängigkeit nennen, zu behaupten und gegen jeglichen Angriff zu verteidigen. Nun wissen sie aber, daß ein kampffähiger guter Soldat wohlgenährt sein und ein Frühstück im Magen haben muß, wenn er sich schlagen soll. Da dies aber nur durch allerhand Gemünztes zu erreichen und zu sichern ist, so betrachten sie jeden, der damit versehen, als einen gerüsteten Verteidiger und Unterstützer der Identität und sehen ihn drum an. Da läuft es denn freilich mit unter, daß sie ihre Privatsachen mit den öffentlichen Dingen für identisch halten, wie man denn in der Übung jeglicher Energie nicht leicht zu viel tun kann, und so gewinnt dieser oder jener das Ansehen eines habsüchtigen Esels. Sei dem, wie ihm wolle, ich rate dir, dein Kapital hier noch ein wenig in Umlauf zu setzen und zu vermehren. Wenn die Meinung der Leute im allgemeinen auch eine irrige ist, so steht es doch jedem frei, sie für sich zu einer Wahrheit und so seine Stellung zu einer angenehmen zu machen.«

Ich griff in den Sack und warf einige Hände voll Goldmünzen in die Höhe, welche sogleich von hundert in der Luft zappelnden Händen aufgefangen und weiter geworfen wurden, nachdem jeder das Gold erst besehen und an seinem eigenen Golde gerieben hatte, wodurch beide Stücke sich verdoppelten. Bald kehrten alle meine Münzen in Gesellschaft von anderem Golde zurück und hingen sich an das Pferd; es regnete förmlich Gold, welches sich klumpenweise an alle seine vier Beine setzte gleich dem Blumenstaub, der den Bienen Höschen macht, so daß es bald nicht mehr gehen konnte. Es bildeten sich aber noch große Flügel an dem Tiere, und es glich zuletzt einer Riesenbiene und flog wie eine solche über die Köpfe des Volkes weg. Erst jetzt schütteten wir zusammen einen rechten Goldregen nieder, so daß zuletzt ein ungeheures Gesindel von Goldhungrigen hinter uns her war. Alte und Junge, Weiber und Männer purzelten übereinander, das Gold zu raffen. Diebe, die von Wächtern transportiert wurden, stürzten sich samt diesen in den Haufen; Bäckerlehrlinge warfen ihr Brot in das Wasser und füllten ihre Körbe mit Gold; Priester, die zur Kirche gingen, um zu predigen, schürzten ihre Talare, wie bohnenpflückende Bäuerinnen die Röcke, und schöpften Gold hinein; Magistratspersonen, die vom Rathause kamen, schlichen herbei und schoben verschämt ein paar zur Seite rollende Stücklein in die Tasche; selbst aus einem an die Wand gemalten Gerichte liefen die toten Richter vom Tische, ließen den Angeklagten stehen und stiegen herunter, um hinter mir her zu streichen, und schließlich kam der gemalte Verbrecher auch noch gesprungen, um nach Gold zu schreien.

Ganz geschwollen vom Bewußtsein des Reichtums schwebte ich endlich aus der Brückenhalle hinaus und schwang mich auf dem goldenen Bienenpferde hochmütig in die Luft, wo ich hoch über den Münsterkronen kreiste wie ein Falke, mich bald wählig niederließ, bald wieder aufstieg und das kindische Traumvergnügen des Fliegens und Reitens zugleich in vollen Zügen genoß. Aus den Kronen fingerten hundert weiße Hände nach meinem Golde empor, Augen und Wänglein blühten wie Vergißmeinnicht und Rosen im Sonnenschein. Das Pferd sagte: »Nun wähle, das sind die heiratsfähigen Mägdlein des Landes! Das beste ist eine artige Frau!« Ich äugelte auch richtig stolz und lüstern auf sie hinunter und gedachte, meine Irrfahrten und erlebten Kümmernisse mit einer konvenablen Heirat abzuschließen, als plötzlich eine harte Stimme erscholl, die rief: »Ist denn niemand da, den Landverderber aus der Luft herabzuholen?«

»Ich bin schon da!« antwortete der dicke Wilhelm Tell, der in einer Lindenkrone verborgen saß, die Armbrust auf mich anlegte und mich mit seinem Pfeile herunterschoß. Ein neuer Ikarus, stürzte ich samt dem Goldfuchs prasselnd aufs Kirchendach und rutschte von dort jämmerlich auf die Straße hinab, woran ich erwachte und mich erschüttert fand, wie wenn ich wirklich gefallen wäre. Der Kopf schmerzte mich fieberhaft, während ich das Geträumte zusammenlas. Diese verkehrte Welt, in welcher das im Wachen müßige Gehirn bei nachtschlafender Zeit auf eigene Faust zusammenhängende Märchen und buchgerechte Allegorien nach irgendwo gelesenen Mustern, mit Schulwörtern und satirischen Beziehungen ausheckte und fortspann, begann mich zu ängstigen, wie der Vorbote einer schweren Krankheit; ja, es beschlich mich sogar wie ein Gespenst die Furcht, auf diese Art könnten meine dienstbaren Organe mich, das heißt meinen Verstand, zuletzt ganz vor die Türe setzen und eine tolle Dienstbotenwirtschaft führen.

Als ich der Sache weiter nachdachte, empfand ich die Gefahr, die darin liegt, sich gegen Natur und Gewohnheit mit dem völligen Geistlosen beschäftigen und nähren zu wollen, und doch wußte ich nicht, wie aus dem Bann hinauszukommen wäre. Darüber schlief ich wieder ein, und das Träumen ging neuerdings an; doch verlor sich das unheimliche Allegorienwesen, und das Gesetzlose regierte fort.

Ich trieb jetzt das halbzerbrochene und schwer mit Säcken beladene Pferd eine bergige Straße hinauf nach dem Hause der Mutter; es dauerte eine qualvolle Ewigkeit, bis ich endlich anlangte. Da fiel das Tier zusammen und verwandelte sich in die schönsten und reichsten Gegenstände und Merkwürdigkeiten aller Art, von welchen sich auch die Säcke entleerten, Dinge, wie man sie von großen Reisen als Geschenke mitzubringen pflegt. Ich stand aber peinlich verlegen bei dem aufgetürmten Haufen von Kostbarkeiten, der sich offen auf der Straße ausbreitete, und ich suchte vergeblich den Drücker der Haustüre und den Glockenzug. Ratlos und ängstlich die Reichtümer hütend, sah ich an dem Hause empor und bemerkte erst jetzt, wie seltsam es sich darstellte. Es war gleich einem alten edeln Schrank- und Täferwerke ganz von dunkelm Nußbaumholz gebaut mit unzähligen Gesimsen, Kassettierungen, Füllungen und Galerien, alles auf das feinste gearbeitet und spiegelhell poliert. Es war eigentlich das nach außen gekehrte Innere eines Hauses. Auf den Gesimsen und Galerien standen altertümliche silberne Kannen und Becher, Porzellangefäße und kleine Marmorbilder aufgereiht. Fensterscheiben von Kristallglas funkelten mit geheimnisvollem Glanz vor einem dunkeln Hintergrunde zwischen gemaserten Zimmer- oder Schranktüren, in denen blanke Stahlschlüssel steckten. Über dieser seltsamen Fassade wölbte sich der Himmel dunkelblau, und eine halb nächtliche Sonne spiegelte sich in der dunkeln Pracht des Nußbaumholzes, im Silber der Krüge und in den Fensterscheiben.

Endlich sah ich auch, daß reich geschnitzte Treppen zu den Galerien hinaufführten, und bestieg dieselben, Einlaß suchend. Wenn ich aber eine Türe öffnete, so sah ich nichts als ein Gelaß vor mir, welches mit Vorräten der verschiedensten Art angefüllt war. Hier tat sich eine Bücherei auf, deren Lederbände von Vergoldung strotzten; dort war Geräte und Geschirr übereinander geschichtet, was man nur wünschen mochte zur Annehmlichkeit des Lebens; dort wieder türmte sich ein Gebirge feiner Leinwand oder ein duftender Schrank öffnete sich mit hundert Kästchen voll Spezereien. Ich machte eine Türe nach der andern wieder zu, wohlzufrieden mit dem Gesehenen und nur ängstlich, weil ich nirgends die Mutter fand, um mich in dem trefflichen Heimwesen sofort einrichten zu können. Suchend drückte ich mich an eines der Fenster und hielt die Hand an die Schläfe, um die Spiegelung der Kristallscheibe aufzuheben; da sah ich statt in ein Gemach hinein in einen reizenden Garten hinaus, der im Sonnenlichte lag, und dort glaubte ich zu sehen, wie die Mutter im Glanze der Jugend und Schönheit, angetan mit seidenen Gewändern, zwischen Blumenbeeten wandelte. Ich wollte das Fenster aufmachen, ihr zurufen, fand aber durchaus keinen Riegel oder Knopf, denn ich war ja außerhalb des Hauses, obschon ich aus dem Innern nach einem Garten hinausschaute. Am Ende stand ich nur an einer reich getäferten Wand auf einem schmalen Gesimse, das meinen Füßen kaum genügenden Raum bot. Als ich mich hinausbog, um zu sehen, wie ich von der gefährlichen Stelle hinuntersteigen könne, sah ich auf der Gasse einen verkniffenen Knirps von Knaben mit grauen verwelkten Haaren, der mit einem Stecken meine Herrlichkeiten auseinanderstörte.

Sogleich erkannte ich den Jugendfeind, jenen vom Turme gestürzten Knaben Meierlein, und kletterte eilig hinunter, ihn zu verjagen. Der aber fing wütend an zu schelten und als Kindswucherer und Gläubiger aufs neue, nach so viel Jahren, seine Forderung geltend zu machen, indem er die Hand an den vom Sturze zerschlagenen Kopf drückte. Er wolle mich jetzt endlich auspfänden, rief er mit giftigen Worten, daß er zu seiner verschriebenen Sache komme; seine Rechnung sei pünktlich in Ordnung.

»Du lügst, du kleiner Schuft«, schrie ich ihm zu, »mach, daß du fortkommst!« Da erhob er seinen Stock gegen mich, wir gerieten einander in die Haare und rauften uns unbarmherzig. Der wütende Gegner riß mir alle die schönen Kleider, die ich trug, in Fetzen, und erst als ich ihn keuchend und verzweifelnd am Halse würgte, entschwand er mir unter den Händen und ließ mich in der schattigen kalten Straße stehen. Ermattet sah ich mich mit bloßen Füßen dastehen. Das Haus war aber das wirkliche alte Haus, jedoch halb verfallen, mit zerbröckelndem Mauerkalk, erblindeten Fenstern, in denen leere oder verdorrte Blumenscherben standen, und mit Fensterläden, die im Winde klapperten und nur noch an einer Angel hingen.

Von meiner trefflichen Traumeshabe war nichts mehr zu sehen als einige zertretene Reste auf dem Pflaster, welche von nichts Besonderem herzurühren schienen, und in der Hand hielt ich nichts als den meinem bösen Feinde abgerungenen Stecken.

Ich trat entsetzt auf die andere Seite der Straße und blickte kummervoll nach den öden Fenstern empor, wo ich deutlich meine Mutter, alt und grau und bleich, hinter der dunkeln Scheibe sitzen sah, wie sie in tiefem Sinnen ihren Faden spann.

Ich streckte die Arme nach dem Fenster empor; als sich die Mutter aber leise bewegte, verbarg ich mich hinter einem Mauervorsprung und suchte bang aus der stillen dämmerigen Stadt zu entkommen, ohne gesehen zu werden. Ich drückte mich längs den Häusern hin und wanderte alsbald an meinem schlechten Stabe auf einer unabsehbaren Landstraße dahin zurück, woher ich gekommen war. Ich wanderte und wanderte rastlos und mühselig, ohne mich umzusehen. In der Ferne sah ich auf einer ebenso langen Straße, die sich mit der meinigen kreuzte, meinen Vater vorüberwandern mit seinem schweren Felleisen auf dem Rücken.

Als ich erwachte, fiel mir ein Stein vom Herzen, so traurig war mir dieser letzte Teil der geträumten Abenteuer.

So ging es nächtelang fort, obgleich zuweilen auch etwas mäßiger, so daß der erträumte Zustand an eine Art ruhiger Zufriedenheit grenzte. Einmal träumte mir, daß ich an dem Rande des Vaterlandes auf einem Berge säße, der von Wolkenschatten verdunkelt war, während das Land in hellem Scheine vor mir ausgebreitet lag. Auf den weißen Straßen, den grünen Fluren wallten und zogen Scharen von Volk und Leuten und sammelten sich zu heiteren Festen, zu verschiedenen Handlungen und Lebensübungen, was alles ich aufmerksam beobachtete. Wenn aber solche Scharen oder Aufzüge nah an mir vorübergingen und ich von den Leuten erkannt wurde, schalten sie mich im Vorbeigehen, wie ich, teilnahmslos in Trauer verharrend, nicht sehe, was um mich her geschehe, und sie forderten mich auf, ihnen zu folgen. Ich verteidigte mich aber freundlich und rief ihnen zu, ich sähe alles genau, was sie bewege, und nähme teil daran. Nur sollten sie sich jetzt nicht um mich kümmern, so sei mir wohler.

»Wo gehen wir denn hin? —
Immer nach Hause.«

Novalis

EDUARD MÖRIKE

Besuch in Urach

Nur fast so wie im Traum ist mir's geschehen,
Daß ich in dies geliebte Tal verirrt.
Kein Wunder ist, was meine Augen sehen,
Doch schwankt der Boden, Luft und Staude schwirrt,
Aus tausend grünen Spiegeln scheint zu gehen
Vergangene Zeit, die lächelnd mich verwirrt;
Die Wahrheit selber wird hier zum Gedichte,
Mein eigen Bild ein fremd und hold Gesichte!

Da seid ihr alle wieder aufgerichtet,
Besonnte Felsen, alte Wolkenstühle,
Auf Wäldern schwer, wo kaum der Mittag lichtet
Und Schatten mischt mit balsamreicher Schwüle.
Kennt ihr mich noch, der sonst hierher geflüchtet.
Im Moose, bei süß-schläferndem Gefühle,
Der Mücke Sumsen hier ein Ohr geliehen,
Ach, kennt ihr mich, und wollt nicht vor mir fliehen?

Hier wird ein Strauch, ein jeder Halm zur Schlinge,
Die mich in lieblicher Betrachtung fängt;
Kein Mäuerchen, kein Holz ist so geringe,
Daß nicht mein Blick voll Wehmut an ihm hängt:
Ein jedes spricht mir halbvergessne Dinge;
Ich fühle, wie von Schmerz und Lust gedrängt
Die Träne stockt, indes ich ohne Weile,
Unschlüssig, satt und durstig, weiter eile.

Hinweg! und leite mich, du Schar von Quellen,
Die ihr durchspielt der Matten grünes Gold!
Zeigt mir die urbemoosten Wasserzellen,
Aus denen euer ewigs Leben rollt,
Im kühnsten Walde die verwachsnen Schwellen,
Wo eurer Mutter Kraft im Berge grollt,
Bis sie im breiten Schwung an Felsenwänden
Herabstürzt, euch im Tale zu versenden.

Oh, hier ist's, wo Natur den Schleier reißt!
Sie bricht einmal ihr übermenschlich Schweigen;
Laut mit sich selber redend will ihr Geist,
Sich selbst vernehmend, sich ihm selber zeigen. —
— Doch ach, sie bleibt, mehr als der Mensch, verwaist,
Darf nicht aus ihrem eignen Rätsel steigen!
Dir biet ich denn, begier'ge Wasersäule,
Die nackte Brust, ach, ob sie dir sich teile!

Vergebens! und dein kühles Element
Tropft an mir ab, im Grase zu versinken.
Was ist's, was deine Seele von mir trennt?
Sie flieht, und möcht ich auch in dir ertrinken!
Dich kränkt's nicht, wie mein Herz um dich entbrennt,
Küssest im Sturz nur diese schroffen Zinken;
Du bleibest, was du warst seit Tag und Jahren,
Ohn ein'gen Schmerz der Zeiten zu erfahren.

Hinweg aus diesem üpp'gen Schattengrund
Voll großer Pracht, die drückend mich erschüttert!
Bald grüßt beruhigt mein verstummter Mund
Den schlichten Winkel, wo sonst halb verwittert
Die kleine Bank und wo das Hüttchen stund;
Erinnrung reicht mit Lächeln die verbittert
Bis zur Betäubung süßen Zauberschalen;
So trink ich gierig die entzückten Qualen.

Hier schlang sich tausendmal ein junger Arm
Um meinen Hals mit inn'gem Wohlgefallen.
O säh ich mich, als Knaben sonder Harm,
Wie einst, mit Necken durch die Haine wallen!
Ihr Hügel, von der *alten* Sonne warm,
Erscheint mir denn auf keinem von euch allen
Mein Ebenbild in jugendlicher Frische
Hervorgesprungen aus dem Waldgebüsche?

O komm, enthülle dich! dann sollst du mir
Mit Freundlichkeit ins dunkle Auge schauen!
Noch immer, guter Knabe, gleich ich dir,
Uns beiden wird nicht voreinander grauen!
So komm und laß mich unaufhaltsam hier
Mich deinem reinen Busen anvertrauen! —

Umsonst, daß ich die Arme nach dir strecke,
Den Boden, wo du gingst, mit Küssen decke!

Hier will ich denn laut schluchzend liegen bleiben,
Fühllos, und alles habe seinen Lauf! —
Mein Finger, matt, ins Gras beginnt zu schreiben:
Hin ist die Lust! hab alles seinen Lauf!
Da, plötzlich, hör ich's durch die Lüfte treiben,
Und ein entfernter Donner schreckt mich auf;
Elastisch angespannt mein ganzes Wesen
Ist von Gewitterluft wie neu genesen.

Sieh! wie die Wolken finstre Ballen schließen
Um den ehrwürd'gen Trotz der Burgruine!
Von weitem schon hört man den alten Riesen,
Stumm harrt das Tal mit ungewisser Miene,
Der Kuckuck nur ruft sein eintönig Grüßen
Versteckt aus unerforschter Wildnis Grüne, —
Jetzt kracht die Wölbung, und verhallet lange:
Das wundervolle Schauspiel ist im Gange!

Ja nun, indes mit hoher Feuerhelle
Der Blitz die Stirn und Wange mir verklärt.
Ruf ich den lauten Segen in die grelle
Musik des Donners, die mein Wort bewährt:
O Tal! Du meines Lebens andre Schwelle!
Du meiner tiefsten Kräfte stiller Herd!
Du meiner Liebe Wundernest! Ich scheide,
Leb wohl! — und sei dein Engel mein Geleite!

Annette von Droste-Hülshoff

Bilder aus Westfalen

Wenn wir von Westfalen reden, so begreifen wir darunter einen großen, sehr verschiedenen Landstrich, verschieden nicht nur den weit auseinanderliegenden Stammwurzeln seiner Bevölkerung nach, sondern auch in allem, was die Physiognomie des Landes bildet, oder wesentlich darauf zurückwirkt, in Klima, Naturform, Erwerbsquellen, und, als Folge dessen, in Kultur, Sitten, Charakter, und selbst Körperbildung seiner Bewohner: daher möchten wohl wenige Teile unseres Deutschlands einer so vielseitigen Beleuchtung bedürfen.

Zwar gibt es ein Element, das dem Ganzen, mit Ausnahme einiger kleiner Grenzprovinzen, für den oberflächlichen Beobachter einen Anhauch von Gleichförmigkeit verleiht, ich meine das des gleichen (katholischen) Religionskultus, und des gleichen früheren Lebens unter den Krummstäben, was, in seiner festen Form und gänzlicher Beschränkung auf die nächsten Zustände, immer dem Volkscharakter und selbst der Natur einen Charakter von bald beschaulicher, bald in sich selbst arbeitender Abgeschlossenheit gibt, den wohl erst eine lange Reihe von Jahren, und die Folge mehrerer, unter fremden Einflüssen herangebildeter Generationen völlig verwischen dürften. Das schärfere Auge wird indessen sehr bald von Abstufungen angezogen, die in ihren Endpunkten sich fast zum Kontraste steigern, und, bei der noch großenteils erhaltenen Volkstümlichkeit, dem Lande ein Interesse zuwenden, was ein vielleicht besserer, aber zerflossener Zustand nicht erregen könnte. — Gebirg und Fläche scheinen auch hier, wie überall, die schärferen Grenzlinien bezeichnen zu wollen; doch haben, was das Volk betrifft, Umstände die gewöhnliche Folgenreihe gestört, und statt aus dem flachen, heidigen Münsterlande, durch die hügelige Grafschaft Mark und das Bistum Paderborn, bis in die, dem Hochgebirge nahestehenden Bergkegel des Sauerlandes (Herzogtum Westfalen) sich der Natur nachzumetamorphosieren, bildet hier vielmehr der Sauerländer den Übergang vom friedlichen Heidebewohner zum wilden, fast südlich durchglühten, Insassen des Teutoburger Waldes. — Doch lassen wir dieses beiläufig beiseite, und fassen die Landschaft ins Auge, unabhängig von ihren Bewohnern, insofern die Einwirkung derselben (durch Kultur etc.) auf deren äußere Form dieses erlaubt. Wir haben bei Wesel die Ufer des Niederrheins verlassen, und nähern uns durch das, auf der

Karte mit Unrecht Westfalen zugezählte, noch echt rheinische Herzogtum Kleve, den Grenzen jenes Landes. Das allmählige Verlöschen des Grüns und der Betriebsamkeit; das Zunehmen der glänzenden Sanddünen und einer gewissen lauen, träumerischen Atmosphäre, sowie die aus den seltenen Hütten immer blonder und weicher hervorschauenden Kindergesichter sagen uns, daß wir sie überschritten haben, — wir sind in den Grenzstrichen des Bistums Münster. — Eine trostlose Gegend! unabsehbare Sandflächen, nur am Horizonte hier und dort von kleinen Waldungen und einzelnen Baumgruppen unterbrochen. — Die von Seewinden geschwängerte Luft scheint nur im Schlafe aufzuzucken. — Bei jedem Hauche geht ein zartes, dem Rauschen der Fichten ähnliches Geriesel über die Fläche, und säet den Sandkies in glühenden Streifen bis an die nächste Düne, wo der Hirt in halb somnambüler Beschaulichkeit seine Socken strickt, und sich so wenig um uns kümmert, als sein gleichfalls somnambüler Hund und seine Heidschnucken. — Schwärme badender Krähen liegen quer über den Pfad, und flattern erst auf, wenn wir sie fast greifen könnten, um einige Schritte seitwärts wieder niederzufallen, und uns im Vorübergehen mit einem weissagenden Auge, »oculo torvo sinistroque« zu betrachten. — Aus den einzelnen Wacholderbüschen dringt das klagende, möwenartige Geschrill der jungen Kibitze, die wie Tauchervögel im Schilf in ihrem stachligen Asyle umschlüpfen, und bald hier bald drüben ihre Federbüschel hervorstrecken. — Dann noch etwa jede Meile eine Hütte, vor deren Tür ein paar Kinder sich im Sande wälzen und Käfer fangen, und allenfalls ein wandernder Naturforscher, der neben seinem überfüllten Tornister kniet, und lächelnd die zierlich versteinerten Muscheln und Seeigel betrachtet, die wie Modelle einer früheren Schöpfung hier überall verstreut liegen, — und wir haben alles genannt, was eine lange Tagereise hindurch eine Gegend belebt, die keine andere Poesie aufzuweisen hat, als die einer fast jungfräulichen Einsamkeit, und einer weichen, traumhaften Beleuchtung, in der sich die Flügel der Fantasie unwillkürlich entfalten. — Allmählich bereiten sich indessen freundlichere Bilder vor, — zerstreute Grasflächen in den Niederungen, häufigere und frischere Baumgruppen begrüßen uns als Vorposten nahender Fruchtbarkeit, und bald befinden wir uns in dem Herzen des Münsterlandes, in einer Gegend, die so anmutig ist, wie der gänzliche Mangel an Gebirgen, Felsen und belebten Strömen dieses nur immer gestattet, und die wie eine große Oase, in dem sie von allen Seiten, nach Holland, Oldenburg, Kleve zu, umstäubenden Sandmeer liegt. — In hohem Grade friedlich, hat sie doch nichts von dem Charakter der Einöde, vielmehr mögen wenige Landschaften so voll Grün, Nachtigallenschlag und Blumenflor angetroffen werden, und der aus minder feuchten Gegenden Einwandernde wird fast betäubt vom Geschmetter der zahllosen Singvögel, die ihre Nahrung in dem weichen Kleiboden finden. — Die wüsten Steppen haben sich in mäßige, mit einer Heidenblumendecke farbig überhauchte Weidestrecken zusammengezogen, aus denen jeder Schritt Schwärme blauer, gelber und milchweißer Schmetterlinge aufstäuben läßt. — Fast jeder dieser Weidegründe enthält einen Wasserspiegel, von Schwertlilien umkränzt, an denen Tausende kleiner Libellen wie bunte Stäbchen hängen, während die der größeren Art bis auf die Mitte des Weihers schnurren, wo sie in die Blätter der gelben Nymphäen, wie goldene Schmucknadeln in emaillierte Schalen niederfallen, und dort auf die Wasserinsekten lauern, von denen sie sich nähren. — Das Ganze umgrenzen kleine, aber zahlreiche Waldungen. — Alles Laubholz, und namentlich ein Eichenbestand von tadelloser Schönheit, der die holländische Marine mit Masten versieht — in jedem Baume ein Nest, auf jedem Aste ein lustiger Vogel, und überall eine Frische des Grüns und ein Blätterduft, wie dieses anderwärts nur nach einem Frühlingsregen der Fall ist. — Unter den Zweigen lauschen die Wohnungen hervor, die langgestreckt, mit tief niederragendem Dache, im Schatten Mittagsruhe zu halten und mit halbgeschlossenem Auge nach den Rindern zu schauen scheinen, welche hellfarbig und gescheckt wie eine Damwildherde sich gegen das Grün des Waldbodens oder den blassen Horizont abzeichnen, und in wechselnden Gruppen durcheinander schieben, da diese Heiden immer Allmenden sind, und jede wenigstens sechzig Stück Hornvieh und darüber enthält. — Was nicht Wald und Heide ist, ist *Kamp,* d. h. Privateigentum, zu Acker und Wiesengrund benützt, und, um die Beschwerde des Hütens zu vermeiden, je nach dem Umfange des Besitzes oder der Bestimmung, mit einem hohen, von Laubholz überflatterten Erdwalle umhegt. — Dieses begreift die fruchtbarsten Grundstrekken der Gemeinde, und man trifft gewöhnlich lange Reihen solcher Kämpe nach- und nebeneinander, durch Stege und Pförtchen verbunden, die man mit jener angenehmen Neugier betritt, mit der man die Zimmer eines dachlosen Hauses durchwandelt. Wirklich geben auch vorzüglich die Wiesen einen äußerst heitern Anblick durch die Fülle und Mannigfaltigkeit der Blumen und Kräuter, in denen die Elite der Viehzucht, schwerer ostfriesischer Rasse, übersättigt wiederkaut, und den Vorübergehenden so träge und hochmütig anschnaubt, wie es nur der Wohlhäbigkeit auf vier Beinen erlaubt ist. Gräben und Teiche durchschneiden auch hier, wie überall, das Terrain, und würden, wie alles stehende Gewässer, widrig sein, wenn nicht eine weiße, von Vergißmeinnicht umwucherte Blütendecke und der aromatische Duft des Münzkrautes dem überwiegend entgegenwirkten; auch die Ufer der träg schleichenden Flüsse sind mit dieser Zierde versehen, und mildern so das Unbehagen, das ein schläfriger Fluß immer erzeugt. — Kurz diese Gegend bietet eine lebhafte Einsamkeit, ein fröhliches Alleinsein mit der Natur, wie wir es anderwärts noch nicht angetroffen. — Dörfer trifft man alle Stunde Weges höchstens eines, und die zerstreuten Pachthöfe liegen so versteckt hinter Wallhecken und Bäumen, daß nur ein ferner Hahnenschrei, oder ein aus seiner Laubperücke winkender Heiligenschein sie dir andeutet, und du dich allein glaubst mit Gras und Vögeln, wie am vierten Tage der Schöpfung, bis ein langsames »Hott« oder »Haar« hinter der nächsten Hecke dich aus dem Traume weckt, oder ein grell anschlagender Hofhund dich auf den Dachstreifen aufmerksam macht, der sich gerade neben dir, wie ein liegender Balken durch das Gestripp des Erdwalls zeichnet …

Ich meine, was so heiß geliebt,
Es darf des Stolzes sich erkühnen.
Ich liebe dich, ich sag es laut,
Mein Kleinod ist dein Name traut!
Und oft mein Auge ward getrübt,
Sah ich in Südens reichen Zonen,
Erdrückt von tausend Blumenkronen,
Ein schüchtern Heidekräutchen grünen.
Es wär mir eine werte Saat,
Blieb ich so treu der guten Tat,
Als ich mit allen tiefsten Trieben,
Mein kleines Land, dir treu geblieben!

Anette von Droste-Hülshoff

DETLEV VON LILIENCRON

Heidebilder

Tiefeinsamkeit spannt weit die schönen Flügel,
Weit über stille Felder aus.
Wie ferne Küsten grenzen graue Hügel,
Sie schützen vor dem Menschengraus.

Im Frühling fliegt in mitternächt'ger Stunde
Die Wildgans hoch in raschem Flug.
Das alte Gaukelspiel: in weiter Runde
Hör ich Gesang im Wolkenzug.

Verschlafen sinkt der Mond in schwarze Gründe,
Beglänzt noch einmal Schilf und Rohr.
Gelangweilt ob so mancher holden Sünde,
Verläßt er Garten, Wald und Moor.

*

Die Mittagsonne brütet auf der Heide,
Im Süden droht ein schwarzer Ring,
Verdurstet hängt das magere Getreide,
Behaglich treibt ein Schmetterling.

Ermattet ruhn der Hirt und seine Schafe,
Die Ente träumt im Binsenkraut,
Die Ringelnatter sonnt in trägem Schlafe
Unregbar ihre Tigerhaut.

Im Zickzack zuckt ein Blitz, und Wasserfluten
Entstürzen gierig dunklem Zelt.
Es jauchzt der Sturm und peitscht mit seinen Ruten
Erlösend meine Heidewelt.

*

In Herbstestagen bricht mit starkem Flügel
Der Reiher durch den Nebelduft.
Wie still es ist! Kaum hör ich um den Hügel
Noch einen Laut in weiter Luft.

Auf eines Birkenstämmchens schwanker Krone
Ruht sich ein Wanderfalke aus.
Doch schläft er nicht; von seinem leichten Throne
Äugt er durchdringend scharf hinaus.

Der alte Bauer mit verhaltnem Schritte
Schleicht neben seinem Wagen Torf.
Und holpernd, stolpernd schleppt mit lahmem Tritte
Der alte Schimmel ihn ins Dorf.

*

Die Sonne leiht dem Schnee das Prachtgeschmeide;
Doch ach! wie kurz ist Schein und Licht.
Ein Nebel tropft, und traurig zieht im Leide
Die Landschaft ihren Schleier dicht.

Ein Häslein nur fühlt noch des Lebens Wärme,
Am Weidenstumpfe hockt es bang;
Doch kreischen hungrig schon die Rabenschwärme
Und hacken auf den sichern Fang.

Bis auf den schwarzen Schlammgrund sind gefroren
Die Wasserlöcher und der See.
Zuweilen geht ein Wimmern, wie verloren,
Dann stirbt im toten Wald ein Reh.

*

Tiefeinsamkeit, es schlingt um deine Pforte
Die Erika das rote Band.
Von Menschen leer, was braucht es noch der Worte,
Sei mir gegrüßt, du stilles Land!

Adalbert Stifter

Waldburg

An der Mitternachtseite des Ländchens Österreich zieht ein Wald an die dreißig Meilen lang seinen Dämmerstreifen westwärts, beginnend an den Quellen des Flusses Thaia, und fortstrebend bis zu jenem Grenzknoten, wo das böhmische Land mit Österreich und Baiern zusammenstößt. Dort, wie oft die Nadeln bei Kristallbildungen, schoß ein Gewimmel mächtiger Joche und Rücken gegeneinander, und schob einen derben Gebirgsstock empor, der nun den drei Landen weithin sein Waldesblau zeigt, und ihnen allerseits wogiges Hügelland und strömende Bäche absendet. Er beugt, wie seinesgleichen öfter, den Lauf der Bergeslinie ab, und sie geht dann mitternachtwärts viele Tagereisen weiter.

Der Ort dieser Waldesschwenkung nun, vergleichbar einer abgeschiednen Meeresbucht, ist es, in dessen Revieren sich das begab, was wir uns vorgenommen zu erzählen. Vorerst wollen wir es kurz versuchen, die zwei Punkte jener düsterprächtigen Waldesbogen dem geneigten Leser vor die Augen zu führen, wo die Personen dieser Geschichte lebten und handelten, ehe wir ihn zu ihnen selber geleiten. Möchte es uns gelingen, nur zum tausendsten Teile jenes schwermütig schöne Bild dieser Waldtale wieder zu geben, wie wir es selbst im Herzen tragen seit der Zeit, als es uns der immer gütige Himmel gönnte, gerade dort den uns allen bestimmten Jugendtraum zu träumen, den Traum, der eines Tages aus den tausend Herzen *eines* — oft nicht besser und nicht schlechter als die andern — hervorhebt, und es als unser Eigentum für alle Zukunft als einzigstes und schönstes in die Seele prägt, und dazu die Fluren, wo es wandelte, als ewig schwebende Gärten in die dunkle warme Zauberfantasie hängt! —

Wenn sich der Wanderer von der alten Stadt und dem Schlosse Krumau, dieser grauen Witwe der verblichenen Rosenberger, westwärts wendet, so wird ihm zwischen unscheinbaren Hügeln bald hier bald da ein Stück Dämmerblau hereinscheinen, Gruß und Zeichen von draußen ziehendem Gebirgslande, bis er endlich nach Ersteigung eines Kammes nicht wieder einen andern vor sich sieht, wie den ganzen Vormittag, sondern mit eins die ganze blaue Wand von Süd nach Norden streichend, einsam und traurig. Sie schneidet einfärbig mit breitem vertikalem Bande den Abendhimmel, und schließt ein Tal, aus dem ihn wieder die Wasser der Moldau anglänzen, die er in Krumau verließ, nur noch jugendlicher und näher ihrem Ursprunge. Im Tale, das weit und fruchtbar ist, sind Dörfer herumgestreut, und mitten unter ihnen steht der kleine Flecken Oberplan. Die Wand ist obgenannter Waldesdamm, wie er eben nordwärts beugt, und daher unser vorzüglichstes Augenmerk. Der eigentliche Punkt aber ist ein See, den sie ungefähr im zweiten Drittel ihrer Höhe trägt.

Dichte Waldbestände der eintönigen Fichte und Föhre führen stundenlang vorerst aus dem Moldautale empor, dann folgt, dem Seebache sacht entgegensteigend, offenes Land — aber es ist eine wilde Lagerung zerrissener Gründe, aus nichts bestehend, als tief schwarzer Erde, dem dunklen Totenbette tausendjähriger Vegetation, darauf viele einzelne Granitkugeln liegen, wie bleiche Schädel von ihrer Unterlage sich abhebend, da sie vom Regen bloßgelegt, gewaschen und rund gerieben sind. — Ferner liegt noch da und dort das weiße Gerippe eines gestürzten Baumes und angeschwemmte Klötze. Der Seebach führt braunes Eisenwasser, aber so klar, daß im Sonnenscheine der weiße Grundsand glitzert, wie lauter rötlich heraufflimmernde Goldkörner. Keine Spur von Menschenhand, jungfräuliches Schweigen. —

Ein dichter Anflug junger Fichten nimmt uns nach einer Stunde Wanderung auf, und von dem schwarzen Samte seines Grundes hinausgetreten, steht man an der noch schwärzern Seesfläche. Ein Gefühl der tiefsten Einsamkeit überkam mich jedesmal unbesieglich, so oft und gerne ich zu dem märchenhaften See hinauf stieg. Ein gespanntes Tuch ohne eine einzige Falte liegt er weich zwischen dem harten Geklippe, gesäumt von einem dichten Fichtenbande, dunkel und ernst, daraus manch einzelner Urstamm den ästelosen Schaft emporstreckt, wie eine einzelne antike Säule. Gegenüber diesem Waldbande steigt ein Felsentheater lotrecht auf, wie eine graue Mauer, nach jeder Richtung denselben Ernst der Farbe breitend, nur geschnitten durch zarte Streifen grünen Mooses, und sparsam bewachsen von Schwarzföhren, die aber von solcher Höhe so klein herabsehen, wie Rosmarinkräutlein. Auch brechen sie häufig aus Mangel des Grundes los, und stürzen in den See hinab, daher man über ihn hinschauend der jenseitigen Wand entlang in gräßlicher Verwirrung die alten ausgebleichten Stämme liegen sieht in traurigem weiß leuchtendem Verhack die dunklen Wasser säumend. Rechts treibt die Seewand einen mächtigen Granitgiebel empor, Blokenstein geheißen, links schweift sie sich in ein sanftes Dach herum, von hohem Tannenwald bestanden, und mit einem grünen Tuche des feinsten Mooses überhüllet.

Da in diesem Becken (buchstäblich) *nie* ein Wind weht, so ruht das Wasser unbeweglich, und der Wald und die grauen Felsen, und der Himmel schauen aus seiner Tiefe heraus, wie aus einem ungeheuern schwarzen Glasspiegel. Über ihm steht ein Fleckchen der tiefen eintönigen Himmelsbläue. Man kann hier tagelang weilen und sinnen und kein Laut stört die durch das Gemüt sinkenden Gedanken, als etwa der Fall einer Tannenfrucht oder der kurze Schrei eines Geiers.

Oft entstand mir ein und derselbe Gedanke, wenn ich an diesen Gestaden saß, als sei es ein unheimlich Naturauge, das mich hier ansehe — tief schwarz — überragt von der Stirn und Braue der Felsen, gesäumt von der Wimper dunkler Tannen — drin das Wasser regungslos, wie eine versteinerte Träne.

Rings um diesen See, vorzüglich gegen Baiern ab, liegen schwere Wälder, manche nie besuchte einsame Talkrümmen samt ihrem Bächlein zwischen den breiten kolossalen Rücken führend, manche Felsenwand schiebend mit tausend an der Sonne glänzenden Flittern, und manche Waldwiese dem Tagesglanze unterbreitend, einen schimmernden Versammlungssaal des mannigfachsten Wildes.

Dies ist der *eine* der zwei obbemerkten Punkte, lasset uns nun zu dem *andern* übergehen. Es ist auch ein Wasser, aber ein freundliches, nämlich das leuchtende Band der Moldau, wie es sich darstellt von jenem Höhepunkt desselben Waldzuges angesehen, aber etwa zehn Wegestunden weiter gegen Sonnenaufgang. Durch die duftblauen Waldrücken noch glänzender, liegt es geklemmt in den Talwindungen, weithin sichtbar, erst ein Lichtfaden, dann ein flatternd Band, und endlich ein breiter Silbergürtel, um die Wölbung dunkler Waldesbusen geschlungen — dann, bevor sie neuerdings schwarze Tannen- und Föhrenwurzeln netzt, quillt sie auf Augenblicke in ein lichtes Tal hervor, das wie ein zärtlich Auge aufgeschlagen ist in dem ringsum trauernden Waldesdunkel — es trägt dem wandernden Waldwasser gastliche Felder entgegen, und grüne Wiesen, und auf einer derselben, wie auf einem Samtkissen, einen kleinen Ort mit dem schönen Namen *Friedberg.* — Von da, nach kurzem Glanze, schießt das Wellensilber wieder in die Schatten erst des Jesuiterwaldes, dann des Kinberges, und wird endlich durch die Schlucht der Teufelsmauer verschlungen.

Der Punkt, von dem aus man fast so weit als es hier beschrieben, den Lauf dieser Waldestochter übersehen kann, ist eine zerfallende Ritterburg, von dem Tale aus wie ein luftblauer Würfel anzusehen, der am obersten Rande eines breiten Waldbandes schwebet. Friedbergs Fenster sehen gegen Südwesten auf die Ruine, und dessen Bewohner nennen sie den *Thomasgipfel* oder *Thomasturm,* oder schlechthin *St. Thoma,* und sagen, es sei ein uraltes Herrenschloß, auf dem einst grausame Ritter wohnten, weshalb es jetzt verzaubert sei und in tausend Jahren nicht zusammenfallen könne, ob auch Wetter und Sonnenschein daran arbeite.

Oft saß ich in vergangnen Tagen in dem alten Mauerwerke, ein liebgewordenes Buch lesend, oder bloß den lieben aufkeimenden Jugendgefühlen horchend, durch die ausgebröckelten Fenster zum blauen Himmel schauend, oder die goldnen Tierchen betrachtend, die neben mir in den Halmen liefen, oder statt all dem bloß müßig und sanft empfindend den stummen Sonnenschein, der sich auf Mauern und Steine legte —— oft und gerne verweilte ich dort, selbst als ich das Schicksal derer noch nicht kannte, die zuletzt diese wehmütige Stätte bewohnten.

Ein grauer viereckiger Turm steht auf grünem Weidegrunde, von schweigendem zerfallenem Außenwerke umgeben, tausend Gräser, und schöne Waldblumen, und weiße Steine im Hofraume hegend, und von außen umringt mit vielen Platten, Knollen, Blöcken, und andern wunderlichen Granitformen, die ausgesäet auf dem Rasen herumliegen. Keine Stube, kein Gemach ist mehr im wohnbaren Zustande, nur seine Mauern, jedes Mörtels und Anwurfes entkleidet, stehen zu dem reinen Himmel empor, und tragen hoch oben manche einsame Türe, oder einen unzugänglichen Söller, nebst einer Fensterreihe, die jetzt in keinem Abendrot mehr glänzen, sondern eine Wildnis schöner Waldkräuter in ihren Simsen tragen. — Keine Waffen hängen an den Mauerbögen, als die hundert goldnen Pfeile der schief einfallenden Sonnenstrahlen, — keine Juwelen glänzen aus der Schmucknische, als die schwarzen befremdeten Äuglein eines brütenden Rotkehlchens, — kein Tragebalken führt vom Mauerrande sein Dach empor, als manch ein Fichtenbäumchen, das hoch am Saume im Dunkelblau sein grünes Leben zu beginnen suchet, — Keller, Gänge, Stuben — alles Berge von Schutt, gesucht und geliebt von mancher dunkeläugigen Blume. Einer der Schutthügel reicht von innen bis gegen das Fenster des zweiten Stockwerkes empor. Dem, der ihn erklimmt, wird ein Anblick, der, obwohl im geraden Gegensatz mit den Trauerdenkmalen ringsum, dennoch augenblicklich fühlen läßt, daß eben er den Vollendungszirkel um das beginnende Empfinden lege, nämlich: über alle Wipfel der dunklen Tannen hin ergießt sich dir nach jeder Richtung eine unermeßne Aussicht, strömend in deine Augen und sie fast mit Glanz erdrückend — dein staunender und verwirrter Blick ergeht sich über viele, viele grüne Bergesgipfel in webendem Sonnendufte schwebend, und gerät dann hinter ihnen in einen blauen Schleierstreifen — es ist das gesegnete Land jenseits der Donau mit seinen Getreidehängen und Obstwäldern — bis er endlich auf jenen ungeheuren Halbmond trifft, der den Gesichtskreis einfasset: die norischen Alpen. — Der große Briel glänzt an heiteren Tagen wie eine lichte Flocke am Himmelsblaue hängend, — der Traunstein zeichnet eine blasse Wolkenkontur in den Kristall des Firmamentes — der Hauch der ganzen Alpenkette zieht wie ein luftiger Feengürtel um den Himmel, bis er hinausgeht in zarte, kaum sichtbare Lichtschleier, drinnen weiße Punkte zittern, wahrscheinlich die Schneeberge der ferneren Züge.

Dann wende den Blick auch nordwärts: da ruhen breite Waldesrücken und steigen lieblich schwarzblau dämmernd ab gegen den Silberblick der Moldau — westlich blauet Forst an Forst in angenehmer Färbung, und manche zarte schön blaue Rauchsäule steigt fern aus ihnen zu dem heiteren Himmel auf. Es wohnet unsäglich viel Liebes und Wehmütiges in diesem Anblicke. — …

Eine Heimat hat der Mensch,
Doch er wird nicht drin geboren,
Muß sie suchen, traumverloren,
Wenn das Heimweh ihn befällt …

WILHELM VON SCHOLZ

THEODOR STORM

Meeresstrand

Ans Haff nun fliegt die Möwe,
Und Dämmrung bricht herein;
Über die feuchten Watten
Spiegelt der Abendschein.

Graues Geflügel huschet
Neben dem Wasser her;
Wie Träume liegen die Inseln
Im Nebel auf dem Meer.

Ich höre des gärenden Schlammes
Geheimnisvollen Ton,
Einsames Vogelrufen —
So war es immer schon.

Noch einmal schauert leise
Und schweiget dann der Wind;
Vernehmlich werden die Stimmen,
Die über der Tiefe sind.

Die Stadt am Meer

Am grauen Strand, am grauen Meer
Und seitab liegt die Stadt;
Der Nebel drückt die Dächer schwer,
Und durch die Stille braust das Meer
Eintönig um die Stadt.

Es rauscht kein Wald, es schlägt im Mai
Kein Vogel ohn Unterlaß;
Die Wandergans mit hartem Schrei
Nur fliegt in Herbstesnacht vorbei,
Am Strande weht das Gras.

Doch hängt mein ganzes Herz an dir,
Du graue Stadt am Meer;
Der Jugend Zauber für und für
Ruht lächelnd noch auf dir, auf dir,
Du graue Stadt am Meer.

THEODOR FONTANE

Spreewaldfahrt

Zunächst durch die Stadt, dann durch den Lynarschen Park hindurch, gelangten wir in fünf Minuten an den Hauptspreearm, wo unsre Gondel im Schatten eines Buchenganges, der seine Zweige weit über das Ufer hinaus erstreckte, bereitlag. Es war schwer zu sagen, was mehr einlud, die Landschaft oder die Gondel. Drei Bänke mit Polster und Rückenlehne versprachen möglichste Bequemlichkeit, und ein Tragekorb von bemerkenswertem Umfang, aus dem rotgesiegelte Flaschen hervorlugten, wenn der Wind die Serviette ein wenig zur Seite wehte, deutete unverkennbar an, daß sich allerhand Luxusanfänge mit im Gefolge des Komfort befanden. Am Stern des Boots, das lange Ruder in der Hand, stand Bootführer Birkig, seines Zeichens ein Nachtwächter, heut aber engagiert, über Wohl und Weh dieses Tages zu wachen.

Wir stiegen ein, und die Fahrt begann. Gleich die erste halbe Meile, einschließlich des Dorfes Lehde, das wir bald erreichen werden, ist ein landschaftliches Kabinettstück und übertrifft insofern alle andern Bilder, die der Tag uns bringen wird, als es die Eigentümlichkeiten der Spreewaldlandschaft am klarsten und übersichtlichsten zeigt. Der Spreewald ist nämlich ein Wassernetz, das aus unzähligen Spreearmen und Spreekanälen geflochten wird, und diejenigen Stellen desselben, die diesen Netz- und Inselcharakter am deutlichsten zeigen, müssen, wenigstens landschaftlich, das Hauptinteresse in Anspruch nehmen. Denn man würde sich irren, wenn man glauben wollte, daß dieser Inselcharakter einem überall unverkennbar entgegenträte; nur derjenige, der in einem Luftballon über dieses vieldurchschnittene Terrain hinwegflöge, würde die blauen Fäden des Netzes und die unzähligen Inselmaschen in aller Deutlichkeit zu Füßen haben. Wer aber im Kahn diese Wasserlinien hinauf- und hinunterfährt, wird nur an wenigen Stellen dieser Vieldurchschnittenheit gewahr und findet die Eigentümlichkeiten des Spreewalds nicht überall so musterkartenartig vor sich ausgebreitet wie auf dem Wege, den wir jetzt passieren.

Das Inselland zu beiden Seiten verrät ebensosehr die Fruchtbarkeit des Bodens wie die Hand der Kultur. Zwischen den Heuschobern und Wiesenflächen, die sich wie zwei einander drängende Generationen den Rang streitig zu machen scheinen, dehnen sich weite Gurkenfelder, auch in einem Drängen von Blüte und Frucht. Der Boden dieser Felder ist kultiviert wie Gartenerde. Der reiche Viehstand der Dörfer schafft eine Düngererde, die über Meilen hin das Fundament, den goldenen Unterbau dieses Bodens bildet. Nun folgen die Mischungen und Verdünnungen, aus denen sich dann die verschiedenen Erdreiche ergeben, wie dieses oder jenes Produkt des Spreewalds sie erheischt.

Die Wassergewächse, die uns stromauf begleiten, bleiben dieselben; Butomus und Sagittaria lösen sich untereinander ab, nur hier und da gesellt sich ein Vergißmeinnicht hinzu. Es ist Sonntag, die Arbeit ruht, und die große Fahrstraße ist verhältnismäßig leer; nur selten treibt ein Kahn an uns vorüber, mit frischem Heu beladen oder mit Fischnetzen umstellt. Bursche und Mädchen handhaben das Ruder mit gleichem Geschick. Sie sitzen nicht auf der Ruderbank oder schlagen taktmäßig ins Wasser, sondern nach Art der Gondoliere stehen sie aufrecht am Hinterteil des Boots und treiben es vorwärts, nicht durch Schlag, sondern durch *Stoß*. Dies Aufrechtstehen, gepaart mit einer beständigen Anstrengung aller Kräfte, hat dem ganzen Volksstamm eine Haltung und Straffheit gegeben, die man bei unseren Dorfbewohnern nur allzuoft vermißt. Der Knecht, der vornüber im Sattel hängt oder, den Schwamm seiner Pfeife anpinkend, mit einem schläfrigen Hoi die Pferde antreibt, kommt nicht in die Lage, seine Schulterblätter zusammenzuziehen und sein halb krummgebogenes Rückgrat wie eine Weidenrute wieder geradezubiegen; der Spreewäldler aber, dem nicht Pferd, nicht Wagen die Arbeit seiner Füße abnimmt, steht immer auf dem Quivive, tätig, angespannt und hat nur die Wahl zwischen Anstrengung oder zu Hause bleiben. Die halbwache Halbarbeit kennt er nicht.

Wenn es schon ein reizender Anblick ist, diese schlanken und stattlichen Leute in ihren Booten vorüberfahren zu sehen, so steigert sich dieser Reiz im Winter, wo jeder Bootfahrer ein Schlittschuhläufer wird. Das ist dann die eigentliche Schaustellung ihrer Kraft und Geschicklichkeit. Dann sind Fluß und Inseln eine gemeinschaftliche Eisfläche, und ein paar Bretter unter den Füßen, die halb Schlitten, halb Schlittschuh sind, dazu eine sieben Fuß lange Eisenstange in der Hand, schleudert sich jetzt der Spreewäldler mit mächtigen Stößen weit über die blinkende Fläche hin. Dann tragen sie auch ihr nationales Kostüm: kurzen Leinwandrock und leinene Hosen, beide mit dickem Fries gefüttert, und Spreewaldstiefel, die fast bis an die Hüfte reichen.

Noch einmal, es ist Sonntag, und die Arbeit ruht. Aber an Wochentagen ist diese Straße, die wir jetzt still hinauffahren, von früh bis spät belebt, und alles nur Denkbare, was sonst auf Landstraßen geht und läuft und fährt und kreucht, das gleitet dann auf dieser Wasserstraße hinab und hinauf. Selbst die reichen Herden dieser Gegenden wirbeln keinen Staub auf, sondern werden ins Boot getrieben und machen die Wasserreise. So ist der tägliche Verkehr auf diesem Wasserstraßennetz; nur unterbrochen, wenn auf blumengeschmücktem Kahn, Musik vorauf, die Braut zur Kirche fährt oder wenn still und einsam, von Leidtragenden gefolgt, ein schwarzverhangenes Boot stromabwärts gleitet. Der Glanz- und Ehrentag dieser Gegenden aber war, als König Friedrich Wilhelm IV. (1842) auch diesen Landesteil besuchte und die Spreewaldboote, bunt und zahlreich wie die Fische, hinter der königlichen Gondel herschwammen.

Einzelne Häuser werden sichtbar; wir haben Lehde, das erste Spreewalddorf, erreicht. Es ist ein bäuerliches Venedig, die Lagunenstadt in Taschenformat; ein Venedig, wie es vor 1500 Jahren gewesen sein mag, als die ersten Fischerfamilien auf seinen Inseln Schutz suchten. Man kann nichts Lieblicheres sehen als dieses Inseldorf, das aus ebenso vielen Eilanden besteht, als es Häuser hat. Die Spree bildet die große Dorfstraße, allerhand Arme und Kanäle die Gassen. Wo sonst ein Heckenzaun sich zieht, um die Stelle zu markieren, wo ein Grundstück aufhört und das andere anfängt, ziehen sich hier Kanäle und Kanälchen, und jedes Bauernhaus ist ein abgeschlossenes Ganzes, das in der Umzäunung seiner Gräben daliegt wie eine Friedensburg. Die einzelnen Höfe, untereinander in kleinen Zügen verschieden, sind in der Grundanlage alle gleich. Dicht an der Spreestraße steht das Wohnhaus, ziemlich nah daran die Stallgebäude, und klafterweis aufgeschichtetes Erlenholz umzirkelt mehr oder weniger den Kreis des Inselchens. Obstbäume und Düngerhaufen, Blumenbeete und Fischkasten teilen im übrigen das Terrain und geben in ihrer Gedrängtheit die reizendsten Bilder. Jedes wie fertig, um gemalt zu werden. Das Wohnhaus selbst ist ein Blockhaus. Spreewaldeichen, horizontal übereinandergelegt, werden zusammengefugt und geben das alte, traditionelle Haus. Die Fugen werden mit Lehm verschmiert, dazu kleine Fenster und dem ganzen ein tüchtiges Schilfdach aufgesetzt, so ist das Haus fertig. Seine Schönheit besteht in seiner Ornamentik. Fischnetze und Gurkenblüte legen den Grund, und Geißblatt und Convolvulus schlingen sich mit allen Farben hindurch. Zwischen Haus und Fluß liegt ein Grasplatz, dessen letzter Ausläufer ein Holzsteg ist. Um ihn herum gruppieren sich die Kähne, klein und groß, immer dienstbereit, sei es nun, um einen Heuschober in den Stall zu schaffen oder einem Liebespaar bei seinem Stelldichein behülflich zu sein.

Die letzten Häuser von Lehde liegen hinter uns, und wieder dehnen sich Wiesen zu beiden Seiten, nur hier und da durch Erlengruppen oder eine einzelne alte Eiche unterbrochen. In südöstlicher Richtung geht es stroman, jetzt eine Biegung, eine zweite noch, und unser Kahn gleitet in einen geradlinigen Kanal hinein, der die Hauptverbindungsstraße zwischen den zwei Hauptarmen der Spree bildet. Dieser Kanal, mindestens eine halbe Meile lang, zählt mit zu den Schönheiten und Sehenswürdigkeiten des Spreewaldes. Im allgemeinen darf man wohl mit einigem Recht behaupten, daß es nichts Langweiligeres gibt als einen langen, geradlinigen Kanal. Zieht er sich durch Wiesen und Niederungen, so wird die Sache noch schlimmer; nur ein norddeutscher Schienenweg, der daliegt, als sollte man direkt von Berlin bis Hamburg sehen, geht noch darüber.

Jede Regel aber hat ihre Ausnahme, und der Kanal, in den wir eben einbiegen, ist eine solche. Ein Vergleich mag ihn beschreiben. Jeder kennt die geradlinigen, langgestreckten Laubengänge, die sich unter dem Namen der Poeten- und Philosophensteige in allen Le Nôtreschen Parkanlagen vorfinden. Auch unser Tiergarten hat dergleichen. Ein solcher Poetensteig ist der Kanal, der jetzt in seiner ganzen Länge vor uns liegt. Statt des Fußpfades ein Wasserstreifen, das gewölbte Laubdach über uns, so gleiten wir die Straße hinauf, die, wie eine Düte sich zuspitzend, an ihrem äußersten Ende ein fantastisch verkleinertes, halb erkennbares, halb verschwommenes Pflanzenleben zeigt, als begänne dort unten das Reich der Feen und Geister.

Wir erreichen endlich diese äußerste Spitze, statt aber ins Reich der Geister einzufahren, biegen wir nur in einen breiten, zu beiden Seiten mit Erlenwald umstandenen Spreearm ein, der uns in etwa einer Stunde nach »Der Eiche«, einem mitten im Spreewald gelegenen Wirtshaus, führt ...

FRIEDRICH NIETZSCHE

Vereinsamt

Die Krähen schrei'n
Und ziehen schwirren Flugs zur Stadt:
Bald wird es schnei'n, —
Wohl dem, der jetzt noch — Heimat hat!

Nun stehst du starr,
Schaust rückwärts, ach! wie lange schon!
Was bist du Narr
Vor winters in die Welt entflohn?

Die Welt — ein Tor
Zu tausend Wüsten stumm und kalt!
Wer das verlor,
Was du verlorst, macht nirgends halt.

Nun stehst du bleich,
Zur Winter-Wanderschaft verflucht,
Dem Rauche gleich,
Der stets nach kältern Himmeln sucht.

Flieg, Vogel, schnarr
Dein Lied im Wüstenvogel-Ton! —
Versteck, du Narr,
Dein blutend Herz in Eis und Hohn!

Die Krähen schrei'n
Und ziehen schwirren Flugs zur Stadt:
Bald wird es schnei'n, —
Weh dem, der keine Heimat hat!

Franz Kafka

Heimkehr

Ich bin zurückgekehrt, ich habe den Flur durchschritten und blicke mich um. Es ist meines Vaters alter Hof. Die Pfütze in der Mitte. Altes, unbrauchbares Gerät, ineinanderverfahren, verstellt den Weg zur Bodentreppe. Die Katze lauert auf dem Geländer. Ein zerrissenes Tuch, einmal im Spiel um eine Stange gewunden, hebt sich im Wind. Ich bin angekommen. Wer wird mich empfangen? Wer wartet hinter der Tür in der Küche? Rauch kommt aus dem Schornstein, der Kaffee zum Abendessen wird gekocht. Ist dir heimlich, fühlst du dich zu Hause? Ich weiß es nicht, ich bin sehr unsicher. Meines Vaters Haus ist es, aber kalt steht Stück neben Stück, als wäre jedes mit seinen eigenen Angelegenheiten beschäftigt, die ich teils vergessen habe, teils niemals kannte. Was kann ich ihnen nützen, was bin ich ihnen und sei ich auch des Vaters, des alten Landwirts Sohn. Und ich wage nicht, an der Küchentür zu klopfen, nur von der Ferne horche ich, nur von der Ferne horche ich stehend, nicht so, daß ich als Horcher überrascht werden könnte. Und weil ich von der Ferne horche, erhorche ich nichts, nur einen leichten Uhrenschlag höre ich oder glaube ihn vielleicht nur zu hören, herüber aus den Kindertagen. Was sonst in der Küche geschieht, ist das Geheimnis der dort Sitzenden, das sie vor mir wahren. Je länger man vor der Tür zögert, desto fremder wird man. Wie wäre es, wenn jetzt jemand die Tür öffnete und mich etwas fragte. Wäre ich dann nicht selbst einer, der sein Geheimnis wahren will.

ROBERT WALSER

An die Heimat

Die Sonne scheint durch das kleine Loch in das kleine Zimmer, wo ich sitze und träume, die Glocken der Heimat tönen. Es ist Sonntag, und im Sonntag ist es Morgen, und im Morgen weht der Wind, und im Wind fliegen alle meine Sorgen wie scheue Vögel davon. Ich fühle zu sehr die wohlklingende Nähe der Heimat, als daß ich mit einer Sorge im Wettstreit grübeln könnte. Ehemals weinte ich. Ich war so weit entfernt von meiner Heimat; es lagen so viele Berge, Seen, Wälder, Flüsse, Felder und Schluchten zwischen mir und ihr, der Geliebten, der Bewunderten, der Angebeteten. Heute morgen umarmt sie mich, und ich vergesse mich in ihrer üppigen Umarmung. Keine Frau hat so weiche, so gebieterische Arme, keine Frau, auch die schönste nicht, so gefühlvolle Lippen, keine Frau, auch die gefühlvollste nicht, küßt mit so unendlicher Inbrunst, wie meine Heimat mich küßt. Tönt Glocken, spiele Wind, braust Wälder, leuchtet Farben, es ist doch alles in dem einzigen, süßen Kuß, welcher in diesem Augenblick meine Sprache gefangen nimmt, in dem süßen, unendlich köstlichen Kuß der Heimat, der Heimat enthalten.

Hermann Hesse

Heimat. Calw

Zwischen Bremen und Neapel, zwischen Wien und Singapore habe ich manche hübsche Stadt gesehen, Städte am Meer und Städte hoch auf den Bergen, und aus manchem Brunnen habe ich als Pilger einen Trunk getan, aus dem mir später das süße Gift des Heimwehs wurde.

Die schönste Stadt von allen aber, die ich kenne, ist Calw an der Nagold, ein kleines, schwäbisches Schwarzwaldstädtchen.

Wenn ich jetzt etwa wieder einmal nach Calw komme, dann gehe ich langsam vom Bahnhof hinabwärts, an der katholischen Kirche, am Adler und am Waldhorn vorbei und durch die Bischofstraße an der Nagold hin bis zum Weinsteg oder auch bis zum Brühl, dann über den Fluß und durch die untere Ledergasse, durch eine der steilen Seitengassen zum Marktplatz hinauf, unter der Halle des Rathauses durch, an den zwei mächtigen alten Brunnen vorbei, tue auch einen Blick hinauf gegen die alten Gebäude der Lateinschule, höre im Garten des Kannenwirts die Hühner gackern, wende mich wieder abwärts, am Hirschen und Rößle vorüber, und bleibe dann lang auf der Brücke stehen. Das ist mir der liebste Platz im Städtchen, der Domplatz von Florenz ist mir nichts dagegen.

Wenn ich nun von der schönen steinernen Brücke aus dem Fluß nachblicke, hinab und hinauf, dann sehe ich Häuser, von denen ich nicht weiß, wer in ihnen wohnt. Und wenn aus einem der Häuser ein hübsches Mädchen blickt (die es in Calw stets gegeben hat), dann weiß ich nicht, wie sie heißt.

Aber vor dreißig Jahren, da saß hinter allen diesen vielen Fenstern kein Mädchen und kein Mann, keine alte Frau, kein Hund und keine Katze, die ich nicht gekannt hätte. Über die Brücke lief kein Wagen und trabte kein Gaul, von dem ich nicht wußte, wem er gehörte. Und so kannte ich alles, die vielen Schulbuben und ihre Spiele und Spottnamen, die Bäckerläden und ihre Ware, die Metzger und ihre Hunde, die Bäume und die Maikäfer und Vögel und Nester darauf, die Stachelbeersorten in den Gärten.

Daher hat die Stadt Calw diese merkwürdige Schönheit. Zu beschreiben brauche ich sie nicht, das steht fast in allen Büchern, die ich geschrieben habe. Ich hätte sie nicht zu schreiben brauchen, wenn ich in diesem schönen Calw sitzen geblieben wäre. Das war mir nicht bestimmt.

Aber wenn ich jetzt (wie es bis zum Krieg alle paar Jahre einmal geschah) wieder eine Viertelstunde auf der Brückenbrüstung sitze, über die ich als Knabe tausendmal meine Angelschnur hinabhängen hatte, dann fühle ich tief und mit einer wunderlichen Ergriffenheit, wie schön und merkwürdig dies Erlebnis für mich war: einmal eine Heimat gehabt zu haben! Einmal an einem kleinen Ort der Erde alle Häuser und ihre Fenster und alle Leute dahinter gekannt zu haben! Einmal an einem bestimmten Ort dieser Erde gebunden gewesen zu sein, wie der Baum mit Wurzeln und Leben an seinen Ort gebunden ist.

Wenn ich ein Baum wäre, stünde ich noch dort. So aber kann ich nicht wünschen, das Gewesene zu erneuern. Ich tue das in meinem Träumen und Dichten zuweilen, ohne es in der Wirklichkeit tun zu wollen.

Jetzt habe ich hie und da eine Nacht Heimweh nach Calw. Wohnte ich aber dort, so hätte ich jede Stunde des Tags und der Nacht Heimweh nach der schönen alten Zeit, die vor dreißig Jahren war und die längst unter den Bogen der alten Brücke hinweggeronnen ist. Das wäre nicht gut. Schritte, die man getan hat, und Tode, die man gestorben ist, soll man nicht bereuen.

Man darf nur zuweilen einen Blick dort hinein tun, durch die Ledergasse schlendern, eine Viertelstunde auf der Brücke stehen, sei es auch nur im Traum, und auch das nicht allzu oft.

Oskar Maria Graf

Ein Bauer rechnet

I

Es war eine frische, mondhelle Märznacht. Ganz ausgesternt wölbte sich der blanke Himmel, rundum auf den schneefreien, aufkeimenden Feldern stand ein dünner Dunst, und es roch kräftig nach Dung und feuchter Erde.

Auf dem schmalen, ausgefahrenen Feldweg, der von Weimberting nach Besenberg durch leicht hügelige Äcker führt, ging der baumlange Amrainer-Sepp, mit seinem richtigen Namen Joseph Lederer, torkelnd heimwärts. Allem Anschein nach war er sehr ärgerlich, denn er stieß oft und oft seinen dicken Weichselstecken fest auf den Boden und knurrte dabei grimmig vor sich hin: »Und grod mit Fleiß mog i it! Grod mit Fleiß it!« Er war beim Unterbräuwirt in Weimberting gewesen und hatte ihm ein schlachtbares Kalb angeboten. Ein zäher und schandmäßig schlechter Handel war daraus geworden. Der knickrige Wirt nämlich war immer und immer wieder von der eigentlichen Sache abgewichen, hatte dem Sepp eine Maß Bier um die andere aufgeschwatzt und dabei den Preis des Kalbes unglaublich tief heruntergedrückt. Die Amrainers von Besenberg aber waren von jeher weit und breit als sehr geldgierige, äußerst sparsame Leute bekannt, und der Sepp galt als der knauserigste von ihnen. Er mußte in einem fort an das sinnlos ausgegebene Geld denken. Sein Kopf war bierschwer, sein Hirn dumm und stumpf, sein Magen rumorte, er rülpste mitunter und verfluchte den erbärmlichen Stand des Bauern in jetziger Zeit, verfluchte das Kalb, die ganze heutige Weltordnung, aber die meiste Wut hatte er doch auf diesen fetten schlitzäugigen Unterbräuwirt. Während des ganzen Schacherns nämlich hatte dieser ewig so verfängliche, spöttische Fragen an ihn gerichtet, zum Beispiel, warum er — der Sepp — mit seinen vierunddreißig Jahren noch immer keine Courage zum Heiraten habe, wo er doch einziger Sohn und Erbe des fast schuldenfreien Hofes sei? Wo es doch rundherum schwergeldige Bauerntöchter grad genug gebe, und wo doch die alte Amrainerin gottesfroh wäre, wenn sie endlich übergeben könnte.

»Jetzt hot dir doch d'Brandversicherung scho dein' neuen Stodl herbaut! ... Und wennst jetz an Batzen Geld derheiratst, kunntst doch dei' Anwesen leicht richtn lassen!« hatte der neugierige Wirt einmal beiläufig hingeworfen und ganz frech und noch viel spöttischer dazugesetzt: »Du wartst gwiß, bis dir's Haus aa no niederbrennt, daß dir d' Versicherung dös aa no neu baun muaß?« —

Der Sepp kam jetzt auf der Besenberger Höhe an und blieb stehen. »Sauwirt, windiga!« brummte er mürrisch und schaute rundum. Alles war tot und still. Der hohe Mond verbreitete eine ungewöhnliche Helligkeit, und drunten auf der flachen Mulde tauchte das weitläufige Dorf Besenberg auf. Gleich das erste Bauernhaus mit dem neuen Stadel daneben, das war der uralte Amrainerhof. Er lag ungefähr wurfweit vom eigentlichen Dorf entfernt, langhingestreckt stand er auf dem freien Feld, kein Zaun umgab ihn.

Der Sepp hob sein stoppelbärtiges, hageres Gesicht, prüfte noch einmal wie ein witternder Hund die Umgebung und wurde ruhig. Er sah scharf, immer schärfer auf den neuen Stadel, dann wieder auf das Haus, und seine etwas herausgequollenen, leichtglotzenden Augen wurden belebter. Ein zerschlissenes Lächeln glitt über seine Züge. Er schnaubte, und endlich fuhr er mit dem Daumen und dem Zeigefinger in seine linke Westentasche, fingerte eine Weile darin herum und zog nacheinander vier Fünfmarktaler heraus. Nachdenklich wog er sie in seiner Handmuschel und schien sehr zufrieden zu sein. In diesem Augenblick aber schlug die Besenberger Kirchenuhr drei Viertel zwölf. Das erschreckte ihn ein wenig. Schnell ließ er die Taler wieder in die Westentasche gleiten und ging hastig weiter. Erst kurz vor dem Amrainerhof verlangsamte er seine Schritte. Hinten beim Leerbacher bellte der Hund auf. Der Sepp knirschte und trat von der Straße auf den weichen Feldrain. Vorsichtig ging er dahin, und als er an der feuchten, abgebröckelten Stallwand des Hauses stand, lauschte er angestrengt. Der Leerbacherhund bellte nicht mehr. Alles schlief. Der Sepp ging schmal an der Wand etliche Schritte weiter und drückte sein Gesicht an das kleine, verschmierte Fenster der Knechtkammer, die neben dem Stall zu ebener Erde lag. Etliche Augenblicke überlegte er. Sein Herz schlug. Er spürte es sogar in den Schläfen. Er gab sich einen kurzen Ruck und klopfte sacht an die Fensterscheiben.

»Wastl? He, Wastl!« keuchte er unterdrückt und klopfte schließlich stärker. Drinnen räkelte sich jetzt jemand im Schlaf.

»Wastl! He! Aufmach! Ich bin's, der Sepp!« wiederholte er dringlicher, und endlich bekam er Antwort. Der Knecht kroch mühselig aus seinem Bett und kam auf das Fenster zu.

»Geh weita, mach!« drängte der draußenstehende Sepp.

»J-jaa, ja ja! Wos is denn scho wieda?« wimmerte der Knecht und öffnete den einen Fensterflügel. Ihm war schon etliche Tage nicht recht gut, und gestern mußte er sich hinlegen, so schlecht war's geworden. Elendiglich jammerte er, der Sepp sollte ihn doch in Ruh lassen mit seinem Zeug, das komme ja doch einmal auf, und dann ...

»Ah! Red doch it! Mach auf! Geh weita!« ließ der Sepp nicht lokker, und nach einigem Hin und Her kam der Knecht dann doch an die hintere Stalltür und ließ den jungen Bauern hinein zu sich.

Gutding eine Stunde hockte der Sepp am Bett des jammernden Knechtes. Mit einem Fünfmarktaler fing das Handeln an. Beim dritten Taler noch meinte der kranke Wastl, er möge nicht mehr, wenn es aufkomme, komme er ins Zuchthaus und — überhaupt, ihm sei so miserablig schlecht, wenn das nicht besser werde, gehe er in das Krankenhaus. Beim vierten Taler endlich bekam der Sepp das Übergewicht.

»Dei' Kranksei' is ja doch dös best Alibi!« sagte er zum Wastl, und wenn er erst einmal auf dem richtigen, neugebauten Haus Bauer sei, er wisse, was Pflicht und Schuldigkeit sei. Alle vier kalten Taler drückte er dem fiebernden Knecht in die heiße Hand.

»Wastl, i vergiß dir's nia! Deiner Lebtog it!« schloß er warm und einnehmend. Alsdann schlich er durch den Stall in seine Schlafkammer hinauf. —

In der darauffolgenden Nacht — in Besenbach und beim Amrainer schlief alles ruhig und tief — fing auf einmal hinten in der Tenne das Knistern an. Schnell schlug das Feuer durch das dürre Dachgebälk, die erhitzten Ziegel zersprangen und fielen krachen herab. Als dann die hellichte Flamme zum Dachstuhl hinausloderte, plärrte der Leerbacher durch das offene Ehekammerfenster: »Brenna tuat's! Brenna tuat's!« Die Leute schreckten aus dem Schlaf und rannten daher. Ganz Besenberg lief zusammen. Die Kirchenglocken fingen an zu läuten und bekamen allmählich Antwort von den umliegenden Dörfern. Die Feuerwehr rückte aus und war machtlos. Ein Höllenlärm umfing das brennnende Haus. Mit der Nachtjacke, im Barchentunterrock, mit zerzaustem Haar und verschrecktem Gesicht kam die alte Amrainerin auf den Hof gelaufen, die Dirn sprang von der Altane herab und verstauchte sich den Fuß, mit knapper Not konnte man den kranken Knecht aus seiner qualmenden Kammer retten, denn irgend jemand hatte die Stalltüren aufgerissen, das Vieh abgehängt, und dieses rannte wie wild geworden ins Freie. Die Rösser jagten in die weite Dunkelheit, die Kühe liefen brüllend ins Dorf, die Säue sausten verängstigt in die Nachbargärten und versteckten sich in Büschen und Winkeln. Alles ging drunter und drüber. Die aufgeschreckten Hühner flogen gackernd in der hellen Nacht herum, die

Weiber schrien und weinten, die Männer stritten und reagierten kopflos, und als endlich die Weimbertinger, die Freiselbacher und Trostinger Feuerwehren auf den Platz kamen, war der ganze Hof nur noch ein lodernder Feuerhaufen.

»Ja, Himmikreizherrgott, wo ist denn eigentli der Sepp! Der Sepp?« schrie der Besenberger Feuerwehrhauptmann Lochbichler die weinende Amrainerin an, und auf einmal fragten alle so stürmisch, auf einmal wollte es jeder wissen, als hänge davon alles ab. Und da erfuhr man, der Sepp sei heute nachmittag nach Freising, um ein Roß zu kaufen.

»Z'Freising? ... Und dahoam brennt 's Sach?« schimpfte der Lorinser: »Der is guat!«

Und der Bernlochner meinte: »No, do kunnt er doch scho lang zruck sei' ... Hm, ausgerechnet wenn's brennt, is er beim Roßkaaffa!« Es war zwar weiter nicht argwöhnisch gemeint, es kam bloß von der allgemeinen Aufregung, aber einige faßten dabei doch ein Mißtrauen. Als aber der Sepp später dann ankam mit einem fetten Grauschimmel, war's dann doch viel anders, denn der junge Bauer wurde ganz verstört über das Unglück. Er fing sogar zu weinen an, und jeder Mensch hatte ein aufrichtiges Erbarmnis mit ihm. Der Lochbichler war der erste, der zu ihm sagte: »Noja, Sepp, es werd in Gottes Nama scho wieda werdn! ... D'Besnbacha hobn no nie an Besnbacha an Stich lossn!«

Der Sepp faßte sich wieder ein wenig, aber er war wie zerbrochen. Er, seine alte Mutter und die Ehhalten nahm man beim Leerbacher auf. Das Vieh wurde eingefangen und in den Nachbarställen untergebracht. Die Feuerwehren spritzten noch alles halbwegs zu Asche, zogen endlich ab und machten der Üblichkeit entsprechend in Weimberting beim Unterbräu Einkehr. Da gab es Freibier, ein ganzes Faß. Durst hatten die Leute, massig Durst. Und selbstredend wurden sie mit der Zeit auch lustig. Bei dieser Gelegenheit ließ der Unterbräuwirt Worte fallen, die allgemein als sehr unangebracht empfunden wurden. Er sagte etwas vom guten Versichertsein beim Amrainer und warf ziemlich hämisch hin, jetzt, wenn alsdann der Hof neu aufgebaut würde, heirate der Sepp sicher. Das verstimmte.

»Pfui Teifi!« schrie der Lochbichler mannhaft und warf dem Wirt etliche Grobheiten ins Gesicht: »Pfui Teifi ... I tat ma Sündn färchtn, a so daherzredn! I tat mi schama, wenn anderne a solchers Unglück hobn, no schlecht davo z'redn!« Und er hatte sofort alle für sich. Der Wirt kam schier in Bedrängnis.

Ob er vielleicht ein schlechter Kerl sei, der Amrainer-Sepp, meinten etliche, und wiederum der Hoazbaur von Freiselfing fragte, ob er vielleicht von Freising das Feuer hätte herblasen können, der Sepp? Am Nachmittag sei er weg, und um zehn Uhr in der Nacht hätt's zu brennen angefangen?

Kurzum, recht ausfällig wurde man gegen den vorlauten Unterbräuwirt, und da erzählte der, wie der Sepp vorgestern beim Kälberhandel komisch dreingeschaut habe, als er — der Wirt — ganz beiläufig sagte, ob er vielleicht gar mit dem Übernehmen und Heiraten warten wolle, bis das alte Haus auch noch niederbrenne und von der Versicherung neu gebaut würde.

»I red net einfach daher, aba wos i siech und här, dös sell hob i gsehng!« wehrte er sich, der Wirt. Und da freilich wurden etliche nachdenklich. Jeder in der Stube beruhigte sich. Keiner hingegen verlor ein ehrabschneiderisches Wort über den Sepp. Bloß der Hebersberger von Trosting meinte nebenher: »Noja, 's Knausern und's Geizigsei' is ja scho ewi dahoam beim Amraina z' Besenberg!« Das war alles.

II

Es ging alles in seiner Ordnung. Die Versicherung zahlte ihre runden neunundzwanzigtausend Mark aus, und der Amrainerhof erstand neu. Der Sepp half überall mit und war in einem Eifer. Die Besenbacher taten ein übriges. Der Leerbacher fuhr ihm billigen Sand aus seiner Sandgrube her, vom Lindl'schen Sägewerk in Trosting kam das Holz in Brettern und Balken, zu dem der Lochbichler und der Pointner beigesteuert hatten. Nach kaum zwei Monaten war dann eine fidele Hebefeier, und dabei zeigte sich der Amrainer-Sepp einmal nicht knauserig. Er stiftete einen halben Hektoliter Bier. Er selber war fast der Munterste dabei.

Als das Haus neu und frisch dastand, ließ schließlich der Sepp auch mit sich reden.

»Jaja, Muatta, i heirat scho, aba nur langsam ... So was loßt si doch net über's Knia o'brecha«, meinte er, wenn ihm die alte Amrainerin solcherart zuredete. Er schien auch langsam herumzuschauen nach einer passenden Hochzeiterin.

Um dieselbige Zeit kam endlich der Wastl, der eine Lungenentzündung bekommen hatte, aus dem Krankenhaus und konnte selbstredend wieder einstehen beim Amrainer. Indessen, der Knecht nahm sich jeden Tag mehr heraus, und da kam er zur alten Amrainerin unrecht. Nach etlichen Streitereien sagte sie ihm kurzerhand den Dienst auf. Das verwirrte sonderbarerweise den Sepp sehr. Der Amrainerin war es auffällig, daß er dem Knecht so beistand und absolut gegen das Ausstellen war. Doch die alte Amrainerin hatte von jeher einen eisernen Kopf. Sie gab nicht nach. Starrköpfig blieb sie dabei, am anderen Sonntag könne der Wastl gehen.

»Herr auf'm Hof bin oiwei no i ... Und i sog, der Lackl konn geh!« wies die Altbäuerin den Sepp zurück, als er's ein letztes Mal mit dem Einlenken versuchte. Scharf sah sie ihm in die Augen und meinte: »Schaugt ja nett aus, wennst du für den Hallodri bist und eahm mehra glaabst ois wia mir ... 'naus muaß er, sog i! 'naus, auf der Stell!« Der Sepp zog, wie man sagt, den Schwanz ein und sagte gar nichts mehr.

In der Frühe am Sonntag ging der Wastl ins Hochamt nach Weimberting, hernach suchte er ein Wirtshaus um das andere auf, soff sich einen hübschen Rausch an und kam zuletzt zum Unterbräu in die Stube. Er hockte sich keck zwischen die ruhigen Bauern und tat sehr laut. In das aufsässigste Fluchen kam er mit der Zeit und stieß ab und zu unverständliche Drohungen heraus. Einige verbaten sich dieses saudumme Geplärr.

»Hoho! Hoho!« schrie der Wastl jetzt erst recht: »I bin no koan was schuidi bliebn! I zoi mei' Bier wia jeda andre und brauch auf gor koan aufpassn!«

»'s Mäu hoit, bsuffers Wogscheitl, bsuffers!« kam der Hegerl-Peter in Harnisch und machte fuchtige Augen: »Dein' Schnobl hoit, sünst hau i di glei außa aus dein' persern Röckei!« Alle rund um den Tisch wurden immer aufgebrachter, und als der Unterbräuwirt den frechen Knecht wegschieben wollte, stand der hart auf und schrie laut: »So! So, Baurn, jetzt geh i auf Freiselfing umi auf d' Schandarmerie, und morgn hoin s' an Amrainer-Sepp, daß ös wißts! Guat Nacht, beinand!« Er schwankte, rülpste, und alle starrten ihn einen Moment lang sonderbar an. Ehe aber einer was dagegen sagen konnte, drängte sich der Wastl aus dem vollbesetzten Tisch und ging. Stockstumm blieb es noch eine ganze Weile. Jeder glotzte.

Alsdann sagte der Unterbräuwirt doch ein wenig unterirdisch triumphierend: »No, i glaab oiwei, i hob doch recht ghabt ... Paßts nur auf, wos ma do no für a Sauerei derlebn ... Jetz geht's um Haut und Krogn beim Amrainer-Sepp!«

»Holla! Holla! A so is oiso de Gschicht!« begriff der Lochbichler, und jetzt fing jeder zu reden an.

Am andern Tag wurde der Amrainer-Sepp verhaftet. Das gab im ganzen Gau ein Aufsehen. Etliche Monate später fand die Verhandlung vor dem Schwurgericht in München statt. Der Sepp und der Knecht, alle zwei waren geständig. Der eine blieb im großen und ganzen sachlich, der andere benahm sich kläglich, wimmerte und weinte und beteuerte in einem fort. Viele Leute aus der Besenberg-Weimbertinger Pfarrei waren im Gerichtssaal, und man rechnete es dem Sepp hoch an, daß er mit solchem Nachdruck betonte, seine alte Mutter habe mit der ganzen Geschichte nichts zu tun, sie sei ganz und gar unschuldig. Fast aufdringlich oft wiederholte er in einem holperigen Schuldeutsch: »Ich möcht' schon sagen, Herr Richter, meine Mutter hat nie nichts gewüßt von ünserer Lumperei! Radikal gor nix!« Er hätte es gar nicht so hitzig zu machen brauchen. Es stellte sich sowieso einwandfrei heraus.

Wegen Brandstiftung bekam also dann der Knecht Sebastian Kögl, wie sich der Wastl schrieb, ein Jahr und neun Monate Zuchthaus und drei Jahre Ehrverlust. Der Amrainer-Sepp erhielt drei Jahre Zuchthaus und ebensolang Ehrverlust.

»Versicherungsbetrug aber«, hieß es in der Urteilsbegründung, »kann deshalb nicht in Frage kommen, weil die derzeitige Besitzerin des Amrainerhofes, die Brandleiderin und Mutter des Angeklagten Joseph Lederer, Bauerswitwe Kreszenzia Lederer von Besenberg, von dem Werk der beiden Angeklagten nichts wußte.«

Nachdem der Sepp diesen Satz gehört hatte, schnaufte er sichtlich auf, und sein bis dahin etwas benommenes Gesicht wurde ruhig. Er schaute flüchtig nach seiner alten weinenden Mutter und schien weiter nicht erschüttert zu sein. Um den mitangeklagten Knecht kümmerte er sich nicht im geringsten. Er war für ihn völlig Luft. Sicher überschlug er sich als knauserig rechnender Mensch insgeheim alles genau und war zufrieden: Für vier Fünfmarktaler hatte er einen neugebauten Bauernhof erwirkt. *Der* blieb ihm ja doch zum Schluß. Ein solcher Handel war besser wie der damalige mit dem Kalb beim Unterbräuwirt in Weimberting. Deswegen wünschte der Sepp auch das Wort nicht mehr am Schluß. Aber als ihn der Polizist abführte, sagte er zu diesem fast keck: »Noja, drei Johr san aa koa Ewigkeit.« Er konnte warten. —

ALFRED KUBIN

Besuch in der Heimat

Auf diesen Besuch hatte ich mich schon lange gefreut. Die Reise sollte das Geschenk sein, welches ich mir zum vollendeten fünfzigsten Jahre machte. Ich hatte mir nichts Besonderes vorgenommen, wollte mich nach Lust und Wunsch vom Augenblick treiben lassen und die Erinnerungen der Kindheit, die sich an meine Geburtsstadt knüpften, nochmals beleben. Als dreijähriger Junge habe ich mit meiner Mutter Leitmeritz verlassen, um diese Stadt — meine Mutter war inzwischen gestorben — erst mit zehn Jahren für ein paar Monate wiederzusehen. Mein Vater heiratete damals die Schwester der Dahingeschiedenen, welche bei den Großeltern in einem alten Haus am Stadtplatz wohnte. Es waren demnach immerhin vierzig Jahre vergangen, bis ich die Stätte meines frühesten Erdenwandels wieder besuchen sollte; ich war auf den kommenden Eindruck begreiflicherweise sehr gespannt.

Drei Tage war ich diesmal zu Beginn meiner Böhmerlandfahrt im düstern Eger Gast meines Verlegers Stauda, dann fuhr ich weiter nach Karlsbad, wo ich einen schwerkranken Freund aufsuchte, der bald nach diesem Zusammentreffen seinem Leiden erlag. Die Weiterfahrt durch das nordböhmische Land stand teils noch unter dem Druck der Traurigkeit über den Zustand meines Freundes, teils machte sich auch schon, während sich ein leiser Regen einstellte, jene einzigartige, seltsam träumerische Stimmung bemerkbar, die mich in den nächsten drei Tagen nicht mehr verlassen sollte und die sich erst auf der Weiterreise nach Prag langsam löste. In einem etwas hergenommenen Wagen des schwachbesetzten Zuges hatte ich eine ganze Abteilung für mich allein und machte es mir auf den Lederpolstern bequem. Ich sah zum Fenster hinaus, wo in einem hellen Dämmergrau mir unbekannte Landschaften vorüberglitten. Ich konnte mich ungestört meinen Gedanken überlassen, die alle gefärbt waren durch das eigentümlich Versonnene der ganzen Vergänglichkeitsstimmung, welche mir diese Reise zu einem so unvergeßlichen Erlebnis machen sollte. Große Kohlenlager tauchten auf, wir fuhren an Brüx vorüber, der Heimatstadt meines Vaters, ein Blick erfaßte gerade noch den auffallenden, kegelförmigen Schloßberg, von dem er mir gar oft erzählt hat. Im weiteren Verlauf der Fahrt kam ein blaßglänzender Streifen in Sicht — die Elbe. Die Landschaft hatte sich inzwischen weit geöffnet, und ein merkwürdiger Bergbukkel mit einem Kreuz auf der Höhe unterbrach die flachen Bodenwellen, mich dunkel bekannt ansprechend; es war der Radobil, wie man mir später sagte. Nun ging's durch einen ganzen Hain schon halb in Blüte stehender Obstbäume und an einem weithin sich erstreckendenden Friedhof entlang — der Zug hielt, wir waren in Leitmeritz, mir zunächst gänzlich fremd, denn gerade diesen Bahnhof der Stadt hatte ich früher nie betreten.

Inzwischen hatte sich der Sprühregen in einen ganz respektablen Landregen gewandelt. Von einem jungen Paare, meiner Base und meinem Vetter, wurde ich empfangen und durch einige längere Gassen zu einem rötlich aussehenden einfachen Gebäude geleitet — meinem Geburtshause. Es befand sich noch im Besitz meiner Tante, die mich nun aufs herzlichste aufnahm. Ihr Gatte, der Bruder meiner Mutter, war seit Jahresfrist nicht mehr unter den Lebenden. Nach der Begrüßung und einem guten, böhmischen Essen gab es dann, da der Regen mittlerweile aufgehört hatte, noch einen Spaziergang in Gesellschaft des heitern Volks der jungen Verwandten. Was ich dabei sah, enttäuschte mich recht. Da waren eine Anzahl neuer Gebäude, langweilige Schulen, Villen, allerhand Anstalten. Dann wurden neue Anlagen durchwandert, schließlich ein höhergelegener Aussichtspunkt erstiegen, während die Dämmerung langsam vorschritt; auf dem Rückweg erkundigte ich mich nach dem Kinderspielplatz, jener weitläufigen Grube, von hohen Pappeln umstanden, wo es immer so laut und lustig zugegangen war. Sie war aufgefüllt, und eine mir völlig uninteressante Neuanpflanzung, eine Art Stadtpark, wie man ihn überall sehen kann, machte sich jetzt breit.

In den Abendstunden unterhielten wir uns dann, wie das so üblich ist, beim Durchblättern verschiedener Alben mit Photographien von zahlreichen Personen, unter denen viele ihre Erdenrolle längst ausgespielt haben, die teils durch Alter und Krankheit dahingerafft wurden, teils auch im Krieg ihr Leben lassen mußten. Während ich nun die hübschen, kecken und mutigen oder die resignierten Gesichter der mancherlei Tugute und Tunichtgute meiner zahlreichen Sippe besah, fühlte ich mich wieder stärker an die traumhafte Stimmung und das große Rätsel, das uns alle gemeinsam umschlingt, verhaftet. Aber so viel wußte ich jetzt: ich mußte ganz allein sein, um die unendlich zarten Stimmen von einst nochmals für mich erklingen zu lassen.

Im Bett liegend, war ich angenehm berührt durch den leisen, süßen Duft, der durch das geöffnete Fenster von den blühenden Obstgärten draußen hereindrang. Beim verhallenden Geräusch der in der Nähe vorbeirollenden Züge schlummerte ich ein. In tiefster Nacht wachte ich dann nochmals auf — es war mir, als hätte ich einen Ruf, dessen Herkunft ich nicht kannte, gehört. Doch fand ich mich auch in der gänzlichen Finsternis bald zurecht und dachte an das ganz Ungewöhnliche, daß ich in diesem Hause liege, wo ich vor fünfzig Jahren meinen ersten Schrei ausgestoßen hatte. Unter dem leisen Zirpen von Fledermäusen oder irgendwelchen Nachtinsekten sank ich gar bald wieder in tiefen Schlaf, aus dem mich erst das regelmäßige Stampfen einer fernen Maschine weckte. Mich erhebend, stellte ich sofort die ungeminderte Stärke der sonderbaren Fremdgefühle in mir fest, die mich seit Karlsbad erfüllten. Sympathisch war ich von der großen Bibliothek eines leider abwesenden Vetters überrascht, dessen Wohnräume man mir überlassen hatte. Allerhand Familienandenken, darunter eine große, kolorierte Photographie des gemeinsamen Großvaters, des alten Stabsarztes, standen herum und mischten in das Gefühl der Fremdheit etwas Altvertrautes, eine Art seelischer Heimatsberechtigung.

Gleich nach dem Frühstück machte ich mich aber auf die Beine, es zog mich ja schon förmlich fort. Ziellos bummelte ich dahin, kam an eine kleine Holzbrücke, die mich zur Schützeninsel brachte. Nur war sie leider keine Insel mehr; denn der so malerische, ganz unmerklich sein grünes Waser dahintreibende kleine Elbearm, in dem die mir unvergeßliche Badeanstalt verankert gewesen war, wo ich — für mich damals ein großes Wunder — die silbern glitzernden Fischchen in ihrem durchsichtigen Element beobachtet hatte, ein Erlebnis, das als Merkstein in meiner frühesten Erinnerung gelten muß, war zugeschüttet. Die mächtigen Ulmen und Rüstern dieses schattigen Paradieses standen noch. Ich geriet ins Gespräch mit einem alten Mann, der hier zu lustwandeln schien. Er war ebenfalls Leitmeritzer und seit mehr als fünfzig Jahren nicht mehr dagewesen; er suchte gleich mir die Spuren von früher und wollte sich zu mir gesellen, eine Absicht, die ich ablehnte, worauf er sich in die Büsche schlug. Ich trieb mich nun vorerst in der Nähe herum und kam zu einem dunklen, schwer übersichtlichen Gebäude: es war die Conrathsmühle. Das hier beim Wehr aufgestaute Wasser, darin ein morscher, halbversunkener Nachen, die rissigen, obenauf mit Flaschenscherben gegen Diebe besetzten Gartenmauern, darüberhängende, blühende Äste von Aprikosen- und Pfirsichbäumen, dann die Pappelstümpfe, die wenigen, rostigen Laternen, davon eine bei einem Fenster, hinter dessen grünen Läden man in einen ungemein behaglich eingerichteten Raum mit Teppichen, Polstermöbeln, Schnitzereien, einem Vogelbauer und einem niedern Kachelofen sah — all dies, ja sogar die verschiedenen Unratablagestellen, bot sich meinen neugierigen Blikken und tauchte zugleich in mir wie aus einem Abgrund des Vergessens auf. O unbegreifliches Wiedererkennen!

Weiter herumschweifend und halb traumwandelnd kam ich dann in eine Stadtgegend, so abgeschieden, so seltsam still in ihrer Menschenleere, als schliefen hier die lebenden Wesen und hätte die Zeit ihre Geltung verloren. Es war eine Kleinbürgerwelt, auf engem Raum langgestreckte, einstöckige Häuserzeilen oder winklige Kleinbauten zu ebener Erde; ein unübersichtliches Gewirr kleiner Gäßchen, das Ganze unter fahlem Himmel eintönig beleuchtet. Und doch sagte mir ein deutliches Gefühl: Das hast du alles schon einmal in dich aufgenommen! War ich denn überhaupt noch wach? Ich fühlte mich wie verwandelt! Völlig hingegeben an diesen Zauber längst dem Gedächtnis entsunken geglaubter Bilder, spürte ich mich wieder von diesen auf unbeschreibliche Art leise erregt. Freilich, eine ganz wilde, stürmische Jugend und Jahrzehnte schicksalsvoller Manneszucht lagen dazwischen! Eine ausgetretene Stiege führte langsam durch ein verschnörkeltes Portal auf einen ebenso öden, aber durch — obwohl sich an zahlreichen Stellen abgebröckelter Bewurf zeigte — dennoch vornehme Palastfronten abgeschlossenen Platz. Die eine ganze Seite nahm ein riesiger Dom in edlem Barockstil ein, dessen Turm nebenan, nur mit einem Mauerbogen mit der Kirche verbunden, emporragte. Auf dem holprigen Pflaster des Platzes jagten sich zwei Hunde, sie verschwanden in einem Pförtchen, das auch ich benutzte, nachdem ich mich genugsam umgesehen hatte, um wieder in das Labyrinth mehr verwahrloster Wohngebäude zu gelangen. Da versperrte plötzlich ein Schutthaufen meinen Weg — ich umging ihn. Durch einen mit hohem Unkraut bestandenen Hof gewahrte ich im Nebel die Binsen und Uferweiden der Elbe; Wasserdunst stieg herauf. Hinter mir machte sich nun jemand etwas zu schaffen; ein Bursche, anscheinend ein Maurerlehrling, trug in einem Schaff Schutt herbei. Ohne mich im geringsten zu beachten, pfiff er die bekannte Melodie: »Nur einmal blüht im Jahr der Mai, nur einmal im Leben die Liebe!« Da quoll in mir jäh ein Gefühl heimatloser Verlorenheit und bitterer Trauer über, es würgte im Halse, die Augen wurden mir feucht. Ich hatte ein ganzes Leben vertan, war nun abgenützt, gealtert und durchdrungen von der Wertlosigkeit allen Strebens. Da hilft kein Nachsinnen, es ist dahin!

Man rief mich an: »Sucht der Herr hier jemand?« Ich verneinte und ging weiter. Zuerst kam ich an einem Krankenhaus vorüber, wo zwei Mädchen mit verbundenen Köpfen hinter einem Fenster an die Scheiben klopften und lachend einladende Gesten machten; dann folgte eine Schmiede, wo im tiefen, durch einen Gang gesehenen

Hintergrund ein Pferd beschlagen wurde. Wie bedeutsam kam mir das alles in dieser stillen Stunde vor! Gleich geheimen Offenbarungen bewegten mich diese schlichten Vorgänge.

Aus der Ferne ertönte Marschmusik. Dem Geräusche nachgehend, stieß ich auf einen langen Zug tschechischer Truppen und kam in belebte innere Stadtteile. Endlich fand ich mich zurecht, es war Mittag.

Von meiner Erlebnisfülle konnte ich den Verwandten natürlich nicht so ohne weiteres Mitteilungen machen. Ich blieb noch zwei Tage in Leitmeritz, aber was ich dort noch trieb, will ich hier nicht berichten. Ich kann nur sagen, daß die geheimnisvolle Stimmung vergehenden Lebens weiter anhielt. Bei den verschiedensten Motiven erkannte ich überrascht noch eine Menge Urelemente meines Formgedächtnisses wieder; nur wo ich Neuerungen sah, blieb ich kühl. Aber vereinzelte Winkel, wo ich einst gespielt, die Wälle und sumpfigen Gräben der Festung Theresienstadt jenseits der Elbe, die Elbschloß-Brauerei, in deren Gastgarten sich meine Eltern verlobten, bewiesen mir deutlich, wie sehr die ganze Welt meiner Einbildung auf diesen ersten Kindereindrücken fußt.

Die drei Tage flossen rasch dahin, und als ich zum Abschied die Tante umarmte, konnte ich ihren Einladungen, bald wiederzukommen, nur meine beharrlichen Zweifel entgegensetzen. Am Reisemorgen wurde ich von allen zur jungen Generation gehörigen Verwandten zu der mir von früher wohlbekannten Haltestelle neben dem Tunnel gebracht. Als die Stadt Leitmeritz bei einer Biegung dem Blick entschwand, wußte ich dankbar die Gnade des Schicksals zu schätzen, das mir diese wunderbare Beschwörung einmal erlebter Gesichte phantomartig gewährt hatte. Bei der Weiterfahrt durch immer üppiger werdendes Land klärte sich der bis dahin umflorte Himmel, und die Sonne strahlte nach Tagen wieder einmal mit vollen Registern. Zugleich zerfloß aber auch jener Gefühlszauber, der mich in widerstandsloser Hingabe an den Traum einer in der Zeitenferne untergegangenen Kindheit gefangengehalten hatte.

Nach mehreren Stunden rascher Fahrt näherten wir uns Prag, meiner nächsten Station. Aber o weh! Die tschechische Hauptstadt hatte eine mir neuartige Maske angenommen! Nichts von verträumtem Wiedererkennen, nichts von einem alle Starre lösenden Aufgehen in einem umfassenderen Lebensstrom. Hier fand ich den harten Gegensatz zu den mir in Leitmeritz gewordenen leisen Märchen: eine robuste, dröhnende Welt des Emporkommens. Gern rettete ich mich nach ein paar Tagen aufreibenden Aufenthaltes nach Hause.

CARL ZUCKMAYER

Die Weinberge bei Nackenheim

Nackenheim, zwischen Nierstein und Oppenheim an der Strecke Mainz-Worms gelegen, ist ein Dörfchen mit niedrigen, grauen und gelben Häusern, die dicht aufeinanderhocken, denn es ist nicht viel Platz zwischen den Obstgärten am Rhein und den kahlen Hängen der Weinberge. Hinter jedem Haus ist ein Misthaufen, und in den schlecht gepflasterten Gassen, die krumm und winklig sind, liegt viel Gänsekot, schwarzgrün und manchmal weiß gefleckt, auf dem rötlichen Schlamm. Während die Obstbäume klein und knorzig sind, vielfach verbogen, holzbraun und spröd im Winter, hell überschneit im ersten Frühling, gelbgrün und schwerbeladen mit rundem Fruchtrot oder behauchtem Pflaumenblau im Herbst, stehen die Weinstökke steif und nüchtern kerzengrad in endlosen Reihen am Berg, durch alle Jahreszeiten bleiben die Hölzer gleich, kaum ändert das Laub seine Farbe, immer scheint das lehmige Rot der Erde hindurch, nur kurz vor der Lese flammt manchmal alles in heißem, südlichem Licht, auch bei trübem Himmel und kühler Regenflut.

Nirgends ist soviel Rot in wechselnder Schicht durch die Landschaft gesprengt: der matte Ton dünner Rohrpfeifen, das Grell zerbröckelnder Ziegel, das verwaschene Karmin gewittriger Abendhimmel, der rostige Brand alter Radreifen auf regenweichen Fahrstraßen, und die volle, gesättigte Röte von den Brustfedern des Blutfinks, — vorherrschend aber Rost und Ziegel, von bläulichen Schatten gedämpft. Steinige Wege klettern schmal von Terrasse zu Steilhang und Gipfel, im Sommer von kupfrigem Staub überkrustet und kaum von einem Menschen betreten, den nicht die Arbeit zwingt.

Im Mai trottet manchmal eine Prozession bergauf durch den Wingert, zum Kapellchen, das grau wie ein verlassenes Schwalbennest am Hügel klebt, — ein Bittgang um gutes Wachswetter, Sonne und Regen zur rechten Zeit, zwei Meßbuben stolpern im langen, ernsthaften Chorhemd, zwischen Paternoster und Ave nach ihren Vogelschlingen schielend oder einer Ringelnatter im feuchten Gras, dahinter der Ortspfarrer im Ornat, dahinter ein paar schwere Männer, die Obst- und Weinernte überschlagend, von den Litaneien vieler Weiber umplärrt. Im Herbst sind oft alle Hügel von Traubenlesern überschwemmt, der Weinberg krabbelt wie ein rötlicher Ameisenhaufen im Hochwald, wochenlang drehen sich alle Reden um den Erntestand, die Beerensammler werden insgesamt mit den Namen ihrer

Arbeitgeber, der großen Besitzer, genannt, so heißt es: »Die Stenze sin dies Jahr langsam«, oder: »Die Gunderlöcher sin schon fertig.«

Schäumt dann der Most, trüb und von dicken braunen Schwaden durchwölkt, aus der Kelter ins offene Faß, dann steht ein Geruch über der Gegend, der fast scharf ist in seiner Süße und häufig herb oder faul, seltsam vermischt mit dem Brenzeln und Schwelen der Kartoffelfeuer. Der Rheinstrom ist schon herbstlich geschwollen, gelbstrudelnd und kalt, das Storchnest auf der Dorfkirche verlassen, die Obstwagen rollen zur Stadt, das Rot der Weinberge wird schmutzig, grindig, verschimmelt. Dann kommt Kerb, die ersten Säue sind geschlachtet, drei Tage wird keine Hand zur Arbeit gehoben, drei Nächte kein Auge zugetan, nur die Gurgel geschwenkt, der Hintere gelupft beim Zutrinken, das Knie steif geschoben beim Tanz, der Hof ohne Scheu benutzt, wenn die Natur sich regt, Stuhlbein und Weinbuttel, wenn der Mut schwillt, und die Scheuer, die Laube, der Stall, wenn die Liebe kein Maß kennt.

Dort wuchs einer auf — wo der Weg aus dem Dorf um den Steinbruch biegt, steht seines Vaters Haus. Der einzige Bach, aus dem Tal zwischen Weinbergen rieselnd, fließt daran vorbei: Zwei mächtige Nußbäume beschatten den umsteinten Quell, aus dem das Trinkwasser geschöpft wird, sonderbar knirscht sommers der große Schlüssel im Gartentor, und die verrostete Angel gaakst etwas verschlafen, da ist der Osterhügel, wo im Vorfrühling die ersten Kätzchen und Schlüsselblumen sind, da steht das Regenfaß voll Froschlaich und Geheimnis, da schwirren dickleibige Schwärmer, in Julinächten, am Liguster und am Beet der weißen Tabakblüten, da geht immer der Weg in die Dorfschule hinab, am kahlen leeren Haus vorbei, wo einmal morgens die alte Bärb am Fenster hing, und die Kinder standen blaß mit offenen Mäulern am Zaun und streckten die Zunge heraus wie der Leichnam da droben. Das versank. Doch vor der Haustür lag einmal in der Früh die Katze, die nachts wildern ging, steif und kalt, mit schwärzlichen Flecken geronnenen Bluts im Fell und einem dünnen roten Streifen vor der Schnauze. Bis hierher hatte sie sich noch geschleppt. Jetzt liefen schon schwärzliche Käfer über ihre Augen. Unterm Nußbaum ist noch ihr Grab. — Stets aber durchs Fenster schien und schimmerte der Weinberg. Röter als der Klatschmohn im Roggen, dunkler als der Rauch überm Schornstein. Singende Mückenschwärme taumelten neblig vom Rhein. Droben im Weinberg das grünliche Schwirren der Glühwürmer! Oh, wie der Regen im September troff, herabtroff, vom nächtigen Weinberg troff. Schneeleuchten im Winter — ein Geisterberg, fahl, verzehrend. Vom Rhein klirrt Frost, läutet ein Schlitten, klingelt ein Bahnhofssignal. Sterne flammen.

Gerhart Hauptmann

Letzte Nacht im Elternhaus

So! — Der Kellner mit dem speckigen Frack hat mich verlassen. Ich wohne in Numero Sechs, ich schlafe in Numero Sieben nebenan, ein Zimmer, das durch sein einziges Fenster mit dem Korridor verbunden ist. Es ist überdies der stets dämmrige Raum, in dem ich vor achtundsechzig Jahren von einer Mutter geboren wurde.

Ist es denn wirklich wahr, daß ich seit mehr als einem halben Jahrhundert eine Nacht wieder einmal in dem alten Gasthof zur Preußischen Krone zubringe?

Leicht geworden ist der Entschluß dazu mir nicht.

Ich habe aber die Geste doch für unumgänglich gehalten, da dieses aus Ziegeln, Mörtel, morschen Balken und Brettern bestehende Inventar meiner Seele der Spitzhacke verfallen ist. Man hat es bereits auf Abbruch verkauft — für wie viele Silberlinge, weiß ich nicht.

Fern von hier, am Strande der Ostsee, hatte ich einen Traum: ich sah einen rauchenden Trümmerhaufen; Balkenenden, die einige hundert Jahre das Licht nicht gesehen hatten, starrten daraus empor. Mit einem Haken und einem Korbe versehen, kroch ein fadenscheinig gekleideter Greis auf dem grauen Trümmerberge herum, der dort ich weiß nicht was zu finden hoffte.

Oder weiß ich es etwa und sage es nicht?

Es war am Morgen nach diesem Traum, als ich unwiderstehlich hierher fortgerissen wurde.

Ich wollte noch einmal in die Hut der steinernen Mutter meiner Seele zurücktreten, bevor sie von der Erde verschwand. Ich wollte etwas Ähnliches wiedergenießen wie den süßen Schlaf des Kindes im Mutterleib, jenen Schlaf, in dem gewisse heilige Anachoreten einen Zustand sehen, darin sich das verlorene Paradies noch erhalten hat.

Wir leben im Herbst. Der Mond tritt über den Hochwald heraus, es ist eine seltsam atemlos schweigende Nacht. Vergeblich hoffe ich auf ein Blattrascheln im Park, einen Menschenlaut von der Kurpromenade — kein Hund im weiten Umkreis gibt Laut.

Da ist ein Schweigen, das auch durch die wenigen Worte, die ich niederschreibe, nicht gebrochen werden kann, wird mir doch die Ohnmacht des Wortes hier überzeugender als je zu Gemüte geführt.

Denn dieses Schweigen da draußen und überhaupt um mich her

ist auf eine, auf seine Weise beredt. Es gleicht dem Schweigen des Trappisten, der innerlich sein Gelübde in jeder Sekunde zehnmal bricht. Dieser stumme, versiegelte Mund hat sintfluthafte Beredsamkeit. Ich könnte nicht enden, wenn ich mit meiner schweren Zunge auch nur etwas davon zu verraten mich unterfinge.

Ich weiß nicht, ob es einer oder zwei totgeborene Brüder gewesen sind, die mein Vater in der Düsternis des gegenüberliegenden Gartens eigenhändig begrub.

Weshalb bin ich hierhergekommen? Um den Schlaf des Ungeborenen zu schlafen, sagte ich. Um das Leben des Neugeborenen zu leben, setze ich hinzu. Aber schließlich auch, um, im Drange eines gesunden Alters, dem mir so ehrwürdigen Gehäuse meine Reverenz zu machen, bevor sein Staub in die Winde verweht. Fahre hin, fahre hin, altes Elternhaus.

Die fernen Heimathöhen.
Das stille, hohe Haus,
Der Berg, von dem ich gesehen
Jeden Frühling ins Land hinaus,
Mutter, Freunde und Brüder,
An die ich so oft gedacht,
Es grüßt mir alles wieder
In stiller Mondesnacht.

JOSEPH VON EICHENDORFF

ELISABETH LANGGÄSSER

Landschaft — im Herzen gespiegelt

Es gibt Worte, die, eben ausgesprochen, ihre Grenzen schon überschritten haben, weil sie Auslösung eines Inhaltes waren, der unaufhörlich quillt; es gibt andere, die wie ein Brunnenrand das fließende Gefühl zu bändigen bestimmt und fest umschlossen sind. Wo aber das Wunder eintritt, daß ein Strömendes in sich ruht, ein dynamischer Inhalt verhalten, ein Ausbruch gesättigt wurde, formt sich, wie in der Knospe der Griffel, das Signum des Menschen aus; die Notwendigkeit tritt unter das Gesetz des Schönen und vermehrt, indem sie sich mehrt, den Blütenreichtum der Welt.

Solche Wunder sind die Kaskaden der Villa d'Este in Tivoli, die durch die strenge Schwärze sibyllenhafter Zypressen den ewig jungen Hinabsturz der Wassertreppen schneiden; solche Wunder der Park von Veitshöchheim und alle fürstlichen Gärten des 18. Jahrhunderts — solch ein Wunder ist jenes humane, heitere Land, das sich von Kriemhilds Rosengarten, dem sagenhaften, bei Worms, von dem Rebengarten an Oppenheims Münster, dem Klostergarten von Eberbach an den südlichen Hängen des Taunus bis hinüber zur Furt der Franken, zu den dunklen Wäldern des Spessart und den milden Ufern des Mains in seliger Schwebe hält: jenes Land, von dem die Sage erzählt, daß in den Kellern seiner Ruinen der Wein, wenn das Holz der Fässer verfault und die eisernen Bänder gefallen sind, »in der eigenen Haut ruht«; also von nichts als von der Form seiner selbst, seiner eigenen Schwere bewahrt; das Land jener Bauerntochter, der ihr König befahl, zu kommen: nicht geritten, gegangen, gefahren, nicht nackt und nicht bekleidet — und sie wickelte sich in ein Netz und ließ sich von einem Esel über das Pflaster ziehen.

Wirf ein Fischernetz über das schöne Gebiet, seinen Leib aus Schiefer, Sandstein, Basalt und Kalkstein, der uns den Weinstock trägt; wirf es auf seine Seele, den großen, willigen Rhein und fühle: die Gegenwart seiner Erscheinung ist ebenso sehr Vergangenheit, die sich unendlich erneuert, wie Zukunft, die sich zeugt. Geschichte geschieht und ist zugleich Schicht über Schicht, durch die das Ursein aufrückt, das alte Drachengold glänzt. Geschichte wird Sage, Sage wird Mythe, Mythe wird wieder Wirklichkeit. Wie im Abgesang nehmen die Stimmen der hitzigen Wormser, der raschen Mainzer den Streit der Königinnen vor dem grauen Domportal auf, und im Odenwald murmelt noch immer die Quelle, die Siegfrieds Tod und das unruhige Flattern von Odins Raben sah.

Blicke, von Kiedrich im Rheingau kommend, die Hallgarter Zange hinauf und steige die düsteren Römerpfade zwischen schwarzen Tannen hinan — alle sind sie einander ähnlich, hier im Odenwald: steinig, gebuckelt, zähe durchwachsen von unausrottbarem Ginster, der wild wie die Messingschilde der römischen Adler glänzt. Höre das Echo der nächtlichen Schritte, den Gang der Geschichte, das Stapfen der toten Legionäre: dann scheint dir, als wäre das Maß ihrer Sohlen für immer das Maß dieser Wege geworden. Andere Heere sind nachgegangen — Spanier, Gallier und Schweden mit fetzenden Standarten; Brandfackeln, Ginsterruten in unerbittlichen Händen, Rauchwolken hinter sich her, die, mit Nebelschwaden vermischt, noch immer aus dem Rheingau steigen und alles zu trüben scheinen. Am nächsten Morgen, du weißt es, wird wieder die Sonnenschlange von den Uferbergen zum Strom und von da in das Wasser gleiten, eine Lichtspur ziehen und drüben am anderen Ufer die Hügel hinauf und zwischen die Weinberge wandern — aber hebt das die stolze Vergessenheit des alten Stromes auf? Ach, er erinnert sich an die Zeit, da er noch eins mit dem Altrhein war, und der Schwedenkönig sein Heer auf Scheunentoren hinüberflößte — dort, wo jetzt, dem Kühkopf gegenüber, die Sandsteinsäule steht …

Kühkopf: du ewig nässende Wunde mit dem pelzigen Schorf des Grases, überflogen von dunklen Milanen, bevölkert von grauen Reihern, die nachdenklich ihre Schnäbel in das langsam fließende Wasser senken! Gedächtnisinsel zwischen zwei Strömen, derer einer des anderen Vergangenheit hütet und die Erde tief damit tränkt; Naturschutzinsel, wo das Geheimnis des Lebens mit sich selbst zu reden beginnt! Alles ist ineinander und noch nicht recht unterschieden oder besser: ist wieder Eins geworden und hat den Sündenfall überwachsen im zweiten Paradies. Pfauengeschrei über den Wiesen, hastiger Lauf der Fasanen und weiter drinnen das Gurren, Flöten und Kollern der kleineren Vogelarten, Gelächter des Eichelhähers, nekkendes Klopfen des Spechts. Hexenzwirn webt von Strauch zu Strauch und überwuchert die Wege; Waldrebe klettert zur Krone rissiger Bäume empor, wo Mistelballen sich wiegen; im Unterholz knackt eine Wurzel; auf einem zur Erde gekrümmten, uralten Apfelbaum sitzen schwarze und weiße Hühner, Gäas Opfertiere. Umsonst droht der steinerne Löwe auf der Schwedensäule hinüber — nur der Auwald, aus dem er heraustrat, klappert im Frühling leise mit den noch unbelaubten, silbernen Erlenstämmen — doch furchtlos blüht, allen Blumen voran, die blaue Zilla auf: lieblich gefiederte Glocke; eine ist nichts, aber steht sie in Scharen, so beschämt sie den blasseren Himmel.

Gehe mit ihr von hier bis zur Mündung des Altrheins, schaue noch einmal zurück auf das versunkene Ried und seine Weidendämme, auf die Abflußgräben, die es durchziehen, und es einer flämischen Landschaft von ferne gleichen ließen, wenn die Horizontale nicht immer wieder von süddeutschen Pappeln gegliedert, hinaufgerichtet zu schweigsamer Wacht wie die Münstertürme von Oppenheim wären. Du konntest die Katharinenkirche schon lange, bevor du zum Altrhein kamst, wie eine Apfelblüte am Hügelhang leuchten sehen — und wanderst du im Frühling über die Knoblauchsaue am östlichen Wasserufer, so scheint sie ihre Farbe vorausgeworfen zu haben: umläutet von Honigbienen, quillt Blütenkrone an Blütenkrone errötend über dir auf. Wieder ist es ein Meer und wäre unbegrenzte, gedankenlose Fülle, wenn nicht Kastanienkerzen es streng durchwalteten: auch hier das Gesetz jener Bändigung, welche die Schwerkraft aufhebt und das Leben in sich beruhigt. Erinnere dich dabei jenes unvergeßlichen Bildes, das einer der verflossenen Herbste deinen Blicken geboten hat und jeder kommende Herbst gleichmäßig wiederholt: ein Gehöft war ganz vom Duft frischen Apfelmostes erfüllt, ein roher Tisch, eine einfache Bank vor der Haustreppe in die Erde gerammt. In der Hofstatt wartete ein Gespann mit strohbeworfenem Wagen auf die apfelgefüllten Körbe, die der Bauer gleichmäßig abwog, der Knecht entgegennahm, um sie mit einem Schwung dem bräunlichen Mädchen hinzureichen, das, gegen den klaren Himmel statuenhaft abgehoben, auf der knisternden Strohschütte stand. Welch unerhörtes Gleichmaß der menschlichen Bewegung, welche antikische Ruhe!

Selbst die entleerte Gotik des Katharinenmünsters mit dem nüchternen geweißten Innenraum des protestantischen Kultes bewahrt sie noch im Gefühl dieser Menschen, welche die heitere Rebe an die Mauer herangelenkt und den Schädelkeller der Kirche wie ein Spielzeughaus beigesellt haben: in Rosetten, gekreuzten Knochen, vergleicht sich der Tod mit dem Leben und kegelt mit beinernen Kugeln die trunkenen Zecher um. Was speien die fratzenhaften Gespenster, die Vampire, Lemuren und Vögel an der Langseite andres als Wein aus? Ach, nicht mehr verwandelt im Heiligtum, fließt er aus ihren Kehlen und fällt auf die Erde zurück: entfesselten, damals noch fernen Dämonen als Opferspende gebracht. An ihre Grabsteinplatte gefesselt, steht die junge Anna von Dalberg, die, auf der Schwelle zur Renaissance, erst sechzehnjährig, starb. Durch ihre Augen, sehr weit geschnitten und leise vorgewölbt wie die eines frühen Apoll, drängt ferne Vergangenheit vor, Morgen der Menschheit und Trauer nahenden Untergangs. Was erblickt sie? Schaut sie im Geist den Mithrastempel im Rodgau, der eher war als sie? Jenen Höhlengott mit der phrygischen Mütze, reißender Lichtfunke aus Stein, auch er auf der Zeitenschwelle, von römischen Söldnern hierher getragen, als ihre Kameraden, von einem anderen Licht geblendet, am Felsengrab niederstürzten. Folge dem Blick jener Anna von Dalberg und wende dich nach Osten — erfühle noch einmal von Osten nach Westen dieses Land in der Schwebe seiner Erscheinung und wandere bis an den Bogen des Mains; dort steige die Hügel, die Waldtreppen langsam hinauf: alle hundert Schritte findest du dort auf einfachen steinernen Säulen die Mutter mit dem Kind. Breit in den Hüften, mit kurzen Schenkeln, das klare, große Gesicht unter der plumpen Krone, gleicht sie wiederum auch einer Muttergottheit auf etruskischen Aschenurnen …

Land — wer begrenzt es, wer kann von ihm sagen: dort endet es, und hier ist es da? Nicht die Weinbergsmauer begrenzt es, nicht der *Limes,* nicht der Rhein und nicht der Main.

Land — wer erfühlt es, wer sagt es aus? Nicht die Dome von Frankfurt, Worms und Mainz; nicht die Basilika von Seligenstadt am Main; die Drususbrücke in Bingen; das Wappen von Alzey: die selige Fidel des Nibelungensängers, die über dunklem, keltischem Grund ihr Schicksalslied anhob, die Donau hinabging und im Hunnenland endigte.

Landschaft — begrenzt und offen zugleich; Herzkammer Deutschlands, durch welche von jeher die Wasserströme, die Blutströme fließen, die großen Schicksalsströme: falsche Rhetoren und eitle Schwätzer, welche dich halten wollen, schöpfen den Rhein in ein Sieb; deinen Kindern aber formst du dich willig wie eine Wasserkugel, die in sich ruht und fließt.

Arno Surminski

Gewitter im Januar

»Wo liegt eigentlich Tarrenbude?«

»Auf dem Lande, Fräulein Erika«, sagte der Uniformierte. »Erst mit dem D-Zug, dann per Kleinbahn oder Pferdeschlitten. Das Nachbardorf soll eine Bedarfshaltestelle für Kartoffeln und Zuckerrüben haben.«

Am ersten Weihnachtstag hatte Erika Domin noch ein Konzert besucht, Mozart für die Verwundeten tief unten im Keller, eine Kleine Nachtmusik bei flackernden Kerzen und feuchten Augen. Wenn wieder Weihnachten ist, haben wir längst Frieden, hatte einer gesagt, als er sich im Namen der Verwundeten bei den Musikern bedankte. Am zweiten Weihnachtstag Schlittschuhlaufen auf dem Schloßteich, umgeben von Einarmigen und jungen Männern mit umwickelten Köpfen, die so sonderbar ausschauten, weil sie nicht lachen konnten. Am Tage nach Weihnachten brachte die Briefträgerin die Vorladung. Mutter war mit dem amtlichen Schreiben in ihr Zimmer gekommen. Es ist bestimmt etwas Wichtiges, hatte Mutter gesagt.

Sie fahren nach Tarrenbude!, stand in dem Brief. Nun saß sie dem Uniformierten gegenüber, der vergeblich versuchte, Tarrenbude auf der Provinzkarte zu finden. Es sei wohl zu klein. Jedenfalls liege es in östlicher Richtung, behauptete er. Von Insterburg mit der Kleinbahn südlich. Schlittschuhe solle sie mitnehmen, in den kleinen Dörfern sei Schlittschuhlaufen das einzige Wintervergnügen.

Er stellte ihre Reisepapiere aus. Sondermarken gab es für unterwegs und ein Dokument, in dem sie den Satz entdeckte: Die Reise der Erika Domin nach Tarrenbude ist kriegswichtig.

»Sind Sie schon mal mit dem Pferdeschlitten über verschneites Land gefahren, Fräulein Erika?« Während sie den Empfang der Papiere quittierte, versuchte er ihr einzureden, daß Schlittenpartien ein großartiges Erlebnis seien. Es kämen Leute aus dem Reich in den Osten, nur um eine richtige Schlittenpartie zu erleben.

Er stand auf, hob grüßend den rechten Arm. Als sie die Tür erreichte, rief er ihr nach: »Niemand kann sich den Ort seiner Pflichterfüllung aussuchen! In schwerer Zeit hat jeder auf seinem Posten zu stehen.«

Sie erschrak, weil es so pathetisch klang. Auf dem Posten stehen wie ein Soldat ... Eine kriegswichtige Reise ... Dabei war sie nur ein junges Mädchen, das zur Aushilfe aufs Land geschickt wurde.

Benommen fuhr sie zurück nach Maraunenhof. Es kam doch viel zu früh. Im Herbst erst sollte ihre Ausbildung enden, aber schon für Januar riefen sie Erika Domin zum Dienst.

»In Kriegszeiten geht alles schneller, auch die Ausbildung«, sagte die Mutter, die den ganzen Abend Tarrenbude auf der Landkarte suchte, aber nicht finden konnte.

»In der Gegend sind früher die Wölfe von Litauen über die Grenze gekommen«, meinte sie besorgt. Sie wollte ins Amt fahren und die Herren bitten, ihrer Tochter eine angenehmere Anstellung zu geben, im Reich, wenn es ginge, aber wenigstens ein bißchen weiter westlich. Elbing wäre eine schöne Gegend. Am liebsten hätte sie Erika natürlich bei sich behalten. Es lebten doch genug Kinder in der Stadt, auch waren die Schulen längst nicht alle zerstört, und sicher war es, wenn irgend etwas sicher war, dann ihr Königsberg. Im August vierzehn waren sie auch nicht bis Königsberg gekommen ... So redete sie den ganzen Abend. Am nächsten Morgen fuhr sie tatsächlich mit der Elektrischen in die Stadt, aber das Amt hatte geschlossen ... aus kriegswichtigen Gründen.

»Krank könntest du werden! Steck dich doch an, Kind! Husten, Schnupfen, Heiserkeit wären möglich. Oder brich dir ein Bein beim Schlittschuhlaufen! Wie wäre es, wenn du in ein Eisloch fällst? Dann bringen sie dich unterkühlt ins Krankenhaus!«

Mutter erwog, sie zur Tante nach Schwerin zu schicken.

»Da bist du weitab vom Schuß«, sagte sie immer wieder.

»Du weißt doch, daß schon lange niemand mehr fahren darf, wohin er will«, erwiderte Erika.

Außerdem wäre da noch die Sache mit der Pflichterfüllung und das Auf-dem-Posten-Stehen. Aber davon sagte sie der Mutter nichts, weil das ein Punkt war, den die Mutter nicht verstehen konnte. »Eine muß sich schließlich um die Kinder kümmern«, meinte sie nur, und damit war entschieden, daß sie fahren würde.

Zwei Wochen blieben ihr, um die Stadt zu genießen wie ein verspätetes Weihnachtsgeschenk. Bis in den letzten Sommer hinein hatte der Krieg die östlichste Großstadt Deutschlands verschont, durfte Reichssender Königsberg Musik spielen, wenn die anderen deutschen Sender wegen der einfliegenden Bomberverbände verstummen mußten. Erst im August 1944 ging das Licht aus. Aber Königsberg blieb trotz der Trümmer eine schöne Stadt, beherrscht von der Ruine des ausgebrannten Schlosses, eine Stadt für Schlittschuhläufer und Wanderer am verschneiten Pregelufer. Noch spielte ein Theater, im Kino lief »Der weiße Traum«, eine Liebesgeschichte für Schlittschuhläufer und Schlittschuhläuferinnen. Vor den Toren aber wuchs der weiße Traum, schneiten Eisenbahnen ein, türmten sich Schneewehen an den Alleen und begruben den Krieg unter weißen Tüchern.

Am Silvesterabend kam ein Verwundeter zu ihnen. Es hatte einen Aufruf gegeben, sich der Verwundeten während der Festtage anzunehmen, mit ihnen bei Rotweinpunsch und Pfannkuchen die letzten Stunden des Jahres zu verleben. Die Straßenbahn Linie 7 brachte ihn nach Maraunenhof. Er trug den linken Arm in der Schlinge und einen Verband um den Kopf wie jene bandagierten Schlittschuhläufer auf dem Schloßteich, die das Lachen verlernt hatten. Erika half ihm aus dem Mantel. Da erst sah sie, wie schlank er war und wie jung, eigentlich kein Soldat, sondern ein Junge, der von der Schule fortgelaufen war. Erst siebzehn Jahre alt, aber schon verwundet. Er hieß Manfred. Den Nachnamen vergaß er zu erwähnen, hielt ihn nicht für wichtig. Mutter fragte nach seiner Verwundung, erhielt aber nur widerwillig Auskunft. Während der Herbstschlacht von Ebenrode habe es ihn getroffen, Näheres wollte er nicht erzählen. Anfang Januar, das habe der Arzt ihm versprochen, werde er zum Genesungsurlaub in den Thüringer Wald fahren. Dort sei er zu Hause. Sein Dorf liege mitten in Deutschland, im grünen Herzen Deutschlands, im Winter aber sei es das weiße Herz und ganz besonders schön. Skilaufen werde er, den langen Monat Januar nur Skilaufen.

Sie gossen Blei wie immer in der Nacht des Jahreswechsels, doch es kam nichts Gescheites dabei heraus, keine Reise in ferne, friedliche Länder, weder Glück in der Liebe noch unverhoffter Reichtum. Nur Vorsicht mit Krankheiten, sagte das Blei. Noch immer drohten Kopfverletzungen und Armdurchschüsse.

Um Mitternacht hörten sie die Rede des Führers.

»Es wird das letzte Kriegsjahr sein«, sagte Manfred. »So oder so, es geht nicht mehr lange.«

Die Mutter packte ihm den von Weihnachten übriggebliebenen Pfefferkuchen ein, auch die angebrochene Flasche Rotwein sollte er mitnehmen. Er mache sich nichts aus Rotwein, sagte er.

Die Gehbehinderten sammelte nach Mitternacht ein Mannschaftswagen des Lazaretts auf, aber Manfred konnte ja laufen, hatte nur den Kopf verbunden und den Arm in der Schlinge. Während sie seinen Mantel zuknöpfte, dachte Erika, ob es ihm vielleicht die Ohren abgerissen oder das Gesicht verbrannt habe. Da hatte sie nun einen ganzen Abend mit einem Menschen zusammengesessen, ohne zu wissen, wie er aussah. Sie kannte nur die dunklen Augen, den dünnen Mund und die Nasenspitze, alles andere war weiß wie die Landschaft draußen. Sie begleitete ihn zur Straßenbahn, ging rechts, weil sein linker Arm in der Schlinge hing. In der lautlosen Stadt knatterten weder Knallfrösche, noch dröhnten Böllerschläge. Keine Tannenbäume hingen über dem verdunkelten Königsberg, auch keine Sterne. Sie gingen wortlos nebeneinander. Erst kurz vor der Haltestelle hängte sie sich an seinen gesunden Arm. Er ließ es schweigend geschehen, und sie dachte, daß sie vielleicht die erste war, die ihn so berührte. An der Haltestelle fragte sie ihn, ob er am Neujahrsmorgen zum Schlittschuhlaufen auf den Schloßteich komme.

»Ich kann nicht Schlittschuh laufen.«

»Ich bring es dir bei.«

»Aber ich darf nicht auf den verwundeten Arm fallen, sonst gibt es keinen Winterurlaub im Thüringer Wald.«

Die Bahn hielt, überfüllt wie immer. Bevor er einstieg, versuchte er, sie zu küssen, aber der Kopfverband hinderte ihn daran. Mit dem nassen Finger strich er über ihre Lippen und versprach, ein Bild zu schicken, damit sie wisse, wie er aussehe, denn der verdammte Verband ...! Im Wegfahren rief er, daß er wohl doch zum Schloßteich kommen werde, um ihr zuzuschauen beim Schlittschuhlaufen.

Sie wunderte sich, daß sie einen Menschen mochte, dessen Gesicht sie nicht kannte, der einem Schneemann glich mit zwei schwarzen Löchern als Augen und einem dunklen Streifen als Mund. Vielleicht hat er sein Gesicht verloren, trägt den Verband als Maske, damit niemand bei seinem Anblick erschrickt.

Auf dem Schloßteich drängten sich am Neujahrsmorgen die Schlittschuhläufer. Verwundete mit Kopfverbänden waren dabei, Armlose und Steifbeinige drehten ihre Runden, während am Ufer die Mädchen flanierten und lachten, als sei es irgendein Neujahrsmorgen im Frieden. Manfred kam nicht. Vielleicht hatte er keinen Ausgang, entschuldigte sie ihn. Verwundete dürfen nicht beliebig das Lazarett verlassen, aufs Eis läßt man sie gar nicht. Oder ein Rückfall. Die Kopfwunde mußte neu genäht werden, war über Nacht aufgebrochen bei dem Versuch, sie zu küssen.

Sie ging nun jeden Morgen aufs Eis, bis es zur Gewißheit wurde: Er war längst in den Thüringer Wald gefahren. Das Bild, das ihn kenntlich machen sollte, hatte er vergessen zu schicken, wie er sie überhaupt vergessen hatte.

Die Mutter hoffte auf Schneestürme, hielt Ausschau nach dem Wetter, während Erika packte.

»Wenn es richtig stiemt, kommst du erst Ostern nach Tarrenbude«, meinte sie zuversichtlich.

Erika packte ihre Schlittschuhe ein, wie der Mann im Amt ihr geraten hatte, dazu reichlich Bücher, um den einsamen Winter in Tarrenbude zu überlesen.

»Kind, Kind, Bücher sind doch so schwer!« jammerte die Mutter. Sie dachte mehr an warme Kleidung und alles, was gesund hält.

Die Abreise rückte näher, aber der Himmel blieb klar. In den Nächten fiel der Frost auf die Dächer, ließ den alten Schnee in den Brandruinen glitzern; am Tage zogen Aufklärer weiße Kondensstreifen durchs Blau. Vereinzelt fielen Bomben, aber kein Schnee.

Die Mutter begleitete sie zum Hauptbahnhof, half ihr die schweren Bücher zu tragen. Auf dem großen Platz vor dem Bahnhofsportal verabschiedeten sie sich.

»In drei Monaten sind ja schon Osterferien«, sagte Erika, während die Mutter noch einmal aufzählte, was ihr wichtig erschien: »Zwei Paar warme Handschuhe und die Pelzstiefel. Mehr Kleidung hättest du mitnehmen sollen statt der schweren Bücher. Was willst du mit Knut Hamsun in Tarrenbude?«

»Im Sommer fahren wir nach Cranz zum Baden, Mutter.«

»Ach, ich hätte dich zur Tante nach Schwerin schicken sollen. Was wollen sie machen, wenn du nicht da bist? Du bist fortgefahren, hätte ich gesagt ... Ich weiß nicht, wohin, hätte ich gesagt ... Schwerin, das liegt doch mindestens fünfhundert Kilometer westlich ...«

Noch immer rollten Räder für den Sieg, stank der Bahnhof nach verbrannter Kohle und desinfizierendem Lysol. Schwestern und Kettenhunde bevölkerten die Bahnhofshalle, und neben den überholten Fahrplänen hing drohend der schwarze Mann. Zweimal wurde sie kontrolliert, bevor sie den Zug nach Insterburg erreichte, der pünktlich abfuhr um zehn Uhr dreißig.

Insterburg glich einer Frontstadt. In der Straße vor dem Bahnhof mehr Militär als Zivilisten. Kaum hielt der Zug, gab es Fliegeralarm. Eine Stunde verbrachte Erika Domin im Bunker, danach ging sie zur Bahnhofsauskunft.

Die Kleinbahn nach Tarrenbude fuhr noch. Drei leere Güterwagen und ein Personenwagen standen abseits auf schmaler Spur. Die Fenster hoch befroren, auf dem offenen Perron lag Schnee.

Ja, das ist der Zug nach Tarrenbude. Keine Lokomotive in Sicht. Die kam erst später, am Nachmittag, kurz vor der Abfahrt, ein kleines schnaubendes Ungeheuer, aus dem zischend Dampf entwich, der den Schnee schmelzen ließ. Als sie angekoppelt hatte und heißer Dampf durch die Heizungsrohre strömte, taute das Eis von den Fenstern. Aber es dauerte eine Viertelstunde, bis die Scheiben den Blick freigaben auf die grauen Telefonmasten neben dem Bahndamm und die weiße Landschaft, durch die die Bahn fuhr. Fern am Horizont

Baumreihen wie schwarze Adern in weißer Haut. Krähenschwärme flogen vor dem herannahenden Zug auf und gingen hinter ihm nieder. Ein Pulk Rehe setzte auf verharrschtem Schnee davon, als die Kleinbahn Laut gab.

Ein Soldat, wohl ein Urlauber, saß mit ihr im Abteil und rauchte stinkenden Kanaster. Zwei Bauern mit Glühweinnasen sprachen über die Hasenjagd, die seit Dezember auf ihren Feldern lief. Eine Frau mit Kleinkind berichtete, daß sie zum Arzt in die Stadt müßte, und das mitten im Winter.

Eine Station Tarrenbude gab es nicht, aber jene Bedarfshaltestelle für Kartoffeln und Zuckerrüben auf freiem Feld, von der der Uniformierte im Amt gesprochen hatte. Der Schaffner ließ den Zug halten, kam zu ihr und sagte: »Wenn Sie nach Tarrenbude wollen, Fräulein, müssen Sie hier aussteigen.«

Eine Wellblechhütte als Unterstand, das war dieser Bahnhof. Neben den Gleisen türmte sich ein schmutziger Wall aus grauem, altem, hartem Schnee, aufgeschippt im vorigen Jahr. Danach mußten Kohlen entladen worden sein, jedenfalls bedeckte feiner Kohlenstaub den Schneewall, machte den Bahnhof noch häßlicher.

Sie wartete, bis die Bahn verschwunden war und jene Stille eintrat, die Herzschläge hörbar werden läßt. Es fehlte eine Bank. Einen vergilbten Fahrplan für den Sommer 1944 fand sie an der Wellblechhütte, daneben das Plakat des schwarzen Mannes, der seinen gefährlichen Schatten auch in diesen erbärmlichen Behelfsbahnhof geworfen hatte. Jemand hatte mit Kohle »Deutschland erwache!« auf das Blech gekritzelt, sich gewiß etwas anderes dabei gedacht als vor zwölf Jahren, als dieser Spruch in aller Munde war. Kyrillische Buchstaben fand sie, wohl von Gefangenen hinterlassen, die die Kleinbahn freigeschaufelt oder Kohlen entladen hatten.

Ein Pferd prustete. Also doch nicht allein. Neben der Hütte hielt ein Schlitten. Zwei Pferdeköpfe schauten hinter dem Wellblech hervor, dampften aus ihren Nüstern. Jemand machte sich an den Pferden zu schaffen, sprach auf sie ein, klopfte ihren Hals, wärmte seine Hände an den Tieren. Ein Junge, kräftig untersetzt, eine Pelzmütze und graue Ohrenschoner auf dem Kopf, die Hände in Fäustlingen vergraben, wandte ihr den Rücken zu. Sie ging zu ihm. Da drehte er sich um, ein sommersprossiges Gesicht, gerötet von der Kälte, grinste sie an.

»Der Bürgermeister schickt mich, ich soll unsere Lehrerin abholen.«

Der Junge taxierte die kleine Person, die aus dem Zug gestiegen war und so sonderbar städtisch aussah, die Fingerhandschuhe trug und Stiefel mit hohen Absätzen und erschreckend rote Haare hatte. Er nahm ihr den Koffer aus der Hand und warf ihn hinten auf den Schlitten.

»Hast du schon lange gewartet?« fragte sie.

»Unsere Kleinbahn kommt, wann sie will«, erwiderte er. »Damit das Fräulein nicht im Schnee herumsteht, schickte mich der Bürgermeister schon mittags los. Und jetzt ist Vesperzeit.«

Sie fragte nach seinem Namen. Bernhard Kischko hieß er und ging in die siebente Klasse, war aber nicht dreizehn, sondern schon vierzehn, weil er beim Lehrer Subkus, den sie vor Weihnachten zum Volkssturm geholt hatten, einmal huckenbleiben mußte.

Er zeigte auf die hintere Bank. Dort solle sie Platz nehmen. Den Pferden nahm er die schützenden Decken vom Rücken. Eine Decke brachte er ihr, wickelte sie dem Fräulein Lehrer um die Füße.

»Damit die Knie nicht so klappern«, bemerkte Bernhard Kischko. Es roch penetrant nach Pferd, aber warm war sie, die Decke.

Sie fragte, wann er zuletzt die Schule besucht habe.

Das sei um Nikolaus herum gewesen, bevor sie den Lehrer Subkus einzogen.

Der Schlitten ruckte an, die Kufen kratzten über die Kohlenstücke. Als der Junge nach der Peitsche griff, fielen die Pferde in leichten Trab. Die Hufe warfen Schneeplacken gegen das Schlittenholz, eine Glocke, die zwischen den Pferden hing, begann zu schlagen, kein lustiges Schellengeläute, sondern ein einsames, trauriges Bimmeln.

Ab und zu blickte er sich um, als wollte er sehen, ob sie Angst habe, die neue Lehrerin. Wenn er sie in den Schnee kippte, wäre er der Held von Tarrenbude, aber es gäbe wohl morgen als erste Amtshandlung im Schulhaus eine Tracht mit dem Rohrstock. Deshalb verzichtete er auf die Heldentat.

Drei Dutzend Häuser, überwiegend Bauernhöfe mit den dazugehörigen Insthäusern, das war Tarrenbude. Einige Anwesen lagen weit ausgebaut, nur über Feldwege erreichbar. Gleich am Dorfeingang ein kleines Sägewerk, dessen Schornstein beharrlich Funken in den Abendhimmel pustete. Im Trab hielten sie Einzug, überholten Gespanne, die in der Dämmerung mit Buschholz heimkehrten. Ein Hund lief kläffend hinterher. Auf dem Dorfteich bewegten sich schwarze Punkte, die Schlittschuhläufer und Schienchenfahrer von Tarrenbude. In den Häusern brannte trübes Petroleumlicht. Das hatte ihr der Uniformierte nicht gesagt, daß sie in ein Dorf kam, in dem das elektrische Licht noch nicht erfunden war. Gestern mit der Elektrischen durch die Großstadt gefahren, heute nur noch Kerzenlicht und Petroleumfunzeln.

Am Schulgebäude fielen ihr als erstes die meterlangen Eiszapfen auf, die von der Dachrinne des düsteren Hauses hingen. Auf dem Schulhof lag unberührter Schnee. Kein überlebensgroßer Schneemann, dem einberufenen Lehrer Subkus ähnlich sehend, bewachte die Tarrenbuder Schule. Aber eine Pumpe, in Eis erstarrt, wartete vor dem Eingang auf den Frühling.

Der Winter ist ein rechter Mann
kernfest und auf die Dauer …

Damit würde sie morgen beginnen. Ein Wintergedicht sollten die Kinder auswendig lernen, der dunklen Jahreszeit angemessen.

Sein Schloß von Eis liegt weit hinaus
am Nordpol an dem Strande.
Doch hat er auch ein Sommerhaus
im lieben Schweizerlande.

Und nicht so leiern, Kinder!

Sie entdeckte, während Bernhard Kischko ihren Koffer vom Schlitten hievte, einen Fahnenmast ohne Fahne. Am 20. April mußte sie flaggen lassen, vielleicht auch am 30. Januar. Darauf hatten alle Lehrer in Deutschland zu achten, auf die rechtzeitige und angemessene Beflaggung der öffentlichen Schulgebäude.

Der Junge stellte den Koffer in den Schnee. Sie wollte ihm ein Geldstück schenken, aber er verweigerte die Annahme.

»Den Dittchen behalten Sie lieber, Fräulein Lehrer. Aber wenn in der Schule mal wieder Senge dran ist, möcht' ich gern die Hälfte erlassen haben.«

Im hinteren Teil des Gebäudes brannte Licht. Obwohl die Fenster entsprechend der Vorschrift verdunkelt waren, fiel ein heller Streifen in den schneegefüllten Garten. Als sie an die Scheibe klopfte, schlug ein Hund an. Die Verdunkelung wurde zur Seite geschoben, auf der Fensterbank erschien der massige Schädel eines Bernhardiners, daneben das Gesicht einer älteren Frau. Eine Stallaterne in der Hand, so trat die Alte vor die Tür. Der Hund sprang an ihr vorbei in den Schnee und rannte den Koffer um, den Erika Domin vor der Haustür abgesetzt hatte.

»Kommen Sie! Kommen Sie! Sie werden schon sehnsüchtig erwartet!« sagte die Alte.

Wärme strömte aus dem dunklen Haus in die frostige Nacht, dazu ein Geruch von Majoran und Geräuchertem.

»Boras!« rief die Alte. »Boras, du wirst ganz naß!«

Der Bernhardiner sprang in den Flur, schüttelte sich, warf den Schnee ab und stürmte an ihnen vorbei in die Stube.

»Boras freut sich, daß wieder Leben ins Schulhaus kommt. Na, und erst die Kinder. Im Oktober hatten sie schon lange schulfrei, weil Krieg war in dieser Gegend. Die Tarrenbuder Kinder haben Schule bitter nötig, Fräulein Erika.«

Sie leuchtete ihr voraus. Erika Domin betrat einen niedrigen Raum, Küche und Wohnstube in einem, an dessen schwarzen Holzbalken getrocknete Kräuter hingen. In einer Ecke stand ein Spinnrad, daneben ein Korb, angefüllt mit strohfarbener Wolle. An den Wänden Fotografien mehrerer Schulklassen.

»In jedem Jahr zur Einschulung hat mein Sohn die Kinder knipsen lassen«, erklärte die Frau. »Nun hängen sie an der Wand, die Schulanfänger der letzten zwanzig Jahre. Einige Mädchen sind verheiratet und haben schon Kinder, von den Jungs sind mehrere gefallen.«

Sie ging zu den Bildern, tippte mit dem Finger auf die Kinderköpfe und sagte: »Der ist tot ... der ist tot ... der ist tot.«

Danach deckte sie auf, rückte Stühle, klapperte mit dem Geschirr und bestand darauf, daß Erika Domin neben dem Kachelofen Platz nehme, denn sie müsse ja durchgefroren sein. »Wer so lange unterwegs ist im Winter, der hat Wärme nötig.«

Erika Domin sah ihr zu. Das schwarze Kleid, die graue Schürze, das zu einem Knoten zusammengesteckte weiße Haar ließen die Frau älter erscheinen, der leicht gekrümmte Rücken machte sie kleiner. Ja, der einberufene Lehrer Subkus sei ihr Sohn, erzählte sie. Eine Schwiegertochter und zwei kleine Kinder gehörten auch ins Lehrerhaus, seien aber gerade im Reich. Im Herbst, als der Krieg an die Grenze kam, habe ihr Sohn die Familie zu Verwandten nach Anhalt geschickt. Dort sei die Schwiegertochter erkrankt und geblieben, was bestimmt sein Gutes habe, denn Anhalt liege weit von der Grenze entfernt.

»Ich aber werde im Schulhaus bleiben, was auch geschieht. Ich werde mich um das Fräulein Erika kümmern, damit es sich eingewöhnt und nicht bangt nach der großen Stadt. Bis mein Sohn aus dem Krieg kommt, werden wir es uns im Schulhaus gemütlich machen. Noch sind ja die dunklen Tage, aber warten Sie nur ab, Fräulein Erika. Ab Mitte Januar wächst der lichte Tag, und im Februar gibt es manchmal schon Tauwetter. Richtig schön aber wird es im Sommer, es gibt keinen schöneren Flecken in Gottes weiter Welt als Tarrenbude im Sommer.«

So redete sie und redete, schenkte Pfefferminztee ein, holte Bratäpfel aus der Ofenröhre und bestrich sie dick mit Bergamottenmarmelade.

Von ihrer Weihnachtsration habe sie noch Rum, der ja helfen solle, wenn ein Mensch durchgefroren sei. Milch gebe es auch, frisch gemolken von der eigenen Kuh, die zur Lehrerstelle in Tarrenbude gehörte nebst zwölf Morgen Schulland und einem großen Obst- und Gemüsegarten.

»Aber um die Wirtschaft brauchen Sie sich nicht zu kümmern, Fräulein Erika. Sie sind allein für die Kinder da. Sechsundvierzig werden morgen kommen, groß und klein zusammen in einem Raum. Tarrenbude hat noch nie eine Lehrerin gehabt. Sie müssen sich gleich Respekt verschaffen, Fräulein Erika.«

Nach dem Essen brachte die Alte sie in einen Raum im ersten Stock, den sie Fremdenzimmer nannte.

»Von hier ist die schönste Aussicht über den Dorfteich, und die liebe Morgensonne scheint hier zuerst.«

Der Raum war schon überheizt, aber die Alte warf weitere Holzscheite in den Kachelofen. Nichts sei so schlimm, wie neu anzukommen und eine kalte Stube vorzufinden, meinte sie. Die Schule werde sie morgen zeitig einheizen, damit die Fenster abtauten, sonst bekämen die Kinder klamme Hände und könnten nicht schreiben.

Sie bezog das Bett, erzählte, während sie die Daunen schüttelte, wie die Tarrenbuder Schule beim Russeneinfall 1914 niedergebrannt und ein Jahr später mit Spenden aus dem Reich wieder aufgebaut worden sei. Damals seien sie nicht geflüchtet, was ihren Mann, der auch schon Lehrer in Tarrenbude gewesen sei, das Leben gekostet habe. Ein betrunkener Kosak habe ihn, der im Schulgarten hinter den Bienenkörben arbeitete, für einen feindlichen Späher gehalten und totgeschossen. Seitdem sei sie Witwe. Ihr Sohn habe Frau und Kinder nach Anhalt geschickt, damit sich nicht wiederhole, was seinem Vater zugestoßen sei.

Zum Einschlafen brachte sie den versprochenen Rum. Sie mache sich nichts aus Rum, und bis ihr Sohn auf Urlaub komme, gebe es schon die Osterration.

»Trinken Sie, Fräulein Erika! Das macht schöne Träume. Und erschrecken Sie nicht, wenn Boras sich gegen die Tür wirft, das macht er gern. Unseren Boras müssen Sie mit übernehmen wie die sechsundvierzig Kinder, der gehört zur Lehrerstelle. Als mein Sohn einberufen wurde, hat der Hund drei Tage lang im Kuhstall gelegen und geheult, das ganz Dorf hörte, wie traurig der Boras war.«

Eigentlich müßte sie sich vorbereiten auf ihren ersten Schultag, aber sie lag im Bett neben der blakenden Petroleumlampe und hörte die Fichtenscheite knacken, stellte sich die sechsundvierzig Kinder vor, auf dem Schulhof wartend auf ihre neue Lehrerin. Sie wird einfach die Tür aufschließen, die Kinder werden eintreten und das Wintergedicht lernen oder ein Lied singen. Wie still diese Dörfer sind! Kein Wind in den Bäumen, kein Hundegebell, keine Wölfe. Auch Städte können still sein, aber sie sind es auf eine andere Weise. Wo verlief nun eigentlich die Front, jenseits der Grenze oder schon in den deutschen Dörfern? Die Zeitungen haben es nie deutlich ausgesprochen. Im Herbst berichteten sie nur von der großen Grenzschlacht und von gewaltigen Befestigungsanlagen, die den Feind daran hindern werden, deutschen Boden zu betreten. Schon am ersten Abend verspürte sie Heimweh nach Königsberg, seinen elektrischen Lampen und Straßenbahnen. Auf dem Schloßteich waren jetzt noch die Schlittschuhläufer unterwegs, standen die Paare in der Dunkelheit und knutschten sich warm, während Erika Domin weit entfernt im überheizten Fremdenzimmer des Schulhauses von Tarrenbude lag, einen Bernhardiner vor der Tür, eine alte Frau unten am Spinnrad. Sechsundvierzig Kinder gehörten ihr. Morgen werden sie in Zweierreihe auf dem Schulhof stehen, ein Lied singen und das Wintergedicht lernen ... Wo liegt eigentlich das liebe Schweizerland, Kinder?

In der Frühe warf Boras seine Pranke auf den Türdrücker, spazierte in die Stube, legte den Kopf auf die Bettkante und starrte die Schlafende an, bis sie aufwachte. Danach rannte er in die Küche.

Sie spürte, wie es kalt geworden war. Auf der Straße Stimmen. Ein Fuhrwerk mit scheppernden Milchkannen rumpelte vorüber. Neuer Schnee war gefallen, sie hörte das kratzende Geräusch der Schaufeln. Jemand schlug seine Arme am Körper warm. Die alte Frau rumorte in den unteren Räumen, rüttelte den Ofenrost im Klassenzimmer. Als sie Wasser holte, kreischte das Metall der Pumpe. Wo wäscht man sich in Tarrenbude?

Als Erika Domin die Küche betrat, holte die Frau den Kessel vom Herd und goß warmes Wasser in eine Emailleschüssel, die auf einem Hocker stand.

»Junge Mädchen brauchen noch Wärme«, meinte sie lachend, legte ihr ein Handtuch über die Stuhllehne und zeigte auf einen Topf voller Schmierseife. Als Erika sich gewaschen hatte, trug die alte Frau die Schüssel vor die Tür, entleerte sie in den frisch gefallenen Schnee.

Frühstücken mußte sie allein. Sie habe schon gefrühstückt, sagte die Alte, sie frühstücke immer vor dem Melken. Aber sie werde dem

Fräulein Gesellschaft leisten und es bedienen. »Essen Sie, essen Sie, es ist alles da, in Tarrenbude gibt es noch keine Not!«

Allmählich tauten die Fenster ab, gaben den Blick frei in den verschneiten Schulgarten. Schmelzwasser tropfte von der Fensterbank auf die Steinfliesen.

Noch vor Schulbeginn kam der Bürgermeister, ein einfacher Mann, mehr Bauer als Amtsperson. Es sei doch ein gutes Zeichen, meinte er, daß die Führung eine Lehrerin nach Tarrenbude geschickt habe. Nun sehe jeder, daß die Front gehalten werde.

Sie wollte fragen, wie weit die Front entfernt sei, unterließ es aber. Der Mann sollte nicht denken, daß sie Angst habe. Es gab keinen Grund zur Besorgnis, denn im Osten, wo die Front liegen mußte, herrschte vollkommener Friede.

Erika Domin solle sich an ihn wenden, wenn sie Sorgen habe. Wenn sie etwa die großen Jungs nicht schaffe, werde er jemand schicken, der ihnen eine Tracht Prügel verabreiche. Er verabschiedete sich mit Handschlag, nicht mit deutschem Gruß, worüber sie sich wunderte, weil er schließlich eine Amtsperson war.

Sie stand am Fenster ihres Zimmers und sah sie kommen, im Sternmarsch strebten sie der Schule zu, die kleinen, schwarzen Strichmännchen in der verschneiten Landschaft. Auf dem Rücken trugen sie ihre Tornister, an der Seite baumelten Schwamm und Putzlappen. Auf dem Schulhof versammelten sie sich, die Mädchen vor der Eingangstür, die Jungs neben der Pumpe, Bernhard Kischko im Mittelpunkt, weil er zu erzählen wußte, wie die neue Lehrerin aussah: Man ziemlich klein mit rothaarigem Bubikopf. So zierlich, die hebt keinen halben Sack Kartoffeln. Schwarze Fingerhandschuhe trägt sie und eine Brosche um den Hals, auch wohl Ringe in den Ohren.

Als sie die Tür öffnete, verstummte das Geschnatter auf dem Schulhof. Erika Domin stand fröstelnd da und winkte. Sie formierten sich in Zweierreihen, vorn die Mädchen. Die Reihe schlängelte sich um die vereiste Pumpe und endete am leeren Fahnenmast. Als sie die Tür frei gab, setzte sich die Reihe in Bewegung, auf der Treppe trampelten sie den Schnee von den Schuhen, die Mädchen knicksten, die Jungs zogen die Mütze. In ihren Bänken blieben sie stehen, grüßten laut »Guten Morgen« und nahmen geräuschvoll Platz. Sie ließ singen.

Danach das Wintergedicht.

Wo liegt es denn, das liebe Schweizerland? Ach, die Tarrenbuder Kinder kannten Narvik und Tobruk, Calais und Dünkirchen, die Halbinsel Kertsch und den Finnischen Meerbusen, aber nichts vom lieben Schweizerland. Bruchrechnen ließ sie und die Schlacht von Sedan schlagen. Heimatkunde mit den Quellflüssen des Pregel und einem weiten Blick von den Kernsdorfer Höhen. Um zwölf Uhr mittags endete ihr erster Schultag. Nachmittags schrieb sie an die Mutter, es sei doch ein erhebendes Gefühl, so vielen unschuldigen Kindern die Welt zu erklären und sie vorzubereiten auf das große Leben, sie zu guten Deutschen zu machen und ihrem Lande so zu dienen.

Bald kamen neugierige Mütter, um die Lehrerin anzuschauen. Während der schulfreien Zeit hatten sich ein paar Unregelmäßigkeiten ergeben, die mit der Lehrerin zu besprechen waren. Aber vor allem wollten sie sehen, was denn das für eine ist, diese Erika Domin aus Königsberg, ob sie Kraft genug hat und gescheit aussieht. Eine bat darum, ihren Gerhard recht bald mit einer ordentlichen Tracht Prügel zu versorgen, denn er sei längst überfällig, zumal der Weihnachtsmann recht milde ausgefallen sei. Wer soll denn die Kinder schlagen? Die Männer sind im Felde, und die Kriegsgefangenen kann man nicht bitten, deutsche Kinder zu verhauen.

Eine brachte ein Ringelchen Blutwurst mit und versprach eine Kanne Wurstsuppe, wenn das nächste Schwein geschlachtet wird. Im Frühling werden die Mädchen Veilchensträuße für die Lehrerin pflücken, zur Sommerzeit, wenn der Honig aus den Waben tropft, werden die Kinder ein Gläschen Honig mitbringen und im Herbst rotbackige Äpfel für die Bratröhre ...

Aber es wird keinen Herbst geben, auch keinen Sommer, nicht einmal Frühling. Denn am vierten Tag wachte sie früher auf. War das Gewitter im Januar, oder brach schon das Eis? Jedenfalls vibrierten die Scheiben von einem fernen Grollen.

Die Alte kam vor dem Melken zu ihr.

»Hoffentlich stößt dem Lehrer Subkus nichts zu«, sprach sie. »Im Oktober fing es auch so an.«

Es grummelte den ganzen Morgen, auch als die Kinder kamen. Sie standen auf der Straße, Erika Domin mußte sie rufen. Mit Verspätung begann die Schule und mit Bruchrechnen. In der großen Pause immer noch fernes Trommelfeuer. Die Gespanne fuhren später ins Holz, weil die Männer zusammenstanden und sich besprachen. Eine Kreissäge sang gegen den fernen Lärm an, ein Schwein, das noch vor dem Krieg in die Wurst sollte, quiekte schrill.

Als sie mittags die Kinder nach Hause schickte, war es still. Sie blieb im Klassenraum, korrigierte Hefte, bis die Alte kam und sagte, sie habe Mehlflinsen und Blaubeersuppe auf dem Tisch. Ihrem Sohn, dem Lehrer Subkus, sei das immer ein Festessen gewesen.

An den nächsten Tagen hörten sie kein Trommelfeuer mehr, aber vereinzelte Abschüsse, auch gab es einen Luftkampf über den Feldern von Tarrenbude.

»Sie hätten lieber in Königsberg bleiben sollen«, sagte die alte Frau eines Abends, als sich im Osten der Himmel rötete. »In Königsberg ist der Mensch sicher, aber in Tarrenbude, so nahe an der Grenze, kann man nie wissen.«

An jenem Abend kam auch der Bürgermeister.

»Schloßberg soll gefallen sein«, sagte er. »Wir haben gedacht, das Fräulein Domin wieder zur Bahn zu bringen. Nicht, daß wir unzufrieden wären, es ist nur wegen der unsicheren Zeiten. Wir aus Tarrenbude werden nicht flüchten, aber eine junge Lehrerin können wir nicht dem Krieg überlassen.«

Er bat sie, ihre Sachen zu packen. In einer Stunde werde ein Schlitten kommen, um sie zur Bahn zu bringen.

Sie wollte bis zum nächsten Tag bleiben.

»In der Dunkelheit reisen ist sicherer«, erwiderte der Mann. »Wer weiß auch, ob morgen noch ein Zug fährt?«

Die Alte schmierte reichlich Wurstbrote für die Reise, denn niemand wisse, wie lange so ein Zug fahre, weil auf Fahrpläne kein Verlaß mehr sei. Wenigstens gut verpflegt solle sie in Königsberg ankommen.

Erika Domin schämte sich. Eine Woche Lehrerin in Tarrenbude und schon fahnenflüchtig. Sechsundvierzig Kinder zurücklassen und einen Bernhardiner, der darauf dressiert war, die Tarrenbuder Lehrer rechtzeitig zum Schulbeginn zu wecken. Jeder hat auf seinem Posten zu stehen und auszuharren, kann sich nicht aussuchen, wo er seine Pflicht zu erfüllen hat.

Und wieder saß Bernhard Kischko auf dem Pferdeschlitten.

»Du gehörst doch längst ins Bett«, sagte sie.

»Morgen kann ich ausschlafen, morgen fällt die Schule aus«, antwortete er.

Die Alte brachte sie zum Schlitten. Als Erika Domin sich in die Pferdedecke gewickelt hatte, reichte ihr die Frau einen Bratapfel.

»Das gibt warme Hände«, sagte sie lachend.

Der Bernhardiner verfolgte den Schlitten. Am Dorfende blieb er stehen, verschwand augenblicklich in der Dunkelheit wie das ganze Tarrenbude mit seinem Schulgebäude und den funkenspeienden Schornsteinen. Im Osten brannte der Schnee. Wird die Schule wieder abbrennen wie im August vierzehn? Wie lange wird Boras noch leben und die alte Frau? Was soll aus den sechsundvierzig Kindern werden, wenn sie weiter nichts als Ferien haben?

»Warum fährst du denn nicht zur Kleinbahn?« fragte sie den Jungen.

»Die geht nicht mehr. Unser Bürgermeister hat gesagt, ich soll Sie gleich nach Insterburg bringen, die Großbahn geht noch.«

Nachts mit dem Pferdeschlitten nach Insterburg. Ohne Mond und Sterne, nur begleitet vom Feuerschein am östlichen Himmel.

»Kennst du überhaupt den Weg nach Insterburg?« fragte sie.

»Ich fahre der Kleinbahn nach, die endet doch in Insterburg!« rief er.

Sie fror nun doch, und sie hatte auch ein wenig Angst, zum erstenmal eigentlich. Am Himmel brannten Tannenbäume, von Flugzeugen abgeworfen, die eine Stadt erst beleuchten, bevor sie sie zerstören. Und es war nun auch ganz deutlich Maschinengewehrfeuer zu hören.

Insterburg empfing sie ohne Licht, aber die Stadt lebte noch. Militärkolonnen kamen ihnen entgegen, vor einem Panzer scheuten die Pferde. Bernhard Kischko sprang vom Schlitten, hielt sie an den Köpfen fest und redete beruhigend auf sie ein. Das letzte Stück wollte sie gehen, aber er brachte sie zum Bahnhof, wie es der Bürgermeister befohlen hatte.

»Wenn kein Zug mehr geht, fahre ich Sie gleich nach Königsberg«, sagte er lachend.

Auch der Bahnhof in Dunkelheit. Ein Bahnbeamter wußte nichts Kriegswichtigeres zu tun, als im Schein einer Taschenlampe den Warteraum auszufegen.

»Es fahren keine Züge mehr. Der letzte ging nachmittags und wurde unterwegs von Flugzeugen beschossen.«

Das sagte der Mann und fegte weiter. Sie stand hinter ihm und rührte sich nicht. Als er merkte, daß sie nicht gehen wollte, leuchtete er mit der Taschenlampe in ihr Gesicht.

»Vielleicht kommt morgen früh noch ein Militärzug mit Soldaten aus Königsberg«, flüsterte er, als verrate er ein Geheimnis. »Wenn er kommt, nimmt er auf dem Rückweg Verwundete und Zivilpersonen mit. Aber es ist ungewiß.«

Sie ging hinaus.

»Morgen früh fährt ein Zug«, sagte sie zu dem Jungen. »Du mußt jetzt nach Hause fahren, Bernhard Kischko. Ihr Kinder in Tarrenbude werdet lange Ferien haben.«

»Auch der Krieg hat sein Gutes«, meinte er und lachte wieder.

»Wenn du mal nach Königsberg kommst, mußt du mich besuchen.«

Nein, das werde er nicht tun. Die Tarrenbuder seien in diesen Dingen ein wenig abergläubisch. »Eine Lehrerin besuchen bringt Unglück.«

Er zog die Fausthandschuhe über, griff nach Zügel und Peitsche. Daß sie gute Reise wünschte, hörte er nicht mehr. Heil in Tarrenbude ankommen und überleben, das wünschte sie ihm. Lange Ferien sollte er haben und irgendwann Königsberg besuchen, aber nicht im Winter.

Die Nacht verbrachte sie im Warteraum mit anderen, die sich einfanden, um auf den letzten Zug nach Königsberg zu warten. Immer mehr kamen, trugen schmutzigen Schnee in den Warteraum und leuchteten mit ihren Taschenlampen, nach freien Plätzen Ausschau haltend, die Bänke ab. Von der Tür her wehte beständig ein kalter Luftzug. Kinder wimmerten, wenn aus der Ferne die Bombeneinschläge herüberdröhnten.

Er kam tatsächlich, der letzte Zug. In der Dunkelheit des Morgens lief er ein, voll besetzt mit Soldaten, die in Königsberg zusammengezogen worden waren, um diesen Krieg zu retten und diese Front. Ohne Eile stiegen sie aus, drängten sich auf dem Bahnsteig um bereitstehende Suppenkübel. Plötzlich sah sie, ja, sie sah deutlich ein lachendes Gesicht. Es galt ihr, das Lachen. Ohne Zweifel, es galt ihr. Ein junger Soldat, überaus groß und schlank, lachte sie an, hob die Hand und winkte. Wir kennen uns doch, schien das Gesicht zu sagen, aber sie erinnerte sich nicht, es jemals gesehen zu haben. Er nahm einen Schal und wickelte ihn so um den Kopf, daß es aussah wie ein Verband, und den linken Arm hielt er, als hinge er in einer Schlinge.

Mein Gott, du bist in den verkehrten Zug gestiegen! Genesungsurlaub im Thüringer Wald hatten sie dir versprochen, aber du bist in der Frontstadt Insterburg. Sie haben noch einmal die Lazarette durchkämmt nach kriegsfähigen Männern und Kindern, sie haben die Schlittschuhläufer von den Eisflächen geholt und die Träumenden aus den Kinos. Von wegen Ski laufen im Thüringer Wald! Niemand kann sich aussuchen, wo er seine Pflicht zu erfüllen hat.

Sie wollte zu ihm eilen, als ein Offizier ein Kommando rief und die Soldaten Aufstellung nahmen. Da blieb sie stehen, denn man kann Soldaten nicht begrüßen, die gerade Aufstellung nehmen, die das Gewehr schultern, um im Gleichschritt abzumarschieren. Erika Domin war mit den Soldaten allein auf dem Bahnsteig. Die ganze Kolonne starrte sie an, aber nur einer lachte. Sie marschierten an ihr vorbei, aus dem Bahnhofsgebäude hinaus in den grauen Wintermorgen. Sie erkannte, während er vorbeimarschierte, welch ein hübsches Gesicht er hatte, ein kindliches Gesicht ohne Verband und ohne entstellende Narben.

Kaum waren die Soldaten fort, stürmten die Zivilisten den leeren Zug. Erika Domin schämte sich ein wenig, in den Zug einzusteigen, den er soeben hatte verlassen müssen, diesen letzten Zug nach Königsberg. Sie kam an dem Tag in Königsberg an, als die Stadt zur Festung erklärt und damit endgültig sicher wurde.

Wohl mag der Himmel auswärts tiefer blau'n,
und reich're Frucht die güt'ge Erde tragen,
und blumiger sich schmücken Flur und Au'n —
wer fragt, was sich mit solchem Maße mißt?
Die Heimat liebt man, weil's die Heimat ist.

Ernst Wiechert

BERTOLT BRECHT

Deutschland

Mögen andere von ihrer Schande sprechen,
ich spreche von der meinen.

O Deutschland, bleiche Mutter!
Wie sitzest du besudelt
Unter den Völkern.
Unter den Befleckten
Fällst du auf.

Von deinen Söhnen der ärmste
Liegt erschlagen.
Als sein Hunger groß war
Haben deine anderen Söhne
Die Hand gegen ihn erhoben.
Das ist ruchbar geworden.

Mit ihren so erhobenen Händen
Erhoben gegen ihren Bruder
Gehen sie jetzt frech vor dir herum
Und lachen in dein Gesicht
Das weiß man.

In deinem Hause
Wird laut gebrüllt, was Lüge ist
Aber die Wahrheit
Muß schweigen.
Ist es so?

Warum preisen dich ringsum die Unterdrücker, aber
Die Unterdrückten beschuldigen dich?
Die Ausgebeuteten
Zeigen mit Fingern auf dich, aber
Die Ausbeuter loben das System
Das in deinem Hause ersonnen wurde!

Und dabei sehen dich alle
Den Zipfel deines Rockes verbergen, der blutig ist
Vom Blut deines
Besten Sohnes.

Hörend die Reden, die aus deinem Hause dringen,
lacht man.
Aber wer dich sieht, der greift nach dem Messer
Wie beim Anblick einer Räuberin.

O Deutschland, bleiche Mutter!
Wie haben deine Söhne dich zugerichtet
Daß du unter den Völkern sitzest
Ein Gespött oder eine Furcht!

Christine Brückner

Alle Wege führen nach Poenichen

›Maikäfer, flieg,
mein Vater ist im Krieg,
meine Mutter ist in Pommerland,
Pommerland ist abgebrannt,
Maikäfer, flieg.‹

Kinderlied

Flucht, Enteignung, Deklassierung, Verschleppung, Ausmerzung, Verelendung: von diesen Möglichkeiten des Schreckens, die das Kriegsende bot, hat Maximiliane, als der Quindtsche Treck auf die Chaussee einbog, vermutlich noch den besten Teil erwählt: die Flucht. Eine von dreizehn Millionen Deutschen, in einem breiten Strom, der sich von Osten her über Deutschland ergießt, sich verdünnt, später versickert.

Ob Maximiliane die drei Schüsse gehört hat, ist ungewiß, umgedreht hat sie sich jedenfalls nicht. Kein Blick zurück. Umgedreht hat sich nur Joachim, das Herrchen, ein Kind, das sich immer umdrehen, immer etwas zurücklassen wird. Diesmal war es die Perücke. Er weint leise vor sich hin. Seine Mutter zieht ihn an sich. »Mosche, mein Mosche! Bald werden wir zurückkehren, dann bekommst du deine Perücke wieder.«

»Versprichst du mir das?« Er braucht Versprechungen, braucht jemanden, der ihm zu seinem Recht verhilft. Dagegen sein Bruder Golo: für ihn beginnen die besten Jahre seines Lebens, ihm muß keiner zu seinem Recht verhelfen, eher müßte man ihn daran hindern, Unrecht zu tun. Für ihn bedeutet die Flucht ein einzigartiges Abenteuer. Um Edda muß man sich ebenfalls nicht sorgen: ein Sonntagskind. Nur Viktoria wird immer und überall zu kurz kommen, obwohl jeder ihr etwas zusteckt und jeder zu ihrer Mutter sagt: ›So passen Sie doch auf das Kind auf!‹ Mehr denn je gerät sie in Gefahr, verlorenzugehen, erdrückt oder totgetreten zu werden.

Vormärsche lassen sich besser organisieren als Rückzüge. Auch die Besiedlung eines Gebietes geht planvoller vor sich als die Räumung, trotz der vorgedruckten Durchführungsbestimmungen, die wildes Quartiermachen verbieten und Rasttage nur bei Erschöpfung der Zugtiere gestatten, trotz der Marschbefehle, die von einer Treckleitstelle zur anderen führen, wo Lebensmittel und Futtermittel ausgeteilt werden, soweit vorhanden. Sobald Truppenverbände der deutschen Wehrmacht die Straßen beanspruchen, fahren die Trecks an den Straßenrand und machen halt.

Spät in der Nacht erreicht der Poenicher Treck sein Tagesziel. »Die Quindts von Poenichen sind da!« ruft man und fragt: »Und wo ist der Freiherr von Quindt?« Keine Zeit, die Antwort abzuwarten, der eigene Treck wird bereits zusammengestellt. »Vier Kinder? Werden zwei Betten genügen?« Immer noch Unterschiede. Strohlager für die Gutsleute, Betten für die Gutsherren. Martha Riepe zählt zu den Leuten.

Wie schon am ersten, kommen sie auch am zweiten Tag mit ihrem Treck nur zehn Kilometer weiter — eine größere Strecke schaffen die langsamen Zugochsen nicht —, bis zu der Ortschaft Bannin, wo sie in der Schule nächtigen. Als Maximiliane nach frischen Windeln für Viktoria sucht, entdeckt sie in einem der vollgestopften Bündel die rote Perücke von Pfarrer Merzin. Joachims Gesicht hellt sich auf. Er stülpt die Perücke wie einen Wunschhut auf und nimmt sie bei Tag und Nacht nicht mehr ab, ein Gnom, der sich unkenntlich machen will. Die Bündel, die Edda zusammengepackt hat, erweisen sich als Wundertüten, die Buntstifte kommen zum Vorschein und die Schreibtafel und die Blockflöte. Bevor sie einschlafen, zieht Maximiliane ihre vier Kinder an sich und sagt nicht mehr wie früher zu jedem einzelnen ›Gott behütet dich!‹, sondern: »Gott behütet uns!«

»Versprichst du uns das?« fragt Joachim.

»Das verspreche ich euch!«

Maximiliane läßt, ohne die Anleitungen eines psychologischen oder pädagogischen Lehrbuches, ihren Kindern zukommen, was sie als Kind am meisten entbehrt hat: Nähe, Zärtlichkeit, Zusammengehörigkeit.

Wenn der Treck stundenlang am Straßenrand stehenbleibt, auf offenem Feld, bei eisigem Ostwind, und ihnen nur der große Teppich aus dem Saal, der als Plane über den Wagen gelegt ist, ein wenig Schutz gibt, erzählt Maximiliane Geschichten oder malt Bilder auf die Schreibtafel, malt ›unser Haus mit den vielen Fenstern‹, und wieder setzt sie keine Fensterrahmen und keine Türen ein, was zu dieser Zeit bereits der Wirklichkeit entspricht. Sie malt Wege, die auf das Haus zu oder von ihm fort führen. »Wohin geht es denn dort?« fragt Golo, und sie sagt: »Dort geht es nach Kolberg und dort nach Berlin.« Und Joachim fragt: »Wohin führt dieser Weg?«, und sie sagt: »Alle Wege führen nach Poenichen!« Noch immer malt sie, wie als Kind, auf jedes Bild zuerst eine Sonne, und zum Schluß malt sie auch noch in jedes Fenster des Hauses ein Kind, nicht ahnend, daß sie die Zukunft vorwegnimmt.

Alles, was Maximiliane in ihrem bisherigen Leben gelernt hatte, zu Hause oder in der Schule, Englisch, Französisch, ein paar Sätze Polnisch, ein paar Worte Russisch, Rilke-Gedichte, Hühnerzucht, Reiten, Rudern und das Rühren einer Cumberlandsauce, nutzt ihr nichts mehr. Eine Zeit war angebrochen, in der Cumberlandsaucen an Wichtigkeit verloren hatten, nicht einmal das Rezept für die berühmte Poenicher Wildpastete, bereits von Bismarck in einem Brief erwähnt, war gerettet worden, es war mitsamt der Mamsell Pech verlorengegangen, aber der Bismarck-Brief war als Beweis für jene sagenhafte Pastete erhalten geblieben. Eine Zeit für Eintopfessen und Fußmärsche und für Choräle war angebrochen. Neue Geschichten mußten ausgedacht werden, ohne Prinzessinnen und Schlösser.

Während der Treck in einem Kiefernwäldchen haltgemacht hat, um feindlichen Tieffliegern kein Ziel zu bieten, erfindet Maximiliane einen kleinen Jungen namens Mirko, der Vater und Mutter im Krieg verloren hat und nur noch seinen kleinen Hund besitzt. »Wie soll der denn heißen?« fragt sie. »Texa!« sagen die Kinder einstimmig. »Der Hund ist so klein, daß Mirko ihn auf dem Arm überallhin mitnehmen kann, und immer bellt Texa zweimal, wenn es für Mirko gefährlich wird. Überall wird geschossen, und Mirko weiß nicht, wo der Feind steht, vor ihm oder hinter ihm. Er spricht polnisch und deutsch, er lügt und er stiehlt und schlägt sich durch und findet immer jemanden, der ihm eine warme Ecke zum Schlafen und jemanden, der ihm zu essen gibt. Und immer teilt er alles mit seinem kleinen Hund.«

Joachim fürchtet sich abwechselnd vor den Flugzeugen am Himmel und vor den Flugzeugen in der Geschichte von Mirko. Viktoria kaut an ihren Fingernägeln und träumt vor sich hin. Nur Golo und Edda lernen von Mirko. »Warum macht er sich denn kein Feuer?« — »Das Feuer würde ihn verraten!« — »Warum dreht er der Gans nicht den Hals um?« — »Er besitzt keinen Topf, um die Gans zu kochen!« — »Warum schießt er denn nicht?« — »Warum baut er sich kein Floß, wenn er über den Fluß will?«

Das Ziel des Trecks heißt Mecklenburg, die Richtung Westen, aber es geht nicht schnurgerade, sondern auf großen Umwegen westwärts, mit jedem Tag langsamer. Unter den schweren Teppichen, auf denen der Schnee lastet, brechen die Wagenmaste. Die Hufe der Ochsen bluten, sie sind nicht mit Eisen beschlagen, früher gingen sie auf sandigen Sommerwegen und nicht auf vereisten Asphaltwegen. Aus den Seitenstraßen münden ständig weitere Trecks in den Flüchtlingsstrom ein. Da die Lager und Lazerette aufgelöst werden, mischen sich Gefangene und verwundete Soldaten darunter, die die

Heimkehr selbständig antreten, an Krücken, mit Kopfverbänden. Tag und Nacht sind die dröhnenden Abschüsse der deutschen schweren Artillerie und ihr dumpfer Einschlag zu hören. Und das Bellen der russischen Panzerkanonen. Die Hufe der Ochsen können nicht beschlagen werden, die Tiere müssen zurückbleiben, das Gepäck muß umgeladen werden. Nur die Alten und Kranken dürfen noch auf den Wagen sitzen, alle anderen müssen nebenhergehen.

Martha Riepe hält den Poenicher Treck, so gut sie kann, zusammen, läuft in ihren schweren Männerstiefeln vom letzten zum ersten Wagen und wieder zurück und gibt Anordnungen; sie sorgt vor allem dafür, daß abends nur abgeladen wird, was unerläßlich ist. Es kommt zu einer Auseinandersetzung zwischen ihr und Maximiliane wegen des Handwagens, der an einem der Pferdefuhrwerke angekettet ist und den Maximiliane abhängen will. Martha Riepe läßt nicht zu, daß noch Ausnahmen gemacht werden. »Gemeinnutz geht vor Eigennutz!« sagt sie. — »Sie sitzen auf einem Treck, der den Quindts gehört, Martha!« antwortet Maximiliane in einem Ton, der an den alten Quindt erinnert.

Eine Volksgemeinschaft, durch Propaganda und Terror zusammengehalten, bricht auseinander.

Am nächsten Abend wurde ihr Treck auf einem kleinen Landsitz in der Nähe von Kolkwitz einquartiert, den die Besitzer bereits verlassen hatten. Maximiliane hatte sich mit den Kindern zum Übernachten in einen kleinen abgelegenen Salon zurückgezogen und verschlief in der Frühe den allgemeinen Aufbruch. Martha Riepe war mit dem Poenicher Treck ohne sie weitergefahren, ob mit, ob ohne Absicht, wer wollte es wissen. Vielleicht aus Trotz und Auflehnung — sie war schließlich die Schwester von Willem Riepe —, vielleicht auch aus unterschwelliger Eifersucht auf Maximilianes Mann und die Kinder. Als festgestellt wurde, daß die junge gnädige Frau mit den Kindern fehlte, bestand keine Möglichkeit mehr umzukehren.

Nur der hochbeladene Handwagen stand noch vor dem verlassenen Gutshaus. Viktoria, noch nicht dreijährig und schlecht zu Fuß, wird in eine Pelzjacke gesteckt und oben auf dem beladenen Handwagen festgebunden. Joachim und Golo an der Deichsel, Edda und Maximiliane schieben, wie früher, wenn sie zum Blaupfuhl zogen.

Manchmal geraten sie in einen der Flüchtlingsströme und dürfen ihren Handwagen an ein Pferdefuhrwerk binden, müssen ihn aber bald wieder losmachen, weil sie nicht Schritt halten können. Einmal nimmt ein Lastkraftwagen der Wehrmacht sie samt ihrem Wagen ein Stück Weg mit. Dann reihen sie sich wieder in die Wagenkolonnen ein.

»Wo kommt ihr denn her?« werden sie gefragt. Wenn Maximiliane antwortet, daß sie eine Quindt aus Poenichen sei, blickt sie in verständnislose Gesichter; sie hat den Wirkungsbereich ihres Namens längst verlassen.

»Wußten die Leute denn nicht, wer wir sind?« fragt Joachim. Erstaunen und Erschrecken schwinden nicht mehr aus seinem Gesicht, das täglich kleiner wird.

Da sich die Personalausweise, Quartierscheine und Lebensmittelmarken gesammelt bei der Treckführerin Martha Riepe befanden, besitzt Maximiliane keine Unterlagen, die sie berechtigen würden, irgendwo zu nächtigen oder etwas zu essen zu bekommen. Abends suchen sie Unterschlupf in verlassenen Bauernhäusern, nehmen sich, was sie benötigen. Wenn eines der Kinder etwas anbringt, was sie nicht brauchen, läßt Maximiliane es zurücktragen. In den Milchkammern stehen noch Töpfe mit Milch, in der Küche Töpfe mit Marmelade und Sirup. Sie kriechen in Betten, die noch warm sind, brauchen oft nur ein Holzscheit aufs Herdfeuer nachzulegen. Die Kinder wissen: Wo Hühner herumlaufen, gibt es Eier, und wo Hühner ihre Nester anlegen, wissen sie ebenfalls. Edda sucht in den Kammern Äpfel für die Mutter, runzlige Boskop, die für alle Zeit nach Poenichen schmecken. Bevor sie einschläft, bindet Maximiliane die Kinder an sich fest, damit keines verloren geht, bindet sie noch einmal an die Nabelschnur. Wenn sie im Heu schlafen müssen, legen sie ein Nest an: Maximiliane zieht die immer frierende Viktoria in die warme Kuhle ihres Leibes, eines der anderen Kinder legt sich hinter ihren Rücken, das nächste hinter dessen Rücken und so fort. Das letzte beklagt sich, daß sein Rücken von niemandem gewärmt wird, klettert über die anderen hinweg nach vorn, näher an die Mutter, dann beginnt das letzte zu jammern, erhebt sich ebenfalls, tut dasselbe, bis alle übereinander und durcheinanderkugeln, warm werden und einschlafen.

Sie überqueren im Strom der Flüchtlinge Bäche und kleine Flußläufe; noch immer haben sie die Oder nicht erreicht, und noch immer ist morgens und abends der Himmel hinter ihnen rot, ist der Geschützdonner zu hören, einmal näher, dann wieder ferner. Der Flüchtlingsstrom wird länger und breiter, immer mehr verwundete Soldaten darunter. Wenn einem von ihnen der Rockärmel lose von den Schultern baumelt, ruft Joachim: »Papa!« Manchmal kommt ihnen ein Treck entgegen, der kehrtgemacht hat und wieder nach Osten zieht. Jemand sagt: »Das sind ja selber halbe Polen.« Joachims Kopf, schwer von Gedanken und Müdigkeit schwankt unter der roten Perücke hin und her. ›Den Arm verloren‹, ›ein halber Pole‹. Solche Worte verwirren ihn. Er starrt seine Mutter an. »Welche Hälfte der Leute ist polnisch? Woran kann man das erkennen?« fragt er und: »Wo hat Papa seinen Arm verloren?«

»In der Normandie«, antwortet Maximiliane. »Das liegt in Frankreich, im Westen. Bei einem Schlößchen, das Roignet heißt.«

»Kann man den Arm dort suchen, wenn der Krieg aus ist?«

»Nein. Er liegt dort begraben.«

Darüber muß er nun wieder lange nachdenken, über diesen einzelnen Arm, der in der Normandie begraben liegt.

»Welche Hälfte von den Leuten war denn polnisch?« fragt er dann noch einmal.

»Was meinst du nur, Mosche?«

»Die Leute haben gesagt, ›das sind alles halbe Polen‹!«

»Manche Leute haben das Herz eines Polen, und andere haben den Kopf eines Polen —«, sie bricht ab. »Mosche, du mußt in die Schule gehen, ich kann dir das nicht alles erklären.«

»Versprichst du mir, daß ich in die Schule komme?«

»Ja, in Berlin.«

Dann stehen sie wieder an einem Hindernis, wieder ein Flußlauf.

»Warum fließen denn alle Flüße nach Norden?« fragt er. »Warum müssen wir immer an die andere Seite vom Fluß?«

»Im Norden ist die Ostsee, die kennst du doch, Mosche, bei Kolberg! Und in die Ostsee fließen alle Flüsse.«

»Alle?«

»Alle, die aus Pommern kommen.«

»Warum gehen wir nicht am Flußufer entlang, dann brauchten wir uns nie zu verlaufen.«

»Wir müssen nach Berlin!«

Alle Fragen beantwortet Maximiliane mit ›Berlin‹.

Die Kinder lernen es, vorsichtig zu sein, aber auch, bei entsprechender Gelegenheit, zutraulich. Maximiliane entscheidet, was in bestimmten Situationen am günstigsten ist, ein einzelnes Kind vorzuschicken oder vier kleine Kinder auf einmal oder so einen verschüchterten Vogel wie Viktoria. Golo weiß längst, wo ein ›Heil Hitler‹ und wo ›Guten Abend‹ am Platz ist; er spricht das eine Mal Platt und radebrecht polnisch, wenn plündernde Polen ihr Versteck entdecken. Zu der Fähigkeit, wie seine Mutter im geeigneten Augenblick Tränen in die Kulleraugen fließen zu lassen, kommt seine Fähigkeit, Lachgrübchen in die Backen zu drücken; in hartnäckigen Fällen wendet er beides gleichzeitig an.

Auch die Landkarte ist im Besitz von Martha Riepe geblieben. Maximiliane muß sich am Stand der Sonne und am Stand der Sterne orientieren, beides hat sie von ihrem Großvater gelernt. Flüchtlingskolonnen kreuzen ihren Weg, sie wollen nach Norden, um die Küste zu erreichen, und sich auf Schiffen in Sicherheit zu bringen.

Unbeirrt zieht Maximiliane mit ihren Kindern nach Westen. Berlin. Sie ist immer nach Berlin gereist, von Pommern führen alle Reisen über Berlin. ›Du kannst Dich in Deiner schweren Stunde auf mich verlassen.‹ — ›Ich werde zur Stelle sein.‹ — ›Ich werde Dir beistehen.‹ Zum ersten Mal scheint sie Viktor beim Wort nehmen zu wollen.

Keine Rundfunkmeldungen erreichen sie, keine Zeitungen, kaum Gerüchte. Der Schnee schmilzt, in der Frühe sind die Pfützen nicht mehr von Eis bedeckt, die Sonne beginnt zu wärmen, es fängt an zu blühen, früher als in anderen Jahren. Es muß längst März sein, auf Eddas Stirn und Nase erscheinen die ersten Sommersprossen. »Kukkuck!« sagt die Mutter und zählt am Abend die Sommersprossen, tupft auf jeden braunen Punkt und singt dazu: »Weißt du, wieviel Sternlein stehen ...« Noch ist ihr das Singen nicht vergangen.

Sie ziehen weiter, immer begleitet von Mirko und dem Hündchen Texa. »Eines Abends kommen die beiden an einen Fluß, der so breit ist, daß man nicht ans andere Ufer schwimmen kann. Der Mond steht groß und silbern am Himmel und versilbert den Fluß und die Büsche am Ufer und Mirko und sein Hündchen Texa. Mirko sucht unter dem Weidengebüsch nach einem Boot, und der Mond hilft ihm dabei. Mirko weiß: an jedem Ufer gibt es Boote, und immer sind die Ruder versteckt, damit kein Fremder mit dem Boot wegfahren kann. Aber Mirko weiß auch, wo man Ruder versteckt. Er findet ein schönes Boot, und er findet auch kräftige Ruder! Er setzt sein Hündchen Texa ins Boot und befiehlt ihm, nicht zu bellen, und will über den Fluß rudern. Aber es ist viel zu hell! Man wird das schwarze Boot auf dem silbernen Wasser entdecken und wird darauf schießen, weil man nicht sehen kann, daß nur ein kleiner Junge mit seinem Hündchen im Boot sitzt. Und was tut Mirko?! Er streckt seinen Arm weit aus und noch weiter und noch weiter bis zum Mond und pflückt ihn vom Himmel! Dann zieht er den Arm langsam zurück und steckt sich den Mond unter die Jacke. Der Himmel verdunkelt sich, und die Erde verdunkelt sich. Nur durch das Loch in Mirkos Jacke und durch die Knopflöcher fallen drei dünne Lichtstrahlen auf das Wasser und leuchten gerade so hell, daß Mirko das andere Ufer erkennen kann. Nachdem er gelandet ist, bindet er das Boot an einem Weidenbusch fest und versteckt die Ruder für den nächsten, der an das andere Ufer gelangen muß. Derweil schnuppert Texa im Sand, bis er eine warme Kuhle findet, und kläfft leise zweimal. Bevor Mirko sich zu seinem Hündchen in den Sand legt, knöpft er seine Jacke auf und läßt den Mond wieder zum Himmel emporschweben. Und dann nimmt er sein Hündchen in den Arm und schläft ein.«

Golo hat einen Kochtopf gefunden, bindet sich ihn um den Bauch und trommelt mit einem Kochlöffel darauf. Voran der Trommelbube! Maximiliane hat die Sohlen, die sich von ihren Schuhen gelöst haben, mit Bindfäden festgebunden; als diese durchgelaufen sind, verliert sie die Sohlen, geht auf Socken weiter. Zwei Stunden später bringt Golo ein Paar ›Knobelbecher‹ herbei, ein wenig zu groß für Maximiliane, aber zwei Batistwindeln, die als Fußlappen dienen, schaffen Abhilfe. Sie fragt nicht, wo er die Soldatenstiefel hergenommen hat; einem lebenden Soldaten wird er sie nicht ausgezogen haben.

Keine Bevorzugungen mehr, nicht einmal mehr Rechte, und ins Mitleid muß sie sich mit Hunderttausenden teilen, da kommt nicht viel auf den einzelnen.

Als eine Bäuerin bereit ist, ihr Milch für die Kinder zu geben, falls sie dafür den Pelz bekommt, in dem Viktoria eingewickelt ist, sagt Maximiliane: »Gott vergelt's Ihnen!« und zieht weiter.

»Warum hast du das gesagt?« fragt Joachim. »Das sagst du doch sonst nur, wenn man uns was gibt.«

»Gott vergilt nicht nur das Gute, Mosche, auch das Böse!«

»Versprichst du mir das?«

»Ja!« sagt seine Mutter.

Viktoria weint vor sich hin, wird immer durchsichtiger, trägt sich von Tag zu Tag leichter, wenn die Mutter sie vom Wagen hebt. Schwere Durchfälle lassen sie noch mehr abmagern. Maximiliane kaut Haferkörner, die sie auf einem Kornboden gefunden hat, liest die Spelzen heraus und füttert das Kind von Mund zu Mund, nach Vogelart.

Edda klagt darüber, daß ihre Fingernägel immer länger wachsen und daß sie sich damit blutig kratzt, wenn es sie juckt, und wo juckt es einen nicht, wenn man im Heu schläft und sich nicht waschen kann. Maximiliane gibt ihr den Rat, die Nägel abzukauen wie die anderen. Aber dann findet Golo bei einer Hausdurchsuchung einen Nähkasten mit einer Schere darin, und die Nägel können beschnitten werden. Bis auf die Schere muß Golo den Kasten samt Inhalt zurückbringen. »Die Schere nehmen wir mit, das andere brauchen wir nicht«, sagt Maximiliane und gibt damit die Richtschnur für sein künftiges Handeln. Aber auch ihren Grundsatz: ›Besser stehlen, als betteln!‹ macht Golo sich zu eigen. Er stiehlt wie ein Strauchdieb, verteilt das Gestohlene jedoch wie ein Fürst. Selbst Handgranaten und Pistolen, von deutschen Soldaten weggeworfen, bringt er herbei, sogar eine Panzerfaust. Mehrmals am Tag muß die Mutter ihn entwaffnen.

Eine Mutter Courage des Zweiten Weltkriegs. Aber noch findet das Schauspiel auf Deutschlands Straßen statt, noch nicht auf der Bühne. Wenn sie, zehn Jahre später, das Stück von Bert Brecht auf der Bühne sehen wird, wird sie am Schluß sagen: »Am besten war der Karren!«

Sie geraten zwischen die Fronten, weichen auf Nebenstraßen aus und finden sich plötzlich im Niemandsland wieder, wo ihnen kein Mensch mehr begegnet; wer zurückgeblieben ist, hält sich versteckt. Die Stoßkeile der schnell vorrückenden russischen Panzereinheiten sind rechts und links von ihnen auf den Hauptstraßen vorgedrungen.

Einen halben Tag lang humpelt ein deutscher Soldat an zwei Krücken neben ihnen her, den Kopf notdürftig verbunden, eine Gasmaskentrommel als einziges Gepäckstück bei sich. Als die Quindts Rast machen, macht er ebenfalls Rast. Maximiliane legt ihm mit einer von Viktorias Windeln einen frischen Verband an. Der Gefreite Horstmar Seitz aus Kaiserslautern in der Pfalz wird die Windel mit der eingestickten Krone aufbewahren und die Frau und ihre Kinder im Gedächtnis behalten. »Eine Freifrau aus dem Osten hat mir eigenhändig am Straßenrand einen Verband angelegt!« Er holt Schokolade und Zigaretten aus seiner Gasmaskentrommel und verteilt sie. Maximiliane raucht, und Golo raucht ebenfalls. Warum sollte ein Fünfjähriger, der Kopftöpfe stiehlt und Toten die Stiefel auszieht, nicht rauchen. Dann verlieren sie sich, als sie weiterziehen, aus den Augen.

Edda sucht die ersten Brennesseln am Wegrand; ein Stadtkind, das weiß, daß man Spinat daraus kochen kann. Und Joachim, der Träumer, pflückt seiner Mutter die ersten Gänseblümchen. Viktoria macht die Windeln nicht mehr naß, mehr war von ihr nicht zu erwarten; welche Erleichterung für eine Mutter, die noch nie in ihrem Leben etwas eigenhändig gewaschen hatte! ›Eigenhändig‹, ein Beiwort, das sie jetzt lernt und später als eine hohe Anerkennung verwenden wird.

Ein Unteroffizier der Feldgendarmerie, der die Gegend nach deutschen Soldaten absucht, wünscht ihren Quartierschein und den Personalausweis zu sehen.

»Liebe Frau!« sagt er. »Wie wollen Sie denn durchkommen ohne Papiere? Wo wollen Sie überhaupt hin?«

»Zu meinem Mann!« antwortet Maximiliane.
»Wissen Sie denn, wo er ist?«
»Im Führerhauptquartier!«
»Ach du lieber Himmel!« sagt er und läßt sie ziehen.
Später fragt Joachim: »Warum hat der Soldat ›ach du lieber Himmel‹ gesagt?«
»Das sagt man, wenn etwas sehr schwierig ist, Mosche.«
Ende März stehen die sowjetischen Truppen und die fünf Quindts an der Oder.

Wir ohne Heimat irren so verloren
und sinnlos durch der Fremde Labyrinth.
Die Eingebornen plaudern vor den Toren
vertraut im abendlichen Sommerwind.
Er macht den Fenstervorhang flüchtig wehen
und läßt uns in die lang entbehrte Ruh'
des sichren Friedens einer Stube sehen
und schließt sich vor uns grausam wieder zu.
Die herrenlosen Katzen in den Gassen,
die Bettler nächtigend im nassen Gras,
sind nicht so ausgestoßen und verlassen
wie jeder, der ein Heimatglück besaß
und hat es ohne seine Schuld verloren
und irrt jetzt durch der Fremde Labyrinth.
Die Eingebornen träumen vor den Toren
und wissen nicht, daß wir ihr Schatten sind.

Max Herrmann-Neisse

SIEGFRIED LENZ

Das masurische Heimatmuseum

... Wenn Sie also glauben, daß Heimat eine Erfindung hochfahrender Beschränktheit ist, dann möchte ich Ihnen aus meiner Erfahrung sagen, sie ist weit eher eine Erfindung der Melancholie. Herausgefordert durch Vergänglichkeit, versuchen wir, den Zeugnissen unseres Vorhandenseins überschaubare Dauer zu verschaffen, und das kann nur an begrenztem Ort geschehen, in der »Heimat« ...

Aber Sie sollten den Kuchen probieren, den Krankenhauskuchen, ich habe ihn eigens für Sie aufgehoben, mein Lieber, ein sogenannter Schokoladenpuffer, der hier im Krankenhaus gebacken wird.

Die Blumen? Sie werden sich wundern, aber diese Astern schickte mir mein Sohn Bernhard — er fand sogar Zeit zu einem seiner staccato-Briefe, es sind Äußerungen von beinahe kunstvoller Gehetztheit. Jedenfalls übermittelt er mir seine Genesungswünsche und beglückwünscht mich gleichzeitig zur Zerstörung des Andachtsschuppens — so nannte er unser Masurisches Heimatmuseum, er beglückwünschte mich zu meiner Tat, ja, er nennt sie einen überfälligen Akt der Vernunft, und weil er selbstverständlich voraussetzt, daß auch seine Argumente eine Rolle gespielt haben, gratuliert er sich selbst: Söhne sind dazu da, schreibt er tatsächlich, ihre Väter wieder zu Söhnen zu machen. Ich fürchte, Sie würden sich sehr gut mit Bernhard verstehen ... Andachtsschuppen, so sagte er einmal, in denen der Mief historischer Innerlichkeit so intensiv ist, daß er jede Heizung ersetzt ...

Auch er ist nicht in Lucknow geboren, ebensowenig wie Henrike. Können Sie sich vorstellen, daß Geschichte ihn genau so sehr interessiert, wie »ein alter Mann unterm Arm«? Diesen Vergleich benutzte er mehrmals. Und wenn nur, so zum Beispiel, der Name Hindenburg fiel, stand er auf und ging stillschweigend aus dem Zimmer; wenn's hoch kam, sagte er vielleicht: Ich muß doch nicht euren Tee trinken, oder?

Hindenburg ...

Wenige Tage, nachdem der General auf seiner Siegesfahrt durch die befreiten Ortschaften auch Lucknow berührte — so muß man es wohl nennen —, sollte ich einen neuen Matrosenanzug bekommen; ich wusch mich also, pellte mir sauberes Unterzeug an und trottete zusammen mit meiner Mutter zu Struppek & Sausmikat, dem bedeutendsten Lucknower Textilgeschäft am Markt. Vor dem Denkmal für die Siebzigeinundsiebziger, mitten auf dem Marktplatz, verlangsamte meine Mutter spürbar ihren Schritt, schaltete sozusagen auf Halbe-Fahrt-voraus, denn hier hatte er kürzlich erst gestanden, unser Befreier, der, beim letzten Eistreiben auf dem Lucknow-See noch unbekannt, bereits zur schwerfüßigen Legende zu werden begann. Hatte da gestanden mit Bürstenschnitt und hängendem Augenlid, die dicklichen Hände auf seine Plempe gestützt, ziemlich ungerührt, während festlich gekleidete Zivilisten ihm Ansprachen hielten, während zwei Chöre — ein Männer- und ein Frauenchor — für ihn sangen, während Bürger auf Handzeichen vortraten, um ihm Geschenke zu überreichen: einen weißblauen, masurischen Wandteppich unter anderem, einen Bastkorb mit Dauerwürsten, vor allem aber eine Pergamentrolle mit Schleifchen, enthaltend den Lucknower Ehrenbürgerbrief, den er, wie alle anderen Gaben, mit eindrucksvoller Gleichmütigkeit kassierte und an seine Adjutanten weiterreichte, die einige Kenntnisse im Verstauen bewiesen, als sie all die Sachen auf dem Rücksitz des offenen Automobils verteilten.

Was gesungen wurde? Es interessiert Sie tatsächlich, was gesungen wurde? Also bestimmt: »Die Himmel rühmen ...«, mit einiger Sicherheit auch: »Üb' immer Treu und Redlichkeit ...«, im Zweifel bin ich bei »Wir treten zum Beten«, das wir fortsetzten: ... »vor Gott den Athleten.« Erwähnen aber muß ich, daß mein Vater es sich nicht nehmen ließ, auf der improvisierten Siegesfeier in Erscheinung zu treten. Als Kaufmann wußte er, wie sinnvoll es ist, sich mit Siegern gutzustellen, darum setzte er sich über das Programm hinweg, ließ sich von keinem Handzeichen auffordern, trat einfach vor und überreichte dem durchaus nicht verdutzten Feldherrn ein besonders blank geputztes Fläschchen mit einem Wundermittel, das den Kreislauf anregen und zugleich die Mildtätigkeit fördern sollte. Ein feldherrlicher Händedruck, und auch das Fläschchen verschwand im Automobil, von dem aus unser Befreier, nachdem er die Huldigungen entgegengenommen, die Gaben kassiert hatte, eine kurze Ansprache hielt, die etwa so klang, als läse er die Familiennamen über den Geschäften am Marktplatz vor.

Nein, so hatte ich mir einen Sieger, einen Befreier nicht vorgestellt ...

Aber wir sind unterwegs zu Struppek & Sausmikat, wo mir ein neuer Matrosenanzug verpaßt werden soll; bei der starrsinnigen Neigung der Binnenländer zur Seefahrt war es fast unvermeidlich, daß das blaue Tuch zur Lieblingskleidung der Lucknower Jugend wurde. Herr Struppek persönlich bediente uns, kein beflissener, ein eher rechthaberischer Verkäufer, der unentschiedene Kunden verachtete, Kunden mit sehr genauen Vorstellungen aber als Herausforderung empfand, einfach, weil er sich selbst das letzte Urteil darüber vorbehalten wollte, was einem stand, worin man, wie er sagte, »erfolgreich scharwänzeln« konnte. Wie der uns so durch das ganze Geschäft zu sich herankommen ließ: da brach mir schon der Angstschweiß aus, und der Sprachschatz meiner Mutter schrumpfte. Ich sage nicht zuviel, wenn ich feststelle: Herr Struppek sah mich lüstern an, zungenschnalzend, ihm hatte es offenbar an diesem Tag an Ton gefehlt, in den er seinen Willen hineinkneten konnte, deshalb der lange, maßnehmende Blick bei der schweißtreibenden Annäherung, deshalb das schöpferische Taxieren, jedenfalls, es gab keinen Zweifel, daß er mich bereits bei unserem Weg durchs Geschäft endgültig eingekleidet hatte.

Glücklicher Zufall: auch er hatte mir blaues Tuch zugedacht, und er fragte meine Mutter erst gar nicht: Nu, Madamchen, was darf's Scheenes sein, sondern entschied einfach: Aus unserm Stabutz hier jehert man nuscht als wie e Matrosche jemacht. Da das auch unserer Absicht entsprach, nickten wir gehorsam und ließen uns von ihm in die Jugendabteilung führen, wo an einer polierten Holzstange soviel blaues Tuch hing, daß man gut und gern wenn auch nicht die Besatzung eines Schlachtkreuzers der Städte-Klasse, so doch aber die eines Zerstörers hätte einkleiden können.

Nein, mein Lieber, ich sagte es Ihnen schon bei Ihrem ersten Besuch: es stört mich nicht, wenn Sie rauchen ...

Dieser Struppek also ließ mich auf einen Stuhl steigen, der von drei mannshohen Spiegeln umgeben war, holte mir, nicht ohne feine Verachtung, das zivile Zeug vom Leib, und dann zwängte er mich in ein paar Marinehosen, die bei der ersten Kniebeuge zu platzen drohten, band mir den Knoten vor, schmückte mich mit extra breitem Kragen, streifte mir das Kolani über und hatte bei aller Tätigkeit immer noch eine behaarte Hand frei, die er prüfend an mir herumwandern ließ, vor allem im Schritt. Dann ließ er mich zur behäbigen Freude meiner Mutter auf einer schwimmenden Einheit anmustern, er tat es mithilfe von drei Mützenbändern, die folgende goldgewirkte Namen trugen: Kreuzer »Goeben«, Torpedoboot »Iltis«, U-Boot 9. So wie er mich musterte, schien er tatsächlich zu erwägen, welch ein Schiff mich am nötigsten brauchte, und ich weiß noch, als er gerade die Wirkung begutachtete, die als U-Bootfahrer von mir ausging, explodierte die erste Mörsergranate auf dem Lucknower Marktplatz.

Keineswegs, Sie haben mich richtig verstanden. In Lucknow explodierte das erste Geschoß eines russischen Steilfeuergeschützes; ein ganzes Korps war im Nordosten zum Angriff angetreten, ausgeruhte und entschlossene Verbände, die, weil sie kaum Widerstand fanden, in einen überstürzten Vormarsch hineingerissen wurden und die bescheidenen Tagesziele weit hinter sich ließen. Nach harten, kurzen Schlägen nahmen sie unsere Dörfer und Städte — vermutlich, weil der von Skrupeln geplagte Zauderer Samsonow dem Kommandeur gestattet hatte, nach eigenem Ermessen zu handeln — und standen auf einmal vor Lucknow, zu unserer Überraschung ebenso wie vermutlich zur eigenen.

Glauben Sie nicht, daß Herr Struppek bei der Explosion der Granate, die es besonders auf das Denkmal abgesehen hatte, den Verkauf der Matrosenkluft sogleich abgebrochen hätte; er trat lediglich ans Fenster und blickte auf die Staubsäule, drehte sich ein wenig und blickte über Kucharziks Terrassen-Café auf den Lucknow-See hinunter, wo sich schlank und dekorativ, wie von einem Marinemaler verewigt, vier Fontänen gleichzeitig aufwarfen, mitten unter einer gründelnden Schwanenflotte — die zweite Salve liegt meist immer zu weit. Dann kehrte der Verkäufer zu uns zurück, sagte nur: Sieht rein wie nach ner zweiten Besetzung aus, versetzte mich, indem er mir das entsprechende Band um die Mütze legte, auf das Torpedoboot »Iltis« und schrieb gemächlich die Rechnung aus; zur Tür allerdings begleitete er uns nur, um gleich hinter uns abzuschließen. Ich durfte die Uniform anbehalten, meine zweite Matrosen-Uniform, in der sie mich beinahe erfolgreich exekutierten, nach einem heftigen Gefecht bei der großen Brücke über den Lucknow-Fluß.

Und ob wir zum zweiten Mal besetzt wurden! Nichts konnte uns davor bewahren, auch nicht die Batterie schwerer Feldhaubitzen, die am Seeufer in Stellung gegangen waren, getarnt mit Weidengebüsch und den Ästen der Silberpappel. Da Conny schon auf einem leeren Munitionskorb saß, blieb mir nichts anderes übrig, als meine Mutter nach Hause zu schicken — sie entfernte sich erst, nachdem ich ihr mehrmals versprochen hatte, in der neuen Kluft nicht rumzujachern, zu balgen, zu zergen. Conny langweilte sich bereits, da noch kein einziger Schuß gefallen war und die Bedienungsmannschaft, bis auf einen Posten am Feldtelefon, sich lagerte und mit Löffeln bröcklige Blutwurst aß, aus der Dose. Er plinkerte mir zu. Er deutete unauffällig auf das Kabel, das vom Feldtelefon durch die Büsche, schräg zu den Linden hinauf und dann durch die Baumwipfel stadtwärts lief, ein bedeutungsvoller Faden, eine Verbindungsschnur, die in ein Zentrum führte, in ein besonders geschütztes Versteck, in dem die großen Entscheidungen fielen. Er brauchte mich nicht mehr aufzufordern, wir standen in schweigendem Einverständnis auf, mit der gleichen Absicht; wir verließen die Stellung mit schräg emporgehobenen Gesichtern, immer der schlaffen, hier und da girlandenwerfenden Leitung nach, und die Soldaten, die uns so abstreichen sahen, hatten Grund, anzunehmen, daß wir einer plötzlichen Erscheinung folgten, ja.

Wir also, mit erhobenen und konzentrierten Gesichtern, immer der Leitung nach, die bald vom Seeufer wegführte, stramm eine Sandstraße überspannte, in einer Lebensbaumhecke verschwand, sich am Bretterzaun der Masovia-Brauerei entlangschlängelte und sich dann über eine erhebliche Strecke mit dem Stacheldraht anbiederte, der die schiefen Gärten schützte; von Jacubziks Seestuben lief die Leitung wieder in Baumkronen hinauf, und als sie frei hängend heraustrat, stand vor uns die dralle Erscheinung des Lucknower Wasserturms.

Da, sagte Conny, da läuft alles zusammen. Wir schlichen zum Wasserturm, der von Verbotsschildern umstellt war, hoch über uns, von einem eisernen Fensterrahmen beklemmt, führte die Leitung ins Innere, kein Posten war da, der uns vertrieb. Wir schlüpften in den kühlen Turm, lauschten, stiegen die blankgetretene Wendeltreppe hinauf, bis uns das Kabel begrüßte; von ihm ließen wir uns zu dem nicht einmal sehr hohen aber breiten Wassertank führen. Gegenseitig machten wir uns auf Tropfgeräusche aufmerksam. Gegenseitig ermunterten wir uns, die Eisenleitern hinaufzuklettern und zu erforschen, was auf Lucknows Reservevorrat schwamm. Auf Laufgängen umrundeten wir den Tank, fanden zur Leitung zurück, die über Pumprohre weiter hinweg und aufwärts führte, in die vielfenstrige Kuppel des Wasserturms …

Sie sagen es, lieber Martin Witt, ein Artillerie-Beobachtungsstand. Sie hörten uns nicht kommen, die beiden Soldaten; einer beobachtete durch ein Scherenfernrohr den Bahndamm Richtung Milucken und die Feldwege und die Waldinselchen zu beiden Seiten; der andere hockte vor seinem Kurbelkasten, Bleistift und Papier bereit. Der Soldat am Scherenfernrohr erschrak nicht schlecht, als Conny ihn am Ärmel zupfte und, um uns vorsorglich in ihr Vertrauen einzukaufen, sagte: Wir kommen von unten; sie essen gerade Blutwurst. Dieser Bemerkung verdankten wir, daß wir nicht gleich verschwinden mußten; die beiden Beobachter tauschten einen Blick, dann öffnete der am Kurbelkasten seinen Brotbeutel, und beide aßen. Wir durften; während sie ihre Zähne in die Speckbrote schlugen, durften Conny und ich durch das Scherenfernrohr blicken, und ich weiß noch unsere Betroffenheit, unsere Fassungslosigkeit: was das Auge uns nicht zutrug, die scharfen Gläser mit den Fadenkreuzen durchdrangen die schleirige Ferne und zwangen alles heran: unabsehbare marschierende Kolonnen, die sich auf Lucknow zubewegten, Maschinengewehre auf klapprigen Wägelchen, bespannte Geschütze, leichte Kavallerie, die über die Äcker herantrabte, im Schutz der Waldinseln — ein staubfarbener, regsamer Horizont. Und ich weiß auch noch: ich schwenkte von den Obstgärten des Gutes Rankow — es schien sich so weggeduckt zu haben, daß nur noch die weißen Giebel zu sehen waren —, schwenkte also vom Gut dem Flüßchen Maraune folgend zum versengelten Bahndamm hinüber, als sich bei der Unterführung vier gleichartige weiße Wölkchen lösten, die verwehten, noch ehe uns die Wellen der Detonation erreichten. Dort standen ihre Mörser, die auf gut Glück nach Lucknow hineinschossen. Ich meldete meine Entdeckung den Soldaten, die nickten beiläufig, sie wußten es längst.

Ganz recht, so begann unsere zweite Besetzung, das erwähnte ich doch, und Sie müssen wissen, eine zweite Besetzung ist grundsätzlich unangenehmer als die erste, in jedem Fall denkt man hinterher so, wenn man seine Erfahrungen besichtigt ...

Aber was wollte ich sagen? Sie vertrieben uns aus der Kuppel, als das Feldtelefon rasselte, die Soldaten gaben uns ihre angebissenen Stullen und zeigten mit dem Daumen auf den Boden, worauf wir nur einen Stock tiefer stiegen, und, den Wassertank im Rücken, die winzigen Fenster belagerten, vielleicht acht Meter unter den Soldaten. Wir bezogen unsere Plätze zur rechten Zeit, unsere Logenplätze, denn gleich darauf eröffneten die schweren Feldhaubitzen am Seeufer das Feuer, gelenkt von den beiden Beobachtern, die die Einschläge wandern ließen, den marschierenden Kolonnen entgegen, in die Kolonnen und Fuhrwerke hinein. Das riß den Boden auf und hängte Erdschleier vor den Horizont, das lüftete Fahrzeuge und schleuderte Männer fort in einem erbarmungslosen Aufräumen. Die Maschinengewehrzüge, die Kavallerie, die Kolonnen: alles stob auseinander, floh auf der Suche nach Deckung, raus aus dem Unwetter, das die beiden Beobachter mit grimmiger Genauigkeit über sie brachten. Viele flohen in die tadellos ausgerichteten Rankowschen Obstgärten oder in die auf Hügeln gelegenen Waldinseln; den Beobachtern entging nichts, und sie dirigierten Schlag auf Schlag das Feuer an die Verstecke heran und dann deckend in sie hinein. Die Bäume, ich muß bekennen, mir taten damals die Bäume leid, die da dutzendweise in die Knie gingen oder nach einem einzigen Hieb die Kronen verloren, tragende Obstbäume und legendenreife masurische Eichen. Wie sie rasiert wurden, geknickt, verdreht, aufgeklaftert!

Die Mörser beantworteten das Feuer aus der Deckung des Bahndamms, jetzt trieben über ihrem Standort regelmäßig weiße Wolken auf; wir konnten die Geschosse rauschen hören, orgeln, und eines sorgte dafür, daß der »Luisenhof« vorerst keine Zimmer mit Seeblick würde anbieten können.

Und dann, lieber Martin Witt, trat Conny an mein Fenster, ich sah über seinen ausgestreckten Arm, mit dem er wortlos, fast ohne zu zittern, auf ein schnelles Gefährt zielte, das den abschüssigen Feldweg zur Maraune hinabfloh, zur hölzernen Brücke, ein rascher Zweispänner, dessen Räder sich flirrend gegen die Fahrtrichtung zu drehen schienen wie in alten Filmen, bei eben noch wahrnehmbarer Berührung mit dem Boden.

Stehend und nicht anders hielt der tollkühne Mann auf dem Kutschbock die Zügel, federte alle Stöße und Erschütterungen ab, er trieb und trieb seine Pferde an, unsere Grauschimmel, und nahm schon Maß für die geländerlose Brücke, als es in der Böschung der Maraune einschlug, nicht einmal sehr großes Kaliber, das die mullrige Erde aufspritzen ließ und als klumpigen Regen auf die Brücke warf, und ich sah, wie die Pferde scheuten, sich im Geschirr aufbäumten, aber gleich darauf wieder beherrscht wurden von einem Fahrer, der keinen Versuch machte, das ausgebrochene Gefährt zum Feldweg zurückzulenken, sondern nur parallel zum dunklen Flüßchen fuhr.

Ich erkannte, was er vorhatte, ich verlängerte einfach die Fluchtlinie und wußte, daß er zur erhöhten Chaussee durchbrechen wollte, die Lucknow mit Magrabowa verband, zu der hartgefahrenen Chaussee, in deren Graben die Männer des Landsturms lagen und angesichts der heranwogenden Armee auf nichts anderes aus waren als darauf, ihre Munition zu sparen. Er suchte nach einem anderen Übergang, während er am Flüßchen entlangrollte und damit zwangsläufig auf die Obstgärten zu, in denen immer noch Drecksäulen aufstanden und das veredelte Holz rasiert wurde, aber ein zu kurz liegender Einschlag — oder ein bewußt auf ihn gefeuerter Schuß — zwang ihn abermals zur Kursänderung. Offensichtlich bemerkte ihn auch ein Maschinengewehr, denn beim Abdrehen über ein geeggtes Feld steppten Leuchtspurgeschosse eine geschwungene Naht um seinen Wagen …

Sie dürfen mir glauben, ich wußte es von der ersten Sekunde an, aber ich wagte nicht, es auszusprechen; ich sagte nichts, bis Conny es schließlich sagte: Das ist er, Zygmunt, ich erkenne ihn wieder, das muß er sein. Und er wies auf den Mann, der zwischen die Fronten geraten war, zwischen die Feuer, der mit seinem eleganten Zweispänner über das umkämpfte Land jagte auf der Suche nach einem Durchschlupf, immer wieder abgelenkt von ratschenden Einschlägen und zurückverwiesen von brennenden Waldinseln, ein wirres Muster über leichte, sandige Felder schreibend. Ich sah, wie er ein zweites Mal den abschüssigen Feldweg zur Maraune hinabflog, entschlossen jetzt, die Pferde am straffen Zügel, die Brücke, ach was, Brücke: die fünfzölligen Bretter, die man darübergelegt hatte, waren noch unversehrt, für seine Spurbreite genügten sie allemal, und er hielt, von Geschossen umzwitschert, umrauscht, darauf zu, erreichte sie auch, und ich glaubte schon den hohlen Donner zu hören, der beim Hinüberjagen entsteht, da explodierte das Fahrzeug. Von einer Granate getroffen, explodierte es auf dem Notbrückchen.

Zuerst war da nur ein mehrfarbiger Flammenblitz, wie ich ihn oft im Laboratorium meines Vaters beobachtet hatte; dann stieg eine Rauchsäule auf, ebenfalls mehrfarbig und wie ein Korkenzieher, eine Säule, die — auch wenn Sie es bezweifeln, mein Lieber — trotz spürbarem Wind über der Maraune stehenblieb, wie verankert, ja; dann formte sich, was Conny mir später oft bestätigte, eine siebenfarbige Wolke, die so zügig aufschwebte wie ein von seinen Halteseilen befreiter Ballon, ein Wolkensofa, möchte ich sagen, das der Meister der Substanzen und Tinkturen, der Herr über Säuren und Gase für sich selbst entworfen hatte. Wenn ich daran zurückdenke, heute, in meiner Lage: dies Ende entsprach ihm, mein Vater fand seinen eigentümlichen Tod.

Ich zweifle nicht, daß die wenigen Verteidiger Lucknows, aber auch die russischen Soldaten in ihren Deckungen noch lange über dies bengalische Ende rätselten, und gewiß behielten es einige Betroffene in Erinnerung, daß sich nach der grellen Auflösung des Gefährts Dünste und Gerüche ausbreiteten, die zu sehr unterschiedlichen Reaktionen führten, dem einen gewöhnlichen Brechreiz bescherten, dem anderen immerhin Stimmritzenkatarrh ...

Wie meinen Sie? Ob sich alles aufgelöst hatte? Ob alles auffuhr in der siebenfarbigen Wolke? Aus Ihrer Frage schließe ich, daß Sie lächeln. Ich kann Ihnen nur soviel berichten: Conny legte mir einen Arm um die Schulter und zog mich vom Fenster weg, er drückte mich die Wendeltreppe hinauf in den Kuppelraum, in dem die Soldaten das Verderben so weitsichtig verteilten, und er ließ den Beobachtern keine Zeit, uns mit Vorwürfen einzudecken, da er dringend nur einen einzigen Satz variierte: Volltreffer, sein Vater hat einen Volltreffer erhalten.

Er verlangte für mich einen Blick durchs Scherenfernrohr, schorrte schon eine Kiste heran, auf die ich mich stellen sollte, und ich durfte ans Scherenfernrohr; ich strich die Maraune entlang bis zu der Stelle, an der der größte Wundermittel-Hersteller Masurens sein Ende gefunden hatte: die beiden Pferde lagen da, die Grauschimmel, geschmückt mit den künstlichen Blumen, die beim Trab so freudig nickten; auch die zerschmetterte Vorderachse lag da, an der sich ein verbliebenes Rad sanft und geheimnisvoll drehte — sonst nichts: mein Vater und seine wunderbare Fracht, all die Krüge, Flaschen, Gläser, die Tiegel und Kännchen waren und blieben unauffindbar, auch in späterer Zeit; endgültig verflüchtigt in der Siedehitze der Explosion, in dem jähen Ausbruch der Substanzen aus ihren gesprengten Gefängnissen.

Wissen Sie, was einer der Soldaten hinter mir zu Conny sagte, während ich noch den Unglücksort inspizierte? Er sagte: Daß mit dem was Besonderes war, hat unsereins jleich jemärkt: bei seiner Stuckerfahrt, da is dem nich mal der Zachlinder runterjefallen — was uns gar nicht aufgefallen war.

Jedenfalls, nach mir überprüfte Conny den Unglücksort durch das Scherenfernrohr, sehr flüchtig, denn der Soldat drängte ihn ab und schob uns gleich hinaus und rief noch einige Drohungen hinterher, die aber bei uns nicht verfingen.

Diese Schwebe auf einmal; obwohl ich den Tod meines Vaters beobachtet hatte, trat Trauer nicht pünktlich auf, und der Schmerz ließ auf sich warten; nicht einmal Verzagtheit kam auf, das einzige Gefühl war eine Art furchtsamer Erwartung. Daß kein anderes Gefühl mich bezwang — es muß an seiner Todesart gelegen haben, an diesem chemisch erhellten Abschied. Und es ging nicht nur mir so. Conny überzeugte mich, daß wir sofort nach Hause mußten, meine Mutter mußte erfahren, was am Flüßchen Maraune geschehen war, bei den Rankowschen Obstgärten, und wir peesten durch die Anlagen, ließen uns nicht einmal durch einen Stellungswechsel der schweren Feldhaubitzen aufhalten. Nur vor dem Gefängnis, da blieben wir plötzlich stehen und sahen zurück: der ebenmäßige Rundbauch des Wasserturms platzte und zerstob, und der Fuß des Turms legte sich schräg, kippte mit herausfordernder Verzögerung zur Seite weg und schickte nach dem Aufprall eine Staublawine zum See hinunter ...

Da stimme ich Ihnen zu, mein Lieber, eine der schwierigsten, eine der heikelsten Aufgaben ist seit je das Überbringen einer folgenreichen Nachricht, und nun stellen Sie sich meine Mutter vor — sie war gerade beim Schneiden von langfädigen Schabbelbohnen, eine Emailleschüssel im Schoß, das fleißige Messerchen immer knapp überm Daumen, bei meinem Anblick sogleich von der Sorge erfüllt, daß die neue blaue Kluft ihre Taufe weghaben könnte, ihre Drecktaufe. So war es: sie hob den Blick von den Schabbelbohnen, musterte mich schnell und kritisch und wurde dabei mit Nachrichten überfallen, die so verkürzt auf sie einschlugen, daß ein Sinn sich nicht absetzen wollte: ein Unglück — ein regelrechter Volltreffer — nur eine Stichflamme — in voller Fahrt hat es ihn — die Wundermedizin ist mitexplodiert — nachher war eine Rauchsäule — wie ein Korkenzieher — eine siebenfarbige Wolke — verpufft und verduftet — aufgefahren — einfach aufgefahren ...

Je heftiger wir sie eindeckten, desto ratloser hörte sie zu, sie verlangte nicht nach einer Pause, um die Nachrichten zu sortieren, und als Conny, sein Erlebnis zusammenfassend, erklärte: Es war, Madamchen, in meinen Augen so eine Art Himmelfahrt, da kam so eine glimmende Zuversicht in ihr Gesicht und sie antwortete ihm: Ja, Jungchen, ja, das war es wohl, so eine Art Himmelfahrt. Sie weigerte sich einfach, unseren Bericht zu glauben. Auch meiner Mutter erging es so, auch sie konnte und wollte seinen Tod nicht anerkennen, hielt sein Ende für einen mutwilligen Zauber, für ein blendendes Experiment im Freien, jedenfalls stürzten wir sie weder in prompte Trauer noch in Schmerz. Unsere Erregung kühlte sie mit Buttermilch, nein, mit einem erfrischenden Pilzwasser, das sie aus einer Steinkruke schöpfte, über deren Grund ein brauner, zerfledderter, Säure absondernder Pilz schwabbte.

Wie sehr sie von der Rückkehr meines Vaters überzeugt war, können Sie daraus ersehen, daß sie für ihn mitkochte, für ihn mitdeckte, daß sie sein Zeug wusch, plättete, bereitlegte, und als wenige Tage nach der Wiederbesetzung Lucknows eine kleine Kommission erschien, die alle männlichen Einwohner registrierte, ließ sie ihren Mann tatsächlich auf Geschäftsreise sein, unterwegs zur Bekämpfung von ausgesuchten Krankheiten, ja, schließlich war er oft mehrere Tage unterwegs gewesen.

Eine Woche mindestens trug sie diese abgründige Zuversicht durchs Haus, sie bewies ihm ihre Anhänglichkeit, indem sie alle Mörser, Tiegel und Reagenzgläser in seinem Laboratorium mit heißer Seifenlauge reinigte, doch dann — er war wieder mal nicht zu seinem Lieblingsessen erschienen: Keilchen mit Ei und Spirgel —, dann ergriff sie eine Unruhe, die ihr phasenweise den Atem beschleunigte, rote Flecken auf den Hals machte. Geschirr fiel ihr mehrmals aus der sonst sicheren Hand. Ich beobachtete sie oft beim Grübeln, das sie ausdruckslos begann, mit zusammengeschobenen Händen — nickend dachte sie sich Möglichkeiten aus, überprüfte sie so in wiegender Unentschiedenheit, schien aber jedesmal zu dem gleichen schlimmen Ergebnis zu kommen, auf das sie mit unwilligem Kopfschütteln reagierte, aufstand, ans Fenster trat und tief atmete. Und dann wurde ihr das Ergebnis ihrer Grübeleien unerträglich: sie brauchte Gewißheit, sie mußte handeln.

Wir zogen los zur Domäne, wo die Besatzung gerade mal wieder requirierte, was noch nicht requiriert worden war, Häcksel und Runkeln und Kartoffeln, aber auch wagenradgroße Käselaibe, angeräuchertes Fleisch und Kühe, die sie einfach an ihre Kastenwagen banden. Ein Offizier ging von Wagen zu Wagen, zählte und schätzte, was da aufgeladen wurde, notierte die einzelnen Posten, errechnete ihren Rubelwert, und mit Ermahnungen reichte er ein Papier nach dem anderen dem Oberschweizer: Gut aufbewahren, Dokument, so gut wie Bargeld — eines dieser Dokumente, gestempelt und unterschrieben, hatten wir übrigens auch in unserem Museum.

Mein Großvater war nicht zu sehen, er war nie dabei, wenn requiriert wurde, er ritt davon oder suchte sich eine Arbeit in den dämmrigen Ställen, weil er sich dem Anblick des »Auslausens« nicht gewachsen fühlte und für sich selbst, das heißt für seine Beherrschung, keine Garantie geben konnte. Wir fanden ihn im Holzschuppen vor, wo er allein vor dem wackligen Sägebock stand, eine Hand gegen den Stamm gedrückt, mit der anderen eine Bügelsäge führend, keuchend und mit empörter Verbissenheit, als hätte man ihn zum Akkord verurteilt. Er sah nicht auf, er überhörte unseren Gruß; als das Band der Säge sich verklemmte und festsaß, humpelte er wortlos zwischen uns hindurch, um den eisernen Keil zu holen, den er mit einem Vorschlaghammer in die Sägeritze drosch, worauf er erbittert seine Arbeit fortsetzte. Es war schon etwas für sich, wie er einen übersehen konnte; da hätte mancher die Achseln gezuckt und wäre abgeschoben, ohne an Wiederkehr zu denken. Doch meine Mutter hatte immer selbst bestimmt, wann sie sich beleidigt fühlen sollte, besonders durch meinen Großvater, besonders durch ihn, ja, und so setzten wir seiner Ausdauer unsere eigene Ausdauer entgegen, standen da und verdunkelten ihm den Eingang.

Als das Requirierungskommando unter Rufen und Peitschenknall den Hof der Domäne verließ, hob er sein Gesicht und mußte uns offiziell zur Kenntnis nehmen, hatte aber nicht viel mehr als einen mißtrauischen Blick für uns übrig; seine Aufmerksamkeit galt dem quietschenden Zug, der ihm entführte, was er mit List und Hartnäckigkeit angesammelt hatte.

Wenn ihr prachern wollt, murmelte er, sucht euch andere Häuser oder geht zu denen, die uns das Leder von den Schuhen nehmen: da fahren sie es ab. Meine Mutter drückte durch die Art ihres Dastehens und durch eine Bewegung ihres Kopfes aus, daß wir diesmal nicht gekommen waren, um zu prachern; es ging weder um Kartoffeln noch um Mehl und schon gar nicht um Rauchfleisch — wäre es dies gewesen, so hätten wir Tüten und Leinenbeutel bei uns gehabt —, vielmehr ging es diesmal um etwas Wichtigeres. Mein Großvater wuchtete einen Stamm auf den Bock, nahm seine wütende Sägearbeit auf, fluchte, weil das Band wegen eines Knubbels nicht in der Spur bleiben wollte: so erwartete er unser Ansuchen ...

Das will ich Ihnen gerade sagen, lieber Martin, wir hatten uns die Fragen sorgfältig zurechtgelegt. Zuerst wollten wir lediglich wissen, ob wir für ein Weilchen die Miete schuldig bleiben dürften für das kleine, gekalkte Haus am See, das zur Domäne gehörte und in dem, bevor wir es bezogen, Schweizer oder Schmiede oder Futtermeister gewohnt hatten, jedenfalls Leute, die für meinen Großvater arbeiteten. Diese Frage genügte, sie überraschte in so sehr, daß er nicht mehr wütend, sondern nachdenklich sägte, als lauschte er dem Singen des Bandes, und stockend und nicht anders erkundigte er sich, woher wir wußten, daß ein neuer Futtermeister auf die Domäne käme, daß er ihm das gekalkte Häuschen angeboten habe, daß wir da raus mußten binnen vierzehn Tagen, jetzt, da Jan sich wohl aufgelöst hatte — er sagte: in rein nuscht aufjelest.

Da hatten wir schon genug erfahren. Meine Mutter bat ihn, die Frist auf drei Monate zu verlängern, er lehnte es ab. Der Futtermeister werde dringend gebraucht auf der Domäne, er habe fünf Kinder, ihm stehe das Haus zu, fertig. Meine Mutter bat ihn sodann, uns eine Bleibe nachzuweisen, vielleicht die Kammern der beiden Melker, die bei den Pionieren in Lötzen waren — er lehnte es ab. Er rechnete mit einem kurz bevorstehenden Sieg, mit einer baldigen Rückkehr der beiden Melker, auf die er nicht verzichten konnte bei dem Versuch, die Domäne wieder hochzubringen. Mit verhaltener Kraft sägend, gab er uns den Rat, beim Lucknower Meldeamt nachzufragen; es seien doch allerhand Einwohner geflohen, in letzter Stunde, mit und ohne Möbel, Leute, die Gründe hatten, zu fliehen; den Wohnungen täte es gut, wenn sie wieder bewohnt würden. Ich muß sagen, daß er, als er uns diesen Rat gab, unter dem Eindruck der Requirierung stand. Die Säge biß so energisch zu, daß gelblich leuchtendes Holzmehl auf meine Beine spritzte. Er verschanzte sich hinter seiner Arbeit. Wir waren entlassen.

Widerstand, meinen Sie? Protest? Wie selbstverständlich Sie das sagen, als ob wir uns aussichtsreichen Widerstand hätten leisten können, damals, als das Fragen keinen Sinn hatte, für die meisten keinen Sinn. Sie hätten sehen sollen, wie eilfertig und bang wir loszogen, um Wohnungen auszuprobieren, schöne, teilmöblierte, komfortable Wohnungen mit Wald- und Seeblick, Wohnungen von Kaufleuten, von gehobenen Beamten, die sich abgesetzt hatten. Diese Betretenheit jedesmal, dieser Geschmack nach essigsaurer Tonerde, wenn wir eine Wohnung in Augenschein nahmen, wenn wir uns zur Probe setzten, probeweise aus dem Fenster blickten oder die Türen zurückgelassener Schränke öffneten — kein Wunder, daß wir nicht eine einzige Wohnung fanden, in der wir uns wohlfühlten. Schon beim Eintreten erkannten wir, daß sie nicht für uns gemacht waren, die nun verlassenen Wohnungen, wir erkannten es am Fußboden, an den Tapeten, vor allem aber an den verbliebenen Möbeln.

Geborgt, rief meine Mutter, sie komme sich überall wie geborgt vor, und bekümmert gab sie jeden Einweisungsschein zurück, den sie auf dem Meldeamt erhalten hatte. Ich vermute, sie wußte schon zu Anfang unseres Rumbiesterns, daß wir in keine der verlassenen Wohnungen einziehen würden, einfach weil wir nicht leben konnten mit dem Gefühl der Vorläufigkeit, der Befristung, und wenn sie sich dennoch aufmachte und inspizierte, was uns nicht entsprach, so nur, um nicht untätig warten zu müssen in den vierzehn Tagen, die er uns gelassen hatte, Alfons Rogalla ...

Und ob wir umziehen mußten! Nie hätte der auf der Domäne sein Wort zurückgenommen. Sagte ich Ihnen schon, daß er sich zumindesten einmal am Tag bestätigen lassen mußte, wieviel sein Wort galt? Und ob er uns raussetzte! Das allein galt ihm etwas: Konsequenz. Für uns, für mich vor allem, waren die Folgen unabsehbar, und vielleicht werden auch Sie zu der Ansicht kommen, mein Lieber, daß ich unser masurisches Heimatmuseum nicht zerstört hätte, wenn das kleine gekalkte Haus am See unsere Wohnung geblieben wäre.

Aber sie kamen, sie kamen am Morgen nach Ablauf der Frist, an einem ungewöhnlichen Tag, mein Großvater, der Futtermeister mit seiner Familie, zwei Knechte und ein Fuhrwerk mit festgezurrten Betten, Stühlen, Tischen. Sie kamen an dem Tag, an dem feststand, daß Samsonows Divisionen geschlagen waren und Rennenkampfs erste Armee den Rückzug antrat, um nicht eingeschlossen zu werden; flankiert von Teilen des Reiterkorps, die der Chan von Nachitschewan befehligte, rollten sie von der Domäne an, scherten aus dem Zug der zurückweichenden Soldaten aus, rumpelten an den Fenstern vorbei, hinter denen wir lagen und auf sie warteten. Da ihm das Haus gehörte, brauchte er ja nicht anzuklopfen, er stieß die Tür mit dem Stiefel auf, kam drohend auf uns zu, ganz so, als wollte er sich entladen, doch er sparte seine Energie, er gab den beiden Knechten einen Wink, und die beiden krummen Männer, die dastanden wie bei schneidendem Gegenwind, trugen unsere Sachen hinaus, schleppten alles, was nicht angenagelt war, an den Straßenrand und setzten es ab. Der Futtermeister half ihnen nicht; er hockte auf seinem Fuhrwerk und begleitete stierend, weder hämisch noch teilnahmsvoll, die Räumung des Hauses, während seine Kinder schon zänkisch von allem Besitz ergriffen, was tragbar war, sogar von meinem Fußbänkchen.

Ich konnte es ihnen nicht abjagen. Ich setzte mich auf unsere Sachen, die zu einem Hügel anwuchsen und verteidigte sie gegen die zurückflutenden Soldaten, die bereits Allenstein bedroht hatten und nun enttäuscht, einem fantastischen Befehl ihres Frontstabes gehorchend, zu weit zurückliegenden Linien unterwegs waren. Ohne zu halten, schnappten sie sich ein Bild, ein Sofakissen; während einer mich ablenkte, grapschten andere nach den Gläsern mit Eingemachtem; elegant angelten sich Dragoner Handtücher, Ohrenschützer und Stiefel mit der Lanzenspitze; ihre Interessen waren, wie soll ich sagen, weit gespannt, sie endeten keineswegs vor den Kisten, in denen das Inventar des Laboratoriums zuhauf lag, Pfannen, Folianten, Mörser und Tiegel, als Souvenir allemal geeignet.

Und ich weiß noch: während der Hügel unserer Dinge schmolz, während meine Mutter auf der Bank zwischen den Sonnenblumen saß und in ein Taschentuch Knoten machte, während mein Großvater die beiden Knechte antrieb und den stierenden Futtermeister aufmunterte, entstand plötzlich im Zug der zurückflutenden Soldaten eine Unruhe, ein Stau, so daß viele sich zur Seite beugten und nach vorne sahen und zuerst nicht viel mehr entdeckten als den kurzen Leiterwagen, der gegen den drängenden Strom von Soldaten, Pferden und Fuhrwerken voranzukommen versuchte, ein Wellenbrecher, ja, der das Herantrudelnde nicht allein an sich auflaufen ließ, sondern der sich ihm entgegenwarf und lakonisch zur Seite pflügte.

Es war Onkel Adam, der auf einem geliehenen Leiterwagen die Formationen der ersten Armee aufschlitzte, unter gellenden Pfiffen, die er mit gebogener Zunge hervorrief; als er vor uns hielt, war er schweißüberströmt und konnte kein einziges Wort sagen.

Ich reichte ihm zu, er blieb auf dem Wagen und staute. Wir verstauten zuerst das sperrige Gut und danach füllten wir Schränke und Waschkörbe mit den anspruchslosen Dingen, von keinem unterstützt, auch nicht von meiner Mutter, die wie betäubt zwischen den Sonnenblumen saß, Knoten ins Taschentuch schlug und sie zerrend wieder löste.

Die Kisten, die das Inventar des Laboratoriums bargen, stemmten wir gemeinsam hinauf, und gemeinsam bugsierten wir schließlich auch meine Mutter auf den Wagen — was sich als das Schwierigste erwies, da ihre Beine offenbar fühllos geworden waren und sie sich etwa so beweglich verhielt wie ein Doppelzentner Kartoffeln in einem regennassen Sack. Und dann ging Onkel Adam zu meinem Großvater, er richtete es so ein, daß der Futtermeister und die beiden Paslacken ihn hören konnten, und ohne die Stimme zu heben, sagte er: Posauk, trogschnauziger Posauk!

Da bin ich aber gespannt, was Ihnen aufgefallen ist. Schimpfwörter? Flüche? Also der Reichtum unserer Schimpfwörter und Flüche gibt Ihnen zu denken? Auch wenn es Sie erstaunt, mein Lieber — manches Wort, das bei uns wie eine Verwünschung klingt, kann in besonderer Lage auch ein Ausdruck von Zärtlichkeit sein, von ortsüblicher Zärtlichkeit, wie ich zugeben muß. Bei uns liegt vieles so nah beieinander ...

Was sagten Sie? Es fällt mir schwer, das zu glauben. Sie haben den Verdacht, daß Henrike an ihrer Sammlung von Wörtern und Redensarten sitzt? An einer Rekonstruktion dieser Sammlung? Bevor ich das glaube, muß ich es gesehen haben ...

Wenn Sie Gewißheit haben: darf ich Sie bitten, mir Näheres zu sagen, wenn Sie Gewißheit haben. Für mich ist das mehr als eine beiläufige Nachricht, das ist der Anfang von etwas, oder eine Antwort auf etwas, wir werden es erfahren.

Aber was wollte ich Ihnen erzählen? Der Umzug, richtig: wie Onkel Adam mit dem Leiterwagen gegen den Strom einer sich zurückziehenden Armee anfuhr, um unser Gut aufzuladen, um uns in sein Haus zu holen, in das schilfgedeckte Haus an der großen Schleife des Lucknow-Flusses. Und zwar nicht vorübergehend, sondern, wie er sich bei einem ergriffenen Willkommen ausdrückte: solange hier ein Stein auf dem andern liegt und uns hier keiner durch die Ritzen glubscht.

Wir bezogen also unsere Kammern, beide zum Fluß hinaus gelegen, beide nicht geräumig genug, um all unseren Hausrat aufnehmen zu können, denn jeder Raum des Hauses diente dem Heimatmuseum, war Heimatmuseum mit den unzähligen Zeugen und Zeugnissen, die Onkel Adam leidenschaftlich zusammengetragen hatte. So stapelten wir die Dinge, die keinen Platz fanden, teils im Schuppen, teils auf dem Boden, und während meine Mutter sich damit abfinden mußte, daß ihr Bett von Teufelsgeigen, Brummtöpfen und beflochtenen Reifen umstanden war, die den Bügeltanz bei uns so beliebt machten, mußte ich mich vor allem mit der Nachbarschaft alter masurischer Brautgewänder abfinden, schlappe, verschossene, gegen Motten präparierte Trachten, die mit leicht gelüfteten Ärmeln herumhingen, weshalb es mir in mancher Nacht vorkam, als wollten sie nach mir greifen. Das Bett auf gedrechselten Kugelfüßen darf ich nicht vergessen, die bemalte Kastentruhe nicht, ebensowenig die verzierten Waschhölzer und Mangelbretter, und Sie müssen sich vorstellen, daß über meinem Bett ein Bord lief, an dem betagtes Küchengerät baumelte, Kohlstampfer, Gewürzstampfer, Kuchenmodeln aus Obstbaumholz, blütenförmig oder als Sechsstern ...

Haben Sie einmal in einem Museum geschlafen, gewohnt?

Sehen Sie!

Aber ich gewöhnte mich an Teller- und Löffelborde, befreundete mich sogar mit den lederverzierten Holzschlorren, die wie unförmige Modellkähne ein Regal besetzt hielten, ich saß auch ausdauernd auf einem historischen Brettschemel mit ausgesägtem Rückenbrett. Nur die alten Plätteisen konnte ich nicht ertragen: mit ihren gezackten, eisernen Deckeln erinnerten sie mich an spitze Hundeschnauzen, die ihr Gebiß fletschten.

Was mich in meiner Kammer umgab, mahnte, begeisterte und befremdete, war selbstverständlich auch nur ein bescheidener Teil der Stücke, die Onkel Adam für wert befand, in seinem Museum für die weit zurückreichende Geschichte Masurens zu zeugen; die Prunkstücke, die kostbaren Funde und Belege, die vorzeitlichen Leckerbissen standen und hingen in der Diele und auf dem breiten, leider lichtarmen Flur, sie füllten die große Wohnstube, die Werkstätte, die Eßküche, und nicht zuletzt den Geheimkeller. Sie dürfen annehmen, mein Lieber, daß jeder Winkel des Hauses von Zeugen bewohnt war; das klemmte sich in die Ecken, hielt Tischplatten besetzt, zog sich die Wände hoch, und wenn Sie nur auf einen Schluck Buttermilch aus waren, mußten Sie damit rechnen, daß es sich bei dem Krug, den Sie in der Vorratskammer vom Regal hoben, um eine sudauische Graburne handelte.

Hier zogen wir ein, hier machten wir uns breit, ohne jemals zu erfahren, woher Onkel Adam wußte, daß wir das kleine gekalkte Haus am See aufgeben mußten ...

Was finden Sie aufschlußreich? Wie wir den ersten Tag in diesem mächtigen Haus verbrachten?

Nun, falls es Sie so interessiert: meine Mutter packte aus, räumte weg, machte sich mit der Küche vertraut, saß lange allein an der Schleife des Flusses und sah auf die vorbeigehenden Wirbel; ich fand gleich zur Werkstatt, in der Onkel Adam am Fenster thronte, eine verschmierte, ehemals blaue Schürze vor dem Bauch, Nickelstahlbrille vor den immer erstaunt blickenden Augen, unter maßlosen

Selbstgesprächen Scherben ordnend, hölzerne und lederne Stücke gleichermaßen feinfühlig restaurierend. Er leimte, er schliff und polierte; zarter als er konnte niemand schaben, sanfter als er kein anderer hämmern, und wenn er nicht reinigte, ausbesserte, heilte, dann schrieb er Etiketts: Sachbezeichnung, wo und wann gefunden, mutmaßliches Alter. Obwohl er nicht zu mir sprach — doch, er sagte einmal etwas, über seinen Arbeitstisch hindeutend, sagte er: Vergangene Zeit, freigebige Zeit —, obwohl er also kaum zu mir sprach, hatte ich das Gefühl, daß ich willkommen war, daß er mich nicht nur erduldete in seiner Nähe.

Einmal allerdings verwarnte er mich, das war, als ich Beifall klatschte. Er hatte die Scherben eines riesigen bemalten Tellers, aus dem gut und gern eine ganze Familie hätte satt werden können, so geschickt in die Bruchstellen eingepaßt und geleimt, daß es mir, nachdem er auch noch Altblau aufgetragen hatte, nicht gelang, die Bruchstellen wiederzuentdecken; als ich vor Freude klatschte, verwies er mich blickweis und schüttelte den Kopf; eine Erklärung gab er mir nicht.

Wenn ich früher, bei den gemeinsamen Grabungen in den Moor-Terrassen unterm Schloßberg, rasch ermüdete und meine blau-gelbe Spielschaufel nur lustlos führte — hier in der Werkstatt hielt mich eine unerwartete Spannung fest, eine kribbelnde Neugierde. Vielleicht ahnte ich schon, daß da etwas geschah, das mich anging und noch mehr angehen würde; vielleicht spürte ich instinktiv, daß Onkel Adam da eine Auseinandersetzung führte, gegen die Zeit, ja, gegen ruhige Verneinung und lautlosen Zerfall, gegen ein Ende in Namenlosigkeit; es kann aber auch sein, daß mich einfach begeisterte, wie er den Dingen ihren beweiskräftigen Ursprung zurückgab, indem er ihre Schäden behob. Denn was er von ihnen erwartete, war Zeugenschaft —, »reine Zeijenschaft«, wie er sagte —, und zwar für das, was uns aushalten ließ in wechselnden Lagen, was das Verlangen nach Dauer wachrief. Doch das war es nicht allein; was er vor allem erhoffte: daß der Betrachter eine persönliche Beziehung zu den Dingen entdeckte, ein Gefühl von Mitbesitz, das ihn zu der Feststellung nötigte: So haben wir gelebt. So haben wir auf Katastrophen und Kalamitäten geantwortet, so haben wir uns Freude geborgt, so widerlegte uns der Tod, und so haben wir die alten Fiktionen zum Blühen gebracht ...

Können Sie verstehen, daß ich am ersten Abend vor Aufregung nicht schlafen konnte? Ich saß im Dunkeln auf einem historischen Brettschemel, das Fenster war geöffnet und festgehakt, und ich sah und lauschte zur anderen Seite des Lucknow-Flusses hinüber, zu dem freien Feld, auf dem ein Reitertrupp des Chans von Nachitschewan biwakierte. Die Posten gingen zwischen den schwach ernährten Feuern hindurch, zogen ihre Runde zu den Uferbäumen, zu den Erlen, unter denen die Tiere standen. Richtung Arys, Dippelsee — dort war immer etwas los — schossen sie Leuchtkugeln, die aber keine Artillerie weckten, wie so oft. Gegen den nächtlichen Hunger hatte ich eine Wrucke unterm Bett verwahrt, mit dem Messer, das Conny mir geschenkt hatte, säbelte ich eine Scheibe herunter, und ich weiß noch: als ich knabbernd ans Fenster zurückkehrte, entdeckte ich unten im Garten die beiden Soldaten. Einer von ihnen pochte ans Fenster, hämmerte gegen die Gartentür; da niemand öffnete und auch kein Licht aufflammte, ging er zu seinem Kameraden, der ihn ums Haus herumschickte, zum Haupteingang, wo er gleich darauf hämmerte und rief und der verriegelten Tür Spickfüße versetzte. Ich flitzte über den dunklen Flur in die Werkstatt, tappte an Tischen und Borden vorbei zu der geräumigen Nische, in der Onkel Adam auf einer Bankbettstelle schlief, auf einem bankartigen Lager zum Ausziehen. Er war bereits wach, er stieg bereits, da der Lärm an der Tür nicht aufhörte, in seine Röhrenhosen. Russen? Russen, sagte ich. Kann sein, daß ihn diese Auskunft dazu bewog, den Vatermörder zu binden, in die Weste zu gleiten, einen schwarzen Rock überzuwerfen; erst als er vollständig angekleidet war, ging er auf den Flur und stieß zunächst nur ein über der Tür liegendes Fenster auf ...

Nein, nein, keine Hausdurchsuchung; was uns bevorstand, war eine Einquartierung, eine Zwangseinquartierung für eine Nacht; wir erfuhren es von dem tobenden Soldaten, der für seinen kränkelnden Stabshauptmann ein Dach suchte und uns freudig die Schulter tätschelte, als Onkel Adam die Tür aufsperrte und ihn und den Offizier, der ein wenig beklommen um das Haus herumkam, einzutreten bat. Es wurde Licht gemacht, in der Diele, auf dem Flur, in der großen Wohnstube. Als erster trat mit einer sehr höflichen Verbeugung gegen Onkel Adam der Stabshauptmann ein, ein trauriger, erschöpft wirkender Mann, fröstelnd trotz der warmen Nacht — im Vorbeitreten drückte er mir ein Geldstück in die Hand — und hinter ihm, unter mehreren Bündeln und einem Holzkoffer hervorgrinsend, sein Bursche, ein erstaunlich alter Soldat. Hatte der Stabshauptmann schon an sich einen gemessenen, unmilitärischen Gang, angesichts der Sammlung unseres Heimatmuseums fiel sein Schritt noch gehemmter. Er verhielt vor frühen Waffen, beugte sich über einen Glaskasten mit historischen Münzen, las die Etiketts an Stroh-, Holz- und Kodderpuppen, alles mit Ernst und undurchdringlichem Interesse. Über das Kettenhemd eines Kreuzritters ließ er seine Fingerkuppen trommeln. Vor den beiden ältesten Spinnwocken Masurens schüttelte er nachsichtig den Kopf, und das schön hängende historische Werkzeug streifte er mit einem abfälligen Blick ...

Wie meinen Sie?

Oh, ja, das tat sein Bursche, noch ehe sie eintraten; er hatte kaum den Grund des späten Besuches genannt, da fragte er auch schon, wieviel Personen sich im Haus befanden; daß eine Frau anwesend war, schien sie zu beruhigen.

Also in der großen Wohnstube, vor ornamentierten Eck- und Bauernschränken, setzten sich Onkel Adam und der Stabshauptmann, schweigend, während der Bursche und ich, hinter den Stühlen der Hauptpersonen stehend, uns schon mutmachend zublinzelten. Auf einen Wink legte der Bursche eine Serviette auf den Rundtisch, holte aus dem Holzkoffer Gläser und eine Flasche Rotwein, schenkte ein, und beide tranken. Der Offizier brannte sich eine Meerschaumpfeife an, legte sich ermüdet zurück, blickte dem Rauch nach, der sich um den historischen Kachelofen hängte.

Sie schwiegen ausdauernd, und in ihrem Schweigen wuchs offenbar das Interesse füreinander. Später haben wir uns so manches Mal an den Augenblick erinnert, in dem der Stabshauptmann fragte, was einen Mann nur dazu bringen könnte, Belege für vergangenes Scheitern und kurzfristige Selbstbehauptungen zu sammeln und alles in so ein Heimatmuseum einzubringen. Da erfuhr ich zum ersten Mal, warum Onkel Adam sich durch die Schichten unserer Vergangenheit grub: er hatte also, wie er sagte, einen Auftrag erhalten. Er hatte in einem Traum den Auftrag erhalten, die bucklige Welt Masurens auszufragen, Zeugnisse und Reste und Beweise unserer Eigenart zusammenzutragen, die jedem vor Augen führten, daß er eingeschmiedet sei in eine Kette, die tief in die Zeit hinabreichte. Und damit der Stabshauptmann nicht im unklaren blieb, nannte Onkel Adam in redlicher Ergriffenheit auch den Namen des Auftraggebers; es war der legendäre Pruteno — ein Bruder des Waidewut —, der am Anfang wohl ein ziemlich erfolgreicher Vermittler zwischen Göttern und arbeitenden Einwohnern war, jedenfalls begriff er sich selbst als Kriwe, als oberster Priester, der die meiste Zeit des Tages mit Lauschen verbrachte, einfach, weil ihm im Blühen, im Blitz, im treibenden Eis alles Nötige offenbart wurde. Für seine Beliebtheit sprach, daß unsere Leute sich nach ihm »Pruzzi« nannten, also Söhne des Pruteno ...

Erfunden, sagten Sie? Ob Onkel Adam diesen Traum erfunden hatte? Durchaus nicht, lieber Martin Witt, er hatte ihn wirklich geträumt, ihm mußte ich es zutrauen — und damit Sie auch dies wissen: in seinen Träumen hatte er lange dauernden, beinahe regelmäßigen Umgang mit Pruteno, wurde von ihm belobigt und beschuldigt, erhielt Ratschläge, wurde gerüffelt, mitunter will er sich auch mit dem Kriwe gezankt haben.

Aber der Stabshauptmann, Sie hätten erleben müssen, wie erheitert der Stabshauptmann sein Glas austrank und sich sogleich wieder nachschenken ließ. Sie hätten seine nachsichtige Ironie erleben müssen, mit der er Onkel Adams Auskünfte quittierte — dieser sichtbar leidende Mann, der übrigens eine hohe Tapferkeitsauszeichnung trug, das Georgskreuz.

Fiktion, sagte er mit wegwerfender Handbewegung, eine treuherzige, hochmütige Fiktion. Warum? Jeder Tag zwinge uns zu der Erfahrung, daß alles auf Abschied hinausläuft; hier aber, in diesem Heimatmuseum, werde die Fiktion von Bleiben und Wiederkehr genährt.

Nun müssen Sie sozusagen zu Onkel Adam hinüberblicken, der zunächst einmal das Glas von sich abrückte, dann aufreizend nach der Uhr sah, dann die Beine übereinanderschlug und vor sich hinlächelte in unerhörter Gewißheit. Er habe seinem Gast nicht viel zu sagen, erklärte er, dies aber müsse einfach festgestellt werden: Von den Katalaunischen Feldern bis Borodino habe im Zweifelsfall die Heimat gesiegt, die entflammte, verbissene, von ihm aus rücksichtslose Liebe zur Heimat, und die werde durchaus auch hier in Masuren gewinnen, nicht quanzweis sondern famos; der Stabshauptmann täte gut daran, sich schon jetzt darauf einzustellen. Und dann gelang Onkel Adam tatsächlich dieser Satz: Sie werden verlieren, bald, spätestens übers Jahr, weil dies Land, weil Masuren gegen euch ist; unser Sand, die Kiefern, die Seen: gegen euch; die Ziehbrunnen und Waldkuppen: gegen euch, und gegen euch sind die Moore, die Felder und Sümpfe.

Sie werden es nicht vermuten, nach diesen Worten trank der Stabshauptmann Onkel Adam zu, nannte seinen Namen — ich verstand Plechanow — und erwähnte, daß er in Lettland geboren war. Ja, er trank Onkel Adam zu, überbetont, mit verlangsamten Bewegungen, so, wie man einem Mann hinter einer Glasscheibe zutrinkt, und bedauernd sagte er: Wir werden euch dabei helfen, von euren selbstgefälligen Hoffnungen Abschied zu nehmen. Wir werden euch zeigen, wieviel er wert ist, der Heimatglaube. Wir werden euch die Augen dafür öffnen, daß der Sand nicht euch gehört, daß er vielmehr jeden gleichgültig erträgt. Und das alles wird zu eurem Besseren geschehen. Wenn uns etwas an Brüderlichkeit liegt, an internationaler Nachbarschaft, sagte er, dann müssen wir mit der kleinkarierten Religion von Idylle und Besitz aufräumen, deren Stifter die Heimatapostel sind ...

Das habe ich vorausgesehen, mein Lieber; auch meinem Sohn Bernhard hat dieser Stabshauptmann aus dem Herzen gesprochen ...

Jedenfalls, das letzte Glas tranken sie stehend, und ich glaubte bereits, daß dies das Ende des Abends sei, als der Offizier seine Armeepistole abschnallte und auf den Tisch legte, eine unförmige Pistole, auf die er regungslos hinabblickte, während er Onkel Adam bat, ihm das wertvollste Dokument der Sammlung zu zeigen. Onkel Adam zögerte; jedes Stück sei auf seine Weise wertvoll, sagte er, jedes liefere einen eigenen Beweis, da könne man keine Rangordnung herstellen. Dann eben das älteste Zeugnis, sagte der Stabshauptmann, und Onkel Adam trug nach kurzem Bedenken das Sperrholzbrettchen herein, auf dem unter Glas die älteste Urkunde lag, die er besaß, eine Güterverschreibung zu »schlechtem magdeburgischem Recht«, ausgestellt vom Hochmeister Heinrich von Plauen, vierzehnhundertelf. Der Stabshauptmann beugte sich über die Urkunde. Er betrachtete sie. Er ließ sich einige Sätze vorlesen: »Vorbas vorlyhen wir in ouch, das sey und ere ...« und so weiter. Er ergriff die Pistole, er zertrümmerte mit dem Knauf die Glasplatte, löste das Dokument vom Holz und reichte es seinem Burschen mit den Worten: Pjotr, meine Pfeife brennt schlecht.

Ich umspannte mit beiden Händen die Rückenlehne des Stuhls und beobachtete Onkel Adam. Er bewegte sich nicht, zitterte nicht, sah nur aufmerksam zu, wie der Bursche des Offiziers mit fahrigen Fingern das Dokument faltete und kniffte, zum Fidibus zurechtkniffte, ja, und Onkel Adam trat nicht protestierend dazwischen, als der Bursche mit einem sehr schlichten Feuerzeug die hochmeisterliche Güterverschreibung anzündete und das gleichmäßig brennende Dokument über den Pfeifenkopf hielt. Der Stabshauptmann sog schnell und heftig an seiner Pfeife, nur das Platzgeräusch seiner saugenden Lippen war zu hören, dann nahm er seinem Burschen den Rest des Fidibus aus der Hand und ließ ihn auf einen Aschenbecher segeln, wo er verglimmte. Und wie im Bedauern darüber, daß diese Demonstration nötig war, fragte er Onkel Adam gelassen: Haben Sie gemerkt, wozu Ihre Zeugnisse am Ende taugen?

Ja, sagte Onkel Adam, mit gleicher Gelassenheit, ich habe gemerkt, daß so ein altes Papier immer noch Furcht hervorrufen kann; als es aufflammte, begann Ihre Hand zu zittern ...

Wie bitte?

Da irren Sie sich; dieser Vorfall war doch kein Grund, sich nicht bei uns einzuquartieren. Wir gingen gemeinsam in meine Kammer, der Bursche schlug mein Bettzeug zusammen und deckte seinem Herrn auf meinem Strohsack ein Lager auf, und für sich selbst breitete er auf dem Fußboden seinen Militärmantel aus und wählte eines der Bündel als Kopfkissen. Wir wünschten einander gute Nacht, ja, das taten wir, und danach lauschte ich hinter der Tür und spähte durchs Schlüsselloch, bis sie es von innen verhängten.

Onkel Adam war vorausgegangen, ich tappte über den dunklen Flur, horchte vor der Kammer meiner Mutter, doch da ich nur ein trockenes mechanisches Schluchzen hörte, ging ich weiter zur Werkstatt und fragte im Dunkeln: Wo, Onkel Adam, wo soll ich schlafen? — Bei mir, sagte er.

Ich tastete mich zur Nische hin, kroch unter sein Zudeck, drehte mich zurecht und spürte sein hartes Knie an meiner Wade und seinen erstaunlich ruhigen Atem hinter meinem Ohr. Einmal langte er über mich hinweg, um sich davon zu überzeugen, daß ich auch ausreichend bedeckt war; sein Kinn berührte meine Wange, er flüsterte: Nu hastes erlebt, Jungchen — das Wertvollste is immer nur gut für dich, du darfst es keinem zeigen; für die andern genügt allemal eine Kopie. Ich warf mich herum, er ahnte, was ich fragen wollte, er flüsterte: Du wirst alles sehen, schlaf jetzt — und in meiner Begeisterung schmiegte ich mich an seinen mageren Rücken und wünschte mir nichts anderes, als von Pruteno zu träumen und von dem Mann, mit dem ich unter einer Decke lag.

Sie sagen es, mein Lieber: die Originaldokumente lagen ausnahmslos in einer Eisenkiste im Keller, sie lagen immer dort, auch in ereignisloser Zeit, auch wenn ihnen anscheinend keine Gefahr drohte, und Onkel Adam begründete das auf seine Weise: Verkriemelt sich das Original, so erklärte er, dann verkriemelt sich auch das Jewesene.

Und der dauerhaft ergriffene Forscher zog mich immer wieder in seinen Geheimkeller, besonders, wenn unsere und die russische Artillerie über Lucknow ihre Duelle austrugen, wenn schwere Koffer durch die Luft rauschten und die Erde bewegt wurde wie von ferner Dünung, und während andere auf die Einschläge lauschten, lauschte ich seinen Einführungen und Eröffnungen, erlebte, wie er beim Schein der Petroleumlampe einen Vorhang aufzog, eine Aussicht auf geplagtes, doch geduldiges Leben freigab, das er mich lehrte, als mein eigenes Leben anzusehen. Er übersetzte mir Dokumente, er erläuterte sie. Er ließ mich Werkzeug, Schmuck und Waffen in die Hand nehmen und sie einfach nur so wiegen. Er zwang mich, steinerne Fundstücke zu deuten — und nicht nur dies. Onkel Adam wollte alles gedeutet haben, weil, wie er sagte, von der Deutung aber auch rein alles abhängt. Was ich nicht genug hören konnte: die Geschichte, die er von jedem Stück wußte, von seiner Herkunft, von seiner Bedeutung und seinem Schicksal; so wie Eugen Lawrenz zu jedem unserer zweiundneunzig Seen um Lucknow eine Geschichte wußte, so hatte auch Onkel Adam von allem etwas zu erzählen, Legenden und Anekdoten, ja, oder »Sinngeschichten«, denen man anmerken konnte, daß sie sozusagen Ringe angesetzt hatten bei unendlichen Wiederholungen. Wenn es nur handlich war, mußte ich das Stück während seiner Erzählung halten.

Ein Beispiel? Was soll ich Ihnen als Beispiel nennen? Also denken Sie sich Onkel Adam über eine Eisenkiste gebeugt, kramend, in stokkendem Selbstgespräch, durch heftige Bewegungen die Petroleumlampe gefährdend; ich sitze, genudelt von vorzeitlichem Wissen, auf einer geschlossenen Kiste schräg hinter ihm. Wie immer, briselte er zuerst mit den Dingen, murmelte, ja, und erneuerte da innige Beziehungen; denn es genügte ihm nicht, die Zeugen zu einer Sammlung zu vereinigen, man mußte sich murmelnd mit ihnen besprechen von Zeit zu Zeit, sie mußten zum Geständnis bewegt werden. Auf einmal erstarrte er also, wandte sich ruckhaft um und übergab mir etwas mit beiden Händen, etwas Blinkendes, einen Halsring aus gehämmertem Weißsilber, ein Halsband, das an der Innenseite abgeschliffene Dornen aufwies, um dem, der es trug, das Gehorchen zu erleichtern. Eine Weile sah er zu, wie ich das Halsband befingerte, prüfte auch meinen Gesichtsausdruck, und unvermittelt, überfallartig, wie jede seiner Geschichten begann, begann auch diese ...

Mostolten, in Mostolten, der Bauer Jacobus Lopian, vor langer Zeit, als der Herbst seinen Wutausbruch hatte, als er im Zorn den Fichten ihren Schopf wegriß, da überschlug der Bauer Jacobus Lopian, was die sandigen Felder hergegeben hatten, und er ging enttäuscht hinaus und hörte die Hunde bellen und bellte mit ihnen. Keiner bellte so gut, so variationsreich, so wirkungsvoll wie der junge Bauer Jacobus Lopian, er erreichte es, daß alle Hunde ihm antworteten, daß der ganze Horizont bellte — klagend, wenn er es wollte, toll vor Angriffslust, wenn er es nur wollte.

In diesem Herbst streifte der wilde Jäger mit seinen Leuten bei Mostolten, auch er enttäuscht, da das Wild in der Tiefe der Wälder stand, Schutz suchend vor all den aufgeblähten Röcken in der Luft, vor dem peitschenden Haar, den schwarzen knallenden Segeln; keine Meute konnte das Wild herauszwingen aufs freie Feld. Der Wilde Jäger beratschlagte sich gerade mit seinen Leuten, als aus dem Unterholz ein Gebell zu hören war, das die Meute außer Rand und Band brachte: ohne Befehl drang sie in den Wald ein, formierte sich zur Kette, bellte dabei nicht etwa durcheinander, sondern streng organisiert und folgsam, und obwohl der Wilde Jäger das Staunen verlernt hatte: diesmal mußte er staunen, ja, und seine Leute waren so perplex, daß sie ihre Pfeile nicht bereit hatten, als rudelweis gestreckte Rehe aus dem Wald flogen, als sich nach ihnen Hirsche und Elche und Bären aus dem Dickicht warfen, auf der Flucht vor einem Gebell, das das Gebell der Meute anstachelnd übertönte. Dann aber sirrten die Pfeile, und nachdem er die Strecke abgenommen hatte, eine Strecke wie bei keiner Jagd zuvor, ließ der Wilde Jäger nach dem Urheber des Gebells suchen, das ihm solch ein Jagdglück gebracht hatte.

Aus einem Gebüsch zogen sie den Bauern Jacobus Lopian. Sie befahlen ihm, vorzubellen. Die Meute umlagerte ihn und hörte aufmerksam zu, so wie Schüler dem Meister zuhören, dabei nahm ihr beschädigtes Selbstvertrauen wieder zu. Der Wilde Jäger war von dem Gebell des Jacobus Lopian so beeindruckt, daß er ihm vorschlug, in seine Dienste zu treten, gegen Trinken und zwei Fleischmahlzeiten am Tag. Der Bauer bat sich zusätzlich aus, »Knochen mit viel dran« abnagen zu dürfen, und da ihm dies zugestanden wurde, zog er mit dem Wilden Jäger und seinen Leuten, zog viele Jahre durch unser Land und bellte auf vielen erfolgreichen Jagden, so zum Beispiel in Kimschen und Schelecken, in Aschlacken und Kermuschienen, in Puspern, Olk und Tamowischken, aber auch in Chelchen, Skirbst und Willpischken, zuletzt in Jucha und Pupinnen.

Zuhause in Mostolten, nach all der Zeit, da kam er den meisten aus dem Gedächtnis, nur seine Frau, die sich mit Federreißen und Spinnen ernährte, erinnerte sich seiner, und ein Mann namens Naporra, der sein Jugendfreund gewesen war und als Abdecker lebte hinter einem mit Palisaden umgebenen verwilderten Garten. In diesem Garten, in dem alles schwärend durcheinander blühte, fand der Abdecker an einem Morgen einen riesigen gefleckten Jagdhund, einen alten Hund mit wundem Geläuf, der sich zum Sterben hingelegt hatte zwischen den Kletten. Naporra erschlug ihn und zerrte den Hund, der von Kletten übersät war, in seinen Arbeitsschuppen; hier reinigte er ihn, hier sammelte er alles aus seinem Fell, was sich an ihn gehängt hatte auf langer Wanderung, und dann erschrak er. Er erschrak, als er das schwere Halsband aus gehämmertem Weißsilber entdeckte und herausfand, daß die Dornen an der Innenseite aus Halbedelsteinen bestanden. Er hob den Kopf des Hundes, bettete ihn auf seine Lederschürze und betrachtete ihn aufmerksam, und danach spannte er an und holte Ida Lopian von ihrem Spinnwocken, führte sie vor den toten Jagdhund und forderte sie auf, sich schonungslos und genau zu erinnern und mit ruhigem Blut zu vergleichen. Nach langwieriger Untersuchung stellten sie beide fest, daß Jacobus Lopian heimgekehrt sei und daß es nun galt, ihn ordentlich zu begraben.

Sie brauchten ihn nicht heimlich zu begraben; die Einwohner von Mostolten vertrauten ihnen so unbedingt, daß sie genußvoll dem Trauerzug folgten, wobei sämtliche Hunde, Jagd- und Hofhunde, an kurzer Leine mitgingen; als der große Beller in die Grube gelassen wurde, war beherrschtes Winseln zu hören. Ida Lopian versetzte das Halsband, sie kaufte sich mit seiner Hilfe frei vom Federreißen und Spinnen, bezog ein aus Rundbohlen errichtetes Altenteil und lebte auskömmlich, bis sie starb und neben dem gefleckten Jagdhund beigesetzt wurde.

Das Halsband? Das galt vorübergehend als verschollen; es tauchte überraschend in einem Lucknower Leihhaus auf, schmückte zeitweilig die Auslagen des Silberschmieds Schmoldt, wurde eines Tages im mehr als mickrigen Nachlaß eines Landstreichers gefunden und gehörte danach lange zum Eigentum des Revierförsters in Mostolten, dessen Enkel, ein Kavallerieleutnant, das Halsband zunächst dem Hund seiner Geliebten schenkte, es später jedoch zurückforderte und zum puren Silberpreis verkaufte.

An mich, sagte Onkel Adam lächelnd.

Ich brauche Ihnen nicht zu sagen, mein Lieber, daß sich an jedes Stück eine doppelte Geschichte band, die Geschichte seiner Herkunft nämlich und die seines Erwerbs durch den Heimatforscher, und Sie irren sich nicht, wenn Sie annehmen, daß manches Dokument, manch beweiskräftiger Gegenstand umsichtig auf die Seite gebracht worden war, geklaut, ja, was Onkel Adem indes weniger belastete als mit Genugtuung erfüllte, weil er auf dem Standpunkt beharrte, daß »alles, was jroße Zeijenschaft besitzt, enteijnet werden muß, da es der Alljemeinheit verfällt«.

Jedenfalls, in jenen Tagen machte er seine Zeugen allein für mich gesprächig, er nahm mich mit zu den Anfängen, zog den Nebel weg von diesem genügsamen Land, wies mich anhand der gehorteten Belege und Zeugnisse so lange in masurische Vorzeit ein, bis ich in ihr heimisch wurde, und ich muß zugeben, daß ich mich damals in ungewohnter Weise aufgehoben fühlte, aufgehoben, ja. Erstaunt begann ich zu bemerken, daß sie mich etwas angingen: die Urkunden, die er zum Reden brachte, die kostbaren Funde, die er nie für sich allein, sondern immer für uns alle sprechen ließ. Ja, es war so: während er mich einen langsamen Weg hinaufführte, sah ich am vorläufigen Ende einen Mann und einen Jungen stehen, Hand in Hand; sie erwarteten uns, sie standen nur da und erwarteten uns, und wenn ich sie auch nicht ausreichend kannte, ich wußte, daß wir selbst es waren, die dort erwartungsvoll standen. In jener Zeit, als der Frost die Stockenten überraschte und sie im Lucknow-See festfrieren ließ, als anhaltender Schneefall die Wegzeichen begrub, in jenen Wochen, als sich die Winterschlacht von Masuren ihren Namen verdiente, wurde ich Onkel Adams Vertrauter, sein Gehilfe im Heimatmuseum ...

Was ist Heimat?
Kindheit. Wiegenklang
Sprachgewöhnung und
Erinnerungszwang ...

ALFRED KERR

Leonie Ossowski

Assoziationen zu der Fluchtszene aus »Hermann und Dorothea«

Traurig war es zu sehn, die mannigfaltige Habe,
Die ein Haus nur verbirgt, das wohlversehne, und die ein
Guter Hirt umher an die rechten Stellen gesetzt hat;
Immer bereit zum Gebrauche, denn alles ist nötig und nützlich,
Nun zu sehen das alles, auf mancherlei Wagen und Karren
Durcheinandergeladen, mit Übereilung geflüchtet.
Über dem Schrank lieget das Sieb und die wollene Decke;
In dem Backtrog das Bett, und das Leintuch über dem Spiegel.
Ach! und es nimmt die Gefahr, wie wir beim Brande vor zwanzig
Jahren auch wohl gesehn, dem Menschen alle Besinnung,
Daß er das Unbedeutende faßt und das Teure zurückläßt.
Also führten auch hier, mit unbesonnener Sorgfalt,
Schlechte Dinge sie fort, die Ochsen und Pferde beschwerend:
Alte Bretter und Fässer, den Gänsestall und den Käfig.
Auch so keuchten die Weiber und Kinder mit Bündeln sich schleppend,
Unter Körben und Butten voll Sachen keines Gebrauches;
Denn es verläßt der Mensch so ungern das Letzte der Habe.
Und so zog auf dem staubigen Weg der drängende Zug fort,
Ordnungslos und verwirrt. Mit schwächeren Tieren der eine,
Wünschte langsam zu fahren, ein andrer emsig zu eilen.

Fluchtszene aus »Hermann und Dorothea«,
Erster Gesang. *Johann Wolfgang von Goethe*, 1797

1916
Er saß mit dem Rücken in Fahrtrichtung, denn so konnte er dem besser nachsehen, was er zurückließ. Die Stimmen der Nachbarn im Ohr, hielt er die Uhr fest in der Hand.

Bleibt hier, Perka, hatten diese und jene gesagt, bleibt hier — Ihr seid ein alter Mann. Was wollt Ihr noch dort, wo Ihr einmal hergekommen seid!

Macht mir den Vater nicht verrückt, schimpfte die energische Tochter, von Polaken läßt sich unsereins nicht regieren, da machen wir uns lieber freiwillig fort!

Sie zog der Kuh eins über. Das milchleere Euter klatschte gegen die Beine, die Töpfe schepperten im Wagen, und dem Alten glitt fast die Uhr aus der Hand. Aber umgekehrt, das schmeckt Euch, was?

Der das sagte, griff der Kuh nach den Hörnern, daß der Wagen still stand, spuckte weit aus über den Schwanz des Tieres hinweg auf die Mitte der Deichsel, vor die Füße der Tochter. Den Blick fest auf deren Gesicht gerichtet, fuhr er auf polnisch fort: Solange die Welt die Welt sein wird, wird der Deutsche dem Polen kein Bruder sein!

Für solches, schrie die Tochter aufgebracht, hat Euch unser Kaiser das polnische Königreich geschenkt? Nein, sagte der Pole und ließ die Kuh gehen, für solches nicht — für Soldaten!

Hü! Die Uhr in Perkas Hand kam abermals ins Rutschen. Nichts als die Uhr, nichts als verlorene Zeit, die er jetzt mit sich zurück nach Schlesien nahm, von wo er als Kind mit den Eltern als Siedlerfamilie nach Polen gekommen war.

Ich will hierbleiben, schrie er in plötzlicher Wut, hier in Lodz! Er krabbelte, die Uhr unterm Arm, vom Wagen und brüllte noch lauter, hier bin ich wer!

Ja, höhnte die Tochter, ein Pole, ein nichtsnutziger. Sie zerrte den Vater auf den Wagen zurück, band ihn mit Stricken an Händen und Füßen bäuchlings über das Bettzeug fest und drohte ihm Schlimmes an, wenn er nicht endlich Ruhe gebe.

Und spärlich waren die Wagen, die mit ihnen auf den staubigen Wegen im Jahre 1916 westwärts zogen. Ordnungslos und verwirrt Perkas Gemüt, der nicht mehr in der Lage war, seine Uhr aufzuziehen, während die Tochter emsig und voll guten Willens die magere Kuh antrieb.

1945

Es war ein bitterkalter Januartag des Jahres 1945, als sie das Gutshaus verließ. Die große eisenvergitterte Glastür mit den verschnörkelten Initialen unter der pompös geschmiedeten Krone schepperte klirrend ins Schloß.

Pawlak, sagte die Baronin, passen Sie auf, daß die Russen nicht alles abbrennen!

Pawlak spürte, die Mütze in der Hand, die Lächerlichkeit dieses Auftrags und erschrak darüber. Ihr Gepäck, Frau Baronin, sagte er schnell, soll ich es holen?

Sie zeigte auf eine kleine Ledertasche. Danke, Pawlak, mehr als das hier kann ich nicht tragen!

Dann setzte sie sich neben den Kutscher des ersten Treckwagens, der beißenden Kälte ausgesetzt, tannengerade, schweigsam und ohne Klage. Im Innern des Wagens waren Menschen und Habe in Übereilung durcheinandergeladen, Nützliches und Unbrauchbares übereinandergetürmt, ohne Erfahrung, was wichtig war und was nicht.

Nach den ersten hundert Kilometern starben die Alten weg. Der Eile halber blieben sie am Straßenrand liegen, während die Mütter ihre toten Säuglinge heimlich in Tücher gewickelt mitschleppten. Der Kälte wegen drückte man ein Auge zu. Einmal mußte es einen Halt geben, eine Bleibe und auch einen Friedhof.

Woche um Woche saß die Baronin, ihr Ledertäschchen im eisernen Griff der Greisenhände, neben dem Kutscher. Hinter sich in dem Wagen Heulen, Zähneklappern, Hunger, Krankheit, und das, wie es schien, ohne Ende.

Da faßte die Baronin einen Entschluß, ließ den Treck halten und machte sich auf zum nächstbesten Dorfschulzen. Hier, sagte sie mit ihrer mickrigen Greisenstimme, während sie das Ledertäschchen über den Amtstisch hinweg dem Amtsmann zuschob, dafür bleiben meine Leute in Ihrem Dorf!

Zwischen den dicken Fingern des Dorfschulzen rutschten die Perlen, Saphire und Smaragde hin und her. Ketten, Ohrgehänge, Broschen. So etwas Wertvolles hatte er noch nie in Händen gehabt, wirklich nicht.

Erst Monate später wurde die Baronin von ihren Angehörigen aus dem Westen gefunden. Just ruhte sie sich vom Holzsammeln aus und wärmte sich zufrieden in der Frühjahrssonne, als der Enkel nach Wohlergehen und dem Verbleib des Schmuckes fragte.

Danke, es geht mir gut!

Und der Schmuck?

Ach, sagte sie und wackelte mit ihrem Vogelkopf, der ist weg. Ich fand ihn wertlos, denn wann, mein Sohn, sollte ich den je noch tragen können?

Und sie begann ihr Reisig zu bündeln und säuberlich an der Hauswand zu stapeln.

1945

Die Juszkowa sprach nicht viel. In unbesonnener Sorgfalt trug sie zwei Hühner aus Brody bei Tarnopol mit sich. Zwei von Zehnen lebten noch, während das Teuerste, was sie besaß, in Brody geblieben war. Juszko, ihr Mann, trug das Bettzeug. Der Zug ratterte ohne Unterlaß Tag und Nacht des Jahres 1945 gen Westen.

Habt ihr denn keine Kinder?

Antworten hatten hier Zeit, und so sagte die Juszkowa anderen Tags zu dem, der sie gefragt hatte: Die sind in Brody geblieben!

Was denn, wollte der wissen, sollen denn eure Kinder Russen werden? Sie sind es schon, sagte die Juszkowa eigentümlich. Still, Mutter, fuhr ihr der Mann dazwischen. Aber die Juszkowa war ins Reden gekommen.

Die Köpfe meiner Kinder, sagte sie, stecken mit den Köpfen aller

Kinder von Brody in den Blumenkästen vor den Häusern. Sie sah rundum, befriedigt von dem Entsetzen, das ihre Worte auslösten. Es waren die ukrainischen Aufständischen. Sie haben unseren Kindern die Köpfe abgeschlagen und in die Blumenkästen der Eltern gepflanzt. Vielleicht werden so Russen aus ihnen!

Still, Mutter, sagte der Juszko, so darfst du nicht reden!

Der Zug rollte. Viele Züge rollten. Anderthalb Millionen Repatrianten, wie sie hießen, die zurückgeführt wurden nach Breslau, Oppeln, Kattowitz, Grünberg — wo sie nie hergekommen waren. Bäumchen, Bäumchen, wechsel dich! Wenn du Pole bleiben willst, mach dich auf die Reise!

Hinterm Bug hast du den Krieg verloren — da gibt's nichts!

Als der Zug westwärts der Oder-Brücken hielt und wohl auch nicht mehr weiterfuhr, stieg Juszko aus und sagte zu seiner Frau: Komm, hier ist unsere neue Heimat!

Und während die Juszkowa am Bahnhof wartete, ging der Juszko die neue Heimat suchen. Am Abend kam er zurück und holte seine Frau ab. Er führte sie in ein Haus ohne Fenster und Türen, in einen Stall ohne Vieh und in eine Scheune ohne Stroh.

Das soll ein Zuhause sein, fragte die Juszkowa tonlos.

Warte! Und Juszko zog sie hinter die Scheune. Dort zeigte er auf die unbestellten Felder, die Quecken und das Unkraut, als wären es Rüben und Weizen. Das ist jetzt unser Land, Mutter, denn ein Bauer ohne Land muß verhungern. Wir werden von vorne anfangen, das Haus reparieren, den Garten bepflanzen, ein Schwein haben und sicher auch eine Kuh.

Aber die Juszkowa hörte ihm nicht zu.

Sie drehte sich um und schlurfte an Unrat und Zerstörung vorbei über den Hof durch das fenster- und türenlose Haus, daß es dem Juszko fast die Besinnung nahm. Plötzlich aber hörte er sie schreien, grell und maßlos. Er fand sie im Garten auf dem Bauch liegen, die Arme um einen Blumenkasten geschlungen. Ihre Lippen, von Erde und Tränen verschmiert, küßten in schneller Abfolge und mit großer Zärtlichkeit die kleinen Blüten der Krokusse, die — noch von der deutschen Bäuerin im Herbst gesteckt — jetzt blau, gelb und weiß aus der Erde wuchsen.

Moi dzieci — meine Kinder, murmelte sie — moi dzieci!

Sei still, Mutter, sagte Juszko entsetzt und hob ihren Kopf aus dem Blumenkasten. Da lächelte sie, nicht viel, unter Tränen.

Ist gut, Vater, flüsterte sie, wir bleiben hier — hier, wo unsere Kinder sind!

1974

Seit Ludwig denken konnte, hatte er sich zu Hause Besuch gewünscht. Viele Leute, die lachten, Wodka tranken und sangen, so wie er es von Boleks Eltern her kannte. Da war immer etwas los!

Nun, heute war auch bei Ludwig zu Hause etwas los. Die Tür wollte nicht stillstehen. Alle wußten es auf der Straße.

Die Dudas hatten ihre Ausreisepapiere bekommen. Die Dudas fühlten sich als Deutsche, wie Pan Duda plötzlich zugab. Die Dudas hatten eine Tante in der Bundesrepublik. Die Dudas ließen alles da. Die Dudas verkauften und verschenkten, was nicht niet- und nagelfest war.

Ludwig sah zu, wie die Nachbarn geschwätzig das wegtrugen, was seit zwölf Jahren zu seinem Leben gehört hatte, zu der Mutter und zu dem Vater.

Na, Lutko, sagte die Matka von Bolek, wer wird denn so ein Gesicht machen? Sie streichelte im Vorübergehen seinen Hinterkopf, während sie in Körben und Kisten seine Kinderwelt aus der Haustür schob. Drüben in der Bundesrepublik wirst du viel schönere Sachen haben! Freilich, freilich, fiel die Mutter ein und zog ihren Ludwig an die Brust, zu Hause in Deutschland ist alles besser! Aber weil sie es auf deutsch sagte, verstand er sie nicht.

Traurig war es zu sehen, wie da aus dem Lutek ein Ludwig gemacht wurde, ohne daß dieser sein Glück zu kapieren schien. Im Gegenteil, er stellte einen Trübsinn zur Schau, als hätte er seine Zukunft schon hinter sich.

Als im Sommer des Jahres 1974 Herr und Frau Duda mit Sohn Ludwig das Friedlandlager verließen, sagte die Mutter zum Sohn: Wenn wir unter Leute kommen, ist es besser, du machst den Mund nicht auf, schließlich sind wir Deutsche!

Von da an sagte der Ludwig kein Wort mehr und dachte ohne Erfolg darüber nach, wieso er in Polen ein Deutscher und in Deutschland ein Pole war, aber nicht in Polen ein Pole und in Deutschland ein Deutscher sein konnte.

Sprachlos drückte er sich durch die Straßen, und mit der Zeit wuchsen ihm die Lippen zusammen. Seine Ohren gewöhnten sich das Hören ab, und so blieb ihm nichts weiter übrig als nur noch zu betrachten, was andere besaßen und was bei ihm irgendwo auf der Strecke geblieben war — das Zuhause!

CHRISTA WOLF

Das Vergangene ist nicht tot

Das Vergangene ist nicht tot; es ist nicht einmal vergangen. Wir trennen es von uns ab und stellen uns fremd.

Frühere Leute erinnerten sich leichter: eine Vermutung, eine höchstens halbrichtige Behauptung. Ein erneuter Versuch, dich zu verschanzen. Allmählich, über Monate hin, stellte sich das Dilemma heraus: sprachlos bleiben oder in der dritten Person leben, das scheint zur Wahl zu stehen. Das eine unmöglich, unheimlich das andere. Und wie gewöhnlich wird sich ergeben, was dir weniger unerträglich ist, durch das, was du machst. Was du heute, an diesem trüben 3. November des Jahres 1972, beginnst, indem du, Packen provisorisch beschriebenen Papiers beiseite legend, einen neuen Bogen einspannst, noch einmal mit der Kapitelzahl 1 anfängst. Wie so oft in den letzten eineinhalb Jahren, in denen du lernen mußtest: die Schwierigkeiten haben noch gar nicht angefangen. Wer sich unterfangen hätte, sie dir der Wahrheit nach anzukündigen, den hättest du, wie immer, links liegenlassen. Als könnte ein Fremder, einer, der außen steht, dir die Rede abschneiden.

Im Kreuzverhör mit dir selbst zeigt sich der wirkliche Grund der Sprachstörung: Zwischen dem Selbstgespräch und der Anrede findet eine bestürzende Lautverschiebung statt, eine fatale Veränderung der grammatischen Bezüge. Ich, du, sie, in Gedanken ineinanderschwimmend, sollen im ausgesprochenen Satz einander entfremdet werden. Der Brust-Ton, den die Sprache anzustreben scheint, verdorrt unter der erlernten Technik der Stimmbänder. Sprach-Ekel. Ihm gegenüber der fast unzähmbare Hang zum Gebetsmühlengeklapper: in der gleichen Person.

Zwischenbescheide geben, Behauptungen scheuen, Wahrnehmungen an die Stelle der Schwüre setzen; ein Verfahren, dem Riß, der durch die Zeit geht, die Achtung zu zollen, die er verdient.

In die Erinnerung drängt sich die Gegenwart ein und der heutige Tag ist schon der letzte Tag der Vergangenheit. So würden wir uns unaufhaltsam fremd werden ohne unser Gedächtnis an das, was wir getan haben, an das, was uns zugestoßen ist. Ohne unser Gedächtnis an uns selbst.

Und die Stimme, die es unternimmt, davon zu sprechen.

Damals, im Sommer 1971, gab es den Vorschlag, doch endlich nach L., heute G., zu fahren, und du stimmtest zu.

Obwohl du dir wiederholtest, daß es nicht nötig wäre. Aber sie sollten ihren Willen haben. Der Tourismus in alte Heimaten blühte. Zurückkehrende rühmten die fast durchweg freundliche Aufnahme durch die neuen Einwohner der Stadt und nannten Straßenverhältnisse, Verpflegung und Unterkunft »gut«, »passabel«, »ordentlich«, was du dir alles ungerührt anhören konntest. Was die Topographie betreffe, sagtest du, auch um den Anschein wirklichen Interesses zu erwecken, könntest du dich ganz auf dein Gedächtnis verlassen: Häuser, Straßen, Kirchen, Parks, Plätze — die ganze Anlage dieser im übrigen kaum bemerkenswerten Stadt war vollständig und für immer in ihm aufgehoben. Eine Besichtigung brauchtest du nicht. Trotzdem, sagte H. Da fingst du an, die Reise gewissenhaft vorzubereiten. Der visafreie Reiseverkehr war zwar noch nicht eingeführt, aber schon damals wurden die Bestimmungen lax gehandhabt, so daß der nichtssagende Vermerk »Stadtbesichtigung«, in die zweifach auszufertigenden Antragsformulare unter der Rubrik »Begründung« eingetragen, anstandslos durchging. Zutreffende Angaben wie »Arbeitsreise« oder »Gedächtnisüberprüfung« hätten Befremden erregt. (Besichtigung der sogenannten Vaterstadt!) Die neuen Paßfotos fandet ihr — im Gegensatz zu den Angestellten der Volkspolizeimeldestelle — euch unähnlich, eigentlich abscheulich, weil sie dem Bild, das ihr von euch hattet, um den entscheidenden nächsten Altersschritt voraus waren. Lenka war, wie immer, gut getroffen, nach eurer Meinung. Sie selbst verdrehte die Augen, um sich zu ihren Fotos nicht äußern zu müssen.

Während die Anträge auf Ausreise und bei der Industrie- und Handelsbank die Gesuche um Geldumtausch liefen, bestellte Bruder Lutz in der Stadt, die in deinen Formularen zweisprachig, unter verschiedenen Namen auftauchte, als »Geburtsort« L. und als »Reiseziel« G., vorsichtshalber telegrafisch Hotelzimmer, denn ihr kennt in deiner Heimatstadt keine Menschenseele, bei der ihr hättet übernachten können. Fristgerecht konntet ihr sowohl die Anlagen zum Personalausweis als auch die dreimal dreihundert Zloty in Empfang nehmen, und du verrietest dich erst am Vorabend des geplanten Reisetages, als Bruder Lutz anrief und mitteilte, er habe es nicht geschafft, seine Papiere abzuholen: Da machte es dir nicht das geringste aus, eine ganze Woche später zu fahren.

Es war dann also Sonnabend, der 10. Juli 1971, der heißeste Tag dieses Monats, der seinerseits der heißeste Monat des Jahres war. Lenka, noch nicht fünfzehn und an Auslandsreisen gewöhnt, erklärte auf Befragen höflich, ja, sie sei neugierig, es interessiere sie, doch, ja. H., sowenig ausgeschlafen wie du selbst, setzte sich ans Steuer.

An der verabredeten Stelle beim Bahnhof Schönefeld stand Bruder Lutz. Er bekam den Platz neben H., du saßest hinter ihm, Lenkas Kopf auf deinem Schoß, die, eine Gewohnheit aus Kleinkindertagen, bis zur Grenze schlief.

Frühere Entwürfe fingen anders an: mit der Flucht — als das Kind fast sechzehn war — oder mit dem Versuch, die Arbeit des Gedächtnisses zu beschreiben, als Krebsgang, als mühsame rückwärts gerichtete Bewegung, als Fallen in einen Zeitschacht, auf dessen Grund das Kind in aller Unschuld auf einer Steinstufe sitzt und zum erstenmal in seinem Leben in Gedanken zu sich selbst ICH sagt. Ja: am häufigsten hast du damit angefangen, diesen Augenblick zu beschreiben, der, wie du dich durch Nachfragen überzeugen konntest, so selten erinnert wird. Du aber hast eine wenn auch abgegriffene Original-Erinnerung zu bieten, denn es ist mehr als unwahrscheinlich, daß ein Außenstehender dem Kind zugesehen und ihm später berichtet haben soll, wie es da vor seines Vaters Ladentür saß und in Gedanken das neue Wort ausprobierte, ICH ICH ICH ICH ICH, jedesmal mit einem lustvollen Schrecken, von dem es niemandem sprechen durfte. Das war ihm gleich gewiß.

Nein. Kein fremder Zeuge, der so viele unserer Erinnerungen an die frühe Kindheit, die wir für echt halten, in Wirklichkeit überliefert hat. Die Szene ist legitimiert. Die Steinstufe (es gibt sie ja, du wirst sie nach sechsunddreißig Jahren wiederfinden, niedriger als erwartet: Aber wer wüßte heutzutage nicht, daß Kindheitsstätten die Angewohnheit haben zu schrumpfen?). Das unregelmäßige Ziegelsteinpflaster, das zu des Vaters Ladentür führt, Pfad im grundlosen Sand des Sonnenplatzes. Das Spätnachmittagslicht, das von rechts her in die Straße einfällt und von den gelblichen Fassaden der Pflesserschen Häuser zurückprallt. Die steifgliedrige Puppe Lieselotte mit ihren goldblonden Zöpfen und ihrem ewigen rotseidenen Volantkleid. Der Geruch des Haares dieser Puppe, nach all den Jahren, der sich so deutlich und unvorteilhaft von dem Geruch der echten, kurzen dunkelbraunen Haare der viel älteren Puppe Charlotte unterschied, die von der Mutter auf das Kind gekommen war, den Namen der Mutter trug und am meisten geliebt wurde. Das Kind selbst aber, das zu erscheinen hätte? Kein Bild. Hier würde die Fälschung beginnen. Das Gedächtnis hat in diesem Kind gehockt und hat es überdauert. Du müßtest es aus einem Foto ausschneiden und in das Erinnerungsbild einkleben, das dadurch verdorben wäre. Collagen herstellen kann deine Absicht nicht sein.

Vor dem ersten Satz wäre hinter den Kulissen alles entschieden. Das Kind würde die Regieanweisungen ausführen: man hat es ans

Gehorchen gewöhnt. Sooft du es brauchtest — die ersten Anläufe werden immer verpatzt —, würde es sich auf die Steinstufe niederhocken, die Puppe in den Arm nehmen, würde, verabredungsgemäß, in vorgeformter innerer Rede darüber staunen, daß es zum Glück als die echte Tochter seiner Eltern, des Kaufmanns Bruno Jordan und seiner Ehefrau Charlotte, und nicht etwa als Tochter des unheimlichen Kaufmanns Rambow von der Wepritzer Chaussee auf die Welt gekommen ist. (Kaufmann Rambow, der den Zuckerpreis von achtunddreißig Pfennig für das Pfund um halbe oder ganze Pfennige unterbot, um die Jordansche Konkurrenz am Sonnenplatz auszustechen: Das Kind weiß nicht, wie seine Beklemmung vor Kaufmann Rambow entstanden ist.) Aus dem Wohnzimmerfenster hätte die Mutter nun das Kind zum Abendbrot zu rufen, wobei sein Name, der hier gelten soll, zum erstenmal genannt wird: Nelly! (Und so, nebenbei, auch der Taufakt vollzogen wäre, ohne Hinweis auf die langwierigen Mühen bei der Suche nach passenden Namen.)

Nelly hat nun hineinzugehen, langsamer als gewöhnlich, denn ein Kind, das zum erstenmal in seinem Leben einen Schauder gespürt hat, als es ICH dachte, wird von der Stimme der Mutter nicht mehr gezogen wie von einer festen Schnur. Das Kind geht am Eckschaufenster des väterlichen Ladens vorbei, das mit Kathreiner-Malzkaffee-Päckchen und Knorr's Suppenwürsten dekoriert sein mag und das heute (du weißt es, seit jenem Julisonnabend des Jahres 71) zu einer Garageneinfahrt erweitert ist, in der vormittags um zehn, als ihr ankamt, ein Mann im grünen Arbeitshemd mit aufgekrempelten Ärmeln sein Auto wusch. Ihr zogt den Schluß, daß alle die Menschen, die jetzt am Sonnenplatz wohnen — auch jene aus den neugebauten Häusern —, im Genossenschaftsladen unten an der Wepritzer Chaussee kaufen, ehemals Kaufmann Rambow. (Wepritz heißt Weprice, wie es vermutlich auch früher geheißen hat, denn selbst in deiner Schulzeit wurde zugegeben, daß Ortsnamensendungen auf -itz und -ow auf slawische Siedlungsgründungen hindeuten.) Das Kind, Nelly, biegt um die Ecke, steigt die drei Stufen hoch und verschwindet hinter seiner Haustür, Sonnenplatz 5.

Da hättest du es also. Es bewegt sich, geht, liegt, sitzt, ißt, schläft, trinkt. Es kann lachen und weinen, Sandkuten bauen, Märchen anhören, mit Puppen spielen, sich fürchten, glücklich sein, Mama und Papa sagen, lieben und hassen und zum lieben Gott beten. Und das alles täuschend echt. Bis ihm ein falscher Zungenschlag unterliefe, eine altkluge Bemerkung, weniger noch: ein Gedanke, eine Geste, und die Nachahmung entlarvt wäre, auf die du dich beinahe eingelassen hättest.

Weil es schwerfällt, zuzugeben, daß jenes Kind da — dreijährig, schutzlos, allein — dir unerreichbar ist. Nicht nur trennen dich von ihm die vierzig Jahre; nicht nur behindert dich die Unzuverlässigkeit deines Gedächtnisses, das nach dem Inselprinzip arbeitet und dessen Auftrag lautet: Vergessen! Verfälschen! Das Kind ist ja auch von dir verlassen worden. Zuerst von den anderen, gut. Dann aber auch von dem Erwachsenen, der aus ihm ausschlüpfte und es fertigbrachte, ihm nach und nach alles anzutun, was Erwachsene Kindern anzutun pflegen: Er hat es hinter sich gelassen, beiseite geschoben, hat es vergessen, verdrängt, verleugnet, umgemodelt, verfälscht, verzärtelt und vernachlässigt, hat sich seiner geschämt und hat sich seiner gerühmt, hat es falsch geliebt und hat es falsch gehaßt. Jetzt, obwohl es unmöglich ist, will er es kennenlernen.

Auch der Tourismus in halbversunkene Kindheiten blüht, wie du weißt, ob dir das paßt oder nicht. Dem Kind ist es gleichgültig, warum du diese Such- und Rettungsaktion nach ihm startest. Es wird unbetroffen dasitzen und mit seinen drei Puppen spielen (die dritte, Ingeborg, ist eine Babypuppe aus Zelluloid, ohne Haar, mit einem himmelblauen Strampelanzug aus Flanell). Die Hauptmerkmale der verschiedenen Lebensalter sind dir geläufig. Ein dreijähriges normal entwickeltes Kind trennt sich von der dritten Person, für die es sich bis jetzt gehalten hat. Woher aber dieser Stoß, den das erste bewußt gedachte ICH ihm versetzt? (Alles kann man nicht behalten. Warum aber dies? Warum nicht, zum Beispiel, die Geburt des Bruders, kurze Zeit später?) Warum sind Schreck und Triumph, Lust und Angst für dieses Kind so innig miteinander verbunden, daß keine Macht der Welt, kein chemisches Labor und gewiß auch keine Seelenanalyse sie je wieder voneinander trennen werden?

Das weißt du nicht. Alles Material, aufgehäuft und studiert, beantwortet solche Fragen nicht. Doch sage nicht, es war überflüssig, wochenlang in der Staatsbibliothek die tief verstaubten Bände deiner Heimatzeitung durchzusehen, die sich, zu deinem und der hilfsbereiten Bibliothekarin ungläubigem Staunen, tatsächlich im Magazin gefunden hatten. Oder im ›Haus des Lehrers‹ zu jenem streng versiegelten Raum vorzudringen, wo bis an die Decke die Schulbücher deiner Kindheit gestapelt sind, als Gift sekretiert, nur gegen Vorlage einer Sonderbescheinigung entleihbar: Deutsch, Geschichte, Biologie.

Erinnerst du dich, was Lenka sagte, nachdem sie die Seiten im Biologiebuch der zehnten Klasse betrachtet hatte, auf denen Vertreter niederer Rassen — semitischer, ostischer — abgebildet sind? Sie sagte nichts. Sie gab dir wortlos das Buch zurück, das sie heimlich genommen hatte, und äußerte kein Verlangen, es noch einmal zu haben. Dir kam es vor, als betrachte sie dich an diesem Tag anders als sonst.)

Erinnerungshilfen. Die Namenslisten, die Stadtskizzen, die Zettel mit mundartlichen Ausdrücken, mit Redewendungen im Familienjargon (die übrigens nie benutzt wurden), mit Sprichwörtern, von Mutter oder Großmutter gebraucht, mit Liedanfängen. Du begannst Fotos zu sichten, die nur spärlich zur Verfügung stehen, denn das dicke braune Familienalbum wurde wahrscheinlich von den späteren Bewohnern des Hauses an der Soldiner Straße verbrannt. Nicht zu reden von der Unzahl von Zeitinformationen, die einem, wenn man darauf achtet, aus Büchern, Fernsehsendungen und alten Filmen zufließt: Umsonst war das alles sicher nicht. Wie es nicht umsonst sein mag, gleichzeitig den Blick für das, was wir »Gegenwart« nennen, zu schärfen. »Massive Bombenangriffe der USA-Luftwaffe auf Nordvietnam.« Auch das könnte ins Vergessen sinken.

Auffallend ist, daß wir in eigener Sache entweder romanhaft lügen oder stockend und mit belegter Stimme sprechen. Wir mögen wohl Grund haben, von uns nichts wissen zu wollen (oder doch nicht alles — was auf das gleiche hinausläuft). Aber selbst wenn die Hoffnung gering ist, sich allmählich freizusprechen und so ein gewisses Recht auf den Gebrauch jenes Materials zu erwerben, das unlösbar mit lebenden Personen verbunden ist — so wäre es doch nur diese geringfügige Hoffnung, die, falls sie durchhält, der Verführung zum Schweigen und Verschweigen trotzen könnte.

Sowieso bleibt zunächst vielerlei Unverfängliches zu beschreiben. Nimm bloß den Sonnenplatz, dessen alten Namen du, nicht ohne Rührung, ins Polnische übersetzt auf den neuen blauen Straßenschildern wiederfandest. (Alles, was verwendbar geblieben war, freute dich, besonders Namen; denn zu vieles, Namen wie Adolf-Hitler-Straße und Hermann-Göring-Schule und Schlageterplatz, war unverwendbar für die neuen Bewohner der Stadt.) Mag sein, der Platz war auch früher schon ein bißchen schäbig. Stadtrand eben. Zweistöckige Wohnblocks der GEWOBA (ein Zauberwort, dessen Entschlüsselung als GEMEINNÜTZIGE WOHNUNGSBAUGENOSSENSCHAFT Nelly enttäuschte), Anfang der Dreißiger Jahre in den weißen Flugsand der Endmoräne gesetzt, die die Wepritzer Berge, geologisch gesehen, darstellten. Eine windige Angelegenheit — dies die Ausdrucksweise der Mutter —, denn die Sandwüste war so gut wie immer in Bewegung. Bei jedem Sandkorn, das dir zwischen die Zähne gerät, schmeckst du den Sand vom Sonnenplatz. Nelly hat ihn oft zu Kuchen verbacken und gegessen. Sand reinigt den Magen.

An jenem glutheißen Sonnabend des Jahres 71: Kein Hauch. Kein Stäubchen, das sich gerührt hätte. Ihr kamt, wie auch früher immer, von »unten«, das heißt von der Chaussee her, wo unter mächtig erstarkten Linden die Line 1 der Städtischen Straßenbahn endet, auf der immer noch die alten rotgelben Wagen ihren Dienst versehen. Das Auto hattet ihr an der Straße, vor der Südflanke der Pflesserschen Häuser abgestellt, die — mögen sie heute heißen, wie sie wollen — als riesiges Quadrat von zweihundert Meter Seitenlänge einen sehr großen Innenhof umschließen, in den ihr, den Sonnenweg hinaufgehend, den gewohnten Einblick durch Torbögen hattet: Alte Leute sitzen auf Bänken und sehen Kindern beim Spielen zu. Feuerbohnen und Ringelblumen.

Wie einst — als in diesen Häusern, die ungestört um fast vierzig Jahre gealtert waren, Bruno Jordans schlecht zahlende Kundschaft wohnte — galt das Verbot, einen dieser Torbögen zu durchschreiten, einen dieser Höfe zu betreten. Daß kein GEWOBA-Kind seinen Fuß ungestraft auf Pflesserschen Grund setzte, war ein für allemal ausgemacht durch ein ungeschriebenes Gesetz, das keiner verstand und jeder hielt. Der Bann war gebrochen, der Haß zwischen den Kinderbanden vergangen. Doch an Stelle der Pfiffe und Steinwürfe der »Pflesserschen« bewachten die stummen Blicke der Alten auf den Bänken ihre Höfe vor Fremden. Die alte Sehnsucht, einmal auf einer von diesen Bänken zu sitzen, über die Jahre hin lebendig geblieben, war heute so unerfüllbar wie einst, mochten die Gründe dafür gewechselt haben.

Merkwürdig, daß Bruder Lutz, der um vier Jahre Jüngere, diese Scheu nicht nur verstand, sondern zu teilen schien, denn er war es, der Lenka zurückhielt, als sie unbefangen durch den Torweg gehen wollte, der Beat-Musik nach, die von den Höfen kam, gezogen von der Lust auf Gleichaltrige. Laß, sagte Lutz, bleib hier. — Aber warum denn bloß? — Besser so. Im Weitergehen rechnetest du ihm vor, daß er mit genau vier Jahren den Sonnenplatz verlassen und ihn, da kein Anlaß vorlag, später nicht wieder besucht habe. Ja, sagte er, ohne sich zu einer Erklärung dafür herbeizulassen, woher er wußte, daß man die Pflesserschen Höfe nicht betreten darf.

Nicht daß es an Aufforderungen dazu gefehlt hätte. Nelly hätte an der Seite ihres Vaters, der sie, anders als die Mutter, gerne beizeiten in die »Usancen« des praktischen Lebens einführte, sonntagvormittags, wenn er mit seinem dicken schwarzen Kontobuch Schulden eintreiben ging, in jeden der übelriechenden Hausflure und in jeden beliebigen feuerbohnenbewachsenen Hof eintreten können. Aber aus übertriebenem Schamgefühl, das sie, wie alle Jordans fanden, von ihrer Mutter hatte, weigerte sie sich glatt, den Vater auf diesen Gängen zu begleiten; wie sie auch dem Ansinnen, bei Taufen, Konfirmationen, Hochzeiten und Beerdigungen im Kundenkreis Blumentöpfe und Gratulations- beziehungsweise Beileidskarten auszutragen, dickköpfig Widerstand entgegensetzte.

Gedächtnis. Im heutigen Sinn: »Bewahren des früher Erfahrenen und die Fähigkeit dazu.« Kein Organ also, sondern eine Tätigkeit und die Voraussetzung, sie auszuüben, in einem Wort. Ein ungeübtes Gedächtnis geht verloren, ist nicht mehr vorhanden, löst sich in nichts auf, eine alarmierende Vorstellung. Zu entwickeln wäre also die Fähigkeit des Bewahrens, des Sich-Erinnerns. Vor deinem inneren Auge erscheinen Geisterarme, die in einem trüben Nebel herumtasten, zufällig. Du besitzt die Methode nicht, systematisch durch alle Schichten durchzudringen bis zum Grund, Energie wird verpulvert, ohne einen anderen Erfolg als den, daß du müde wirst und dich am hellerlichten Vormittag schlafen legst. Da kommt deine Mutter und setzt sich, obwohl sie ja tot ist, zu euch allen in das große Zimmer, ein insgeheim erwünschter Vorgang. Die ganze Familie ist versammelt, Lebende und Tote. Du bist die einzige, die die einen von den anderen unterscheiden kann, mußt aber selber in die Küche gehen, den großen Abwasch machen. Die Sonne scheint herein, aber du bist traurig und verschließt die Tür, damit niemand kommen und dir helfen kann.

Plötzlich ein Schreck bis in die Haarspitzen: Auf dem Tisch im großen Zimmer das Manuskript, auf dessen erster Seite in großen Buchstaben nur das Wort »Mutter« steht. Sie wird es lesen, wird deinen Plan vollständig erraten und sich verletzt fühlen ...

(Damit beginnen, riet H. Du weigertest dich. Mag sich ausliefern, wer will. Es war der Januar 1971. Du gingst in alle Sitzungen, Beiräte, Präsidien und Vorstände, die sich in jedem neuen Jahr zu fieberhafter Tätigkeit getrieben fühlen. Der Staub auf dem Schreibtisch blieb liegen, natürlich kam es zu Vorwürfen, die du nur zurückweisen konntest: mit dem Hinweis auf unabweisbare Verpflichtungen.)

Der Sonnenplatz ist, soviel du weißt, in deinen Träumen niemals vorgekommen. Nie hast du im Traum vor diesem Eckhaus Nummer 5 gestanden, das heute, sachlich den Tatsachen Rechnung tragend, diese seine Nummer zweimal bekanntgibt: durch die altbekannte, verwitterte, mit Zement an die Hauswand gespritzte 5 und gleich daneben durch das neue weiße Emailleschild mit derselben Zahl in Schwarz. Nie hast du von den roten Geranien geträumt, die heute wie damals vor fast allen Fenstern blühen oder blühten. Ungewohnt nur die weißen Sonnenlaken hinter den Scheiben. Charlotte Jordan hatte für ihr Wohnzimmerfenster die modernen Gitterstores angeschafft. Keine Erinnerung an die Gardine des Elternschlafzimmers. Im Kinderzimmer hing jener blau-gelb gestreifte Vorhang, der das Morgenlicht so filterte, daß Nelly lustvoll erwachte. Wenn nicht, wie einmal in Nellys fünftem Lebensjahr, sich in eben diesem Dämmerlicht ein Mörder in das Zimmer geschlichen hat, ein buckliges Männchen (»Will ich in mein Stüblein gehn, will mein Müslein essen, steht ein bucklig Männlein da, hat's schon halber gessen«), sich über das Kopfende von Brüderchens Holzgitterbett beugt, ein blankes Messer in der Hand hält, dessen Spitze sich schon gegen das Herz des Bruders richtet und es durchbohren wird — es sei denn, Schwester Nelly höre in letzter Sekunde auf, sich schlafend zu stellen, fasse Mut (o mein Gott, sie tut es!) und schleiche sich unendlich langsam, unendlich vorsichtig hinter dem Rücken des Mörders hinaus in den Flur, alarmiere die Mutter, die im Unterrock, ungläubig, aus dem Badezimmer kommt und lachend mit einer Hand den Kleiderhaufen zusammenstukt, der sich auf der Stuhllehne an des Bruders zu einem Kapuzenmännchen aufgetürmt hat. (Sollte das die erste Erinnerung an den Bruder sein?)

Nicht erzählt wird, daß die Mutter Nellys Wange tätschelt, sie halb mitleidig »brav« nennt, weil sie so an dem Brüderchen hängt, sich so ängstigt; daß Nelly in Tränen ausbricht, obgleich jetzt »alles gut« ist. Wie konnte alles gut sein, wenn sie selbst nicht gut war.

In das Haus seid ihr nicht hineingekommen. Ohne ersichtlichen Grund bliebst du links von der Treppe stehen, an den neuen achtekkigen Peitschenmast gelehnt, dicht neben dem verfallenen niedrigen Lattenzaun, hinter dem ein Rest von Vorgarten sich erhält. Die Frau mit dem Kind auf dem Schoß, die auf der obersten Treppenstufe saß, hätte euch den Eintritt nicht verwehrt. Sie mag sich gedacht haben, warum ihr, halblaut in der ihr fremden Sprache miteinander redend, ein paar Fotos machtet, auf denen du jetzt, so scharf sind sie, die Stufen vor der rotbraunen Haustür nachzählen kannst: Es sind fünf. Du kannst auch, wenn es darauf ankäme, das Kennzeichen des Autos feststellen, das in dem zur Garage erweiterten ehemaligen Schaufenster gewaschen wird: ein alter Warszawa mit der Nummer ZG 84-61; und — wenn auch die Bildschärfe im Hintergrund nachläßt — du kannst auf dem an der Hauswand angebrachten Straßenschild die polnische Schreibweise des Wortes »Sonnenplatz« erahnen: Plac Słoneczny, was du ohne Vermittlung durch das Russische kaum entziffert hättest.

Insgeheim arbeitest du, während du scheinbar unbeweglich dastehst, an der Zimmereinrichtung der Wohnung im Hochparterre links, von der sich trotz angestrengter Konzentration nur eine lükkenhafte Vorstellung herstellen will. Orientierung in Räumen ist deine starke Seite nie gewesen. Bis dir »zufällig« — Zufall nie anders als zwischen Anführungszeichen — jener bucklige Brudermörder erschien und dich einschleuste in das Kinderzimmer, in dem rechts neben der Tür also des Bruders Bett steht, links der weiße Schrank, an dem Nelly sich vorbeidrückt, hinaus in den Korridor, auf den aus der Badezimmertür schräg gegenüber das gelbe Licht fällt.

Und so weiter. Die Frau auf der Treppe — wie grüßt man auf polnisch? — wirst du nicht behelligen müssen. Ungesehen kannst du dich in die vergessene Wohnung einschleichen, ihren Bauplan ausspionieren, indem du dich den alten unplanmäßig ausbrechenden Leidenschaften noch einmal überläßt. So wirst du sehen, was das drei-, fünf-, siebenjährige Kind sah, wenn es vor Angst, Enttäuschung, Freude oder Triumph bebte.

Die Probe: Das Wohnzimmer. Am Ende des Flurs, das ist gesichert. Vormittagslicht. Die Wanduhr rechts hinter dem hellbraunen Kachelofen. Der kleine Zeiger rückt auf die Zehn. Das Kind hält die Luft an. Als die Uhr zu schlagen anhebt, ein helles, eiliges Schlagen, schneidet Nelly ihre gräßlichste Fratze; hofft und fürchtet, Frau Elste möge recht behalten mit ihrer Drohung: daß einem »das Gesicht stehenbleibt«, wenn die Uhr schlägt. Der Heidenschreck, den alle kriegen würden, voran die Mutter. Auf einmal würde man sie um ihr richtiges Gesicht anflehn; dann, wenn alles nichts half, steckte man sie wohl ins Bett und telefonierte nach Doktor Neumann, der so geschwind wie der Wind in seinem kleinen Auto vorfuhr und seine riesenlange Gestalt über ihr Bett beugte, um überrascht das stehengebliebene Gesicht zu betrachten, dem Kind das Fieber zu messen und Schwitzpackungen zu verordnen, die das Gesicht wieder auftauen sollten: Kopf hoch, Homunkulus, das kriegen wir. Jedoch sie kriegten es nicht, und man mußte sich daran gewöhnen, daß ihr weiches, liebes, gehorsames Gesicht gräßlich blieb. Der Mensch ist ein Gewohnheitstier, sagte Frau Elste.

Die Uhr hat zu Ende geschlagen, Nelly rennt zum Flurspiegel und glättet mühelos das Gesicht. (Da stand also schon die weiße Flurgarderobe mit dem viereckigen Spiegel.) Der Antwort auf die brennende Frage, ob Liebe wirklich um kein Stück kleiner wird, wenn man sie unter mehrere aufteilt, ist sie nicht nähergekommen. Dummchen, sagt die Mutter, meine Liebe reicht doch für dich und das Brüderchen. Die Butter, die sie im Laden verkaufte, reichte auch nicht für alle, denn Lieselotte Bornow aß Margarinestullen.

Jetzt steht Nelly am Küchentisch (die einzige Gelegenheit, einen Blick in die Küche zu werfen, auf den mit grünem Linoleum bezogenen Tisch vor dem Fenster), beißt in das große gelbe Butterstück, fühlt den Klumpen im Mund schmelzen und als mildes fettiges Bächlein durch die Kehle rinnen, noch einmal, lutscht den Rest aus der Hand und leckt und schluckt, bis nichts mehr übrig ist.

Da war das Glück schon vorbei. Sie wurde nicht groß und stark und sofort erwachsen. Ihr war übel. Die herrliche gelbe Gier wurde ihr als Fettmangel ausgelegt und in viele widerwärtige Butterbrote zerstückelt. Die mußte sie aufessen, während Frau Elste am Kinderzimmertisch die Wäsche bügelte und ihr beibrachte, wie man Herrentaschentücher zusammenlegt: So, so, so und so — fertig. Wenn Frau Elste sang: Morgenrohot, Morgenrohot, leuchtest mir zum frühen Tohod, quollen ihre sanften braunen Augen gegen ihren Willen beängstigend hervor, und die tennisballgroße Geschwulst an ihrem Hals vollführte die merkwürdigsten, auch für Frau Elste selbst unvorhersehbaren Bewegungen.

Die Lage der Räume hinter jenen drei Fenstern im Hochparterre ist so gut wie aufgeklärt, ewig kann man sowieso nicht hier stehenbleiben. Langsam setzt ihr euch in Richtung Wepritzer Berge in Bewegung. Blindschleichen! Hat jemand Blindschleichen gesagt? In den Wepritzer Bergen soll es vor Blindschleichen nur so gewimmelt haben, wenn man Frau Busch glauben wollte. (Die Buschen! Zum erstenmal seit sechsunddreißig Jahren erscheint die redselige Mutter von Ella Busch aus den Pflesserschen Häusern, verzieht mokant den Mund: Aber Mädel, Blindschleichen sind doch nicht blind!) Doch entging den Leuten, daß sie niemals eine einzige von all den Blindschleichen zu sehen, geschweige denn zu fassen kriegten. Die einzige Erklärung dafür lag auf der Hand: Die Blindschleichen waren verwunschene Königskinder, die sich versteckt hielten, zierliche goldene Krönchen auf ihren fingerschmalen Schlangenköpfchen balancierten und mit gespaltener Zunge lispelnd nach ihren ebenfalls verwunschenen Geliebten riefen.

Daß sie sich für blind ausgaben, bewies nichts als ihre verzweifelte Lage. Unsichtbar, das blieben sie allerdings, und das war nur allzu verständlich. Denn Nelly selbst sehnte sich inständig nach einer Tarnkappe, die ihr helfen könnte, Ungeheuern, bösen Menschen, Zauberern und Hexen zu entkommen, vor allem aber der eigenen aufdringlichen Seele. Die — bleich, blinddarmähnlich, sonst in Magennähe placiert — würde, des Körpers beraubt, allein, nackt und bloß in der Luft schweben, so daß man sie schadenfroh betrachten konnte.

Vielleicht käme die Feuerwehr, wie bei Frau Kaslitzkis entflohenem Wellensittich, um die unstete Seele einzufangen. Alle Welt würde sich auf die Suche nach dem Körper machen, in den die Seele gehörte. Nelly aber würde ihre Seele zu den verwunschenen Blindschleichen schicken und sie dort ihrem überaus öden Schicksal überlassen, während sie selbst, wie eben jetzt, in ihrem Bett liegen und unangefochten grelle, wilde, verbotene Gedanken denken konnte. Nichts würde von nun an in ihr zucken, wenn sie log, nichts sich vor Angst zusammenziehn können oder sich winden, wenn sie sich selbst so leid tun mußte, weil sie womöglich doch ein vertauschtes Kind war: Fundevogel, heimatlos, ungeliebt trotz aller Beteuerungen. (Auch wenn sie im Märchenbuch die Seite überschmiert hat, auf der die Eltern von Hänsel und Gretel den Plan aushecken, ihre Kinder in den Wald zu führen: Wort für Wort steht das ungeheuerliche Gespräch in ihrem Innern, so daß sie abends lauschen muß, wenn das wirkliche Leben der Erwachsenen beginnt, was im Wohnzimmer gesprochen werden mag.)

Ja: Der eigenen Seele ledig sein, der Mutter dreist in die Augen blicken können, wenn sie abends am Bett sitzt und wissen will, ob man ihr alles gesagt hat: Du weißt doch, daß du mir jeden Abend alles sagen sollst? Frech zu lügen: Alles, ja! Und dabei heimlich zu wissen: Niemals mehr alles. Weil es unmöglich ist.

Das vernünftige Kind vergißt seine ersten drei Jahre. Aus dem mit leuchtenden Figuren besetzten Dickicht der Märchen tritt es mit ehrpusseligem Gesicht vor die Fotolinse. Irgendwann hat es erfahren, daß Gehorchen und Geliebtwerden ein und dasselbe ist. Entstellt durch jene Frisur, die man »Schlummerrolle« nennt, mit dem roten Bleyle-Pullover angetan, neben dem Kinderwagen des Bruders aufgebaut. Ein dümmliches Grinsen, Grimasse für Schwesternliebe. Das Gedächtnis, auf die rechte Weise genötigt (das heißt, nicht mit Strafe, nicht mit Schuldgefühl bedroht), liefert Indizien für Bruderzwist, Bruderverrat und Brudermord, rückt aber ums Verrecken kein Bild der schwangeren Mutter heraus, keins von dem neuen Kind an der Mutter Brust. Keine Erinnerung an die Geburt des Bruders.

Da kommt ja auch Schneidermeister Bornow über den Sonnenplatz. Die neuen Häuser sind wie weggeblasen, dafür die alte unkrautbewachsene Einöde, Trampelpfade, Sandkuten. Kinder und Betrunkene haben einen Schutzengel, Schneidermeister Bornow fällt nicht hin. Er verliert auch seine schwarze Schirmmütze mit der Kordel nicht. Über dem Platz ist ein Gesang, der entweicht Schneidermeister Bornow. Durchaus falsch wäre es, zu sagen, Schneidermeister Bornow singt. Denn auf seinem Schneidertisch und auch sonst im Familienkreis singt er niemals, das wäre nicht vorstellbar, Nellys Freundin Lieselotte Bornow gibt es widerwillig zu. König Alkohol ist es, der ihn singen macht, und zum Gespött der Menschheit, sagt die Mutter. Nelly hat ihre eigene Vorstellung. Jeden Sonnabend, denkt sie, wartet der Gesang unten an der Chaussee vor der Eckkneipe auf den Schneidermeister, um sich auf ihm, nur auf ihm, niederzulassen, sobald er aus der Tür tritt — ein großer, schwerer Vogel, dessen Last Herrn Bornow torkeln und schwanken macht und immer ein und dasselbe Lied aus ihm herauspreßt: »Du kannst nicht treu sein, nein, nein, das kannst du nicht, wenn auch dein Mund mir wahre Liebe verspricht.« Eine Klage, die Nelly zu Herzen geht und dieses Lied für immer unter die tragischen Gesänge einreiht. Die Sonne schien auf Herrn Bornow, weißt du noch, und er begann laut zu reden und zu schimpfen, und Lieselotte Bornow kam aus Nummer 6 gerannt, mit ihren dünnen, steif abstehenden Zöpfen, und zog ihren Vater am Ärmel ins Haus, ohne die Freundin eines Blickes zu würdigen. »In deinem Herzen, da ist für viele Platz«, sang Lieselottes Vater, und die Trauer, die ihn pünktlich jeden Sonnabendnachmittag ins Wanken brachte, zog sich auch über Nelly zusammen.

Nein, Lenka kann sich an ihren ersten Betrunkenen nicht erinnern. Ihr nähert euch dem Ende der kurzen GEWOBA-Häuserreihe, dem Rand der bewohnten Welt, damals wie heute. Du erkennst die Empfindung wieder, die jedesmal in Nelly aufkam, wenn sie den Fuß über diesen Rand setzte: ein Gemisch aus Verwegenheit, Neugier, Furcht und Einsamkeit. Du fragst dich, ob Nelly etwas abgegangen wäre, wenn sie in einer Mitte aufgewachsen wäre; hätte sie sich, weil sie diese Empfindung brauchte, ihren Weltrand gemacht? Lieselotte Bornow ist das erste Kind, das sich seines Vaters schämt, zu stolz ist, es zuzugeben, das launisch wird, anmaßend, gierig nach unmäßigen Freundschaftsbeweisen, um im Augenblick, da Nelly sie liefert, die Freundschaft aufzukündigen, dann darunter leidet, wie Nelly, aber nichts daran ändern kann. — Meine erste Erinnerung? Lenka erinnert sich, wie entsetzt sie war, als sie ihr Gesicht im Hohlspiegel ihres Kinderlöffels kopfstehen sah und kein Versuch, es wieder umzudrehen, helfen wollte. H. — das wird eine Umfrage nach den frühesten Erinnerungen deiner Begleiter — H. will sich nicht festlegen. »Am ehesten« häusliche Morgenszenen, Streitigkeiten zwischen den Eltern um zu hart gekochte Eier und verlegte Kragenknöpfe, das Aufatmen der Mutter, wenn der Vater aus dem Hause war und sie sich an die Nähmaschine setzen konnte. Bruder Lutz, nicht gewohnt und nicht gewillt, seinem Gedächtnis auf den Grund zu gehen, sagt nur ein Wort: Masern.

Aber da warst du schon dreieinhalb, sagtest du — und Nelly hat sich die Masern von dir geholt, und es war kurz nach dem Richtfest am neuen Haus, und du mußt doch irgendwas anderes, noch Früheres behalten haben. Tut mir leid, sagte Lutz. Gefühlvolle Einzelheiten könne er seiner Frau Schwester nicht bieten.

Hier, sagtest du dann, fangen also die berühmten Wepritzer Berge an, und du legtest genau so viel Ironie in den Satz, wie nötig war, jeden anderen daran zu hindern, ironisch zu werden. Heute führt unpassenderweise ein Stück Betonpiste direkt zu der nahen Hügelkette, wo irgendein »Objekt« steht und das Profil des Horizonts leider verändert hat. Es hatte wohl keinen Sinn, in die Sandhügel hineinzustiefeln. Ginster gibt es auch anderwärts. Man hatte genug gesehen. Dir ging es auch bloß um die drei Akazien: Ob die drei Akazien noch dastehen. Robinien, vermutete H. auf gut Glück, weil hierzulande Robinien immer für Akazien gehalten werden. Akazien! sagtest du. Sie sollten noch dasein.

Das da vielleicht?

Von den drei Akazien, unter denen Nelly ihre Puppen erzogen und ihr erstes englisches Lied gelernt hat, steht eine, und es ist eine Robinie, worüber H. kein Wort verlor. Die Zeiten, da er mit seinen Naturkenntnissen auftrumpfte, waren lange vorbei. Gleichzeitig zwei sehr unterschiedliche Dinge aus verschiedenen Zeiten: Wie süß der Saft ist, den man als Kind aus den Trichtern der Akazienblüten saugt, und dein beleidigtes Schweigen auf einem frühen Spaziergang mit H., weil er dich, die sich etwas zugute hielt auf ihre Vorliebe für märkische Kiefernwälder, bei einer Verwechslung von Kiefer und Fichte ertappt hatte.

Gesagt hast du zu Lutz, daß deine ersten Erinnerungen an ihn alle mit Unrecht, Mord und Zank zu tun haben.

Da kann man nichts machen, sagte er, erinnerte dich nun aber die große Szene, die unter der Überschrift: Wie Lutz verlorenging und wiedergefunden ward in die Familienchronik eingegangen ist. Jene entsetzliche Stunde, da Nelly, zuerst allein, dann mit der Mutter im wehenden weißen Ladenmantel, schließlich inmitten einer Schar von Nachbarskindern und -frauen, auf der Straße, auf dem Sonnenplatz, in den GEWOBA-Höfen, endlich bis in die Wepritzer Berge hinein den Bruder suchte, alle Stufen von Unruhe über Angst bis zu Hoffnungslosigkeit und Verzweiflung erfuhr und sicher immer den einen Satz wiederholen mußte: Wenn er tot ist, bin ich schuld.

(Dies als erster überlieferter Fall von »Schwarzsehen« bei Nelly, eine Anlage, welche die Mutter ihr vererbt hatte; Bruno Jordan, dem das Bedürfnis abging, verstand darunter die innere Vorwegnahme zukünftiger unglücklicher Vorkommnisse und verwies es seiner Frau zeit ihres Lebens, immer so schwarzzusehen. Wenn du doch bloß nicht immer so schwarzsehen müßtest!)

Nach einer geschlagenen Stunde erst kam jemand auf die Idee, im Kinderzimmer den Tisch vom Sofa wegzurücken, und da lag denn der Bruder in seinen roten Strickhosen, und alle konnten herbeiströmen und sich über den schlafenden Lutz kaputtlachen, der von all dem Lärm nicht wach wurde und der nichts davon hatte, daß die Nachbarn mit Schnaps und die Kinder mit Brause auf sein Wiedererscheinen anstießen. Nelly aber lachte nicht und trank nicht, ihr unverwandt unglückliches Gesicht fing die anderen zu stören an, sie schlich sich weg und heulte, als die Mutter erklärend gesagt hatte, das Mädel hänge nun mal so an dem Jungen, es sei nun mal so gewissenhaft. Daß der Bruder gesund und glücklich war, anstatt tot zu sein, schaffte aber die Tatsache nicht aus der Welt, daß eine Schwester über ihren Schularbeiten den Bruder vergessen konnte, daß sie ihm, kaum von den Büchern aufsehend, ein gleichgültiges »Geh schon raus!« hingeworfen hatte, er aber nicht, wie jeder annahm, eigenmächtig davongeschlichen war.

Doch das Geständnis, das aus der liebevollen, gewissenhaften Schwester ein kleines Ungeheuer gemacht hätte, würde nie über ihre Lippen kommen, soviel wußte sie schon. Und deshalb weinte sie. »Ich bin klein, mein Herz ist rein«, wollte sie am Abend nicht mehr beten. Sie bestand auf »Müde bin ich, geh zur Ruh« — jenem Lied, das Heinersdorf-Großmutter zu singen pflegte, wenn sie ihr langes weißes Nachthemd angezogen, ihren dünnen grauen Zopf heruntergelassen und ihre Zähne in ein Wasserglas gelegt hatte. In der zweiten Strophe gab es die Zeilen, auf die es Nelly nun ankam: »Hab ich Unrecht heut getan, sieh es lieber Gott nicht an.« — Denn mehr, wahrhaftig, durfte sie nicht hoffen.

Nelly im Schulkindalter, ein Vorgriff. Doch irrt sich, wer hofft, das Thema Brudermord könne ein für allemal verlassen werden. Später wird es keine Rolle mehr spielen: vielleicht — aber das mag eine abwegige Vermutung sein — hatte es sich erledigt, als es Nelly gelungen war, den Bruder zu verletzen, als die Erwachsenen ihre Tat endlich ernst nehmen mußten: Lutz, dessen rechter Arm in Kissen gepackt war, leise jammernd, Nelly ihm gegenüber, ihn leise anflehend, doch keine Schmerzen mehr zu haben. Die Mutter, im weißen Ladenmantel wie bei allen Unglücksfällen der Kindheit, die wortlos die Schere nimmt und Pullover und Hemd von des Jungen Arm herunterschneidet, das anschwellende Ellbogengelenk freilegend. Die dann zum Telefon stürzt, verhandelt, wobei das fürchterliche Wort

»Krankenhaus« fällt, das Nelly aus dem Kinderzimmer ins Wohnzimmer treibt, wo sie sich bäuchlings über das Sofa wirft und sich die Ohren zuhält. Die Mutter tritt ein, klopft ihr hart mit zwei Fingern auf die rechte Schulter und sagt einen jener übertriebenen Sätze, zu denen sie damals schon neigt: Du bist schuld, wenn sein Arm steif bleibt.

Schuld ist seitdem: eine schwere Hand auf der rechten Schulter und das Verlangen, sich bäuchlings hinzuwerfen. Und eine mattweiße Tür, hinter der die Gerechtigkeit — die Mutter — verschwindet, ohne daß du ihr folgen, Reue äußern oder Verzeihung erlangen kannst.

Damit wäre die letzte Lücke, die Anordnung der Zimmer in der GEWOBA-Wohnung betreffend, geschlossen: Das Schlafzimmer der Eltern, an das sich keine Erinnerungen wecken läßt, ist vom Wohnzimmer aus zu erreichen, durch eben jene Tür, hinter der die Mutter sich hastig für die Fahrt ins Krankenhaus fertigmacht und neben der nun auch die Glasvitrine mit den leise klirrenden Sammeltassen auftaucht. Das Gedächtnis, wehrlos, wenn man seinen wunden Punkt getroffen hat, liefert das ganze Wohnzimmer aus, Stück für Stück: schwarzes Büfett, Blumenständer, Anrichte, hochlehnige schwarze Stühle, Eßtisch und gelbseidene Lampe darüber — unnötiger Aufwand für ein Kind, das nur den einen Stuhl brauchte, um einen Nachmittag lang darauf zu sitzen und zu beten, des Bruders Arm möge nicht steif bleiben, da es nicht ertragen könnte, sein Lebtag lang schuldig zu sein.

Doch folgenlose Schuld ist keine Schuld.

Am gleichen Abend noch soll Nelly Tränen lachen. Die erleichterte, gutgelaunte Mutter ahmt die Redeweise des jungen Krankenhausarztes nach, der mit zwei, drei geübten Griffen des Bruders Arm eingerenkt und sie, Charlotte Jordan, fortwährend mit »gnädige Frau« angeredet hat. An Ihnen ist wirklich eine Krankenschwester verlorengegangen, gnädige Frau. Ein wilder Bengel, der Herr Sohn. Kein Wort von der Urheberin der Verrenkung. Nelly ist mit der Gnade der Eltern allein. Für die Angst, die sie ausgestanden hat, belohnt man sie mit Kakao und Eierbrötchen, während Lutz, das abwesende Opfer, zur Beobachtung im Krankenhaus bleiben muß. Gelernt soll werden: Sich freuen an falschem Lob. Die Lehre wird angenommen.

Hier, unter den drei Akazien, hatte Anneliese Waldin, des Oberwachtmeisters Waldin älteste Tochter, Nelly gönnerhaft ihr erstes Lied in englischer Sprache beigebracht, das du zu Lenkas Erstaunen noch immer auswendig kannst und in kindlichem Ton mit falscher

Aussprache vorsingst: Baba bläck schiep, häw ju änni wuhl, jes, master, jes, master, srie bäcks fuhl.

Das Lied geht noch weiter. Weiß Lutz eigentlich, daß die Mutter sich immer danach gesehnt hat, Ärztin zu werden? Oder wenigstens Hebamme? Er weiß es, sie hat es bis in ihre letzten Jahre wiederholt: Irgendwas Medizinisches, das wär mein Fall gewesen, und ich freß einen Besen drauf, daß ich mich dazu geeignet hätte. — Sie hätte sich geeignet, da wart ihr euch immer einig. Der Vater natürlich verwies ihr die Sehnsucht: Daß du nie zufrieden sein kannst. — So mach's doch! hat keiner von euch gesagt. Kinder wollen nicht, daß ihre Mutter ihr Leben ändert. 45, da wäre vielleicht eine Gelegenheit gewesen. 45 hätten sie auch eine nicht mehr junge Frau zur Hebamme ausgebildet. Auf dem Dorf? sagt Lutz. — Das ist es eben.

Unter den drei Akazien ist Nelly zum erstenmal verraten worden, und zwar, wie es sein muß, von ihrem besten Freund Helmut, dem jüngsten Sohn des Polizeioberwachtmeisters Waldin, Sonnenplatz 5, erster Stock rechts. Das Thema »Freundschaft und Verrat« interessiert auch Lenka, sie hat Fragen, durch die sie sich bloßstellt. Seit Wochen läßt ihre Freundin Tina sich nicht mehr blicken, meidet Lenka alle Anlässe, sie zu treffen, aber besorgt bist du erst, seit sie nicht mehr zum Reiten geht, da sie doch Pferde mehr liebt als alles. Daß sie direkte Fragen niemals beantworten wird, wenn sie es nicht will, hast du lernen müssen und hoffst nun heimlich, auf dem Umweg über Nelly etwas über Lenka zu erfahren.

Der Verräter, wenn es ein Kind ist, braucht diejenigen, die ihn zum Verrat anstiften. Ja, sagt Lenka. Die haben nichts davon als vielleicht einen Spaß für zehn Minuten, das ist rätselhaft, nicht wahr. Lenka schweigt. Im Falle von Helmut Waldin waren es seine drei großen Brüder. Wozu hätten die — wenn es mehr war als Spaß — den Beweis gebraucht, daß der Mensch niederträchtig ist?

Es fing ganz harmlos an. Franz warf den Stein, der zufällig den kleinen Bruder traf, ebensogut aber Nelly hätte treffen können, die dicht neben Helmut auf der karierten Decke hockte, mit ihren Puppen, denn sie spielten hier immer Vater Mutter Kind. Als Helmut aufschrie und, genötigt von seinen Brüdern, den Grund für seinen Schrei nennen mußte, waren die maßlos verblüfft: Ein Stein. Von ihnen hatte ja keiner einen Stein nach dem kleinen Bruder geschmissen. Wenn der aber doch an der Schulter getroffen war; wenn aber doch ein kleiner Feuerstein als Beweisstück auf der Decke lag, erhob sich die Frage: Wer hatte ihn geworfen? Es konnte nur jemand sein, der in der Nähe war — logisch, nicht? Wer aber ist, außer uns natürlich, noch in der Nähe, Kleiner? Niemand? Langer, der ist blind, borg ihm mal deine Brille! — Blind? Glaub ich nicht. Der ist bloß ein bißchen schwer von Kapeh. Dem muß man beibringen, wer ihm fast die Bonje eingeschmissen hat.

Lenka scheint voll und ganz zu verstehen, daß Nelly nicht weglief. Aus persönlicher Erfahrung scheint sie zu wissen, daß man gewisse Vorkommnisse erst glaubt, wenn man sie mit eigenen Augen gesehen hat. Nelly muß also mit ansehen, wie seine drei großen Brüder ihren Freund Helmut knuffend und lachend auf die dritte Akazie zutreiben, bis er mit dem Rücken gegen den Stamm steht, während sie ihn — aus Spaß natürlich, denn sie lachen ja die ganze Zeit — immerzu fragen, wer denn außer ihnen noch in der Nähe sei. Aber es ist ja nur noch sie selbst in der Nähe, Nelly, und sie hat ja den Stein nicht geschmissen, das wissen sie doch alle, und Helmut weiß es auch. Also ist es Spaß.

Lenka sagt, nach ihrer Meinung ist es manchmal der pure Neid, wenn sie Verräter brauchen. Du wechselst einen leicht erstaunten Blick mit H., den sie registriert. Inzwischen hält einer der Brüder — das ist jetzt Kutti, der jüngere — dem Helmut die Spitze eines Stöckchens gegen die Kehle, damit er mit dem Getue aufhört. Sie wollen doch ihrem kleinen Bruder nicht zu nahetreten, er soll ihnen doch bloß den Namen sagen. Na? Na? Da hört Nelly, ungläubig, wie Helmut den Namen nennt: Es ist ihr eigener Name. Er weint dabei, sagt ihn aber: Nelly.

Irgendwann hört jeder seinen Namen wie zum erstenmal. Und als nun das Stöckchen von seiner Kehle wegkommt, da ruft Helmut diesen Namen gleich noch mal, denn nun lautet die Frage seiner Brüder, wer ihn also mit Steinen beworfen habe! Nelly! schreit Helmut, weinend zuerst, dann aber, als seine Brüder ihm freundschaftlich in die Seite boxen — na siehst du, Kleiner! —, brüllt er unverlangt immer weiter Nelly, fünfmal, zehnmal. Beim letzten Male lacht er schon.

Lenka schien zu wissen, wie sie lachen, wenn sie verraten haben. Gehen wir, sagtest du. Den Weg zurück, den Nelly damals heulend gerannt ist. Vorbei an dem Stückchen fensterloser Hauswand, an dem Nelly eisern Zehnerball trainierte, bis sie unschlagbar war und sich vor den Wettbewerben an Klopfstange und Kellergeländer — Klimmzug und Bauchaufschwung — drücken konnte, ohne an Ansehen zu verlieren. Vorbei, diesmal ohne Aufenthalt, an der Nummer 5, wo Nelly lange vor euch angekommen ist und nach Herrn Waldin ruft, der schließlich über seine roten Geranien herunterblickt und sich dabei den Uniformrock zuknöpft, aber gleich das Fenster wieder zuknallt, als Nelly seine Söhne bei ihm verklagen will.

Dafür öffnete sich im Hochparterre links das Kinderzimmerfenster, Charlotte Jordan rief ihre Tochter herein und erwartete sie mit dem Ausklopfer hinter der Tür und schlug sie, ohne sie anzuhören, zum verhängnisvollen ersten und einzigen Mal in ihrem Leben (hin und wieder eine Ohrfeige, die rechnet nicht), schrie dabei ganz außer sich — während Nelly stumm blieb, wie immer, wenn ihr Unrecht geschah —, wer ihr das Petzen beigebracht habe, wer denn bloß, wer? Ließ sich dann auf einen Stuhl fallen, brach in Tränen aus, schlug die Hände vors Gesicht und sagte weinend: Mußt du uns ausgerechnet den zum Feind machen?

Was weiter? Die Perle.

(Verständliche, aber vielleicht gefährliche Lust auf Zusammenhänge, vor denen H. von Anfang an warnt, weniger durch Worte als durch seinen Gesichtsausdruck. Er mißtraut allem, was sich fügt.

Auf dem Weg zum Briefkasten, nach dem Abendbrot, saht ihr am sternklaren Himmel den Großen Wagen und den Orion, und du mußtest zugeben, daß das Gefühl, die Sternbilder bezögen sich in irgendeinem Sinn auf dich, dir noch nicht vollständig geschwunden sei. H. wollte dir einreden, eben das steigere deine Schwierigkeiten, Strukturen zu finden, in denen sich heute noch reden läßt; ernüchtert bis auf den Grund, in Verhältnissen, da Verzweifeln eher komisch wirke. — Nach Mitternacht ein dummer Anruf eines Menschen, der sich als Student vorstellt und in aufdringlichem, frechem Ton nach einem »neuen Werk« fragt. Du legtest den Hörer auf, zogst das Telefonkabel heraus, konntest aber vor Erbitterung nicht einschlafen. Auf einmal bildeten sich Sätze, die du als brauchbaren Anfang ansahst; jemand war also mit »du« anzureden. Der Tonfall hatte sich eingestellt. Du wolltest nicht glauben, daß du noch einmal von vorne anfangen solltest, aber am Morgen hatten die Sätze sich erhalten — wurden natürlich später getilgt —, der Tonfall war geblieben. Immer noch ungläubig, begannst du von neuem. Dir war, du hättest nun die Freiheit, über den Stoff zu verfügen. Schlagartig war dir auch klar, daß nicht ein schnell zu machendes Ergebnis zu erwarten war, sondern eine lange Zeit von Arbeit und Zweifel. Daß es nicht beim nächsten Buch Ernst würde, sondern bei diesem. Schön eigentlich, dachtest du.)

Kurz nach dem Zwischenfall mit Helmut Waldin muß Nelly sich die Perle in die Nase gesteckt haben, wovor sie oft und dringlich gewarnt worden war. Eine kleine gelbe Holzperle, wie man sie Kindern schenkt, zum Kettenaufziehn, die aber, einmal im Nasengang, durch kein Pusten und Schnauben wieder herauszubefördern ist, die immer höher zu wandern schien, womöglich bis dahin, wo die Mutter die Gehirnwindungen vermutete und von wo aus es für eine Perle kein Zurück mehr gab. Nelly setzte den für Katastrophenfälle üblichen Mechanismus in Gang: Frau Elste, die Mutter im weißen Kittel, fliegende Finger, Telefon, die Straßenbahn. Eine Frau ihr gegenüber trieb die Geschmacklosigkeit so weit, dem lieben Gott dafür zu danken, daß dieses Kind sich keine Erbse in die Nase gesteckt hatte, die alsbald ins Quellen gekommen wäre, und dann ade, du mein lieb Heimatland!

Nelly hätte den lieben Gott gern aus dem Spiel gelassen. Es lag ihr nicht daran, daß er die Gedanken in ihrem von der Perle bedrohten Gehirn ablas und unter ihnen eine Art Wunsch vorfinden würde: den sträflichen Wunsch, die eigene Mutter zu Tode zu erschrecken, indem man schädigte, was ihr das Liebste war: sich selbst.

Der Arzt, ein Doktor Riesenschlag, nicht imstande, sich die verzwickte Bosheit dieses Kindes vorzustellen, ließ sie auf einem Lederhocker Platz nehmen, klapperte widerwärtig mit Metallinstrumenten auf Emailleschalen, bis er sich entschloß, eines dieser Instrumente in Nellys rechtes Nasenloch einzuführen, wo es sich, angeblich nach dem Regenschirmprinzip, auszudehnen begann und den Innenraum der Nase erweiterte, bis der Perle nichts übrigblieb, als mit einem Blutstrahl zusammen herauszuschießen und auf des Doktors glänzendes Linoleum zu fallen, wobei es »klick« machte, was mit einem gleichmütigen »Na also!« quittiert wurde. Nein, nach Hause nehmen wollte die Mutter diese Unglücksperle nicht, das fehlte noch, aber sie hoffte von Herzen, daß die ganze Kalamität dem Kinde eine Lehre sein werde. Eine Hoffnung, der Doktor Riesenschlag sich in sachlicher Freundlichkeit anschloß, nachdem er einen Zehnmarkschein entgegengenommen und eine Warnung vor kleinen Knöpfen, Bohnen, Linsen, Erbsen, Blumensamen und Kieselsteinen an Mutter und Tochter gerichtet hatte. Besichtigen wollten sie aber seine Sammlung derartiger aus Ohren und Nasen geförderter Fremdkörper — der nun auch Nellys Perle beigefügt würde — keinesfalls.

Eine Ohrfeige, ein scharfes Wort, sogar ein stummer Nachhauseweg wären nach Nellys Empfindungen jetzt am Platze gewesen. Statt dessen erfuhr Nelly, sie habe sich tapfer gehalten. Nicht geklagt, nicht geweint, nichts. Der Mutter schien es wohlzutun, ihre Tochter »tapfer« zu nennen. Es lag ihr nicht daran, zu erfahren, wie sie in ihrem innersten Innern war. Nelly hatte das trostlose Gefühl, daß auch der liebe Gott selbst an dem tapferen, aufrichtigen, klugen, gehorsamen und vor allem glücklichen Kind hing, das sie tagsüber abgab. Wörter wie »traurig« oder »einsam« lernt das Kind einer glücklichen Familie nicht, das dafür früh die schwere Aufgabe übernimmt, seine Eltern zu schonen. Sie zu verschonen mit Unglück und Scham. Die Alltagswörter herrschen: iß und trink und nimm und bitte danke. Sehen hören riechen schmecken tasten, die gesunden fünf Sinne, die man beisammen hat. Ich glaube, daß fünf Pfund Rindfleisch eine gute Brühe geben, wenn man nicht zuviel Wasser nimmt. Alles andere ist Einbildung.

Während ihr zum Auto gingt, fiel dir noch das Spiel ein, das Nelly Lieselotte Bornow aufzwang, lange vor ihrem späteren Zerwürfnis. Sie nannten es »Selbstverzaubern«, und es bestand darin, im hellen gelben Sand des Sonnenplatzes sich auf ein Kommando hin in ein ekles Wesen zu verwandeln: Frosch, Schlange, Kröte, Käfer, Hexe, Schwein, Molch, Lurch. Niemals höhere Lebewesen, immer Ungetier, das in Schmutz und Schlamm lebt und einander rücksichtslos bekämpft. Zerkratzt und dreckig kamen sie abends nach Hause, ertrugen Vorhaltungen und Verbote. Auch die Eltern des Froschkönigs hatten erleben müssen, wie ihr feiner blondhaariger Prinzensohn sich mir nichts, dir nichts — und ganz gewiß nicht ohne seine heimliche Zustimmung — vor ihren Augen in einen glitschigen eklen Frosch verwandelt hatte. Das gab es eben.

Lenka begrüßt euer Auto, das euch vor Rambows ehemaligem Laden erwartet, mit einem dankbaren Blick. Als Nelly vor sechsundzwanzig Jahren und sechs Monaten, am 29. Januar 1945, auf der gleichen Straße ihre Stadt auf der Flucht vor den näher rückenden feindlichen Truppen schnurstracks in westlicher Richtung verließ, hat sie, soviel du weißt, im Vorbeifahren nicht einen Gedanken an den Sonnenplatz und an jenes Kind gewendet, das damals unter der dünneren Schicht von Jahresringen vielleicht tiefer verborgen war als heute, da es sich, unabhängig von gewissen Anweisungen, zu regen beginnt. Zu welchem Ende? Die Frage ist so unheimlich wie berechtigt. (Laßt die Toten ihre Toten begraben!) Ein Gefühl, das jeden Lebenden ergreift, wenn die Erde unter seinen Füßen sich bewegt: Furcht.

HANS WERNER RICHTER

Bansiner Topographie

Die Straßen des Ortes, in dem mein Vater lebte, bilden ein Kreuz. Die längere Seestraße läuft von Süden nach Norden, die kürzere Bergstraße von Westen nach Osten. Sie schneidet die Seestraße in ihrer oberen Hälfte. Das Kreuz ist behangen mit ein paar Nebenstraßen, mit einem Kriegerdenkmal, mit einem vermoderten See, mit einer zweiklassigen Volksschule, mit Villen aus der Jahrhundertwende, mit einem Kinderspielplatz und mit zwei Tennisplätzen. Der Kiefernwald, der von Westen her an das Kreuz grenzt, umschließt Kriegerdenkmal, Kinderspielplatz und Tennisplätze.

Die Seestraße beginnt im Süden am Bahnhof und läuft nach Norden bis ans Meer. Ein weißer Gürtel hält sie dort auf: der Strand. Der Bahnhof muß nicht weiter beschrieben werden: ein Schalter, eine Gastwirtschaft, eine Verladerampe. Der Strand ist steinfrei, sein Sand körnig-weiß und nur im Herbst und Frühling etwas bräunlich. Das Meer besitzt einen sandig-hellen Untergrund, läuft flach von der Küste weg zu größeren Tiefen hin, ist milde salzhaltig, und sieht in der Sonne blau, bei Gewitter grün, bei Sturm weiß und in der Nacht schwarz aus.

Im Westen stehen etwa dreißig oder vierzig Pfähle im Wasser. Auf jedem Pfahl sitzt zu jeder Jahreszeit eine Möwe. Die Pfähle sind weiß von Möwendreck. Zweihundert Meter weiter standen früher noch drei Pfähle im Wasser, die heute verschwunden sind.

Geschichte der Pfähle: Die ersten dreißig oder vierzig Pfähle sind Restbestände einer Brücke, die zur Zeit Kaiser Wilhelms II. und in der Weimarer Republik dem Landen diente. Motorboote, die an der Küste entlang fuhren, machten hier ihre Taue fest. Für größere Schiffe war die Küste zu seicht. Aus Angst vor den Russen rissen die Einwohner des Ortes im August 1914 die Planken der Brücke ab. Die Russen kamen nicht. Dreißig Jahre später kamen sie, nicht übers Meer, sondern am Strand entlang — zu Fuß und mit Panjewagen — und fanden eine wiederum zerstörte Brücke vor. An den drei letzten Pfählen, die alte Schwedenbrücke genannt, band Gustav Adolf — nach dem Gerücht — seine Kriegskoggen an, um sein Heer auszuladen und den kaiserlichen General Tilly bei Magdeburg zu schlagen. Die Pfähle hat entweder das Meer mitgenommen oder ein russischer General.

Diese Pfähle standen im Meer vor der Steilküste unmittelbar vor einer Steilküstennase, die sich Tonberg nennt. Von diesem Tonberg zieht sich die Steilküste bis zu ihrem höchsten Punkt — dort nennt sie sich »Langer Berg« — und dann bis zu ihrem niedrigsten Punkt hin, wo sie sich wieder in flache Küste verwandelt. Dieser Punkt hieß früher »Knuths Ruh«, später »Selliner Bootsstelle« und ist heute Campingplatz der sozialistischen Volksrepublik mit Toiletten, Baracken, Verkaufsständen und einem Strand für Freikörperkultur. Dort riecht es jetzt nach Strandhafer, Exkrementen, schwarzgehandeltem Aal, Niveacreme. Auf hohen Kommandotürmen stehen Lebensretter, die aufs Meer und auf nackte Damen und Herren blicken. Sie sorgen nicht für Ordnung, sondern sie sorgen für die Erhaltung des Lebens.

Für Ordnung sorgt ein Kommando der Volkspolizei, das im Wald stationiert ist. Die Volkspolizisten sind bekleidet. Sie gehen — wie die Zeitungsverkäufer, wie zwei Rotkreuzschwestern, und andere, der Ordnung und dem Vergnügen dienende Staatsangestellte — zwischen den Nackten hin und her, als wären diese nicht nackt.

Dieser Strand war zur Zeit des ersten deutschen Kaisers und auch noch des zweiten der ruhigste der ganzen Küste. Mein Großvater Knuth hatte sich hierher mit seinem Fischerboot zurückgezogen. Er konnte alle anderen Fischer nicht leiden. Er und seine Feinde erzeugten dann fast alle ersten Einwohner des Ortes, etwa dreihundert.

Geschichte der Einwohner: Die ersten Einwohner kamen aus den Dörfern, die vier, fünf oder sechs Kilometer hinter der Küste an vier miteinander verbundenen Seen liegen und sich Schmollen-, Gothen- und kleiner und großer Krebssee nennen. Sie waren Fischer, Maurer, Bauern, Zimmerleute, Tischler, Schlosser. Angezogen von dem Geldstrom der Gründerjahre bauten sie drei-, vier- und fünfstöckige Villen, die sie Seeblick, Seeschloß, Seemöwe, Dünenblick, Dünenschloß, Meereswoge, Meeresstrand oder auch Germania, Kurfürst, Bismarck, Prinz Heinrich nannten. Sie bauten auf Kredit und stellten sich gegenseitig Wechsel aus. Platzte ein Wechsel, so begannen die betroffenen Bauherrn am nächsten Tag auf ihrer eigenen Baustelle wieder als Maurer, Zimmermann oder auch als einfacher Hilfsarbeiter. Sie arbeiteten viel, tranken viel, und waren nebenbei Husaren, Dragoner, Ulanen, Kürassiere. In ihren Wohnungen hingen Husaren-, Dragoner-, Ulanen- und Kürassierbilder, die sie auf trabenden Rossen und mit bunten Fahnen an gesenkten Lanzen zeigten. Sie zwirbelten morgens ihre Schnurrbärte mit Wachs ein, zeugten in der

Nacht zahlreiche Kinder — einige bis zu siebenundzwanzig — und kamen fast alle zu Wohlstand. Im August 1914 zogen sie jubelnd aus, um Frankreich zu schlagen. Viele kamen nicht wieder. Jene, die wiederkamen, gründeten einen Kriegerverein, stellten ein Kriegerdenkmal auf, einen Findling, in den die Namen der Nichtzurückgekehrten eingemeißelt wurden, trugen das Eiserne Kreuz, waren zuerst für die Sozialdemokraten, dann für die Volkspartei, dann für die Deutschnationalen, und kamen über die Revolutionsjahre und die Inflationszeit mit der Rentenmark wieder zu Wohlstand.

1930 zogen die ersten Nationalsozialisten durch die Seestraße, SA-Männer in Uniform, drei an der Zahl. Sie sangen: »Rotfront und Redaktion erschossen«, weil ihnen das Wort Reaktion nichts sagte. Sie vermehrten sich schnell, übernahmen die Macht, und der Dümmste unter ihnen — ein Malergeselle — wurde Ortsgruppenleiter. Sie redeten viel, marschierten viel, tranken viel und waren nebenbei Scharführer, Unterscharführer, Sturmführer. Sie rasierten sich täglich, zeugten in der Nacht weniger Kinder — drei oder vier — und kamen nach der Wirtschaftskrise wiederum zu Wohlstand. Die dreiundvierzig kommunistischen Wahlstimmen, die es im Ort gegeben hatte, schmolzen bis auf eine Nein-Stimme zusammen, und diese eine Nein-Stimme blieb, obwohl Scharführer, Unterscharführer und Sturmführer ständig nach ihr suchten. Im September 1939 zogen auch sie aus — diesmal ohne Jubel —, um Frankreich, England, Polen, Rußland, Amerika, Australien, Kanada, Brasilien zu schlagen. Sie kamen nicht zurück. Statt dessen kamen die Russen und vergewaltigten ihre Frauen.

Nur die Frauen der Fischer fanden diese unfreiwillige Siegerehrung nicht unangenehm. Sie sagten: »Dat hem wi schon lang nich mir heft.« Die anderen strichen entweder ihren Körper mit Rheumasan ein, was den Geruchssinn der Russen verwirrte, oder flohen ins Land und standen im hohen Rohr der Seen bis zum Hals im Wasser, wenn russische Krieger vorbeisprengten. Siebenundzwanzig Einwohner des Ortes, die Parteimitglieder waren, erhängten sich, einer zündete sein Haus an, eine Frau erschoß nach der dritten Vergewaltigung ihre drei Kinder und dann sich selbst. Die eine verbliebene Nein-Stimme wurde zum Bürgermeister ernannt. Die alte Partei wurde von einer neuen abgelöst. Sie verstaatlichte alle Häuser, den Grund und Boden, die Hotels und Restaurants. Die meisten der Einwohner flohen in ein Land, das sie den goldenen Westen nannten. Für sie fanden sich neue Einwohner aus dem Osten ein. Da diese rechtzeitig ihre Papiere fortgeworfen hatten und niemand ihnen nachweisen konnte, daß sie auch Scharführer, Unterscharführer und

Sturmführer gewesen waren, stellten sie bald die neuen Gemeinderäte, Bürgermeister, Ortsleiter, Polizeioffiziere, Bademeister. Nach der letzten Statistik hat der Ort seit Einmarsch der Russen achtzehn Bürgermeister verbraucht.

Das Gemeindehaus, von dem aus die schnell wechselnden Bürgermeister regierten, ist ein roter Backsteinbau und wird einerseits von der Bergstraße und andererseits von der Schloonstraße begrenzt. Es besitzt neben den Amtsräumen ein Spritzenhaus, in dem die Feuerwehrwagen stehen, und an dem die Feuerwehr übt. Daneben befindet sich die heutige Polizeistation, in der man sich an- und abmelden muß. Gab es früher einen Polizisten, der den gesamten Ort vor Diebstahl, Mord, Unfug und Unzucht bewahrte, so sitzen heute hier über ein Dutzend, ohne daß der Ort inzwischen wesentlich gewachsen wäre. Nicht weit davon befindet sich der ehemalige Droschkenplatz, heute Schuttabladeplatz, und dahinter der vermoderte See, der sich Schloonsee nennt. In ihm versenkten die Hoteliers beim Herannahen der russischen Armee fünfzigtausend Flaschen ihrer besten Weine, was ihnen aber nichts half. Die Russen holten sie mit Hilfe von Tauchern Flasche für Flasche aus der vermoderten Tiefe des Sees herauf und betranken sich so sehr, daß die Frauen diesmal die Hoteliers und nicht sie verfluchten. Am See entlang führt eine kastanienbaumbestandene Straße dreihundert Meter nach Osten an einen Kanal, der See und Meer verbindet, und deshalb Schloonkanal heißt. Er ist die natürliche Grenze des Orts und teilt auch den Strand, der hier westlich dem Ort gehört, vom östlichen Ufer ab aber einem anderen, der früher etwas über die Schulter angesehen und als nicht ganz fein empfunden wurde, was mit den »christlichen« Gästen dieses und den »nichtchristlichen« des anderen zusammenhing. Hier ist die Küste flach, sind die Dünen, hinter denen die Strandpromenade läuft, mit Strandhafer bewachsen und leicht gewellt. Von diesem Kanal aus bis zum früheren Ruheort meines Großvaters Knuth gehört der Strand unserem Ort.

Geschichte des Strandes: Erst mit der Gründung des Ortes — 1897 — bekommt der Strand seine Bedeutung. Er wird Badestrand. Seine Geschichte läßt sich in drei Perioden unterteilen. Die erste Periode ist die des Badeanstaltbadens, die zweite ist die des Freibadens, die dritte die des gemischten Nackt- und Freibadens. Jede Periode ist durch Art und Farbe der Fahne gekennzeichnet, die jeweils über den Strandkörben, Strandkabinen, Strandbuden und Badeanstalten flatterte: erste Periode 1897—1918 Reichskriegsflagge gemischt mit Schwarz-weiß-rot, zweite Periode 1918—1932 Schwarz-weiß-rot gemischt mit etwas Schwarz-rot-gold, dritte Periode 1933 bis heute: einheitliches Hakenkreuz gemischt mit einem allmählich wachsenden fahnenlosen Zustand, der sich ab 1945 durchgesetzt hat.

In der ersten Periode, von 1903 bis 1918 und noch einige Jahre danach, besaß der Strand drei Badeanstalten. Es waren schloßähnliche Gebilde, Holzbauten mit Türmen und Zinnen, mit Fahnen und Fähnchen, mit zahlreichen Kabinen, mit Treppen und Treppchen, mit Rettungsringen und Rettungsbooten, mit Bademeistern und Bademeisterinnen. Sie waren umgeben von einem hohen Bretterzaun, der sich mit einem engmaschigen Drahtgeflecht im Wasser fortsetzte, so daß niemand hinaus- und niemand hineinschwimmen konnte. Die drei Bäder trennten die Geschlechter. Es gab ein Herrenbad, ein Damenbad und ein Familienbad. In dem Herrenbad badeten die Herren, im Damenbad die Damen und im Familienbad badeten die Mütter mit ihren Kindern. Die Preise im Herrenbad und im Damenbad betrugen bei einmaligem Baden für einen Erwachsenen dreißig Pfennige, für ein Kind zwanzig Pfennige und für einen Dienstboten fünfzehn Pfennige. Im Familienbad lagen die Preise aus nicht mehr feststellbaren Gründen etwas höher. Für das »einmalige Abreiben des Körpers« mußten zehn Pfennige an das Badepersonal entrichtet werden.

Niemandem war es gestattet, außerhalb dieser Bäder ins Wasser zu gehen. Erst nach dem Weltkrieg versuchten einzelne Kurgäste, von ihrem Strandkorb aus unmittelbar ins Wasser zu laufen. Die Gemeindeverwaltung erließ ein striktes Verbot. Jede Art von Freibaden, auch in der Nacht, verstoße gegen die guten Sitten und werde mit hohen Geldstrafen oder mit dem Entzug der Kurkarte und damit des Kuraufenthaltes belegt. Der Bürgermeister stellte einen Strandpolizisten an, der Tag für Tag am Strand entlang lief, die Freibadenden aus dem Wasser herauspfiff, und sie zum Verhör und zur Bestrafung ins Gemeindehaus abführte. Nach fünf Jahren wurde er entlassen. Die Freibadesüchtigen hatten sich durchgesetzt. Der engmaschige Drahtzaun im Wasser verschwand, der Bretterzaun fiel, und die Bademeister verwandelten sich in freie Rettungsschwimmer.

In der dritten Periode setzte das Nacktbaden ein. Es wurde mit regulärer Polizei bekämpft, konnte aber ebenfalls in seiner Entwicklung nicht aufgehalten werden. Aus wenigen Nacktbadenden wurde im Laufe von zwei Jahrzehnten ein unter staatlicher Aufsicht und Kontrolle stehendes Heer von Freikörperkultur-Treibenden. In dieser Periode verfallen die Badeanstalten und werden nach und nach abgerissen.

Oberhalb des Strandes hinter den Dünen läuft die Strandpromenade vom Westen nach Osten, fünfzehn Meter breit, zum Meer hin abgeschirmt von einer Buchsbaumhecke, mit einem überaus schmalen »Trottoir«, wie man es früher nannte, versehen mit einigen gartenähnlichen Ornamenten, mit einem Konzertpavillon, mit grün- oder weißgestrichenen Bänken, und in der ersten Periode mit Gas-, in der zweiten mit Glühbirnen-, in der dritten mit Neonlicht-Kandelabern geschmückt. Diese Strandpromenade diente den Gästen zum Promenieren. Man promenierte nach dem Baden während der Teestunde und noch einmal nach dem Abendessen und vor dem abendlichen Vergnügen. Zum Zweck dieses Vergnügens liegen an der Strandpromenade neben drei-, vier- und fünfstöckigen Villen einige Hotels, ein Kurhotel mit Kursaal, und ein Café, das früher als sehr vornehm galt, nächtlichen Ausschweifungen diente und einen altgermanischen Namen trug, den es auch jetzt noch trägt, obwohl es inzwischen HO-Gaststätte geworden ist. In dem Kursaal gingen die Gäste zur »Reunion«, in dem Café mit dem altgermanischen Namen setzten sie die Reunion gelockerter fort, und die Strandpromenade nahm sie erst wieder auf, wenn sie angetrunken oder betrunken ihren Hotelbetten oder den Strandkörben im Dämmerlicht des Morgens zueilten. Hotelbetten wie Strandkörbe dienten dem Liebesleben.

Geschichte der Gäste: Die Gäste der ersten Periode kamen mit Leibdienern und Leibkoch, mit Zofen und Kammerzofe, mit Leibkutscher und Kammerdiener, mit riesigen hängeschloßbeschwerten Reisekörben, mit Reitpferden und Stalljungen, und die Einwohner bezeichneten sie als »die Herrschaften«, und jeder Diener war ein herrschaftlicher Diener, jeder Kutscher ein herrschaftlicher Kutscher, und jeder Koch ein herrschaftlicher Koch. Sie nannten sich Hoheit, Graf, Herzog, Durchlaucht, Excellenz, Baron und kamen gemeinhin mit dem D-Zug an, der kurz vor Mittag auf dem kleinen Bahnhof einlief. Sie trugen Schnurr-, Backen-, Voll- und Spitzbärte, rauchten Zigarren auch beim Promenieren, gingen in Galauniform oder auch im Frack zur Reunion, spielten Tennis in knielangen Hosen, tranken Champagner, hörten sich als Experten kritisch das Spiel der wechselnden Militärkapellen an und ritten durch den Buchenwald bis zu Knuths Ruh, er kerzengerade und sie im langen Reitrock und im Damensattel. Unter ihnen befand sich zeitweise auch S. Majestät der Kaiser, der sich in der Meeresluft auf langen Spaziergängen von seiner Politik erholte und so oft zu einer bestimmten Anhöhe schritt, bis die Einwohner sie in Kaiser-Wilhelm-Höhe umtauften. Die Zahl der Gäste stieg in der ersten Periode schnell an und betrug:

1897	380
1902	2476
1906	5500
1910	7764
1912	8589

Diese Gäste waren leutselig, herablassend und so vornehm, daß die Einwohner des Ortes sich nur selten auf die Strandpromenade oder ans Meer wagten. Im August 1914 verließen sie panikartig den Ort und kamen nicht mehr zurück.

Die Gäste der zweiten Periode gingen glattrasiert und reisten mit Autos an, die in keinen Bretterschuppen paßten. Überstürzt bauten die Einwohner des Ortes Garagen. Diese Gäste kamen ohne oder nur selten mit Leibpersonal. Nur auf den Chauffeur konnten sie nicht verzichten, und wer keinen Chauffeur hatte, den nannte man verächtlich einen Herrenfahrer. Sie waren Geheimräte, Professoren, Doktoren, Kommerzienräte, und nur selten war ein General oder eine Hoheit dazwischen. Sie rauchten weniger Zigarren, trugen nur noch vereinzelt Monokel, hörten den Militärmärschen der Kurkapelle skeptischer zu, liebten in der Reunion den Tango, dann den Charleston, und schließlich das, was sie die »Jazzerei« nannten, und wurden im Laufe ihrer Periode immer ausgelassener. Viele von ihnen kamen nur zum Wochenende, um ihre Frauen zu besuchen, was zur Intensivierung des Liebeslebens im Ort beitrug. Sie lagen am Vormittag in ihren Strandburgen unter schwarz-weiß-roten Flaggen, schliefen am Nachmittag, promenierten am Abend im Smoking, tanzten, liebten am frühen Morgen, und hätten gern zu den Gästen gehört, die in der ersten Periode kamen.

Viele von ihnen kamen in der dritten Periode nicht wieder, aber jene, die wiederkamen, nannten sich nun Major, General, Hauptmann oder Hauptsturmführer. Sie kamen nicht mit Chauffeur, sondern als Herrenfahrer, was nun nicht mehr verächtlich war. Ihren ehemaligen Chauffeur trafen sie unter Umständen nachts in dem Café mit dem altgermanischen Namen wieder, nun ebenfalls Hauptsturmführer. Sie nannten das, was sie tranken, Sekt oder Champagner. Sie tanzten nicht mehr Charleston und lehnten die »Jazzerei« ab. Sie kehrten zum Tango, zum langsamen Walzer, zum Foxtrott zurück, und neu war für sie nur der Swing. Unter ihnen waren viele Berufe, die mit »Staats« anfingen: Staatsräte, Staatssekretäre, Staatsintendanten, Staatsschauspieler und Staatsschauspielerinnen. Für Liebesspiele bevorzugten sie die Strandkörbe. Ihre Lebenslust zeigte seltsame Abarten. Einige von ihnen schossen nachts mit Revolvern in die Reifen der eigenen Autos oder in die Kronleuchter oder Spiegel der großen Hotels. Sie eilten im August-September 1939 panikartig davon, ein jeder zu seinem Corps, zu seiner Division, oder sonst wohin, und kamen nicht mehr zurück. Statt ihrer reisten Jahre später Urlauber an, die in Hosenträgern auf der Strandpromenade spazieren gingen, ihr eigenes Bettzeug mitbringen mußten, zu irgendwelchen Arbeitsbrigaden gehörten, täglich Schulungsabende besuchten oder besuchen mußten und mit ihrem eigenen Glück nicht viel anzufangen wußten. Ihnen war das Meer verdächtig und nur der Wald vertraut, in dem sie Blaubeeren und Pilze sammelten, um sich ein Taschengeld zu verdienen. Sie tanzten wieder Walzer, wie die Gäste der ersten Periode, und lehnten die »Jazzerei« ab, wie die Gäste der dritten Periode.

Der Ort wurde in den drei Perioden zuerst als Adelsbad, dann als Bad des Kurfürstendamms, dann als exklusives Volksbad und schließlich als Bad des FDGB, des Freien Deutschen Gewerkschaftsbundes, bezeichnet.

Es hat sich seit jenem ersten Jahrzehnt der Gründung im Aussehen des Ortes nicht viel verändert. Der Anstrich der Häuser ist farbloser geworden, der Bürgersteig brüchig, und der Asphalt der Straßen ist mit Schlaglöchern durchsetzt. Fünf Kilometer entfernt läuft im Osten jetzt die polnische Grenze — stacheldrahtbewehrt, mit Wachttürmen und Wachtsoldaten —, eine Freundschaftsgrenze. Die zahlreichen Ruderboote am Strand sind verschwunden, und niemand darf mit Luftmatratzen ins Meer hinausschwimmen. Das Kriegerdenkmal ist noch immer das Kriegerdenkmal, und die Kurkapelle spielt wieder Militärmärsche, wenn es für die Erhaltung des Friedens notwendig ist. Nur die Häuser haben ihre Namen gewechselt: statt Seeblick, Meereswoge, Meeresstrand tragen sie jetzt Namen wie: »Heim der Intelligenz« oder »Heim der Brigade XYZ« oder »Haus der Völkerfreundschaft«. Die Möwen haben durch den Wechsel der Zeiten nicht gelitten.

Marie Luise Kaschnitz

Das Dorf Bollschweil

Das Dorf Bollschweil habe ich beschrieben, wie es war, als wir (aus Berlin) in die Familienheimat kamen, wie es jetzt ist, wie es sein wird, morgen, übermorgen, wann. Das Haus, das Vaterhaus, das Bruderhaus habe ich ausgespart, es wäre also einiges nachzutragen, ein Plan zu zeichnen, vor allem. Links vom Hintereingang die neue amerikanische Küche, auch den Salon, der erst vor wenigen Jahren, anläßlich der Taufe einer aus Mexiko herbeigeflogenen Enkelin wieder in Gebrauch genommen und mit den schönen Empiremöbeln des Ministers eingerichtet worden ist. Es wäre auch das sogenannte Sonnenzimmer zu beschreiben, mit seinem von meiner Mutter stilwidrig eingelassenen großen Sonnenfenster, und der Blick auf die Obstplantage, die Wiesenbuchten und den Wald. Neben dem Sonnenzimmer das gleichgroße Schlafzimmer, in das im Sommer die Linden ihr grünes Licht werfen, und der Balkon, den nie einer benutzt. Der Treppenabsatz mit den Bildern der elsässischen Ahnen, des Städtmeisters von Straßburg und seiner Frau. Längs dem weißen Korridor die Kinderzimmer und neuerdings hinten die kleine abgeschlossene Wohnung, die mein Bruder mit alten Möbeln hübsch eingerichtet hat. Da schlafe ich in meinem Mädchenzimmer, in meinem Mädchenbett, im Ostfenster steht der Kirchturm, das andere geht auf den Hof, die vier Linden, den ehemaligen Trottschopf und das ehemalige Stallgebäude hinaus. Wenn der Brunnen nicht winterlich vereist oder wegen Wassermangels abgestellt ist, kann ich seine dünne Stimme hören. Durch das Stallfenster hat einmal der Schimmel seinen Kopf gestreckt, aus der Waschküche sind Schwaden von weißem Dampf ins Freie gedrungen. Diese Fenster sind jetzt Attrappen, hinter denen die riesige Apfelkühlhalle liegt. Das alte Ziegeldach ist mit Moos überwachsen, da gehen meine Blicke spazieren, da säße ich gern, später, und bewachte das Haus.

HORST BIENEK

Die Türme meiner Stadt

Der Blick vom Turm ist ein Blick in die Ewigkeit.

Als sie mich nach sieben Stunden pausenlosen Verhörs endlich wieder in die Zelle brachten, wußte ich, daß dies alles geschehen war, damit meine Stadt und die Türme dieser Stadt mir im Geist erstehen konnten — so wie es vor der *Zerstörung* gewesen war. Nie habe ich so nah und intensiv in ihr gelebt, wie gerade in solchen Situationen, da der Tag oder die Stunde sich mir in einem einzigen Augenblick erfüllten: da waren die langen endlosen grauen flimmernden Bänder der Straßen, die silbrigen Linien der Straßenbahnschienen, die sich irgendwo im Unendlichen begegneten oder funkelnd in der Sonne mündeten, die roten Mauern der Häuser, die in der Mittagsglut ihre zwiebelige Wärme ausströmten, unverrückbar ihre Distanz zueinander wahrten und nur in der Ferne ein wenig zusammenrückten; da waren Menschen, die sonntäglich gekleidet, nebeneinander oder hintereinander spazierten, manche wurden von übermütigen Hunden an der Leine fortgezogen, andere setzten langsam einen Fuß vor den andern, als ob sie bei jedem Schritt eine Perle des Rosenkranzes herunterbeten müßten. Und Türme waren in dieser Stadt, die niemand so gut kannte wie ich, und wohl auch niemand so bewunderte wie ich, ich glaube, ich wäre der beste Turmverwalter geworden — wenn es jemals so einen in unserer Stadt gegeben hätte.

Ich besuchte die Türme häufig, ich kletterte ihre Stiegen hoch, lehnte mich aus ihren Fenstern oder über ihre Brüstungen, sah von ihnen herab auf die Stadt, auf das Land, auf die Welt, die Türme gehörten mir — aber ich besaß sie nicht. Türme versetzten mich in Verzückung, Türme waren für mich ein Rausch, Türme waren für mich eine Droge; ich mußte immer wieder neue Türme sehen, und ich mußte immer wieder die alten Türme besuchen. Am erregendsten waren freilich die Neu-Entdeckungen. Kein Archäologe kann beim Öffnen von Königsgräbern erregter gewesen sein als ich beim Aufstieg verlassener, vergessener, zerfallener Türme: ich bereitete meine Turm-Entdeckungsreisen vor wie ein Wallfahrer eine Pilgerreise zur heiligen Mutter von Czenstochau. Ich fotografierte und registrierte alle Türme, die ich je gesehen hatte, auch Türme in Städten, die ich nie besucht hatte; ich ließ mir Ansichtskarten zuschicken und vergab sogar Aufträge, diesen oder jenen Turm, von dem man mir berichtet hatte, zu fotografieren.

Türme hatten — schon als ich ein Kind war — zu meinem Lieblingsspielzeug gehört, ich verachtete Brücken, wenn sie keinen Turm besaßen, haßte Städte, die zwar Schutzwälle, aber keine Schutztürme errichtet hatten, und ich selbst habe mit meinem Baukasten nur Türme gebaut, die immer jenem einen gleichen sollten, dem Turm aller Türme, Alpha und Omega der Baukunst überhaupt, dem Babylonischen Turm, von dem die Großtante Milka nicht häufig genug aus der Bibel vorlesen konnte, damals, als ich noch nicht wußte, wie hoch der Turm zu Babel wirklich gewesen sein mag, und ich noch mit der Fantasie eines Kindes hoffte, diese unendliche Entfernung mit ein paar Dutzend Bauklötzen überwinden zu können. Auch später hat diese Leidenschaft niemals nachgelassen, im Spiel nicht und nicht im Eifer eines Schachwettbewerbs, im Theater nicht und nicht im Kino (oh, diese herrlichen historischen Schinken!), und Freunden, die in der Spitze eines Turmes (es war nur ein nachgebildeter aus dem 19. Jahrhundert, aber immerhin) in Eschersheim eine Wohnung mit zwei ungewöhnlich kleinen, ungewöhnlich runden, ungewöhnlich hohen Zimmern besaßen, war ich einer der häufigsten und unduldsamsten Gäste.

Ich glaube, ich liebte meine Stadt besonders, weil sie in einem alten, ich muß schon sagen, in einem der ältesten Stadttürme ein Museum errichtet hatte. Dieser Turm, so konnte man in einer alten Chronik nachlesen, muß schon um das Jahr Tausend gebaut worden sein, als hier, an einem Knick der Klodnitz, nicht mehr als ein Dutzend Bernsteinhändler lebten. Im Jahre 1277 hat er dann, nachdem im Dachstuhl ein Brand ausgebrochen war, einen Neuanbau erlebt und im Jahre 1534 eine Restauration. Der Märzsturm, der in den einschlägigen Geschichtsbüchern unter dem Namen Kardinalssturm überliefert ist, hatte das Dach vollständig abgedeckt und starke Beschädigungen in den oberen Räumen angerichtet. Kardinalssturm wurde er deshalb genannt, weil er in seiner unheilvollen Wirkung gerade dann nachließ, als der Kardinal aus Rom zurückgekehrt war. So steht es jedenfalls in der Chronik.

In dem profunden Werk des schlesischen Geschichtsschreibers Domenicus Hartmann »De silesia mundi« erfährt dieses Naturereignis eine eingehende Beschreibung, allerdings mehr in den Auswirkungen auf die Stadt Frankenstein (denn meine Stadt war damals nur ein Marktflecken), in der im gleichen Jahr niemand geringerer als Kopernikus gestorben ist, aber alles, was dort geschrieben steht, soll auch unsere Stadt betroffen haben.

In diesem Turm hat meine Stadt ein Museum für den Maler August Scholtyssek eingerichtet. Mir war dieser Maler gleichgültig, aber die Tatsache, daß ein alter, ja der älteste Turm meiner Stadt von einem klugen Bürgermeister nicht dem Zerfall preisgegeben, sondern unter dem Vorwand, man brauche ihn als Ausstellungsraum für den Maler XYZ, in unsere Zeit hinübergerettet wurde, war für mich ein Anlaß, dort häufig hinzugehen, und zwar immer montags, da war ich fast immer allein und konnte mich in aller Ruhe, ungestört, hoch oben, im letzten Zimmer, vor ein Fenster hinsetzen und auf die Stadt blicken: der Blick vom Turm ist ein Blick in die Ewigkeit — das habe ich damals entdeckt.

Im Museum empfing mich jedesmal mit einem knappen, aber stolzen Lächeln, wie es abgesetzte Könige an den Tag legen, der alte Museumswärter. Ich kannte ihn nicht anders als vorn an der Kasse stehend, wortlos von einer Rolle eine Eintrittskarte abspulend, oder an eine weiße Wand gelehnt, schweigend, fast erstarrt, der Plastik eines Pop-Artisten zum Verwechseln ähnlich (aber die gab es damals noch nicht); niemals veränderte sich seine Haltung, nur wenn ein neuer Besucher eintrat, konnte es geschehen, daß er sich umwandte und dann zwei, drei Schritte weiterging, um an einer anderen Stelle in seine unbewegliche Haltung zu versinken. Es lag wohl ein Stück Verachtung darin, denn jeder, der in dieses Museum hereinkam, um einen (nach Ansicht des Museumswärters wohl zweifelhaften) Maler zu besichtigen, der sich das einfache Volk von der Straße, die armen Leute, Arbeiter, Bierkutscher, Bauern, Zuhälter und Nutten zum Modell genommen hatte, galt in seinen Augen als banausenhaft. Er hatte früher, als er noch jünger und wachfreudiger war, im Staatsmuseum von B. Dienst gemacht, wo er immerhin auf einige Rembrandts aufzupassen hatte, er soll sogar eine ziemlich lange Zeit ganz allein im Rubenssaal, später auch im Watteau-Kabinett die Aufsicht übertragen bekommen haben, aber das wurde mir von anderer Seite zugetragen, ich möchte mich für die Richtigkeit dieser Angaben nicht verbürgen.

Ich war der einzige, mit dem er sprach, wenn es auch meist nur wenige, rasch hervorgestoßene Satzbrocken waren. Das erste Mal war es geschehen, als ich mich — für einen durchschnittlichen Museumsbesucher wohl ein wenig zu lange — im oberen Turmzimmer aufgehalten hatte; ich hörte ihn schnaufend die Stufen heraufkommen, er trat ein, blieb neben der Tür unbeweglich stehen und sah lange auf mich, so lange, bis ich nervös und unsicher auf und ab ging und dann, nach einer Weile, Anstalten machte, den Raum zu verlassen. Als ich an ihm vorbeikam, flüsterte er mir zu, zunächst so leise, daß ich die ersten Worte gar nicht verstand: »... wie in einem Gefängnis ... schon lange. Diese Bilder sind wie ein Gitter um mich, und das schlimmste ist, sie haben Augen, wo immer ich auch bin, was immer ich auch tue, ich fühle mich beobachtet, eindringlich; eifersüchtig bringen sie mir das entgegen, was auch ich ihnen, laut meinem Anstellungsvertrag, entgegenbringen muß: Wachsamkeit.« Da wußte ich, daß er, solange er lebte, sich niemals von diesen Bildern würde frei machen können.

Warum ich mich so genau an den Museumswärter erinnere? Fühlte ich nicht in diesem Augenblick, da mich das trübe Licht der Zelle einschloß, er war mein Bruder?

Einmal kam er zu mir und stellte mir seine Braut vor, ein sehr junges Mädchen, ein wenig zu modisch angezogen, mit großen braunen Basedowaugen und einem langen schwarzen Pferdeschwanz, die Schulter herabhängend; ich erinnere mich nicht so genau an sie, wohl aber an die Diskrepanz ihrer beiden Erscheinungen. Denn er war in einem Alter, das zwar kaum zu definieren war, aber mindestens in die fünfzig ging, seine Kleidung war nicht nur altmodisch, sondern auch nachlässig, zu einer mit viel Watte ausgestopften Jacke trug er ein blaues Hemd ohne Krawatte, die Hose schlenkerte um seinen Körper; aber vielleicht war er weniger altmodisch als unauffällig gekleidet, und ich wollte in ihm einfach einen alten und armen Museumswärter sehen, weil Museumswärter immer alt sind und immer ein wenig abgewetzte Anzüge tragen. Ich kann das heute nicht mehr mit Bestimmtheit sagen.

Wir schlafen miteinander, wisperte der Museumswärter mir ins Ohr, und ich zuckte zusammen über diese seltsame Form von Vertraulichkeit. Das junge Mädchen wiederholte es, mit einer leicht kiksenden Stimme, und fuhr ihm dabei mit der Hand über das Gesicht, ganz langsam, einen Finger ließ es an seinem Mund hängen, er schnappte mit seinen Lippen danach, gierig, und saugte einen Moment daran; das Mädchen sah mich dabei an, wolfsäugig. Mir wurde klar, daß dies eine Provokation sein sollte, ich wußte nur nicht aus welchem Grund und zu welchem Zweck. Ich nannte, mehr aus Verlegenheit, meinen Namen, aber so undeutlich, daß ich ihn selbst kaum verstand. »Ich bin seine Braut«, sagte sie und führte meine Hand zu ihrem Nacken. Auch später, als ich mit ihr im Magazin des Turmes, zwischen großformatigen Bildern, Zärtlichkeiten und danach die scherben Genüsse des Geschlechts getauscht hatte, blieb sie dabei, die Verlobte des Museumswärters zu sein. Ich sah sie an, umfaßte ihren Leib, sie war ohne Geschichte, ein Anfang und zugleich ein Ende, wir kleideten uns an und wir fühlten beide, wir hatten einander nichts mehr zu sagen.

Der Museumswärter sah uns herauskommen aus dem Magazin,

er hatte sein spinnenhaftes Lächeln aufgesetzt, das er nicht mehr verlieren sollte, es war keine Eifersucht in ihm, er ließ es sich jedenfalls nicht merken. Er begleitete uns hinaus auf die Straße, wo uns das Licht des Mittags blendete. Er blieb zurück im Schatten des Turms, vielleicht sah er uns nach, von oben, vom Dachfirst, vielleicht warf er von dort einen Blick auf uns, auf die Straße, auf die Stadt, einen Blick in die Ewigkeit ... Ich verabschiedete mich von ihr, ich habe sie nicht mehr gesehen. Wohl aber ihn, mehrfach; sein süßes, spinnenhaftes Lächeln, seine befleckte Hose, die Bilder von Scholtyssek und ganz hinten die jetzt immer verschlossene Tür zum Magazin. Ich ging künftig seltener hin.

Ich entdeckte neue Türme, unbekannte Türme, unbeschriebene Türme, ich machte Fotos von ihnen und fertigte Skizzen an, ich beschrieb sie, knapp und präzise, auf wenigen Zeilen, ihre Historie, ihre Lage, ihren Zustand. Ich fügte sogar Vorschläge hinzu, ob man die Türme ausbauen oder als Ruine bestehen lassen sollte, das machte ich hauptsächlich von der Landschaft abhängig — auf den Nutzwert von Türmen gab ich nichts. Mit der Zeit war ein stattliches Werk zusammengekommen, ich trug mich sogar mit dem Gedanken, darüber ein Buch herauszugeben, aber seit jenem verhängnisvollen Septembertag 1939 interessierte sich niemand mehr für meine *Pyrgographie.*

So kamen sie zu mir, die Türme meiner Stadt, während mich die Dunkelheit der Zelle immer enger einmauerte, aber ich werde nicht aufhören, von meinen Türmen zu sprechen, also weiter: vom Aussichtsturm in der schwarzen Bastei, von jenem im Innenhof des Stadtschlosses, in dem die Musiker der sommerlichen Serenaden flüchtig ihre Garderobe einrichteten, und weiter: von jenem im Lessing-Gymnasium, aus dessen höchstem Fenster sich zwei junge Leute hinabgestürzt hatten, der eine war Schüler der Obersekunda, der andere Lehrling in einer Metzgerei; und weiter werde ich erzählen vom Turm in der alten Stadtmauer neben der Franziskanerkirche, in dem die Tauben nisteten und im Frühherbst das Moos brannte, und vom Turm des Beuthener Tors, den abends die Strichjungen umkreisten, schön und aufdringlich und demonstrativ jung, während die älteren Freier sich scheu und ängstlich an die Mauern drückten; vom Bismarckturm im Neustädter Park, in den man in den dreißiger Jahren einen Aufzug eingebaut hatte, von dort konnte man den schönsten Ausblick über das Land genießen, bis weit nach Polen hinein und in die Tschechoslowakei, an besonders klaren Tagen sah man sogar die Beskiden, den Radegast, den Altvater; und vom Eisenhüttener Turm werde ich berichten, der eigentlich kein Turm war, sondern ein gewaltiger Mast, der inmitten des weit ausgedehnten Güterbahnhofs aufragte und von dem eine Gruppe katholischer Hitlergegner im Jahre 1944 Flugblätter streute, die auf die vorbeifahrenden Eisenbahnzüge fielen und auf diese Weise in alle Himmelsrichtungen transportiert wurden ... So waren damals die Türme in meiner Stadt, die mir in diesen Augenblicken, da die unbarmherzige Zeit die Sekunden köpfte, von neuem erstand.

Heimat kann man nicht vererben. Sie ist in meinem Kopf. Und sie ist in meiner Seele. Dort, wo ich meine Kindheit und Jugend erlebt und die Welt zum ersten Mal entdeckt habe, wächst nun schon eine dritte Generation heran, dort werden neue, andere Kindheiten erlebt, wird eine andere Sprache gesprochen. Kindheit ist Heimat. Und insofern bin ich ein Vertriebener (wie wir alle), seit ich aus der Kindheit vertrieben wurde und ein Erwachsener geworden bin.

Es gibt eine Kraft der Erinnerung, die das Erlebte, das Vergangene gegenwärtiger macht als es jemals gewesen war. Wahrscheinlich muß man den Verlust tatsächlich spüren, an ihm leiden, um ihn in der Beschwörung der Wörter vergessen zu machen. Die eigentlich literarischen Provinzen sind die verlorenen Provinzen, sagt Joseph Roth, der für immer unser Bild von den verschwundenen Ostprovinzen des alten k. u. k.-Reiches geprägt hat. Und noch schöner heißt es bei Proust in der *Recherche*: Die wahren Paradiese sind die verlorenen Paradiese.

Aber da sind wir schon nicht mehr im Leben. Da sind wir in der Kunst.

HORST BIENEK

Johannes Bobrowski

Pruzzische Elegie

Dir
ein Lied zu singen
hell von zorniger Liebe —
dunkel aber, von Klage
bitter, wie Wiesenkräuter
naß, wie am Küstenhang die
kahlen Kiefern, ächzend
unter dem falben Frühwind,
brennend vor Abend —

deinen nie besungnen
Untergang, der uns ins Blut schlug
einst, als die Tage alle
vollhingen noch von erhellten
Kinderspielen, traumweiten —

damals in Wäldern der Heimat
über des grünen Meeres
schaumigem Anprall, wo uns
rauchender Opferhaine
Schauer befiel, vor Steinen,
bei lange eingesunknen
Gräberhügeln, verwachsnen
Burgwällen, unter der Linde,
nieder vor Alter, leicht —
wie hing Gerücht im Geäst ihr!
So in der Greisinnen Lieder
tönt noch,
kaum mehr zu deuten,
Anruf der Vorzeit —
wie vernahmen wir da
modernden, trüb verfärbten
Nachhalls Rest!
So von tiefen
Glocken bleibt, die zersprungen,
Schellengeklingel ——

Volk
der schwarzen Wälder,
schwer andringender Flüsse,
kahler Haffe, des Meers!
Volk
der nächtigen Jagd,
der Herden und Sommergefilde!
Volk
Perkuns und Pikolls,
des ährenumkränzten Patrimpe!
Volk,
wie keines, der Freude!
wie keines, keines! des Todes —

Volk
der schwelenden Haine,
der brennenden Hütten, zerstampfter
Saaten, geröteter Ströme —
Volk,
geopfert dem sengenden
Blitzschlag; dein Schreien verhängt vom
Flammengewölke —
Volk,
vor des fremden Gottes
Mutter im röchelnden Springtanz
stürzend —
Wie vor ihrer erzenen
Heermacht sie schreitet, aufsteigend
über dem Wald! wie des Sohnes
Galgen ihr nachfolgt! ——

Namen reden von dir,
zertretenes Volk, Berghänge,
Flüsse, glanzlos noch oft,
Steine und Wege —
Lieder abends und Sagen,
das Rascheln der Eidechsen nennt dich
und, wie Wasser im Moor,
heut ein Gesang, vor Klage
arm —

arm wie des Fischers Netzzug,
jenes weißhaarigen, ew'gen
am Haff, wenn die Sonne
herabkommt.

HEINZ PIONTEK

Oberschlesische Prosa

Die Stadt

Landschaft um einen trigonometrischen Punkt. Unter einem aus Sepia und schwammigem Ocker getuschten Himmel. Flach ausgewalzt, frostig, die Äcker tot im Staub des Schnees. Der Morgen dämmerte über der Ebene. Er zögerte, die Dörfer aufzuhellen, den Horizont aus Dörfern, das nahe Dominium, das wie ein Kastell angelegt war und erstarrt schien in gefrorenem Schmutz, die Fasanerie eines verschuldeten Junkers, die öde, ziellose Chaussee. Doch dann rieselte das Licht stärker, das schwarze Gehölz grünte auf, blutigen Striemen gleich brannten vereinzelte Kiefern im Fichtendickicht.

Die Wolkendecke wurde straff. Sie wölbte sich nicht, sie glättete sich zu einer zweiten parallel zur Erde gerichteten Ebene. Zwischen diesen Schichten verkümmerte alles Vertikale, Gesteigerte, schrumpfte das Aufrechte. Hier war kein Raum für Visionen. Der Verlust der Höhe verlieh dem Lande eine übermäßige Schwere, den Ausdruck lastender Realität; er drückte auch das Kreuz nieder, das nicht mehr über sich hinaus wies und nach dem auferstandenen Herrn deutete, sondern auf den niedergefahrenen Christus ...

Von der Höhe schlängelte sich der Weg hinab zur Chaussee. Allmählich trat die Stadt aus dem Gesichtslosen der Ferne: zuerst Pinselstriche von verwesendem Lila, dann die Schatten in kältestem Kobalt, endlich die Konturen dörflicher Vororte. Baumgärten flochten ihre Gespinste vor den Hauswänden. An der Kreuzung scheute ein Gespann, die Falben preschten mit dem polternden Gefährt schräg über die Winterbahn; die Luft schallte.

Vorüber an Tümpeln mit sandfarbenem Eis und eingefrorenen Strohhalmen, an Scheunen, Stallungen, einer ausgebrannten Mühle. Das Transformatorenhaus hatte die Hinfälligkeit verfrühter Erscheinungen. Zwei Männer stakten zur Getreidehandlung. Ihr Gespräch war unbeholfen und karg. Sie trugen Schaftstiefel und mit Schaffellen gefütterte Jacken, auf den borstigen Schädeln die Wollmütze. Hinter ihrem zähen Verdruß begann die Stadt.

Mißtrauisch schob sie die Blöcke mit den Arbeiterwohnungen vor. Kaufläden folgten, Gasthöfe, die verschnörkelte Fassade eines Amtes, lückenlos reihten sich jetzt die Häuser längs der Straße. Ihre Mauern hatte die heftige Witterung gebeizt, auf den Scheiben blühte die Vegetation des Frostes. Neben den Gasthaustüren tunnelten sich die Einfahrten zu gepflasterten Höfen; hier spannten die Bauern ihre Pferde aus, wenn sie an Markttagen in die Stadt fuhren. Tauben stürzten durch die Luft, die getrübt war von Kohlenrauch und manchmal kräftig nach Tee und Schnaps roch oder nach ranzigem Stiefelfett.

Ein Blick zum Turm, der massig, stumpf, aus rauhen Backsteinen gefügt, an der Straßengabelung aufragte. Auch er konnte seine Idee nur andeuten, blieb ein hilfloser Koloß, zurückgezwungen von der Schwerkraft des Landes. Neue Straßen schlossen sich an, überschnitten einander, glitten in Kurven und verzweigten sich vor jäh auftauchenden Hindernissen. Lärm durchtoste sie — von rumorenden Irren erzeugt, von Betrunkenen und Zornigen: Lärm gegen den Frost.

Am Marktplatz standen die ältesten Häuser. Bescheidener Barock, der jeder Feuersbrunst getrotzt hatte, die Laubengänge des Rathauses kahl, ein Türmchen aus halbverschneiter Patina und davor ein Rasenfleck und Ziertannen und eine scheckige Tankstelle. Rings das Karree der Geschäfte; in den Fenstern häufte sich der Kram wie in den wenigen Läden einer Barackenstadt irgendwo am Rande der Steppe. Doch auf diesem Platz war das Bauwerk solide, die Fronten fügten sich aus Stein und Glas, eine behäbige Ordnung triumphierte. Die Kolonisten hatten sich in geschäftige Kleinbürger verwandelt, die mit List und Fleiß ihre Habe vermehrten, tagelange Fressereien liebten und sauber wie Seife rochen.

Frauen und Mädchen waren in der Überzahl. Sie neigten zur Üppigkeit, stülpten Fellkappen auf das glatte Haar oder knoteten Fransentücher unterm Kinn fest. Sie hatten derbe Gesichter, volltönende Stimmen, und der Teufel fuhr in sie, wenn sie scharfzüngig wurden oder zu den Freilufttanzdielen liefen. Ihr Leben hatte Raum für fanatische Enthaltsamkeit und unersättlichen Genuß. Alt geworden, erzählten sie wunderbare Geschichten von Männern, die mit Pferden handelten und den Leibhaftigen in einem Sack fingen.

Dann wurde die Kirche erreicht: die mächtige, stillose, von Jahrhunderten geschwärzte Zuflucht der Leidenden. Das Innere war mit Kalk gesalbt, der enge, aus Purpur, Gold und geistlichem Violett aufflammende Altar leuchtete unter dem steilen Gewölbe als Ewiges Licht. Der Pastor trug seinen bauschigen Talar wie eine Büßerkutte. Das Sausen der Orgel riß seine Stimme hinweg.

Einige Straßen weiter lockerte sich das Weichbild auf. Überraschende Durchblicke boten sich an: über Kohlenhöfe hinweg, über einen Bach mit geborstener Eisdecke, hinüber zu Landhäusern und

Sägewerken. Der Atem ging freier. Das Sichtbare zerstäubte zu blassen Funken. Und da war der Stadtrand — der Bahnhof, ein Gebilde von Eisen, Qualm und Teerdächern, hinter dem die weitläufigen Gärten begannen, die Weiden. Auslaufende Züge — man hatte sie an den Rampen mit bitterer und süßer Fracht beladen: mit Hoffnung, Trunkenheit, Eifer und Liebe.

Wie barmherzig fiel der Schnee.

Die Siedlung

Staub puderte das Gehölz, das die Wagenradrillen umkreisten, und dann tauchten einsiedlerisch, von Linde, Nußbaum, Holunder überwuchert, die ersten Gehöfte auf. Sie erzeugten das Gefühl karger Sicherheit, das der Horchposten empfindet, wenn er sich im Niemandsland hinter eine Graswelle duckt. Hochgestapelte Brennholzbastionen hielten im Winter dem Angriff der Eisstürme stand, jetzt dörrten sie in der Hitze, schwitzten ihr Harz aus; Kinder erkletterten schreiend die Wälle aus Kiefernkloben. Tief im Laubschatten nisteten die Bauernhäuser: langgestreckt, vergilbte Kalkwände unter Stroh- und Ziegeldächern, mit verglasten Scharten und bohlengefügten Türen, die des Nachts verrammelt wurden, als ängstigte die Siedler noch immer die Wildheit aufgewiegelter Leibeigener aus den Walddörfern jenseits der seichten Prosna.

Kammern und Küchen waren niedrig, schwarzem Schnee ähnlich stöberten die Fliegenschwärme, die stickige Luft schien von ihrem unablässigen Summen noch dichter. Man nahm die Grenzen der verschiedenen Gerüche wahr, die sich nicht vermischten. Wunderbar dicke Frauen beschimpften schwangere Mädchen, die Hühner rupften oder Melkeimer scheuerten. In ihren Augen glomm ein graues Licht, groß wölbten sich ihre Hüften. Doch das Weibliche war hier mit »üppig«, »vital«, »fruchtbar« nicht hinreichend umschrieben; es besaß auch Züge von Geiz, Schwermut, Hinfälligkeit und eine Neigung zu pessimistischem Weltverständnis. Grelles Tuch hüllte die Leiber, nur die Greisinnen trugen asketisches Schwarz, blätterten sonntags in stockfleckigen Bibeln und krächzten die Verwünschungen der Propheten eifernd durch das Schweigen der verlassenen Behausungen.

Die Kammern grenzten an die Ställe. Scheunen und Remisen waren von den Häusern abgesondert und schlossen zumeist das Hofrechteck ein. Im Novemberregen versumpfte es, dann waren die Wirtschaftsgebäude nur über Bretterstege zu erreichen, die schmatzend im Schlamm wippten, wenn die Holzpantoffel auf ihnen entlangschlurften. Doch nun blies die Gewitterbrise Wirbel aus Hühnerfedern und morschen Strohhalmen über den Hof. Blattgold schwappte auf dem Jauchenspiegel, im Dung scharrten gierig die Hühner ...

Die emporwehende Wetterwand trieb die Bauern in den Schutz der Gehöfte. Struppige Gäule schäumten in den Geschirren, kläffend rissen die Wolfshunde an den Ketten. Die Männer waren von kleinem Wuchs, sehnig, die stoppeligen Gesichter verrieten Mißtrauen und Demut, aber auch Jähzorn, Gewalttätigkeit und fanatische Kolonisationskraft. Werktags umschlotterten ihre Hagerkeit zerfetzte Leinenkittel und ausgefranste Manchesterhosen, am Sonntag schritten sie in verschossener Konfektion zu Kirche und Kneipe. Sie fürchteten sich vor den Weibern und folgten mürrisch ihren Anweisungen, doch wenn sie berauscht aus den Wirtschaften kamen, zahlten sie es den Frauen heim.

Die Jungen dienten in den Reiterregimentern der Grenzgarnisonen, wo man ihren Pferdeverstand und ihre Ausdauer lobte und sich an ihrer Unbeholfenheit belustigte. Das Preußische, das sie als Exaktheit, Disziplin und kieferne Würde kennenlernten, bedrückte sie, nur wenige unter ihnen ließen sich in die scharfen Formen pressen. Das Böhmisch-Österreichische lag ihnen näher, Katholizität und Korruption, Gesang und Geschwätz, Feste, deren Gepränge ins Balkanische schillerte. Doch ihre feineren Züge bildete die Weite aus, die Verlassenheit, an die die Ebene grenzte.—

Blitze rissen das Gewölk auf. Das Unwetter schleifte die Regenwolken über die federnden Lindenwipfel, das Vieh brüllte den Donner nieder. Aus den Stuben starrte man mit Entsetzen auf den dramatischen Himmel, selbst die Männer murmelten Gebete und Aberglauben. Die Nähe der Schwangeren galt als sicher, ein kleiner Umkreis, den der zürnende Gott verschonte. Sobald das Gewitter nachließ, nahmen die Siedler ihre unterbrochenen Arbeiten mit rumorender Fröhlichkeit auf, wateten durch die Lachen und lobten die würzige Luft. Die Kühe wurden aus den Ställen gezerrt, die Hütebuben verknoteten die Leitseile mit den Halsketten der Tiere und trieben das scheckige Vieh an den Feldrainen dahin, fort durch den späten verblauenden Tag.

Und immer wieder wurde die Siedlung des Abends dem fremden Betrachter zum rätselhaften Sinnzeichen, zur spiegelverkehrten Hieroglyphe eines nicht zu entschlüsselnden Textes, der über die Ebene und zwischen die Waldhorizonte geschrieben war. In den umbuschten Gehöften hatte sich der Mensch festgesetzt, stemmte er sich gegen den Sog aus den Steppen und Tundren, aus der Unabsehbarkeit des östlichen Raumes, aber es mußte Geheimnis bleiben, auf welche Weise er der Leere standzuhalten vermochte, dafür gab es kein Wort — das Erklärbare war hier mit dem Scheinbaren identisch. Die Siedlung hütete ihren Sinn. Vielleicht wußten ihn die Toten.

Der Wald

Das Gebiet war voller Ungewißheit, selbst die Schneisen, in denen gekalkte Steine die Grenze markierten, hatten nichts von topografischer Genauigkeit. Sie vernarbten wie Wunden, Knieholz wuchs über sie hinweg und wischte ihre Konturen ins grüne Gedämmer.

Wald — tiefe, gefährliche Zauberhöhle. Die Welt trug hier Namen, die nach Harz und Nadeln dufteten. Sie hieß: Kiefernforst, Fichtendschungel, Eulengehölz, Fuchsdickicht. Auf den wenigen Lichtungen verlotterten die Katen der Waldarbeiter und Taglöhner. Der Sommer zog mit Insektenwolken durchs Holz. Erhitzter Tümpelschlamm stank nach Pflanzenmoder, Aas und Fieberschweiß.

Unvergeßlich die Färbungen des Lichts. Wipfel und Gezweig filterten es, rauchig durchbrach es die Nadelschichten: himmlische Taucherlampen, die den Waldgrund nach versunkenen Schätzen absuchten. Es gab Lichttönungen, die an das Grün zarter Moospelze erinnerten, es gab die Farbe gefüllter Bierflaschen, Nuancen zwischen Reseda und Smaragd, Tupfen aus Wacholder, aber auch Häherblau, Violett und verstaubtes Gold.

Die Nächte brachten Beute und Blut. Über den Schmugglerpfaden hing der vibrierende Hall der Explosionen, sein Echo mischte sich mit dem Schreien der Getroffenen, mit Gebell und den Fluchtgeräuschen aufgeschreckter Wildrudel. Blendlaternen tasteten grell ins Dunkel, fingerten nach zuckenden Körpern, Bündeln Konterbande, verstörtem Vieh. Manchmal schossen die Schmuggler zurück. Dann splitterten die Laternen, die Diensthunde winselten, in zerfetzten Uniformen bäumte sich der Tod. Der Wald vergaß nichts. In seiner Erinnerung lohten die Lagerfeuer riesenhafter, zottelhaariger Jäger und die Rodebrände der Siedler, pfiffen die Hetzpeitschen polnischer Edelleute, schrillten friderizianische Querpfeifen, flohen Napoleons aufgeriebene Armeen vor sibirischen Eiswinden, Wolfsgekläff und Kosakensäbeln, hauste die Bande schnurrbartgeschmückter Desperados, die mordeten und verschonten und zur Czenstochauer Madonna beteten, auch der Augustmorgen war in seinem Gedächtnis, Vorhutgeplänkel, die ersten Toten des Weltkriegs und die Gefechte mit den Freischärlern der polnischen Republik — hier glich die Natur einem gesiegelten Dokument; wer es zu lesen verstand, dem war das Vergangene dauerhaft, der Wald Geschichte.

Die Hüttenleute verstanden sich nicht darauf. Die Alten unter ihnen sahen nur des Waldes Düsternis und belebten sie mit den Gestalten ihrer Legenden und Spukgeschichten, die Jungen dachten an den Nutzen des Forstes, stahlen Klafterholz, wilderten und nahmen den Schutz der Dickichte für ihre Schmuggelgänge in Anspruch. Das Leben der Waldmenschen war Mühsal, Schrecken und Ausschweifung. Der Boden, versandet und von langen Wintern verheert, gab kaum was her, Pfennige brachte die Holzarbeit ein. Am sinnfälligsten wurde die Armut im Innern der Katen, wo es nach Kartoffeldampf roch, nach Petroleum, Leder, Urin, Branntwein, Tier und Schlaf.

Der Rausch machte Männer und Weiber zügellos, in ihren kurzen, gedrungenen Körpern flackerte die Gier, sie krakeelten mit ordinärer Pracht, die Feste zu Ehren ihrer Heiligen verlöschten in fiebriger Erschöpfung. Doch sie kannten auch Stunden inbrünstiger Frömmigkeit, pilgerten mit den Wallfahrern aus benachbarten Dörfern, opferten für Klöster und Kirchen, deren Namen sie nicht aussprechen konnten, und flehten die Trinität um Segen und Erbarmen an. Ihre Sprache war ein wunderliches Gemisch aus deutschen und polnischen Wendungen, formlos, primitiv, zuweilen gänzlich unverständlich, jedoch nicht ohne Humor, freilich einen von jener boshaft-hintergründigen Art, die vor Lästerung und zynischer Vermessenheit nicht zurückschreckt.

In den Wäldern aber dachte man kaum an die Lebenden. Zwischen Farnkraut, Gestrüpp, schorfigen Stämmen und Beerengerank entdeckte der Verschollene eine neue, vollkommene Weise des Daseins. Das Menschliche löste sich gleichsam auf, zurück blieb etwas Pflanzenhaftes, Geduldig-Hiesiges, doch in einem Zustand, den die Zeit nicht auszuhöhlen vermochte: ein Diesseits von absoluter Beständigkeit. Er entdeckte aber auch das dumpfe Entsetzen vor der Gewalt der Elemente, wie es die Kreatur erfährt, und seine Hilflosigkeit im Nichts ungestirnter Nächte.

Aus den Waldungen in die offene Ebene zu treten, wurde jedesmal ein Erlebnis, das eher bestürzte als beglückte. Man empfand die Scheidung von Verborgenem und Geoffenbartem, von Mystik und Geist, Traum und Tag befremdend, ja als einen tragischen Zerfall. Der Schritt schwankte, das Auge bewältigte mit Mühe die durchdringende Klarheit des Freilichts, die Sinne suchten nach einer neuen Balance, denn hier war eine Welt zu Ende.

GÜNTER GRASS

Kleckerburg

Gestrichnes Korn, gezielte Fragen
verlangt die Kimme lebenslang:
Als ich verließ den Zeugenstand,
an Wände, vor Gericht gestellt,
wo Grenzen Flüsse widerlegen,
sechstausend Meter überm Mief,
zuhause, der Friseur behauchte
den Spiegel und sein Finger schrieb:
Geboren wann? Nun sag schon, wo?
  Das liegt nordöstlich, westlich von
  und nährt noch immer Fotografen.
  Das hieß mal so, heut heißt es so.
  Dort wohnten bis, von dann an wohnten.
  Ich buchstabiere: Wrzeszcz hieß früher.
  Das Haus blieb stehen, nur der Putz.
  Den Friedhof, den ich, gibts nicht mehr.
  Wo damals Zäune, kann heut jeder.
  So gotisch denkt sich Gott was aus.
  Denn man hat wieder für viel Geld.
  Ich zählte Giebel, keiner fehlte:
  das Mittelalter holt sich ein.
  Nur jenes Denkmal mit dem Schwanz
  ist westwärts und davon geritten.
Und jedes Pausenzeichen fragt;
denn als ich, zwischen Muscheln, kleckerte mit Sand,
als ich bei Brenntau einen Grabstein fand,
als ich Papier bewegte im Archiv
und im Hotel die Frage in fünf Sprachen:
Geboren wann und wo, warum?
nach Antwort schnappte, beichtete mein Stift:
  Das war zur Zeit der Rentenmark.
  Hier, nah der Mottlau, die ein Nebenfluß,
  wo Forster brüllte und Hirsch Fajngold schwieg,
  hier, wo ich meine ersten Schuhe
  zerlief, und als ich sprechen konnte,
  das Stottern lernte: Sand, klatschnaß,

zum Kleckern, bis mein Kinder-Gral
sich gotisch türmte und zerfiel.
Das war knapp zwanzig Jahre nach Verdun;
und dreißig Jahre Frist, bis mich die Söhne
zum Vater machten; Stallgeruch
hat diese Sprache, Sammeltrieb,
als ich Geschichten, Schmetterlinge spießte
und Worte fischte, die gleich Katzen
auf Treibholz zitterten, an Land gesetzt,
zwölf Junge warfen: grau und blind.
Geboren wann? Und wo? Warum?
Das hab ich hin und her geschleppt,
im Rhein versenkt, bei Hildesheim begraben;
doch Taucher fanden und mit Förderkörben
kam Strandgut Rollgut hoch, ans Licht.
Bucheckern, Bernstein, Brausepulver,
dies Taschenmesser und dies Abziehbild,
ein Stück vom Stück, Tonnagezahlen,
Minutenzeiger, Knöpfe, Münzen,
für jeden Platz ein Tütchen Wind.
Hochstapeln lehrt mein Fundbüro:
Gerüche, abgetretne Schwellen,
verjährte Schulden, Batterien,
die nur in Taschenlampen glücklich,
und Namen, die nur Namen sind:
Elfriede Broschke, Siemoneit,
Guschnerus, Lusch und Heinz Stanowski;
auch Chodowiecki, Schopenhauer
sind dort geboren. Wann? Warum?
Ja, in Geschichte war ich immer gut.
Fragt mich nach Pest und Teuerung.
Ich bete läufig Friedensschlüsse,
die Ordensmeister, Schwedennot,
und kenne alle Jagellonen
und alle Kirchen, von Johann
bis Trinitatis, backsteinrot.
Wer fragt noch wo? Mein Zungenschlag
ist baltisch tückisch stubenwarm.
Wie macht die Ostsee? — Blubb, pifff, pschsch …
Auf deutsch, auf polnisch: Blubb, pifff, pschsch …
Doch als ich auf dem volksfestmüden,
von Sonderbussen, Bundesbahn

gespeisten Flüchtlingstreffen in Hannover
die Funktionäre fragte, hatten sie
vergessen, wie die Ostsee macht,
und ließen den Atlantik röhren;
ich blieb beharrlich: Blubb, pifff, pschsch ...
Da schrien alle: Schlagt ihn tot!
Er hat auf Menschenrecht und Renten,
auf Lastenausgleich, Vaterstadt
verzichtet, hört den Zungenschlag:
Das ist die Ostsee nicht, das ist Verrat.
Befragt ihn peinlich, holt den Stockturm her,
streckt, rädert, blendet, brecht und glüht,
paßt dem Gedächtnis Schrauben an.
Wir wollen wissen, wo und wann.
Nicht auf Strohdeich und Bürgerwiesen,
nicht in der Pfefferstadt, — ach, wär ich doch
geboren zwischen Speichern auf dem Holm!—
in Strießbachnähe, nah dem Heeresanger
ist es passiert, heut heißt die Straße
auf polnisch Lelewela, — nur die Nummer
links von der Haustür blieb und blieb.
Und Sand, klatschnaß, zum Kleckern: Gral ...
In Kleckerburg gebürtig, westlich von.
Das liegt nordwestlich, südlich von.
Dort wechselt Licht viel schneller als.
Die Möwen sind nicht Möwen, sondern.
Und auch die Milch, ein Nebenarm der Weichsel,
floß mit dem Honig brückenreich vorbei.
Getauft geimpft gefirmt geschult.
Gespielt hab ich mit Bombensplittern.
Und aufgewachsen bin ich zwischen
dem Heilgen Geist und Hitlers Bild.
Im Ohr verblieben Schiffssirenen,
gekappte Sätze, Schreie gegen Wind,
paar heile Glocken, Mündungsfeuer
und etwas Ostsee: Blubb, pifff, pschsch ...

MARTIN GREGOR-DELLIN

Die vertauschten Augen

»Wenn die wahre Ungewißheit des menschlichen Schicksals den Menschen so lebendig vor Augen stände, als sie es sollte, würde kein Mensch von Gefühl je sich entschließen, die Spanne Landes zu verlassen, auf der er zuerst Freunde umarmte«, schreibt Wilhelm von Humboldt nach Schillers Tod aus Rom an Goethe in Weimar, und er drückt damit ein nobles Gefühl aus, von dem er weiß, daß es nicht weit trägt. Denn sie alle, die sich als Freunde umarmten, waren ja irgendwann und irgendwo aufgebrochen, um sich an einem andern Ort zu treffen, und hätten sie die »Spanne Landes« nicht verlassen, aus der sie kamen, es wären ihnen wenig Freunde geblieben. Das ist die Wahrheit. Es gab die Welt ihrer Kindheit nicht mehr. Und so brechen wir alle aus ihr auf, auch wenn wir nie aufgebrochen sind. Sage keiner, er lebe noch in der Welt seiner Kindheit. Auch wenn er sie gar nicht verlassen hat, haben sich ihre Häuser, Straßen, Proportionen verändert; es steht andres Licht in den Fenstern, die Höfe sind kleiner und die Plätze kürzer geworden, selbst alte Fotografien trügen, und was sich noch gleicht, bedeutet uns nichts.

Ich habe die Stadt Weißenfels an der Saale, in der ich aufgewachsen bin, mit zweiunddreißig Jahren verlassen. Hinter mir fiel ein Vorhang, die Stadt kehrte nur in Alpträumen wieder. Nach einundzwanzig Jahren habe ich sie wiedergesehen. Ich näherte mich mit dem Wagen von Weimar her, auf der von hohen Pappeln umsäumten Allee zwischen Bad Kösen und Naumburg, an der Schulpforta liegt. Ich fuhr langsamer, die Straße biegt an der alten Einfahrt ab und führt im Bogen um Kloster und Gut. Es ist die Zeit spurlos an Schulpforta vorübergegangen, ebenso an Naumburg, das wie ein Traumversehen wirkt. Hier bin ich geboren, aber die Stadt war mir immer fremd. Vor dem letzten Stück Weges hatte ich Angst. Es mochte mir da eine Welt begegnen, an die ich nicht erinnert werden wollte. Da die letzten zehn Kilometer bis Weißenfels ein Schwertransporter vor mir herfuhr, verlief der Rest der Reise wie ein Trauerkondukt: ich war gezwungen, mir jeden Stein anzusehen, jeden Feldweg, der abzweigte, jeden Baum und jedes Wegschild. Am Eingang der Stadt, bevor die Straße sich hinabsenkt ins Tal, warb eine Plakatwand ausgerechnet mit jener Häuserzeile am Marktplatz, in deren Mitte das Haus meines Vaters stand: da also steht es immer noch, geschichtenreich und mit drei mächtigen Stockwerken, aber es ist nicht mehr das gleiche, es ist mir fremd geworden. Ich nahm die Türklinke am Haustor in die Hand, aber es war nicht mehr die meiner Kindheit, sie stammte aus München-Pasing, weil die alte, abgebrochene, nicht mehr zu reparieren war. Das war der Schock, der auf das fremde Innere des Hauses vorbereitete. Ich bin seitdem mehrere Male in der Stadt gewesen, aber ich betrete das Haus nicht mehr.

Dann das Haus der Louise von François, das dem meinen benachbart war: »Der Dachstuhl senkte sich unmittelbar auf das Erdgeschoß, wurde aber, nach Bedürfnis späterer Geschlechter, Stockwerk um Stockwerk erhöht, bis schließlich die Haube dreimal so hoch war wie das Gestell.« So steht es in ihrem berühmtesten Roman, der *Letzten Reckenburgerin,* der inmitten dieses Stadtviertels spielt. Ein Karree aus drei, vier Straßenzügen: Hier lebten Heinrich Schütz und Johann Beer; von hier aus regierte Adolf Müllner die Laientheater der Goethe-Zeit; in einem Eckhaus, von dem meinen nur wenige Schritte entfernt, trafen sich Schiller, Humboldt und Körners Vater zu einem folgenreichen Gespräch über die *Horen;* und am Ende der Straße steht das Novalis-Haus. Literaturgeschichte — das ist es, was mir einfällt, und nicht das Kind, das durch diese Straßen gegangen ist. Die Freuden und Leiden des nervösen, liebeshungrigen Kindes, das ich war, die Schulwege und Heimlichkeiten, die geistigen Abenteuer hinter den Fenstern dieses Hauses, die alles beherrschende Sehnsucht nach Welt und Verwirklichung — das ist Jahrhunderte und Kontinente von dieser Ansammlung von Steinen entfernt, durch die ich jetzt gehe, die mit neuen, schon wieder verwaschenen Farben bemalt sind. Ich treffe Menschen, die ich noch kenne, wenige, gealterte Frauen und ein paar junge Verwandte. Mit den einen verbindet mich nicht die Stadt, sondern etwas ganz andres: wir könnten das Gespräch darüber an jedem Punkt der Erde fortführen, es hat nichts mit der Gegenwart zu tun. Die andern wissen nichts von der Vergangenheit. Kindheit — das ist eine ganz andre Geschichte.

Dieses Karree aus drei, vier Straßenzügen ist, von einigen wenigen Häusern abgesehen, baufällig und abbruchreif. Läden sind zugenagelt und leer, Wohnungen zum Teil geräumt. Sofort werden die Fenster grau, die Türen fallen ein. Häuser, in denen nicht gelebt, an denen nicht ständig gearbeitet wird, sinken in sich zusammen wie Leichname. Der Gasthof »Zum Schützen« ist bereits abgerissen, und wenn ich das nächstemal wiederkomme, wird eine ganze Straßenfront verschwunden sein. So wächst der Abstand zu dieser Stadt, und hätte sie die Zeit eingeholt, wären die Häuser saniert worden, hätten sie sich hochgereckt in neuem Glanz, es wäre die alte Stadt auch nicht mehr. Was sich verändert, sind die Maße, die Gerüche, der Schnitt der Wohnungen, das Verhältnis von Straßenfläche zur Höhe der Häuser, und das ist nun ganz seltsam: Es haftet nämlich nicht der Eindruck, den man mit zweiunddreißig Jahren, als man die Stadt verließ, mitnahm — da könnte sich doch eigentlich nicht so viel geändert haben —, sondern es haftet der Blickwinkel des Kindes. Nach zwei Jahrzehnten Abwesenheit bildet sich in der Erinnerung, in den Träumen, die Vorstellung von der Wirklichkeit sozusagen zurück, sie nimmt eine frühere Gestalt an und schrumpft von dem Bewußtsein des Zweiunddreißigjährigen auf die des Sechs- oder Zehnjährigen zusammen, der Wände hinaufblickte, die ungeheuer hoch waren, der durch große, weitflügelige Türen ging, deren Klinken er kaum erreichte, der durch riesige Zimmer schritt, die sich jetzt als lächerlich klein, vollgestellt und dunkel erweisen, als sei man in der Abwesenheit noch einmal gewachsen oder habe die Augen vertauscht. Wer immer glaubt, er könne wiederfinden, was er verlassen hat, der täuscht sich über innen und außen.

Die Schleusen oberhalb und unterhalb der Stadt, deren rostige Zahnräder beim Kurbeln krachten, sie schließen nicht mehr die gleiche Stadt ein. Es steht alles noch am gleichen Platz, darin irrt sich die Erinnerung nicht. Aber wir haben die Geräusche und die Farben und den Geruch mitgenommen, und sie sind nicht wieder herstellbar. Trotzdem soll man dieses Risiko einer Wiederentdeckung eingehen und die Erinnerung daran messen, um der Wahrheit willen. Irgendwann beginnen die Nachtschatten sich zu regen, und aus den Ecken und Winkeln treten die Gespenster unsrer Träume hervor. Ich habe das in Höfen erlebt, die ich betrat, als wollte ich einem Nachbarskind rufen, auch an einer Biegung des Flusses, an der das bräunlich-schmutzige Wasser ein weißes Rinnsal in sich aufnahm. Ich schloß die Augen. Hatte ich nicht hier gesessen? Die Schulangst war wieder gegenwärtig. Aber ich bin nicht sicher, ob es die Erinnerung an einen Traum war. Es gibt niemanden mehr, dem ich meine Anklagen ins Gesicht schleudern könnte. Ich war wieder da, aber ich war allein.

Zuletzt saß ich noch einmal unterhalb der Stadt an jenem linken Saale-Ufer, an dem ich in einem Buch auch den Grafen Gustav von Schlabrendorf sitzen lasse, nachdem er in einer bequemen Tageswanderung aus Halle herübergekommen ist. Von Burgwerben fällt der Blick auf die Stadt, wie ihn Louise von François in ihrem literarisch vielleicht bedeutendsten Buch, den *Stufenjahren eines Glücklichen,* beschrieben hat:

In der Pfarre von Werben hat man den letzten freien Ausblick in das Tal, das sich von da ab zur Aue verflacht. Der Garten umzieht nach drei Seiten das Haus; gegen Mittag trennt es nur ein Fußpfad von dem rebenbepflanzten steilen Uferhange; rasch bewegt strömt unten der Fluß; seine jenseitigen Ränder steigen, mit Laubwald bedeckt, mählich empor hinter sanften Wiesenflächen, die rings das untere Dorf nebst dem Talgute umschließen, während auf der nördlichen Hochfläche unübersehbare Korngebreite sich dehnen.

Nein, da sind keine Laubwälder mehr, nur der Blick auf das immer grauer und farbloser werdende Schloß von Weißenfels ist noch der gleiche. Keine unübersehbaren Korngebreite, überhaupt ist alles ein wenig zu groß, zu sanft geschildert, die gute Louise mag das in ihrer Kindheit so gesehen haben. Ach, was wären unsre Romane, unsre Gedichte, wenn die Schriftsteller nicht ihren inneren Gesichten gefolgt wären, sondern den Auskünften der Landvermesser! Da saß ich nun, blickte über den grau sich wälzenden Strom auf die kahlen Ufer und das Schloß, und in mir rührte sich nichts. Ich schluchzte nicht, wie all die edlen Fräulein in den Romanen und Novellen der François, ich küßte nicht den Boden, ich war weder glücklich noch traurig, weder bestätigt noch enttäuscht. Es war schlicht alles ganz normal, eine unsentimentale Wahrheit aus Geschichte und Vergänglichkeit, die wirklichen Entdeckungen stellen sich erst später ein, in Gesprächen und im Bewußtsein einer wiederhergestellten Kontinuität, im Gefühl der Übereinstimmung eines Lebens mit sich selbst. Ein jegliches hat seine Zeit, jung sein hat seine Zeit, und älter werden hat seine Zeit, und es hat auch seinen Ort. Man muß ihn verlieren können, und man muß ihn suchen, aber er liegt nicht auf der Landkarte. Die Steine zerstreuen hat seine Zeit, und sie sammeln hat seine Zeit. Suchen hat seine Zeit, und wiederfinden hat seine Zeit.

WOLFGANG BORCHERT

Stadt, Stadt: Mutter zwischen Himmel und Erde

Hamburg

Hamburg!

Das ist mehr als ein Haufen Steine, Dächer, Fenster, Tapeten, Betten, Straßen, Brücken und Laternen. Das ist mehr als Fabrikschornsteine und Autogehupe — mehr als Möwengelächter, Straßenbahnschrei und das Donnern der Eisenbahnen — das ist mehr als Schiffssirenen, kreischende Kräne, Flüche und Tanzmusik — oh, das ist unendlich viel mehr.

Das ist unser Wille, zu sein. Nicht irgendwo und irgendwie zu sein, sondern hier und nur hier zwischen Alsterbach und Elbestrom zu sein — und nur zu sein, wie wir sind, wir in Hamburg. Das geben wir zu, ohne uns zu schämen: Daß uns die Seewinde und die Stromnebel betört und behext haben, zu bleiben — hierzubleiben, hier zu bleiben! Daß uns der Alsterteich verführt hat, unsere Häuser reich und ringsherum zu bauen — und daß uns der Strom, der breite graue Strom verführt hat, unsere Sehnsucht nach den Meeren nachzusegeln, auszufahren, wegzuwandern, fortzuwehen — zu segeln, um wiederzukehren, wiederzukehren, krank und klein vor Heimweh nach unserm kleinen blauen Teich inmitten der grünhelmigen Türme und grauroten Dächer.

Hamburg, Stadt: Steinwald aus Türmen, Laternen und sechsstökkigen Häusern; Steinwald, dessen Pflastersteine einen Waldboden mit singendem Rhythmus hinzaubern, auf dem du selbst noch die Schritte der Gestorbenen hörst, nachts manchmal.

Stadt: Urtier, raufend und schnaufend, Urtier aus Höfen, Glas und Seufzern, Tränen, Parks und Lustschreien — Urtier mit blinkenden Augen im Sonnenlicht: silbrigen, öligen Fleeten! Urtier mit schimmernden Augen im Mondlicht: zittrigen, glimmernden Lampen!

Stadt: Heimat, Himmel, Heimkehr — Geliebte zwischen Himmel und Hölle, zwischen Meer und Meer; Mutter zwischen Wiesen und Watt, zwischen Teich und Strom; Engel zwischen Wachen und Schlaf, zwischen Nebel und Wind: Hamburg!

Und deswegen sind wir den Anderen verwandt, denen, die in Haarlem, Marseille, Frisco und Bombay, Liverpool und Kapstadt sind — und die Haarlem, Marseille, Frisco und Kapstadt so lieben, wie wir unsere Straßen lieben, unsern Strom und den Hafen, unsere Möwen, den Nebel, die Nächte und unsere Frauen. Ach, unsere Frauen, denen die Möwenflügel die Locken durcheinandertoben — oder war es der Wind? Nein, der Wind ist es, der den Frauen keine Ruhe gibt — an den Röcken nicht und an den Locken nicht. Dieser Wind, der den Matrosen auf See und im Hafen ihre Abenteuer ablauert und dann unsere Frauen verführt mit seinem Singsang von Ferne, Heimweh, Ausfahrt und Tränen — Heimkehr und sanften, süßen, stürmischen Umarmungen.

Unsere Frauen in Hamburg, in Haarlem, Marseille, Frisco und Bombay, in Liverpool und Kapstadt — und in Hamburg, in Hamburg! Wir kennen sie so und lieben sie so, wenn der Wind uns ihre Knie mit einem frechen Pfiff für zwei Sekunden verschenkt, wenn er uns eine unerwartete Zärtlichkeit spendiert und uns eine weiche Locke gegen die Nase weht: Lieber herrlicher Hamburger Wind!

Hamburg!

Das ist mehr als ein Haufen Steine, unaussprechlich viel mehr! Das sind die erdbeerüberladenen, apfelblühenden Wiesen an den Ufern des Elbestromes — das sind die blumenüberladenen, backfischblühenden Gärten der Villen an den Ufern des Alsterteiches. Das sind weiße, gelbe, sandfarbene und hellgrüne flache Lotsenhäuser und Kapitänsnester an den Hügeln von Blankenese. Aber das sind auch die schmutzigen schlampigen lärmenden Viertel der Fabriken und Werften mit Schmierfettgestank, Teergeruch und Fischdunst und Schweißatem. Oh — das ist die nächtliche Süße der Parks an der Alster und in den Vorstädten, wo die Hamburger, die echten Hamburger, die nie vor die Hunde gehen und immer richtigen Kurs haben, in den seligen sehnsüchtigen Nächten der Liebe gemacht werden. Und die ganz großen Glückskinder werden auf einem kissenduftenden, fröscheumquakten Boot auf der mondenen Alster in dieses unsterbliche Leben hineingeschaukelt!

Hamburg!

Das sind die tropischen tollen Bäume, Büsche und Blumen des Mammutfriedhofes, dieses vögeldurchjubelten gepflegtesten Urwaldes der Welt, in dem die Toten ihren Tod verträumen und ihren ganzen Tod hindurch von den Möwen, den Mädchen, Masten und Mauern, den Maiabenden und Meerwinden fantasieren. Das ist kein karger militärischer Bauernfriedhof, wo die Toten (in Reih und Glied und in Ligusterhecken gezwungen, mit Primeln und Rosenstöcken wie mit Orden besteckt) auf die Lebenden aufpassen und teilnehmen müssen an dem Schweiß und dem Schrei der Arbeitenden und Gebärenden — ach, die können ihren Tod nicht genießen! Aber in

Ohlsdorf — da schwatzen die Toten, die unsterblichen Toten, vom unsterblichen Leben! Denn die Toten vergessen das Leben nicht — und sie können die Stadt, ihre Stadt, nicht vergessen!

Hamburg!

Das sind diese ergrauten, unentbehrlichen, unvermeidlichen Unendlichkeiten der untröstlichen Straßen, in denen wir alle geboren sind und in denen wir alle eines Tages sterben müssen — und das ist doch unheimlich viel mehr als nur ein Haufen Steine! Gehe hindurch und blähe deine Nasenlöcher wie Pferdenüstern: Das ist der Geruch des Lebens! Windeln, Kohl, Plüschsofa, Zwiebeln, Benzin, Mädchenträume, Tischlerleim, Kornkaffee, Katzen, Geranien, Schnaps, Autogummi, Lippenstift — Blut und Schweiß — Geruch der Stadt, Atem des Lebens: Mehr, mehr als ein Haufen Steine! Das ist Tod und Leben, Arbeit, Schlaf, Wind und Liebe, Tränen und Nebel!

Das ist unser Wille, zu sein: Hamburg!

Die Elbe

Blick von Blankenese

Links liegt Hamburg. Da, wo der viele Dunst liegt. Und der kommt von dem vielen Lärm, von den Menschen und der Arbeit, die da sind, in Hamburg.

Drüben liegt Finkenwerder. Aber Finkenwerder ist klein, denn es liegt da ganz drüben, und dazwischen liegt der Strom. Und drüben, das ist ziemlich weit.

Rechts liegen noch ein paar Häuser und manchmal eine Straße oder ein Graben. Und dann liegt da nachher bald die Nordsee. Und da liegt viel Dunst. Von dem vielen Wasser, das da ist.

So ist das links, drüben und rechts. Hamburg und Finkenwerder und die Nordsee. Und hinten?

Hinten liegen ein paar Wiesen und ein paar Wälder. In den Wiesen und den Wäldern liegen Kühe, Kuhfladen, Nebel, Nächte. Liegen Kaninchen, Sonne, Heidekraut und Pilze. Hin und wieder liegen Strohdächer dazwischen, Misthaufen, Fuchslöcher, Regenpfützen und Knickwege. Aber sonst nicht viel. Und nachher liegt da auch bald Dänemark.

Oben liegt der Himmel und da liegen die Sterne drin.

Darunter liegt die Elbe. Und da liegen auch Sterne drin. Dieselben Sterne, die im Himmel liegen, liegen auch in der Elbe. Vielleicht sind wir gar nicht so weit ab vom Himmel. Wir in Blankenese. Wir in Barmbek, in Bremen, in Bristol, Boston und Brooklyn. Und wir hier in Blankenese. Aber man muß die Sterne natürlich sehen, die hier unten schwimmen, in der Elbe, im Dnjepr, in der Seine, im Hoangho und im Mississippi.

Und die Elbe? Die stinkt. Stinkt, wie eben das Abwaschwasser einer Großstadt stinkt: nach Kartoffelschale, Seife, Blumenvasenwasser, Steckrüben, Nachttöpfen, Chlor, Bier und nach Fisch und nach Rattendreck. Danach stinkt sie, die Elbe. Wie eben das Spülwasser von ein paar Millionen Menschen nur stinken kann. So stinkt sie aber auch. Und sie läßt keinen Gestank aus, der auf der Welt vorkommt.

Aber die sie lieben, die weit weg sind und sich sehnen, die sagen: Sie riecht. Nach Leben riecht sie. Nach Heimat hier auf der verlorenen Kugel. Nach Deutschland. Ach, und sie riecht nach Hamburg und nach der ganz großen Welt. Und sie sagen: Elbe. Sie sagen das weich und wehmütig und wollüstig, wie man einen Mädchennamen sagt. So: Elbe!

Früher gab es riesige Schiffe. Dampfer, Kästen, Paläste, die einen übermütigen tränenlosen Abschied riskierten. Die abends wie gewaltige Wohnblocks, wie kühn konstruierte, schmal geschnittene fantasievolle gigantische Etagenhäuser im Strom lagen und träge und weltsatt und meermüde gegen die nächtlich erregten Kais trieben. Die gab es früher, diese zyklopischen schwimmenden Termitenberge, von Millionen Glühwürmchen erleuchtet, gemütlich, großmütig und geborgen glimmend, grün und rot und hektisch weißglühend. Sie konnten mit lärmender Blechmusik eine turbulente tränenlose tolle Ankunft riskieren. Ankunft und Ausfahrt: Mutige Blechmusik. So war das damals. Gestern.

Ob sie voll Fernweh und Macht und Mut ausfuhren auf die weiten Wasser der Welt — oder ob sie voll Weltatem und Weltware und Weisheit heimkamen von den Teichen zwischen den Kontinenten: Immer lagen sie voll Mut im Elbstrom, Titanen hinter den hustenden Schleppern, schimmernd aus dem Qualm der Barkassen aufragend, Festungen, unantastbar, gebirgig, übermütig.

Immer funkelte ein Übermaß an Mut aus den tausend bulläugigen Fenstermäulern. Immer zitterte ein Überschuß an Freude aus den Messingmäulern ihrer Mußidenn-Kapellen. Immer war es eine Überfülle an Kraft, die aus den stolzen Mäulern der Schornsteine stob und schnob, stampfte und dampfte. Kraft, die weißluftig aus den karpfenmäuligen Sirenenohren zischte. Lachende und lustvolle lebendige Elbe!

So war das. Damals. Gestern.

Aber manchmal gibt es Zeiten, und sie liegen grauer als der graue

Dunst Hamburgs über der uralten ewigjungen Elbe, dann sind der Mut und die Freude und die Kraft auf See geblieben, dann sind sie an fremden, kalten, wüsten Küsten verschollen. Dann sind sie überfällig, die Freude, der Mut und die Kraft.

Das sind die dunstgrauen, die nebelgrauen, die weltgrauen Zeiten, in denen es vorkommen kann, daß kleine weiße aufgeschwemmte Menschenwracks auf den graugelben schmuddeligen Sand von Blankenese oder Teufelsbrücke geworfen werden. Dann passiert es, daß vollgelaufene fischig-stinkende menschfremde Tote gegen das Schilf von Finkenwerder oder Moorburg knistern und wispern. Dann geschieht es, daß an diesen grauen Tagen Liebende, Ungeliebte, Verzweifelte, Müde, Todestraurige, Selbstmordmutige, denen der Mut zum Leben ausging — Freudlose und Freundlose, Kraftlose, die nur noch einen Freund im Elbstrom hatten, die nur noch die Kraft zum Tod hatten — daß diese, das geschieht dann in den grauen Nächten, daß diese von Elbwasser Besoffenen, die sich am Elbwasser zu Tode berauschten, dumpf und drohend und dröhnend gegen die Pontons von Altona und den Landungsbrücken stoßen. Rhythmisch dumpfen sie dagegen, eintönig, gleichmäßig wie Atem. Denn der Wellengang der Elbe, der Stromatem, ist nun ihr Rhythmus — das Wasser der Elbe ist nun ihr Blut. Und dann klatschen in den grauen Nächten die kalten kalkigen Menschenleichen klagend gegen die Kaimauern von Köhlbrand und Athabaskahöft. Und ihre einzige Blechmusik sind die blechernen Möwenschreie, die geil und voll Gier über den Menschenfischen schwirren. So ist das in den grauen Zeiten.

Meerhungrige Riesenkästen, ozeansüchtige Wohnblocks, winderfahrene Paläste voll Ausfahrt und Ankunft mit lärmender Blechmusik dickbäuchiger Messingkapellen —

Wassersüchtige Menschenwracks, todsehnende Lebendige, wellenvertraute wellenverliebte Wasserleichen voll Abschied und Endgültigkeit mit einsamem Blechschrei schmalflügeliger Lachmöwen:

Lustvolle leidvolle Elbe! Lustvolles leidvolles Leben!

Aber dann kommen die unauslöschlichen, die unaustilgbaren, die unvergeßlichen Stunden, wo abends die jungen Menschen, von der Sehnsucht nach Abenteuern randvoll, auf den geheimnisvollen Holzkästen stehen, die den geheimnisvollen Namen Ponton haben, einen Namen, der schon drucksend und glucksend all ihr zauberhaftes Heben und Senken vom Atem des Stromes verrät. Immer werden wir wieder auf den sicheren schwankenden Pontons stehen und eine Freude in uns fühlen, einen Mut in uns merken und eine Kraft in uns kennen. Immer wieder werden wir auf den Pontons stehen, mit dem Mut zum Abenteuer dieses Lebens, und den Atem der Welt unter unsern Füßen fühlen.

Über uns blinkt der Große Bär — unter uns blubbert der Strom. Wir stehen mittenzwischen: Im lachenden Licht, im grauen Nebel der Nacht. Und wir sind voll Hunger und Hoffnung. Wir sind voll Hunger nach Liebe und voll Hoffnung auf Leben. Und wir sind voll Hunger auf Brot und voll Hoffnung auf Begegnung. Und wir sind voll Hunger nach Ausreise und voll Hoffnung auf Ankunft.

Immer wieder werden wir in den grauen Zeiten auf den mürbeduftenden schlafschaukelnden lebenatmenden Pontons stehen mit unserem heißen Hunger und mit unserer heiligen Hoffnung.

Und wir wünschen uns in den grauen Zeiten, den Zeiten ohne die schwimmenden Paläste, voll Mut auf den kleinen Motorkahn, auf den Fischfänger, den Küstenkriecher, wünschen uns ein brennendes Gesöff ins Gedärm und eine weiche warme Wolle um die Brust und ein Abenteuer ins Herz. Wünschen uns voll Mut zur Ausfahrt, voll Mut zum Abschied, voll Mut zum Sturm und zum Meer.

Und wir wünschen uns (in diesen grauen Zeiten, wo es die großen Kästen nicht gibt) muskelmüde auf die heimkommenden kleinen Fischkutter, die mit asthmatischem Gepucker im Leib die Elbe reinkommen, um einmal so voll von Heimkehr, voll Fracht und Erfahrung sein zu können. Um einmal die Stadt des Heimwehs, die Stadt der Heimkehr im Blut zu haben, herrlich, schmerzlich Hamburg zu schreien, zu schluchzen — einmal voll Nachhausekommen zu sein. Und wir wünschen uns zerschlagen und windmüde auf die kleinen Fischkutter, schwatzend, schrubbend, schimpfend oder schweigend — wünschen uns die Lust, die unfaßbare Tränenlust, einmal Heimkehrer zu einer Hafenstadt zu sein.

Und wenn wir abends auf den wiegenden Pontons stehen — in den grauen Tagen — dann sagen wir: Elbe! Und wir meinen: Leben! Wir meinen: Ich und du. Wir sagen, brüllen, seufzen: Elbe — und meinen: Welt! Elbe, sagen wir, wir Hoffenden, Hungernden. Wir hören die metallischen Herzen der kleinen tapferen armseligen ausgelieferten treuen Kutter tuckern — aber heimlich hören wir wieder die Posaunen der Mammutkähne, der Großen, der Gewaltigen, der Giganten. Wir sehen die zitternden kleinen Kutter mit einem roten und einem grünen Auge abends im Strom — aber heimlich sehen wir wieder, wir Lebenden, Hungernden, Hoffenden, die bulläugigen lichtverschwendenden blechmusikenen Kolosse, die Riesen, die Paläste.

Wir stehen auf den abendlichen schaukelnden Pontons und fühlen das Schweigen, den Friedhof fühlen wir und den Tod — aber tief in uns hören wir wieder das Gewitter, das Gedonner und Gedröhn der Werften. Tief in uns fühlen wir das Leben — und das Schweigen über dem Strom wird wieder platzen, wie eine Lüge, von dem Lärm, von der Lust des lauten Lebens! Das fühlen wir — tief in uns abends auf den flüsternden Pontons.

Elbe, stadtstinkende kaiklatschende schilfschaukelnde sandsabbelnde möwenmützige graugrüne große gute Elbe!

Links Hamburg, rechts die Nordsee, vorn Finkenwerder und hinten bald Dänemark. Um uns Blankenese. Über uns der Himmel. Unter uns die Elbe. Und wir: Mitten drin!

Die Vaterstadt, wie find ich sie doch?
Folgend den Bomberschwärmen
Komm ich nach Haus.
Wo denn liegt sie? Wo die ungeheuren
Gebirge von Rauch stehen.
Das in den Feuern dort
Ist sie.

Die Vaterstadt, wie empfängt sie mich wohl?
Vor mir kommen die Bomber, tödliche Schwärme
Melden Euch meine Rückkehr. Feuersbrünste
Gehen dem Sohn voraus.

BERT BRECHT

Rudolf Alexander Schröder

Bremen

Uralte Stadt am grauen Strom,
Verwittert Giebelwerk und Zinnen;
Und blickst doch zum bewölkten Dom
Des Norderhimmels auf voll Minnen,
Als wärest du die junge Braut,
Die sich begibt der spröden Wehre,
Daß sie vom Gott, vor dem ihr graut,
Halbgöttliches Geschlecht gebäre.

Wohl bricht der Quell, der dich verjüngt,
Aus Deutschlands mittem Herzensgrunde,
Wo's unterm Berg dem Alten dünkt,
Ihm schlage bald die neue Stunde,
Wo Eichen über dem Gebein
Erschlagner Überwinder rauschen
Und mit zerbröckelndem Gestein
Verschollenes Geheimnis tauschen.

Wohl raunt der Strom ohn Unterlaß
Und redet dir von Hermanns Mute,
Der seiner Welle nüchtern Naß
Wie Wein gefärbt mit welschem Blute,
Und raunt und redet Tag und Nacht
Vom Sachsenherzog und vom Kaiser,
Der ihn am Ende zahm gemacht,
Ein Dränger und ein Unterweiser.

Wohl wehn herein mit jeder Flut
Im salzigen Wind Tritonenchöre
Und murrn und murmeln von dem Gut,
Das in der Fremde dir gehöre,
Und singen mehr und sagen wahr
Von dem, das noch die Schriften weisen,
Da sie zu Zeiten dunkel-klar
Des Nordens Leuchte dich geheißen.

Oh, wohl verstehst du solche Mär,
Du, die noch stets den Nacken straffte,
Und ob dir auch durch Schild und Wehr
Bis in den Leib die Wunde klaffte.
Ja, ob um deinen alten Ruhm
Manch stolz're Schwester aufbegehre,
Du stehst, der Freiheit Heiligtum,
Und herbergst Vaterlandes Ehre.

Ja, Vaterstadt, ja, sei gegrüßt
Und bleibe deinem Sohn gewogen
Der keine Flur so selig wüßt,
Daß du ihn doch nicht heimgezogen.
Verging mit Leben und Gedicht
Der Dienst, drin ich dir, Mutter, fröne,
So sprich: er war der beste nicht,
Doch war er einer meiner Söhne.

RICARDA HUCH

Jugenderinnerung an Braunschweig

Um Kinder herum ist Paradies und Märchen, und darum war mir Braunschweig, wo ich geboren und aufgewachsen bin, eine Märchenstadt. Der braungrüne, fliederreiche Garten, der unser Haus umgab, grenzte vorn an die Promenade, die an die Stelle des Festungswalles getreten ist, und erstreckte sich rückwärts bis an die Oker. Nach dem Flusse zu wurde der Garten abschüssig und fiel plötzlich steil ab; deshalb befand sich dort zur Sicherheit ein Plankengatter. An ihm entlang zog sich ein Weg zwischen alten Bäumen und Gebüschen, und wenn es im oberen Garten dämmerte, war es dort unten schon dunkel. Es ergriff einen dort wohl plötzlich sinnlose Furcht, weil man sich von der heiteren Welt abgeschnitten fühlte und in ein schauriges Jenseits starrte. Die Oker floß gelb und trübe und führte allerlei Unrat mit sich: Holzstücke, Zeuglappen, Korke und aufgeweichte Schachteln; an ihr anderes Ufer stieß die Rückseite der Echternstraße mit armseligen, verfallenen Höfen, von wo zuweilen ein seltsam greller, aufrührerischer Lärm herübertönte. Manche behaupten, der Name der Straße zeige an, daß dort in alten Zeiten die Geächteten gehaust hätten, und vielleicht schrieb sich daher das Verrufene, das ihr anhaftete. Dahinter erhob sich breit und fest der Turm der Michaeliskirche, im Sommer und Herbst nur sichtbar, wenn der Sturm die Zweige unserer alten Bäume auseinanderbog. An der Promenade, die wie ein Ring die Stadt umschlingt, lagen lauter geschmackvolle, bequeme, vornehme Häuser; aber mir war sie der Inbegriff lederner Sonntagsnachmittagslangeweile, vielleicht, ohne daß ich es wußte, Bild eines sinnlos sich wiederholenden Lebenskreislaufs.

Das einzige, willkommene Erlebnis des Walles war der Windmühlenberg, ein umbuschter Hügel, von dem aus die Stadt mit ihren Ziegeldächern wie ein Tulpenbeet aussah, behütet von vielen Türmen: den stumpfen des Doms, den Zuckerhutspitzen von St. Martin, dem ungleichen Paar von St. Katharinen, der schlanken Säule von St. Andreas. Das Gestein, aus dem sie erbaut sind, das der nahe Nußberg geliefert hat, ist von einer graubraunen Farbe, die von der Abendsonne beschienen in rötliches Violett übergeht und die Riesen lebendig macht. Sie erschienen mir wie Ahnen und Wächter, mit denen jeder einzelne Bürger durch ein unzerreißbares Band verbunden ist. Am wundervollsten fand ich Martin und Katharinen, wenn abends der Weihnachtsmarkt mit blinzelnden Lichtern und Buden voll absonderlicher, steifer Puppen und Lämmer sich um sie herum abspielte, aromatische Waldtannen sich an ihren Fuß lehnten, und ihr gigantischer Umriß sich in Dunst und Kälte verlor. Häuser und Namen um mich her flossen zu ahnungsvollen Schauplätzen zusammen. Der Nickelnkulk, der so wüst und verloren aussah, daß man sich nicht leicht hineinwagte, klang wie dunkler Teich, in dem gefährliches Wasservolk haust, und die Wüste Worth, die im Mittelalter einmal eine Feuersbrunst verzehrt hatte, schien wie mit einem Fluch beladen. Die Stecherstraße, wo die Korbmacher einer neben dem andern wohnten, hatte etwas Urväterliches, am Klint wohnten die wilden Jungen der Volksschule, die den Gymnasiasten auflauerten und Schlachten mit ihnen schlugen. Da, wo jetzt die Burg Dankwarderode Altertum vortäuscht, stand die alte Burg, ein herabgekommenes Gebäude mit Barockgiebeln, von dessen kleinem Säulenvorbau aus, wie man sagt, die herzogliche Gesellschaft einst zum Zeitvertreib Taler in den offenen Rachen des ehernen Löwen gegenüber warf. Das verwahrloste Haus hatte für mich Anziehungskraft, weil in einem Flügel desselben ein Museum eingerichtet war, wohin meine Großmutter uns Kinder zuweilen führte. Gern stand ich vor der Prachtuhr, die eine Art *Perpetuum mobile* sein sollte. Sie war geformt wie ein babylonischer Turm, an dem eine zierlich goldene Galerie hinaufführte, und diese durchlief eine kleine goldene Kugel, die, kaum unten angekommen, oben wieder erschien, um aufs neue hinabzugleiten. Großen Eindruck machte mir ferner Guido Renis Bild von Cephalus und Procris, deren Geschichte aus Ovids Metamorphosen meine Großmutter mir erzählte. Das Lüftchen, das der junge Jäger in der Mittagshitze herbeirief, das die Eifersucht der geliebten Procris erregte, so daß sie ihn belauschte und, seinen Pfeil in der Brust, sterben mußte, blieb mir ein reizvolles Rätsel. Am liebsten aber von allen Gemälden hatte ich Adam und Eva im Paradiese von Palma Vecchio, die beiden königlichen Menschen, deren Schönheitsglanz eine süße Melancholie überhaucht. Die südliche Sonne des Bildes blendete mich damals so, daß ich nicht nur die nüchternen Holländer übersah, sondern auch die rote Schwärmerei auf Rembrandts Familienbilde und Holbeins Porträt des Braunschweiger Hanseaten Cyriakus Kale mit dem Motto *»in als gedoldig«*, der nicht unwürdig den Ruf seiner Vaterstadt, schöne Menschen hervorzubringen, im Stahlhof zu London vertreten hat. Im Gemäuer der alten Burg sah man noch ein paar alte Rundbogenfenster mit romanischen Säulen, und das gab bestimmtere Ahnung von dem Palast, in dem vor Jahrhunderten der alte Löwe starb, als das korrekte Modell, das da heute überflüssig herumsteht …

Heinrich Böll

Köln eine Stadt — nebenbei eine Großstadt

Es ist fast müßig, eine Stadt zu loben, die fast zweitausend Jahre lang ohne viel Geschrei ihre Anziehungskraft bewiesen hat. Köln zu loben ist also wirklich fast müßig, und doch muß es einmal geschehen, obwohl es schwer ist, etwas zu beschreiben, was unbeschreiblich ist. Die wirklichen Städte haben die Eigenschaft, daß sie die Vorzüge eines Dorfes mit den Reizen einer Stadt verbinden: sie bestehen aus Vierteln, Quartieren oder Faubourgs, die sich, um ein Zentrum gruppiert, ihre Eigenart bewahrt haben, und es gibt Leute in Köln, die zehn Minuten vom Dom wohnen, aber »in die Stadt gehen«, wenn sie sich ins Zentrum begeben. Man kann nach jemand, der mitten in der Stadt wohnt, fragen und erhält die Antwort: »Er ist in die Stadt gegangen.« Eine wirklich schöne Frau braucht nicht zu beweisen, daß sie es ist: mögen Eifersüchtige ihr nachweisen, daß ihre Nase nicht vollendet, ihre Taillie zu schmal, ihr Mund zu groß sei; sie lächelt über diese Tadel, denn sie weiß, daß sie etwas besitzt, das undefinierbar und unmeßbar ist: Schönheit; etwas was nicht perfekt, aber vollkommen ist. Köln ist nicht perfekt, aber vollkommen, es ist vollkommen Köln, und wieder wird es mir schwer, zu sagen, was Köln ist:

Den Kölner Dom zu loben, ist wirklich überflüssig: er ist so groß, läßt sich gar nicht übersehen, steht außerdem gleich am Bahnhof und wirft seinen Schatten fast über alle einfahrenden Züge: man steigt aus, blickt unwillkürlich zu ihm auf und einige Minuten später ist man drin, möglicherweise noch bevor man den Koffer ins Hotel gebracht hat; auch der Rhein ist eigentlich ziemlich breit, von vielen Schiffen befahren und von vielen Brücken überbrückt, und wenn man ausgestiegen ist, riecht man ihn, wenn man ihn auch noch nicht sieht; da wären eher die romanischen Kirchen zu loben, die viel zu bescheiden sind: ein ganzer Kranz von ihnen, die sanft und grau um den Dom herum liegen. Es ist schwer zu definieren, was Sympathie erweckt: jedenfalls vieles in Köln erweckt sie, und ich weiß nicht, ob der Geruch des Rheins nicht so bedeutsam ist wie der Dom; ob es die vielen sanftgrauen romanischen Kirchen sind, oder die Kölner Straßenbahnschaffner: ich weiß es nicht. Vielleicht ist es das stetige Gefühl, in einer Stadt zu sein, was viel mehr bedeutet, als in einer

Großstadt zu sein. Großstädte gibt es unzählige, aber schöne Städte gibt es nicht so sehr viel, und überdies sind sie Großstädte noch ganz nebenbei.

Wenn ich mich entscheiden müßte, was eigentlich den Ausschlag gibt in meiner Liebe zu dieser Stadt, die Straßenbahner würden siegen, weil sie sich aus einer sagenhaften Rasse rekrutieren, die es eigentlich gar nicht gibt; die aber aus dem Unsichtbaren heraus sich immer wieder manifestiert in den Schaffnern: aus der sagenhaften Rasse der Kölner, die aus soviel Elementen besteht wie es Heere, wandernde Völker in Europa je gegeben hat; alles was zwischen Moskau und Calais, zwischen Neapel und Stockholm je auszog, das Fürchten zu lernen, von allem ist in Köln etwas hängengeblieben; schließlich und endlich die ebenso biederen wie geschickten Ubier, die in Köln ihre Götter verehrten. Diese Mischung hat in zweitausend Jahren allerlei Weisheit angehäuft, und sie gibt ihre Weisheit, wohldosiert, weiter an alle Zugewanderten, an jeden, der sie hören mag, sie gibt sie weiter durch den Mund ihrer Straßenbahnschaffner! Jemand — ein Fremder — hat mir einmal zu beweisen versucht, daß die Stadtverwaltung (heimlich natürlich) ihre Schaffner in Psychotherapie unterweisen lasse, aber Psychotherapie ist ein dummes Wort, und der Fremde hatte natürlich unrecht. Wie es in Berlin wenig Berliner gibt, gibt es in Köln wenig Kölner: irgendwo aber muß diese geheimnisvolle Rasse existieren, denn sie sendet immer wieder ihre Boten in die Stadt, damit ihr Geist sich den Zugewanderten mitteile. Wer sich zu ihnen in die Kur begibt, also mit der Straßenbahn fährt, wird bestimmt geheilt entlassen, geheilt von der Vorstellung, das Leben sei lang genug, daß man Zeit habe, sich aufzuregen. Auch die Vorstellung, das Leben sei so tödlich ernst, wie es manchmal aussieht, wird von ihnen widerlegt, und außerdem (und ich hoffe, daß die Stadtverwaltung es nie erfährt) bestehen sie, falls man kein Geld mithaben sollte, nicht unbedingt darauf, daß man bezahlt: man kann mit ihnen reden: überhaupt lassen die Kölner mit sich reden: sie sind die am wenigsten fanatische Rasse, die ich kenne, und es ist gewiß kein Zufall, daß Hitler sich in keiner Stadt so wenig wohlgefühlt hat wie in Köln; die Souveränität der Bevölkerung liegt so sehr in der Luft, daß kein Tyrann, kein Diktator sich in Köln wohlfühlen kann.

Man kann mit dem Auto durch eine Stadt fahren, kann sie vom Flugzeug aus betrachten, schließlich die abenteuerliche Perspektive des Radfahrens wählen, aber die abenteuerlichste bleibt die des Fußgängers, der gelegentlich die Straßenbahn benutzt: er taucht in die Bevölkerung ein wie in ein Element, er nimmt an ihrem Leben teil, an ihrem Alltag und dieses Erlebnis nimmt ihm das ein wenig befremdende Gefühl, ein Tourist zu sein.

Köln ist eine Großstadt — gewiß —, aber das sagt nicht viel: es ist eine Stadt, und in einer Stadt fühlt man sich zu Hause, in einer Großstadt nicht immer.

Ich weiß, ich werde alles wiedersehn.
Und es wird alles ganz verwandelt sein,
Ich werde durch erloschne Städte gehn,
Darin kein Stein mehr auf dem andern Stein —
Und selbst wo noch die alten Steine stehen,
Sind es nicht mehr die altvertrauten Gassen —
Ich weiß, ich werde alles wiedersehen
Und nichts mehr finden, was ich einst verlassen.

CARL ZUCKMAYER

WOLFDIETRICH SCHNURRE

Erinnerungen an die Gegenwart

Warum ich nur in Berlin leben möchte

Zugegeben, wenn man Berlin Abend für Abend auf der Fernseh-Wetterkarte als winzig verlorenen, noch dazu geteilten Fleck inmitten der DDR liegen sieht, kann einen schon ein gewisser Schluckauf befallen; und es wäre arg geprahlt zu glauben, derlei Anfechtungen, die die Lebensfähigkeit dieser Stadt aufs Krasseste in Frage stellen, seien im Nu überwunden. Autobahnen, Fluglinien, Schienenverbindungen können, wenn man sie benutzt, durchaus etwas Tröstliches haben. Aber auf der Karte nützen sie einem nicht viel und bedeuten weder Verheißung noch Trost. Sie gehören zum Imagepflege Berlins, und wer unbedingt will, der kann da getrost von Venen oder Nabelschnur sprechen: Der heillose Inselcharakter dieses anachronistischen Steinhaufens bleibt unabweisbar bestehen.

Was also hält einen hier? Ich fürchte, ohne ein tiefgreifendes Bekenntnis zur Sentimentalität ist hier gar keine Auskunft zu geben. Es gibt keinen einleuchtenden Grund, sich ausgerechnet in Berlin aufzuhalten. Jede scheinbar stichhaltige Erklärung ist mit Leichtigkeit zunichte zu machen, denn es sprechen tausend Gründe dagegen. Einen einzigen, ein wenig anders gearteten Grund allerdings, den hätte ich schon. Nur darf man ihn eben nicht in rationellen Bereichen erwarten. Sondern wo? In der eigenen Kindheit zum Beispiel. Ich bin grau geworden mit dieser Stadt. Das, was sie einem an bleibender Buntheit mitgegeben hat, ist dem Achtjährigen in Laubenkolonien und auf Hinterhöfen zugeschworen worden, die es heute nicht mehr gibt.

Allerdings, so sentimental, sich nur auf die Erinnerung zu stützen, ist man als Berliner nun auch wieder nicht. Doch wo die Erinnerungen Halt suchen können, wo sie Hinweise erhalten, sich abzustützen, da sind sie als Schatzbehalter unschlagbar. Sie, diese fundierten Erinnerungen, sie sind es, die einen nicht nur hier ausharren lassen, sondern die man nun auch als Fingerzeige und Sinndeutungen begreift.

Das Judenasyl in Weißensee gibt es nicht mehr. Aber der Hydrant ist noch da, an dem der Schlauch angeschlossen wurde, mit dem am 10. November 1938 das Feuer gelöscht worden war, in das doch sonst nur Öl gegossen wurde, woanders. Das ist überhaupt ein Kriterium für die Erinnerungshinweise in dieser Stadt: Sie sind fast alle sentimental und politisch zugleich; nicht historisch; natürlich, die gibt es auch. Aber Historisches hält einen nicht; es schreckt einen in seiner nutzlosen Versteinerung eher ab. Politisches aber, das hat gelebt, das lebt noch. Und nimmt man das Gefühl noch hinzu, die Wut damals, die Ohnmacht, die Verzweiflung, den Schmerz; aber auch die Solidarität, das Selbstverständnis der Dazugehörigkeit, dann entsteht hier Leben an Stellen, die optisch längst Vergangenheit sind.

Es hat damit zu tun, daß man zu Hause war hier — in allem. Nichts hier fand ohne mich statt. Jede Straßenschlacht rief nach Zeugen, jeder Streik brauchte Kinder. Jeder Mord wollte Augen. Man vibrierte. Man war eingesogen vom Atem Berlins. Man war ein Stück Glimmer im Rinnstein, eine schwitzende Pore, eine Lache Benzin. Die arbeitslosen Artisten, die mit ihren ausgemergelten Körpern auf dem Hofpflaster Kunststücke machten; die alten Herren vom Roten Frontkämpferbund, denen die gelbgewordenen Eichhörnchenschwänze aus den Nasenlöchern ragten; die verfeindeten Zigeunerfamilien, die mit Rasiermessern, Pfannen, Hämmern, Hunden und Äxten einander das doch schon fragwürdig genug gewordene Leben streitig zu machen versuchten: sie alle waren nur hier möglich, nirgendwo sonst.

Nirgendwo sonst aber auch hat es so viele Feinde gegeben. Die aus den Märchenbüchern wurden alle nach Hause geschickt. Wir hatten eigene. In jedem Stadtteil andere. Am Alexanderplatz sind es die Polizisten gewesen, die im Präsidium noch auf uns einprügelten, weil wir die Streikbrecher im großen BVG-Streik mit Pflastersteinen beworfen haben. Am Prenzlauer Berg sind, die abgelederten Totschläger in den Taschen ihrer Breecheshosen verborgen, Sturmriemen unter dem Kinn, die SA-Trupps marschiert. In den Kasernen in Lichterfelde lauerten mit entsicherten Karabinern die Reichswehrsoldaten auf uns, die nicht vergessen konnten, daß wir sie mit Sprechchören eingedeckt hatten, als sie auf die plündernden Erwerbslosen schossen. Das hält. Das hält vor bis heute. Das mag man nicht wissen, wenn einem an Akzentuierendem liegt.

Sicher, Ähnliches hat es auch in Hamburg, in Thüringen, im Rheinland und im Ruhrpott gegeben. Genau besehen, in jeder ein wenig größeren deutschen Stadt. Aber in diesem Berlin kam die Welt noch dazu, die da mitgemischt hat. Gegenüber der Börse war ein Frisör, der sich über zweierlei freute: darüber, daß die jüdischen Herren von gegenüber so ordentlich waren, und darüber, daß ihre Bärte so schnell sprossen, daß sie sich zweimal am Tag rasieren lassen mußten. In den Markthallen am Alex standen Neger auf gelblichen Kisten und warfen uns Gratisbananen vor die Füße. In der Jugendherberge in Tiefensee und auf dem Stadion in Hohenschönhausen trugen wir mit russischen Pfadfindern Wettkämpfe aus, und ›Emil und die Detektive‹ von Kästner fanden wir, obwohl es am Nollendorfplatz spielte, schon deshalb nicht gut, weil alles das, was aufregend war in Berlin, in diesem Buch fehlte. Da ist das, das vom Transportarbeiter Franz Biberkopf berichtete, schon wesentlich besser. Denn da waren Ganoven drin, Nutten und Zuhälter und Schlepper, weil das ein Arzt geschrieben hatte, der beinah so gut Bescheid wußte wie wir, obwohl wir natürlich die besseren Beziehungen hatten.

Richards Vater zum Beispiel war Kassierer im Ringverein Süd. In ihm hatten sich haftentlassene Schwerverbrecher zusammengetan; nette, glanzgesichtige Herren, mit narbigen Daumenkuppen hinter den Hosenträgern und fliederduftender Pomade im Haar. Oder Ellas Schwester, genannt »Der Tiger von Pankow«, die Chefin der Rotgestiefelten war, lesbischer Damen, die lieb zu uns Kindern, aber in ihren Lokalen in der Weinmeisterstraße auch verständnisvoll zu Herren waren, die Kettenklirren und Peitschenhiebe gern mochten. Man kann sagen, das ist doch pervers, kriminell; das hat doch mit der Liebe zu einer Stadt nichts zu tun. Genau das hat es jedoch; denn das Brave, das Ordentliche ist immer Provinz. Die Großstadt Berlin aber war nie ordentlich, also auch niemals Provinz; und welche deutsche Großstadt kann das schon von sich sagen? Das also alles zusammengenommen.

Nein, nicht das Theater, der Film, nicht die hochgeschätzte Kultur. Aber der Bodensatz, aus dem die Träume der Stadtstreicher dampfen. Die Obdachlosenasyle. Die Heilsarmeeheime. Die Viertel hinterm Schlesischen Bahnhof: Gasbeleuchtung im Flur, fünf Höfe hintereinander, und immer noch Geranien neben den Müllkästen im letzten. Koppenstraße 9, fünfter Hinterhof links hat Luzie gewohnt. Vier Stock hoch, schuhkartoneng, und alles voll blutender Märtyrerherzen und bittender Madonnen und gekreuzigter Christusse um sie herum; und ich bin nur deshalb andauernd ins Kino gegangen, um ihr auch ein bißchen was von der anderen Welt erzählen zu können. Und als ich kein Geld mehr hatte — denn viermal in der Woche ins Kino, wer kann das schon? —, da habe ich selber Filmgeschichten gemacht und sie, ganz wie Luzie es sich wünschte, mit Adolf Wohlbrück und Renate Müller, mit Sybille Schmitz und Rudolf Forster besetzt. Aber Luzie ist trotzdem gestorben. Sie liegt auf dem Friedhof am Prenzlauer Berg, nah bei Horst Wessel, dem wir den Liedanfang »Die Fahne hoch, die Reihen fest geschlossen« verdanken.

Auch das also, auch das Private hält mich hier fest. Denn auch das

Private hört auf privat zu sein in einer Großstadt wie diesem Berlin. Es wird exemplarisch, weil Weltatem hinzukommt. Auch der schmeckt nach Ruß und nach Asche, das stimmt. Aber es ist eben Ruß und Asche der Welt; und auch des Weltkriegs bereits. Und da fängt Politik eben doch an Geschichte zu werden, auch die Geschichte Berlins. Denn auch Hitler hat sich ja wohlgefühlt hier. Immer wieder hat er in jener Januarnacht vor der im Fackelschein vorbeiziehenden SA den Arm hochgestreckt. Vor derselben SA, der der Feuerwerker Herr Krummhauer auch jetzt noch den Kampf angesagt hatte. Drei Häuser vorher, in derselben Höhe etwa wie Hitler, hatte er sich mit seiner Spezialrakete einschließen lassen. Sicher wäre keiner der SA-Männer getötet worden durch sie. Aber es hätte bei den vielen ausländischen Beobachtern ja durchaus genügt, die Marschierenden durcheinanderzuwirbeln. Rückschlüsse auf eine aktive Gegnerschaft wären allemal daraus abzuleiten gewesen. Doch es kam anders. Dicht über den Köpfen der marschierenden SA riß es die zischende Riesenrakete plötzlich nach oben, und unter den Begeisterungsrufen Hunderter von Zuschauern zerbarst sie knallend und gold- und silbersprühend am Himmel. Herr Krummhauer soll keinen Selbstmordversuch gemacht haben, heißt es. Ein Erinnerungsexempel, an dem ersichtlich ist, daß der Erinnerer Schriftsteller ist.

Wodurch sich dieses Berlin obendrein noch zu einer Anthologie-Wabe weitet. Jede Zelle ein Schicksal. Jedes Schicksal eine Geschichte. Jede Geschichte ein Bruchstück Berlins, also des Weltkaleidoskops. Immer noch, ja. Auch noch, als es, schuldig geworden, zerbombt worden ist. Auch noch in Trümmern. Auch noch, als es, zu Tode versehrt, aus seinem Scheintod erwachte. Verläßt man so eine Stadt? Natürlich, man kann es. Man kann aber auch bleiben und zu spüren beginnen, wie sich in Notwendigkeit umsetzt, was als Gewohnheit begann. Ich möchte heute in keiner anderen Stadt leben als hier in Berlin. Das hat wenig mit Lokalpatriotismus, viel dagegen mit egozentrischer Treue, mit selbstischem Stadtverständnis und mit angewandter Trauer zu tun. Denn eine Weltstadt ist Berlin heute nicht mehr. Vielleicht eine Hauptstadt; vielleicht eine doppelte gar. Schwer zu sagen. Die gewohnten Hauptstadtkriterien sind jedenfalls nicht mehr anwendbar. Dazu ist die Teilung zu sehr an die Substanz gegangen. Es gibt allerdings auch Berliner, die sagen: Was heißt hier Teilung, wenn man die Straßen, wenn man die Häuser befragt? Moabit und Heinersdorf; Kreuzberg und Weißensee — obwohl in Ost- und Westberlin liegend: optisch ist das doch kaum zu unterscheiden.

Da mag stimmen, was die großstädtische Traurigkeit dieser Bezirke betrifft. Im übrigen sollte man jedoch weniger Straßen und schußverletzte Häuser als vielmehr deren Bewohner befragen. Es gibt eine Art politischer Einsicht hierorts, der man den Realitätsbezug nicht absprechen kann. Nach dem Frontstadt-Mythos die kühle Ernüchterung nun, ein altes preußisches Erbe. Mit dem sich hervorragend leben läßt. Ja, baut man es zur Sachlichkeit aus, tritt als Grundstruktur in ihm Bescheidung zutage, eine Bescheidung, die dem einst so unbescheidenen Berliner wohl ansteht. Denn da, aus geopolitischen Gründen, sowohl seines Humors, wie seiner Herzlichkeit verlustig gegangen, war ihm, fast verständlicherweise, jetzt nur die berüchtigte Schnauze geblieben, die sich mit Urbanität nun allerdings gar nicht verträgt. Weshalb die Intoleranz des Berliners sein einstiges Weltstadt-Image auch am nachhaltigsten unterminierte. Und nun die märkische Bescheidung statt dessen. Die sich unübersehbar auch in den kargen Waldseen, den Kiefern, dem Sand manifestiert —: Sie hält mich, ehrlich gesprochen, noch mit am meisten hier fest. Denn Landschaft und Stadt sind nirgendwo sonst in Deutschland so aufeinander angewiesen wie die Mark Brandenburg und eben dieses Berlin.

Und genau an dieser Stelle steht jetzt auch wieder eine Figur, die all das verkörpert, was einen hier wurzelhaft bindet. Es ist eine Frau, eine dichtende Jüdin, im KZ umgekommen, vergast. Es ist Gertrud Kolmar, die der Geburtsstadt Berlin in ihrem lyrischen Werk die ergreifendsten Denkmäler setzt. Ich habe lange nichts mehr mit einem so abgewerteten Begriff wie Vaterland anfangen können. Jedoch die Gedichte Gertrud Kolmars, die Toleranz, Geist und Liebe gewordene Heimattreue, die aus so vielen von ihnen spricht — das alles könnte durchaus dazu angetan sein, jene Aversion zugunsten Berlins ins Hintertreffen zu zwingen.

Viele Leute denken heute bei Berlin und der Mark Brandenburg an ihren Fontane. Ich denke an Gertrud Kolmar, wenn ich durch den Grunewald gehe. Denn ihre Zugehörigkeit zu dieser monotonen Landschaft, ihre Verbundenheit mit diesem grauen, spröden, unliebenswürdigen und geschundenen Berlin, sie sind ja auch meinen Gefühlen verwandt.

Gefühlen allerdings jetzt, die weder etwas mit Öffentlichkeit noch mit Kulturpolitik, noch mit Ost oder West, sondern die einzig etwas mit innerem Geborgensein, mit der Erinnerung an sommerlich brodelnden Kiefernduft, heiseres Mauerseglergekreisch, regennassen Asphalt und mit großstädtischer Einsamkeit zu tun haben. Sie also sind es dann außerdem noch, die mir Berlin als Existenzort zuweisen. Ja, wahrscheinlich sind sie es vor allem.

Uwe Johnson

Berlin für ein zuziehendes Kind

An einem Vormittag, fast noch im Sommer
an vier Triebwerken der Firma Pratt & Whitney hängend
über der klaren Mark Brandenburg
	dem Truppenübungsplatz Döberitz
	Panzerkettenspuren
	gelblichen Wunden im Bodenbewuchs

nach siebenhundertneunundachtzig Tagen in Greater New York
in einem Linienflug der PanAm, abends ab Kennedy International
über den versteckten Panzern im märkischen Wald
kommt das Kind zu den abschließenden Fragen:

	Warum gehört England nicht zu Europa?
	Warum liegt Deutschland hinter Schottland?
	Warum sollen wir landen in Westberlin?

Das Flugzeug ist ein fliegendes Foyer, voller verschlafener Decken,
Abendzeitungen Manhattans neben Frühstücksgeschirr
wohnlich genug für den Wunsch darin weiterzureisen
hinweg über Berlin Moskau Tokio San Francisco nach New York, New York

Das Kind hat mit allen Passagieren Lebensgeschichte getauscht
hat alle Stewardessen erschöpft
hat weiterhin Fragen:

	Wieso ist es hier später?
	Liegt Berlin nicht in der Uhrzeit?
	Ist Viet Nam in der Nähe?

In der Nähe ist East Germany
In der Nähe ist Schmöckwitz und Caputh und Werder und
Lehnitz und der Bahnhof Lichtenberg, East Berlin.

	Wie Jones Beach und Hoboken und Connecticut?
	Auto, Fähre und Eisenbahn?
	Wann immer?

Nicht vor dem Friedensvertrag

> Ist da ein anderer Krieg?
> Was werden wir noch finden vom Krieg?
> Schlachtschiffe, Napalm, Nahkampf im Fernsehen?

Nur die begradigte Front um die Stadt
Gelegentlich sozialistische Tote im Draht
Ruinen, kräftiger als Konjunktur, hinter Werbetafeln
Studenten marschieren gegen Kriege überhaupt Macht überhaupt
Ehen überhaupt Verkehrsampeln überhaupt
Älteren Zuschauern zittert die Lippe der Stock das Konto
Go-ins, sit-ins, Polizei im Sturmhelm
Berlin im Auslandsdienst der WABC-TV

> Was haben wir zu suchen in Berlin?

Erinnerungen.
Wo du geboren bist
Veränderungen an anderen Freunden
Gespräche auf dem Wochenmarkt
Kleinere Dörfer, Steglitz Lübars Lichterfelde
Das seidige Licht dieser Jahreszeit
Blätterwechsel in den Hinterhöfen
Das Gewicht der Farben im November
Düsenkrach über den Walmdächern

Stille zwischen den alten Fassaden
Das Atmen der Stadtbahn in der Nacht
Mal nachsehen.

> Gibt es dort jüdische Kinder zum Spielen?
> Gibt es den Palisades Amusement Park?
> Gibt es ein Loch in der Grenze nach Lichtenberg?

An den bewährten Triebwerken der Firma Pratt & Whitney
die die Maschine über Oranienburg hinunterschrauben,
entgegen den Havelseen und den Waldgebieten im Norden,
entgegen dem dörflichen Flughafen Tegel,
im Gespräch mit einem Kind:

Hat man hier Radar?
Spricht man hier Englisch?
Wird hier auch auf Besucher geschossen?

Sie haben hier Radar und Autobahnen und Heimatfreude
Wer zuzieht kriegt Darlehen und Zitterprämien und das
Schöneberger Rathaus.
Hier spricht man nicht was du kennst.
Das Empire State Building nennen sie hier den Funkturm
Rockefeller Center Peppers Elefantenfalle
South Ferry Circle Line Stern und Kreis Schiffahrt
John Vliet Lindsay haben sie gar kein Wort für.

Und wohin kann man fliegen von hier?

Fasten your seat belt.
Täglich nach London, einmal die Woche nach New York.

This is what I like about Berlin.

Adolf Muschg

Der Zusenn oder das Heimat

Vielleicht ist es dem Untersuchungsgericht nicht bewußt, daß ich mit meiner Frau Elisabeth sel. 15 Jahre auf dem Fröschbrunnen gewirtschaftet habe und dabei gut beleumdet war, auch zu leben hatte, bis derselbe anno einundfünfzig aus zweifelhaften Gründen mit unserem damals zweijährigen Christian abbrannte und ich auch unser sämtliches Vieh sowie Fahrhabe verlor, weil das Feuer zu schnell um sich griff, auch der Löschzug nicht rechtzeitig zur Stelle war. Der Fröschbrunnen war Familienbesitz seit mehr als 100 Jahren und hat schon mein Großvater zur Zufriedenheit darauf gewirtschaftet. Infolgedessen wurde mein Vater sel. sogar in die Schulpflege gewählt und darf ich von mir sagen, daß ich die Sekundarschule in Krummbach besuchen konnte, weil meine Mutter sel. kein Opfer scheute. Man hätte das Wasser aus der Feuerrose beim Gießhübel beziehen können, aber der Feuerwehrhauptmann blieb bei seiner Auffassung, derselbe sei zugefroren gewesen, was auch ganz richtig war, man jedoch nur das dünne Eis zerschlagen gemußt hätte. So verging mehr als 1 Stunde, bis die Leitung vom Hasenrain herüber gelegt war und auch das Wohnhaus nicht gerettet werden konnte. Der Tod unseres Christians hat zu vielen bösen Gerüchten geführt, obwohl er noch ganz klein gewesen ist und wir immer gut zu ihm geschaut hatten. Das versetzte uns damals einen schweren Stoß. Da das Schadengeld nirgends hinreichte und wir zuerst in der Schattenhalde einquartiert wurden, führte auch dieses zu starken Reibereien, und meine liebe Frau überlebte es nur 1 Jahr, weil sie sich während der Brunst erkältet hatte, welches sich aber als Krebs herausstellte. Auch darunter haben wir viel zu leiden, wo doch jeder wußte, daß wir gut ausgekommen sind und sowieso gestraft genug, auch unsern Zins regelmäßig bezahlt hatten. Aber das Schadengeld wurde uns bösartig herabgesetzt, auch kostete die Operation 5000 Franken, die ich fast nicht aufnehmen konnte, und der Schattenhaldenbäuerin wurde es zuviel, wegen meinen Töchtern, wobei Lina schon 22 Jahre alt war und überall mithalf, auch ich auf dem Feld, während man sagte, ich mache die Kühe scheu und deshalb nicht melken durfte. Daß Barbara erst drei Jahre alt war, dafür konnte sie nämlich nichts, machte freilich viel Mühe, welche ich als Mann nicht genug unterstützen konnte und die Schattenhaldenbäuerin selbst in Erwartung war. So mußten wir ausziehen und die Torggelalp von der Gemeinde in

Pacht nehmen, wofür ich noch dankbar sein durfte, weil der vorherige Pächter mit Tod abgegangen war, nachdem er abgewirtschaftet und sich erhängt hatte. Es war ihm eben auch zu einsam dort oben.

Daher war auf der Torggelalp seit vier Jahren nichts mehr gemacht worden, aber Lina und ich brachten das Heimat so weit wieder in Ordnung und gelang es uns auch, Barbara günstig aufzuziehen, so daß sie gesund blieb. Nur der Schulweg war so weit, daß sie ihn im Winter nicht immer gehen konnte, deswegen zurückfiel und viel Freude verlor, obwohl ich den Weg jeden Morgen frei machte und dies nicht einmal im Vertrag festgehalten war.

Ich bahnte den Weg bis zur Sennerei, wo ich mich aber nicht aufhielt, auch im Dorf nicht, wegen der Leute, nicht einmal wegen dem Milchgeld. Wenn auch deswegen wieder Gerüchte aufkamen, so ist das typisch, schuld war aber die große Abgelegenheit des Heimat, die durch den Schnee oft schon Mitte Oktober einsetzte.

Auch mußte ich ganz auf Milchwirtschaft umstellen, was ich mir im Fröschbrunnen nie hätte träumen lassen, aber trotz widriger Umstände durchsetzte.

Auch war der Zins so hoch, daß wir beim besten Willen wieder Schulden aufnehmen mußten. Zuerst war es mir vergönnt, jedes Jahr 15—20 Rinder zu sömmern, von privat, aber dann nahmen dieselben undurchsichtig ab, obwohl ich nur verlangte, was recht ist, die Rinder auch in gutem Zustand wieder ins Tal kamen, wo ich mich aber leider nie so lange aufhielt, um den Gerüchten zuvorzukommen. Ferner war meine älteste Tochter Lina oftmals krank, worunter die Wirtschaft aber nicht gelitten hat, da ich sie trotzdem zu Mühe und Arbeit anhielt und unsere Jüngere früh hatte lernen müssen, derselben unter die Arme zu greifen, dann freilich am Schulbesuch gehindert war. Muß ich auch sagen, daß mir sonst Lina ohne Worte und trotz ihrer Beschwerden, die sie im Bauch hatte, eine lebhafte Stütze war und immer noch wäre, wenn man sie jetzt nicht versorgt hätte, woran sie keine Schuld betrifft, und hoffe nur, daß man ihr heute ärztliche Pflege zukommen läßt, weil sie dieselbe verdient hat. Es war ein Schlag für uns, als die Gemeinde wegen Unregelmäßigkeiten, an denen kein wahres Wort war, oder die nur in den gesamten Umständen ihren Grund hatten, und weil ich mich nicht jeden Augenblick rechtfertigte, keine Rinder mehr zur Sömmerung zukommen ließ, so daß ich auf meinen geringen Bestand zurückgeworfen war.

Ist es doch eine Verleumdung, ich sei nicht mehr bei Troste gewesen, nur weil es mir nicht mehr gelang, ein Zucken in meiner Backe zu unterdrücken, und bin ich deswegen gewiß niemandem lästig gefallen, sondern habe kein ungutes Wort aus dem Mund gelassen, was der Pfarrer bestätigen kann, solange er noch kam, später bekanntlich nicht mehr, bis es zu spät war. Als ich wegen des Zuckens nicht mehr gern gesehen war, schickte ich ja Barbara mit der Milch, was ihr gewiß nicht geschadet hätte, hat auch im Laden nur das Notwendigste gekauft, weil gar nicht mehr da gewesen wäre, und wenn sie im Laden manchmal stehen geblieben ist, so nur, weil sie warten mußte und die andern Leute jetzt mehr kaufen können als zu meiner Zeit.

Und wenn gesagt wird, meine Milch sei nicht 100 % gewesen, so hat mir das niemand bewiesen und keiner der Herren zugesehen, wie ich mein Vieh versorgte, das kam immer vor uns Menschen dran, und von wegen kranken Kühen, ich hatte ja kein Telephon, um eine solche allfällig zu melden, damit der Viehdoktor rechtzeitig gekommen wäre, und ist dem doch von der Gemeinde ein Jeep zur Verfügung gestellt worden.

Ich bin auch Bürger der Gemeinde, aber das heißt nicht, daß man meine Töchter einfach versorgen kann, nur weil sie keine Schuld trifft. Es heißt auch immer, ich sei ja nicht einmal mehr zur Kirche gegangen oder in die Beichte, da möchte ich aber bitte bedenken, daß ich schon gegangen wäre, als die Not da war, aber es war zu weit weg, und da sind wir eben mit der Not selber fertig geworden. Wenn das Sünde ist, so können meine Töchter sicher nichts dafür, das müssen auch Sie vom Gericht zugeben, einmal wegen der Jugend, ferner wegen der Armut, und ist zu bedenken, daß Barbara bei alldem vielleicht etwas zurückgeblieben war. Trotzdem ist dann, als es passiert war, keine Verwilderung eingetreten, ja eine Verbesserung des Haushalts, lebten wir doch endlich im Frieden zusammen und konnten auch den Zins wieder aufbringen, was wie ein Wunder war, auch Gott dafür dankte, bis dann der Pfarrer kam und hinterher der Friedensrichter, alles der Verleumdung wegen. Habe nämlich die Meinung, wenn man eine Familie so lange allein läßt, muß man ihr auch erlauben, wie sie damit fertig wird. Da sie jetzt halt versorgt ist, will ich aber dem Glück meiner Tochter auch nicht im Weg stehen, hoffe nur, daß es sich darum handelt und nicht um den Profit von irgendeinem, weil meine Tochter arbeiten gelernt hat, möchte auch bitten, von Nachstellungen abzusehen, da ich sie nämlich nicht verdorben habe, obwohl es bekanntlich zu unzücht. Handl. kam. Diese waren nur der Ruhe wegen, was Barbara bestätigen kann, wenn sie will, und vergebe ich ihr darum von Herzen, sie soll sich nicht hintersinnen, weil sie mich ins Gefängnis gebracht hat, weil es so unser Schicksal war, wie es scheint, und wir haben jetzt genug davon. Will darum Gott danken, daß sie von der Torggelalp herunterkam, und bitte das verehrte Gericht nur um einige Sorgfalt, damit sie es überlebt. Ich hatte sie eben auch gern, konnte in der Folge nicht gut anders und wüßte auch heut noch nicht was tun. Und hätte sogar meine Frau sel. nichts dagegen, das weiß ich, habe ja ihr gutes Herz fast 24 Jahre mitansehen dürfen und hat sich auch über den späten Kindersegen gefreut, zuerst die Barbara, dann den Christian, der dann ja auch im Feuer geblieben ist. Darum ist sie auch heimgegangen und hat die Familie ganz uns selbst überlassen, das war etwas viel auf ein Mal, wenn man dazu noch gepfändet wird und auf die Torggelalp muß. Wenn meine ältere Tochter Lina der Mutter sel. nicht nachgeschlagen wäre wie aus dem Gesicht geschnitten, weiß ich nicht, was dort oben aus uns geworden wäre.

Man muß aber nicht vergessen, daß ein Mädchen noch etwas anderes im Kopf hat als den Haushalt, auch ein älteres.

Jedenfalls war Lina nicht mehr krank, als Sie uns auseinandernahmen, das mag dem Pfarrer nicht in den Kram gepaßt haben, weil ihm der Verstand stillstand, aber er war ja geistlich und über die Jahre hinaus, wo man geplagt ist.

Sollte Lina aber jetzt wieder beschwerlich geworden sein, dann haben die Leute das fertiggebracht, denn meine Tochter hat eine starke Natur und wird überall gesund, wo sie gebraucht wird. Ich wußte es ja selbst nicht, daß ich als 57 Jähriger nochmals geplagt würde, und war es auch ein kalter Morgen. Ich wollte zum Füttern und sah, daß sie noch kein Feuer gemacht hatte, sondern die Küche leer war, und der Atem blieb Ihnen vor der Nase stehen. Ich war erschrocken, liebes Untersuchungsgericht, denn kann nur sagen, daß so etwas in 10 Jahren nicht passiert war, auch wenn sie Bauchweh hatte, sie schleppte sich hinunter und stellte den Kaffee auf den Herd. Alle Fenster waren gefroren und alles wie in einem Friedhof, da hätte ich Sie sehen wollen, denn so still war es seit dem Tod meiner Frau nicht mehr gewesen. Aber daran dachte ich nicht in diesem Augenblick, ich verspreche es Ihnen, das kam erst später über mich.

Ging die Treppe hinauf zur Kammer, die Kleine schlief ja noch, was nicht auffiel, denn wir hatten sie immer schlafen lassen, wenn es zu kalt war, hatte ja auch nur einen Verschlag dazu, aber ein warmes Bett, da war sie am wohlsten, was sollte sie anderswo. Ich dachte einzig, daß wir wieder Eins weniger sein könnten und klapperte aus diesem Grund vor Angst, klopfte nicht einmal an Linas Tür, sondern riß dieselbe ohne weiteres auf. Ich schreibe das nur, damit Sie die Umstände wissen, und nicht, damit Sie dabei wieder etwas Schmutziges denken. Denn da in der kalten Kammer saß meine Frau im Hemd, im bloßen Hemd, verehrtes Untersuchungsgericht, drehte sich gar nicht um, sondern machte ihre Sache wie zuvor, war etwas nach vorn gebogen, um sich im Spiegel zu sehen, und fuhr sich mit einer Bürste über die Haare. Dieses tat sie aber so langsam, daß diese Langsamkeit, mit dem bloßen Hemd zusammen und dem Atem, der den Spiegel beschlug, daß sie mit der freien Hand darüber wischen mußte, mir ins Herz schnitt und mich ganz schauerlich machte, ich kann es nicht sagen, und war meine Frau doch viele Jahre tot. Was machst du, fragte ich, hör doch auf, du erkältest dich ja. Sie sagte, und drehte sich gar nicht um: Warum nicht, sagte sie, und war ganz ruhig und komisch. Hinterher sagte sie, daß sie von der Mutter geträumt hatte, und erst dann, ich verspreche es Ihnen, merkte ich, daß ich auch von der Mutter geträumt hatte, aber dann war es schon zu spät.

So lange ich noch dort stand in der Tür, sah ich nur, daß sie sich nicht einmal umdrehte, und infolgedessen, daß ihr Haar schon an mehreren Stellen grau geworden war. Bedenken Sie, daß Lina ins Siebenunddreißigste ging, was normal ist, nur daß ich bisher als Vater nie darauf aufgepaßt hatte, ferner die Kälte, und daß ich mich vom Schrecken her in einem abnormalen Zustand befand. Deshalb spielte sich alles so schnell ab, daß ich mich nicht mehr erinnern kann, wie es dazu kam, da habe ich nicht gelogen, obwohl Sie es ja genauer wissen wollen, aber wem hilft so etwas jetzt.

Ich weiß auf Ehre und Seligkeit nur noch, daß mir plötzlich leichter wurde und das Gesicht Linas so lieb und müde, wie es als Kind einmal gewesen war, neben mir auf dem Kissen lag, und wir beide atmeten. Es tut mir leid, daß ich Ihnen nicht mehr sagen kann, außer daß es eben vorkam, das war auch alles, und Sie sind doch schließlich erwachsene Leute, auch der Unrechtmäßigkeit des Tatbestandes im Moment nicht bewußt, aber das Alter war es nicht, sondern im Gegenteil, 57 sind ja leider noch kein Alter. Item, ging dann die Tiere füttern, und als ich zurückkam, stand Lina ohne weiteres am Herd und möhnte ein Lied und war der Kaffee schon fertig. Dabei blieb es bis zum Abend, außer daß ich nicht einschlafen konnte, sondern grausam geplagt wurde. Trank mehrere Gläser Branntwein, läßt dich vollaufen, sagte ich mir, dann spürst es nicht mehr so. Dieses war aber nicht der Fall, auch die ganze Stimmung im Haus verändert,wie Weihnachten, weshalb ich mich zurückzog zwecks Selbstbefleckung, wie schon all die Jahre, wenn ich geplagt war. Die Stimmung ließ aber nicht locker, Sie müssen auch nicht denken, daß solches oft geschah, war nur ca. 4—5 Jahre nach dem Tod meiner Frau täglich geplagt, später vielleicht 1 Mal per Monat und dann hörte es ganz auf und lebte wie ein anständiger Witwer. Ich sagte mir, was ist da los, dir gehört doch kein Weihnachten mehr, nicht einmal müde, und ging infolgedessen auf einen Gang hinüber zu den Tieren, was mir fast immer geholfen hat.

Obwohl ich damals nur noch zwei eigene Tiere hatte und 6 Geißen, auch einem der Atem an der Nase gefror, kam ich ins Schwitzen, wenn ich nur hinschaute, hatte dasselbe doch schon 1000 Mal gesehen, drehten sich auch mit den Köpfen nach mir um, als wollten sie mir sagen, wie verhext, so ging ich wieder hinaus und immer durch den Schnee, bis dahin, wo mir in den Sinn kam, jetzt legst dich hin, dann wird dir schon besser. Dachte dann aber in der Kälte, daß meine Töchter das Geld zur Beerdigung nicht aufbringen würden, sondern dem Gespött ausgeliefert, wenn auch hinter vorgehaltener Hand wie immer, das gönnte ich ihnen nicht, mußte überhaupt immer an meine Töchter denken, aber nicht wie Sie meinen, und stand wieder auf die Beine. Stand daher plötzlich wieder vor dem Heimat, mußte in einem Bogen gegangen sein, das kommt vor, im Schnee. War ja nicht mein eigenes Heimat, das hatte ich immer gewußt, aber wenn Sie müde sind und Obiges vorgefallen, sehen Sie es wie zum ersten Mal. Stand also wie fremd vor diesem Heimat und wußte nicht mehr, was, fürchtete mich, hineinzugehen. Ich dachte, etwas passiert dann schon, wenn du da stehen bleibst, einmal ist die Musik, ich hörte nämlich die ganze Nacht Musik, zu Ende, und die Sterne waren draußen, es wurde kälter, dem Morgen zu. Weil aber schon der Schnee alles hell machte, sah ich, daß oben ein Fenster offen war, bitte nicht, lieber Gott, sagte ich dazu, aber es half alles nichts, also rief ich, mach doch zu, mach zu du Schwein, ja das rief ich, weiß aber nicht, ob es erhört wurde, hatte auch nicht viel Stimme und blieb alles wie zuvor.

Wenn ich den Kopf etwas wegdrehte, sah ichs deutlicher, konnte aber nie sicher sagen was, wenn ich grade hinschaute, war es bald da und bald wieder nicht, aber etwas Weißes war es die ganze Zeit.

Man will doch wissen, Ihr Herren, ob da etwas Eigenes bei einer solchen Kälte so lange am offenen Fenster steht und sich den Tod holt, ging also ins Haus hinauf, aber die Plage war es nicht, spürte ja nicht einmal meine Füße mehr. In Linas Kammer war alles offen und das Fenster auch, aber da stand niemand, und hatte schon wieder Angst, was hat sie sich angetan! Streckte die Hand aus bis dahin, wo es am dunkelsten war, denn da war das Bett, bis ich etwas Warmes spürte, etwas Lebendiges, welches da war. Sagte Gott sei Dank, ohne daß sie es hören konnte, weil sie unter der Decke lag und ich sie trösten wollte. Da hielt sie aber meine Hand fest und sagte Komm doch du Idiot, komm doch du Schlappschwanz, sagte es ganz deutlich, und schlug ich darauf ein, weil ich plötzlich nichts mehr von mir wußte, und muß es dabei zum zweiten Mal geschehen sein, denn plötzlich war da wieder Friede und keine Musik mehr. Den Schlappschwanz dürfen Sie meiner Tochter nicht übelnehmen, das war nur ein Witz, ich hatte ja auch Schwein gerufen und es nicht so gemeint. Sie können das Sünde nennen, aber bei dieser Kälte, und ein Schlappschwanz bin ich nicht, leider, deshalb blieb ich, bis es warm war. Es dankt es uns ja doch niemand, wenn wir uns mit der Kälte plagen, und ist die Not zu groß, als daß sie uns vergeben werden kann wie der Pfarrer sagte, ob wir nun leben wie Mann und Frau oder nicht.

Infolgedessen hatte Lina kein Bauchweh mehr, wir waren auch freundlich zueinander und kümmerten uns, konnte auch dieses Jahr meinen Zins pünktlich zahlen, weil ein Segen darauf lag. Konnte zwei Kühe dazukaufen und alle vier führen, welche Kuhkälber warfen und übers Jahr prämiert wurden, weil die Preisrichter in Krummbach meine Lage nicht so kannten, und war es sonnenklar, daß ich ohne Vorurteile recht wirtschaftete, auch ein Darlehen der Kleinbauernhilfe bezog, welches gestattete, das Dach neu zu decken und ein lange ersehntes Klärbecken zu mauern, aber wieder böses Blut machte im Dorf. Denn hohes Gericht es ist wahr, daß man sich auf den Kopf stellen kann, das böse Blut läßt sich nicht belehren, besonders wenn das Dorf klein ist.

Es ist auch wahr, daß ich meinen Töchtern je 1 neues Kleid kaufen lassen konnte, was heutzutage sogar in unseren Gegenden kein Luxus ist, habe dafür auch den Ausverkauf abgewartet und gewiß nicht herrlich und in Freuden gelebt. Hatten wir doch nur so viel, daß wir uns an unsern Zustand gewöhnen konnten.

Mich betreffend kann nur beifügen, daß ich seit dem Tod meiner Frau sel. nie mehr in einer Familie gelebt habe, dieses aber jetzt vermehrt der Fall war. Wurde auch beim Weißen des Stalls von unserer Jüngeren beim Singen überrascht! So viel hatte ich gewiß nicht verdient, mochte es einzig meinen lb. Töchtern gönnen.

Nach Erledigung ihrer Schulpflicht wollte Barbara ja keine Stelle antreten, da sie von den Hänseleien genug hatte, das Reißen im Gesicht auch stärker wurde, welches sie geerbt haben muß, obwohl ich es an mir selbst nicht immer kannte. Konnte auch der Viehdoktor keine vernünftige Ursache davon angeben, außer daß es nervös sei und hätte ihm doch seine Pillen bezahlt bei Heller und Pfennig. So ergab sich, daß Barbara bei uns blieb, auch selbst keine Begierde nach einer Lehre äußerte, welcher ich gewiß nachgegeben hätte, will meinen Töchtern vor nichts stehen, da ich beide gern habe, wenn auch nicht wie Sie meinen. Wußte auch kein Wort davon, daß sie in der Hütte hundsgemeinen Verfolgungen von Seiten des Zusenns ausgesetzt war, dem Ihnen wohlbekannten Füllemann, der unsere Notlage ausnützte, weil sie nie dazu Stellung nahm in der Öffentlichkeit, vielleicht dachte, wir hätten schon Kummer genug. Wäre aber besser gewesen, dann hätte ich beizeiten dem Zusenn ruhig den Schädel eingeschlagen. Was man mir aber vorwirft, weil es der Zusenn aus ihr herausgeholt hat, das war ganz anders, als es herumgeschwätzt wurde und weswegen ich jetzt im Gefängnis bin. Nämlich weil ich meine jüngere Tochter gern hatte, darum konnte ich nicht widerstehen aus Sorge um die Gesundheit derselben, was ich nicht besser verstand, da sich ja nicht einmal ein Viehdoktor die Mühe nahm, habe ihr deswegen aber behüte keinen Übermut ins Herz gepflanzt, daß sie sich beim Zusenn dessen rühmen sollte, was bestimmt aus Notwehr geschehen ist, war ja noch ein halbes Kind, welches sie heute noch ist.

Denn hohes Gericht, Sie hätten auch nichts anderes tun können, wenn Ihre Tochter so schwer darum gebettelt hätte und Sie es nicht mitansehen können, nur weil das Mädchen nicht Bescheid wußte, aber körperlich reif war und darunter zu leiden hatte wieder wegen der Abgelegenheit des Heimat, was nur auf der Torggelalp geschehen konnte. Der Fröschbrunnen ist abgebrannt, meine Frau heimgegangen und ich mit den Töchtern allein, von denen eine jetzt 37 und die andere 21, was ein großer Abstand ist, aber doch nicht in Anbetracht des weibliches Körpers, da ist es schwer, keine Liebe zu zeigen, wenn es Lina plötzlich besser geht, die Jüngere aber gleich hinter der dünnen Wand schläft und geplagt wird auf ihre Art.

Da sie keinen tiefen Schlaf hatte, wollte ich ihr das abnehmen, das ist der ganze Grund, und fand je länger desto weniger jemand etwas dabei, wenn der Zusenn es nicht aus ihr herausgeholt hätte, wird schon gewußt haben warum. Und wenn gesagt wird, daß sie in Tränen ausbrach, so hätte ich Sie sehen wollen, wenn Sie als halbes Kind unter den Füllemann geraten wären, was ja erst 7 Monate später war, die Tränen auch wieder kamen wegen des Pfarrers, der viel zu spät erschien, bei mir war dasselbe nie vorgekommen.

Der Tatbestand war vielmehr dieser, daß meine jüngere Tochter mir im Frühjahr damit kam, ich wisse sie nicht zu schätzen, weil Lina es besser habe, die auch nur ihre Schwester sei. Ich habe dasselbe zuerst in den Wind geschlagen, bis die Jüngere sich krank ins Bett legte und nicht mehr aufstehen wollte, auch das Reißen in ihrem Gesicht so schlimm wurde, daß das Meinige wieder hervortrat und um ihren Verstand fürchtete, sang auch so laut, wenn ich bei Lina war, daß ich dachte, es würde ein Tier gestochen, traute sich aber niemals herein, weil sie ein anständiges Mädchen ist. Im Märzen trat solches Bauchweh bei ihr ein, daß ich dachte Oh weh, es ist wohl besser, du machst ihr Frieden, mich deswegen mit Lina besprach, die ein richtiges Hausmütterchen geworden war. Aber es trifft nicht zu, daß sie mir dazu geraten hat, sie wußte nur, was sein mußte, mußte sein. Daher, als Lina mit der Milch zur Hütte gegangen war, brachte ich Barbara eine Kachel kuhwarm in die Kammer, mußte ihr ja alles nachtragen, was beschwerlich wurde, und war es der 23. März. Nahm auch sofort meine Hand, daß ich fühlen mußte, ob da keine Geschwulst sei, und als ich fühlte, begann wieder dieses grausame Geschrei samt Krämpfen, welche ihr von Auge sichtbar über den ganzen Leib liefen und dauerte mich so, daß ich mir nicht mehr zu helfen wußte, sondern das Folgende geschehen ließ. Dann stand sie ganz freundlich auf und lächelte wie ein Schelm, hatte aber die Tochter zu gern, als daß ich ihr etwas nachtragen sollte, bat sie nur aufrichtig, daß es nie wieder vorkommen sollte. Worauf sie die Milch ohne Schwierigkeit zu sich nahm, ging dann in die Küche und rüstete ein Nachtmahl, welches sie lange Zeit nicht mehr getan, ja sott und briet, daß mir angst und bange wurde und wir uns an diesem Abend recht ernährten, in großer Vergessenheit auch Branntwein zu uns nahmen, bis es zu weiteren Handlungen kam und ich sogar der treibende Teil war, was ich meinen Töchtern heute anzurechnen bitte. Das war der 23. März. Ich muß nämlich beifügen, daß ich wegen beständiger körperlicher Arbeit immer noch im Saft bin, wider Erwarten, auch kein Mittel dagegen gewußt habe, bis Lina die Angelegenheit in die Hand nahm, dies aber aus gutem Willen beiderseits geschah, wie auch der Verkehr mit meiner Jüngeren, den ich ja gar nicht mehr nötig hatte.

Soll mir aber das verehrte Gericht einen Weg sagen, wie man einer armen Person wie Barbara von ihrer Sache helfen kann, wenn die Wände dünn sind und keine Aussicht, daß sie einen rechten Mann bekommt, weil sie schon in der Schule nicht nachkam, aber nur wegen der Torggelalp, wo man aus unserer Lage kein Geheimnis machen kann wie andere Leute. Denn liebes Gericht, die Armut war zuerst, das muß ich ganz deutlich sagen, die hat viele Beschwerden im Gefolge, wovon man nur das Gröbste lindern kann, wenn einem sonst keiner hilft.

Es wäre darum das erste Mal gewesen, daß ich eine Tochter der andern vorgezogen hätte, drum mußte ich sie drannehmen, und nicht, weil ich geplagt war. Nachher war Ordnung bei uns, da können Sie jeden fragen, und wenn es Sünde war und jetzt keiner mehr etwas von uns wissen will, so bitte ich Sie doch, aus dem geschl. Verkehr kein großes Wesen zu machen, welches wir auch nicht taten, sondern der Frieden war die Hauptsache, und haben wir ja keinen Menschen gestört, sondern sind nie auf Rosen gebettet gewesen. Und verspreche Ihnen, daß die Unzucht keine reine Freude war, weil eine solche auf der Torggelalp gar nicht vorkommt, sondern nur etwas Trost.

Früher hatten wir uns wohl auch ein Gewissen gemacht, aber das hörte auf, weil meine Töchter nicht mehr am Bauchweh litten und dies besser war als schlechte Gedanken, uns manchmal sogar im Winter fröhlich machte. Es gibt immer Leute, die sich ein Gewissen machen und sagen einem dann doch nicht, was man gegen die Kälte machen soll oder die Schmerzen, uns hat es ganz sicher keiner gesagt. Als der Pfarrer endlich kam, hatten wir dieses nicht mehr erwartet und wußten auch nicht recht, was damit anfangen und er auch nicht. Denn er kam ganz langsam, Lina sah es von weitem und sagte O mein Gott. Darum, als er keine Worte fand, nur fragte, wollen Sie nicht beichten, da konnte ich ihn nicht unterstützen und antwortete rechtmäßig, ich wüßte nicht, was beichten, und er entgegnete, er glaube aber doch, und konnte mich nicht einmal gerade ansehen. Jahrelang hätte er beobachten können, wie es mich oder Barbara im Gesicht riß, auch das Bauchweh meiner Tochter Lina, aber das war alles nichts gewesen, erst jetzt, wo alles gut ging, wenn auch ohne seinen Segen! Ich ließ ihn diese Gedanken wissen. Er sagte, daß er nie auf die Leute höre, aber sei verantwortlich, daß der Bazillus sich nicht ausbreite und die halbe Gemeinde vergiften würde, und könne ich es erst recht nicht verantworten weder vor Gott noch meinen Töchtern. Ich sagte, ich könne vieles verantworten, so lang der Mensch Hilfe brauche und die Wege nicht immer deutlich seien, weigerte mich kurz und gut, deswegen zu beichten, wo er mich immer noch nicht ansehen durfte, sondern nur mit der Hand seine Hüfte streichelte.

Bot ihm dann einen Schnaps, worauf er nicht eintrat, sondern sagte: wenn Sie das Beichtgeheimnis nicht beanspruchen, muß ich Sie als Mitbürger auffordern, sich zu stellen, weil Sie sonst Scherereien bekommen, Sie verbittern das Dorf mit Ihren Zuständen, oder wollen Sie lieber, daß Ihnen eines Nachts das Dach über dem Kopf angezündet wird? Hohes Gericht, da erschrak ich, als ich das mit der Feuersbrunst hörte, war mir doch schon früher ein Kind in einer solchen umgekommen, auch damals die Ursache dunkel gewesen, obwohl ich niemals Grund zur Klage gegeben hatte. Worauf meine Tochter Barbara ins Zimmer fuhr und das Unglück noch größer machte, indem sie schrie, daß der Pfarrer ein Fink sei und sich die Nase wischen solle vor lauter Topfgucken, wenn es ihn gar nichts angehe, und ob der Zusenn auch gebeichtet habe, was er mit ihr gemacht? Da war es endlich heraus mit dem Zusenn, und ergab sich in der Folge, daß derselbe ihr wiederholt abgepaßt hatte, wenn sie unbeholfen war wegen der schweren Tanse, sie dabei angefaßt, was sie ihm abgeraten. Schließlich aber Ende Juni so weit gegangen, daß er ihr bald nach der Hütte den Kopf auf einen Stein geschlagen, daß sie nicht mehr konnte, und sie gebraucht, weil sie keinen Beistand in der Nähe, darauf noch höhnisch gesagt, wie gut das Wieslein gemäht gewesen, ob er ihr denn nicht wehgetan? Infolgedessen meiner Tochter in Besinnungslosigkeit geschrieen, mit seinem dünnen Schwanz könne er keiner Person weh tun, geschweige denn wohl. Worauf derselbe nur seine Hose zugeknöpft und gesagt, wohl, das freue ihn aber für unsern Bock, daß er die Geißen wieder ganz für sich habe, nachdem der Bauer mit seinen Töchtern einig geworden sei, und solle sie nur ja die ganze saubere Wirtschaft grüßen, setzte sich wieder den Hut auf und ging. Das war eine traurige Rede, wie es denn wohl bekannt ist, daß vereinzelte Männer sich an das Getier halten müssen, wenn ihnen jahrelang kein lebendiger Mensch mehr zur Hand ist, welches ich aber auch in der größten Not nicht getan, sondern erst um meinen Töchtern Frieden zu machen vom geraden Weg abgewichen, wessen sich die Jüngere freilich nicht hätte überheben dürfen, habe ihr auch nie so etwas ins Herz gepflanzt.

Ist aber zu bedenken, hohes Gericht, daß sie von dem Zusenn gebraucht worden, und dies ohne jede Verständigung.

Ich habe immer gemeint, es müsse da ein Einvernehmen sein und gehören zwei dazu, auch bei armen Leuten, und etwas Freude, woran es nicht einmal das Vieh fehlen läßt auf seine Art. Dieses aber war erfüllt zwischen meinen Töchtern und mir, da wir es wegen der Wärme begingen und nicht das Wichtigste war, sondern damit die Familie beisammenblieb, und ist dabei niemals Gewalt gebraucht worden. Der Zusenn aber beichtete die Untat dem Pfarrer und wurde seine Sünde los, indem er das Gericht über unser Heimat herabzog und wir alle die Hoffart Barbaras grimmig zu büßen haben. Nun wollen Sie mehr wissen, als ich aufwarten kann, ist doch der rechte Schreck erst eingetreten und das Verderben, nachdem sich alle des Handels so inbrünstig angenommen haben.

Der Zusenn kam leicht davon weg, weil er jung ist und saudumm, aber einem älteren Fleisch wird niemals verziehen, wenn es geplagt wird, und hat es doch viel schwerer damit als irgend ein Schnaufer und Lumpenhund. Wäre meine Tochter Lina aber jünger gewesen und die Angst nicht, ich hätte mich niemals an derselben vergriffen, sondern weil ich ihre grauen Haare sah und mich das Erbarmen packte wie eine Wut, daß diese Tochter nicht richtig genommen werden sollte, sondern ihr Bauchweh stumm mit sich schleppen ein Leben lang, welches mich bis heute viel tierischer bedünkt als alles andere. Und auch dieses war nicht wegen dem Fleisch, sondern weil das Fleisch mit einer Seele geplagt ist und nichts mehr zu hoffen hat, wenn es keine Wärme findet, was ich infolgedessen nicht länger mitansehen konnte.

Das Weitere wiederum, wie ich ausgeführt habe, ergab sich einmal daraus, weil ich Barbara nicht verkürzen durfte und den Verkehr niemals als solchen betrieb, sondern damit die Mädchen etwas Freundliches hatten im Leben.

Und soll es mir ganz recht sein, wenn mich nun die ganze Schuld trifft, weil Männer es immer besser wissen müssen. Ich wußte es nicht besser, habe mir nur bei den strafbaren Handlungen Mühe gegeben, das Richtige zu treffen.

Indem Sie meine Töchter versorgt haben und einen Vormund bestellt, werden Sie es wohl besser wissen, und bitte ich nur, daß den Töchtern, da sie Mädchen sind, die Schande weitgehend erspart bleibe, ev. in einem andern Tal, wo sie neu sind. Ist uns ja niemals im Leben soviel Aufmerksamkeit zuteil geworden, wie nach dem Besuch des Pfarrers, worunter ich nur den Friedensrichter nenne, hierauf den alten Lehrer von Lina, zweimal den Landjäger und dann ein regelrechtes Polizeiaufgebot sogar mit Hunden, als ob wir daran gedacht hätten, auszureißen, wo wir nicht einmal gewußt hätten wohin. Sind die Netze ja überall so dicht gesponnen. Habe seither meine Töchter nie mehr gesehen und genug von den Verhören, wenn ich so sagen darf, weiß nicht, ob sie dieselben auch unterzogen und ob es genützt, werden wohl kaum alle Ihre Worte begriffen haben, wenn auch sicher zu Herzen genommen. Bitte deswegen schon an dieser Stelle um Entschuldigung. Will auch nie mehr einen Brief meiner Töchter bekommen, wenn das schaden kann, möchte nur gern wissen, ob sie den Umständen entsprechend verbeiständet sind und wäre sehr entgegenkommend, Ihrerseits diesbezüglich eine Beruhigung zu erfahren. Ersuche auch um Belehrung, wie ich mich bei den Verhören ein für allemal ausdrücken soll, da ich wohl sehe, mit meiner Redensart die Herren keineswegs befriedigt zu haben, sondern womöglich alles nur schlimmer gemacht, wenn auch wahrheitsgemäß.

Über die Erscheinungen in meinem Gesicht, welche ich losgeworden, nun aber wiedergekommen, bitte ich sich nicht zu beunruhigen, aber auch nicht stören zu lassen, wenn es geht.

Einzelheiten der strafbaren Handlung machen mich leider verlegen, da der Vorgang erwachsenen Menschen ja wohlbekannt ist, möchte nur bemerken, daß diese denselben in der Regel unter günstigeren Umständen abmachen können, glaube auch nicht, daß von meinen Töchtern mehr darüber zu erfahren wäre, als jede rechte Frau weiß.

Geben Sie da endlich Ruhe, verehrtes Gericht, weil Sie es besser haben, ich könnte sonst sagen, was mich reut, will meine Töchter gern zur Unzucht verführt haben, wenn Sie darauf bestehen und ich das Los der Mädchen dadurch erleichtere.

Vielleicht ist es auch möglich, den Vormund meiner Töchter so zu wählen, daß es kein geistlicher Mann ist. Diese machen sich leider oft falsche Vorstellungen, welche die Bevormundeten dann ausfressen müssen, aber nicht immer können, was zu Tragödien führt.

Jeder Mensch ist geplagt auf seine Art, und habe ich gelernt, daß der Stärkere dann einen andern deswegen drücken muß, wobei ich den guten Willen gar nicht in Abrede stelle und nichts Böses gesagt haben möchte.

Ich habe Ihnen nur geschrieben, weil meine mündlichen Worte zu Ihrer Zufriedenstellung nicht ausreichen und weil Sie vielleicht trotzdem Gelegenheit nehmen, meinen Töchtern einen Gruß zu bestellen, welchen ich hiermit dazuschreibe, aber auch dieses nicht meinetwegen, sondern weil sich die Mädchen in diesen Jahren wieder etwas Wärme gewohnt waren.

Bitte auszurichten, ich dächte Tag und Nacht an meine Töchter, aber nicht wie das hohe Gericht meint.

Peter Bichsel

Ich bin meine Heimat

Wenn ich das Wort »Heimat« höre werde ich trotzig. Nach und nach empfinde ich das Wort — nicht etwa die Sache — als Belästigung. Zu nichts anderem wurde ich so oft befragt, hatte ich mich so oft zu äußern, an Diskussionen teilzunehmen, und in keinem anderen Land der Welt hätte ich das so oft oder überhaupt tun müssen.

Das Wort »Heimat« scheint unser nationales Trauma zu sein, und mir scheint, es ist hier in der Schweiz mehr als nur die Bezeichnung für »zu Hause sein«, »Heimat« ist hier so etwas wie eine Pflichtübung, ein Zwang:

Ich habe die Heimat zu lieben, ich habe die Heimat zu loben, zu verteidigen, in mein Herz zu schließen, auf sie stolz zu sein, allem anderen vorzuziehen.

Die Frage nach Heimat ist in diesem Land eine Prüfungsfrage, und die Antwort haben wir alle schön gelernt. Wer nicht mit einem strahlenden Ja antwortet, der fällt durch.

Also denn und verdammt noch mal: »Ja, ich mag Heimat.«

Genügt das? Glaubt ihr mirs?

Was ist mit diesem Land los, das seit über zehn Jahren über nichts mehr anderes diskutiert haben will als über Heimat? Hat es etwa Angst, nichts anderes anbieten zu können als den stolzen Besitz von Schweizerpaß und Schweizerwohlstand?

Ich war ein Jahr in Deutschland, man kann dort leben. Nun kommen dauernd die Fragen der Schweizer und die Fragen der Deutschen, wie das denn war. Gut, ich habe den guten Wein vermißt, das Schweizer Brot und die Schweizer Cervelats und das Schweizerdeutsch ein bißchen und ein wenig den Jura.

Ja, ich bin Schweizer. Ich beharre auch darauf, daß mir die Bundesverfassung garantiert, es unter allen Umständen bleiben zu dürfen.

In dieser Bundesverfassung steht nicht, daß es mir auch gefallen muß, daß ich täglich mein Land zu loben habe. Sie verlangt von mir nicht einmal, daß ich ein guter Schweizer zu sein habe. Ich will das Haus, in dem ich lebe, nicht dauernd loben müssen. Ich kann auch mit Schwierigkeiten leben, ich mag mitunter Schwierigkeiten. Aber ich mag mitunter auch das Fremdsein, das nicht ganz Dazugehören.

Ich mag Schwingfeste, ich schau den Hornussern gern zu, aber Heimat ist mir das noch lange nicht.

In einer Diskussion habe ich mal gesagt, die Sozialversicherung, das sei meine Heimat. Ich nehme auch diesen Satz zurück. Auch er verfällt dem Irrtum, Heimat könnte ein politischer Begriff sein. Das ist ein schweizerischer Irrtum, nur in der Schweiz haben die Leute beim Begriff Heimat gleich den Begriff Vaterland im Kopf. Ich habe mal große Mißverständnisse ausgelöst, als ich in einer Diskussion mit Deutschen den Begriff Heimat in diesem Sinne gebraucht habe.

Und die Deutschen wissen noch, wieviel Schindluder mit diesem Begriff betrieben wurde. Wo jemand seine sogenannte »Heimat« verliert, da kommen die Nationalisten und die Faschisten und betreiben ihren kalten und heißen Krieg damit. Es ist leicht, den Leuten zu sagen, sie brauchten nur etwas für ihr Glück, Heimat. Wer nichts hat, in diesem oder in einem anderen Land, der hat immerhin Heimat. Man kann sie zubetonieren, sie ist immerhin Heimat. Man kann im Schweizer Parlament ein Umweltgesetz gegen den Willen des Volkes zehn Jahre verzögern — wir leben immerhin in der Heimat.

Wenn Politik mit Heimat zu tun hat, dann hat sie nicht mehr mit Menschen zu tun. Heimat ist einfach: Argentinien ist Heimat und Chile ist Heimat und Rußland ist Heimat — das alles ist immerhin jeweils Heimat. Und wer jeweils nicht aufsteht und sie lobt, der ist jeweils ein Verräter.

Verdammt noch mal, ich bin Schweizer, ich lebe hier, ich beschäftige mich mit der Politik dieses Landes, ich beteilige mich — aber laßt mich in Ruhe mit Heimat.

Ich weiß zwar vom Elend der Flüchtlinge. Ich möchte keiner sein, ich wäre bereits im Thurgau ein Fremder.

Ich brauche nicht Heimat, ich brauche Freiheit. Wenn man mir die garantiert, dann werde ich so viel Heimat finden, wie ich brauche, meine Frau, meine Freundin, Beethoven und Schubert, Lester Young und Tom Waits — was, den kennen Sie nicht, wir haben also doch keine gemeinsame Heimat — Goethe und Robert Walser, Bakunin und Heinrich Heine, einen Trinker im Bahnhofbuffet — denn letztlich bin nur ich selbst meine Heimat und all das, was ganz tief in mir steckt und ganz tief zu mir gehört, meine Gewohnheiten, meine Unarten, meine Leidenschaften.

Und eine Politik, die von Heimat spricht, lügt. Die Politik kann Heimat nehmen durch Zensur und Terror, durch Zynismus und Unfähigkeit, Heimat geben kann sie nie. Sie kann nur dafür sorgen, daß ich hier meine Heimat leben darf und meine Heimat leben kann.

Niemand kann mich auf Heimat testen. Trotzdem fühl ich mich in diesem Land dauernd diesem Testdruck ausgesetzt.

Ich werde trotzig, wenn ich das Wort Heimat höre. Ich bin Schweizer, ich lebe in diesem Land, das ist alles.

Guntram Vesper

Heimat Göttingen

Es ist nicht nötig, auf Tatsachen zurückzukommen, die zur zeitgenössischen Geschichte gehören. Andererseits muß man wissen, daß ich seit Spätherbst dreiundsechzig in der Stadt lebe. Ich erinnere mich an eine unwohnliche Stube ohne andere Aussicht als den Nußbaum, die Wolken, ein Klofenster und die ganz verödete Straße. Es war ein Zimmer wie alle Zimmer in der Provinz, kahler kalter Raum mit feuchten Tapeten. In einem Land, das nie eine fortschrittliche Verschwörung, eine große nützliche Intrige erleben würde, dem der allgemeine Untergang drohte und droht. Schon bei der Ankunft vor dem Haus kam mir mein Kammernachbar eher neugierig als zärtlich entgegen und lachte mir in die Zähne. Ich wurde im zweiten Stock untergebracht. Zum erstenmal hatte ich hundert Mark in der Tasche. Nachts um vier drang der einäugige Nachbar ohne Klopfen bei mir ein. Er saß vornübergebeugt auf dem Bettrand. Haben wir über die Knotenschrift mancher Indianerstämme gesprochen. Wenn ich damals gewußt hätte, was ich heute weiß. Später ging er nach Frankfurt. Aber die Reise ins polnische Gouvernement hätte er vorher machen sollen. In Fällen wie dem seinen hat kontinentales Klima ja geholfen. Wir sehen die Kutsche bergab rasen, hören das Rasseln der Räder, das Klappern der Hufe, am Fensterrahmen liegen drei gekrümmte Finger, nichts weiter. Ein unscharfes Bild, das letzte, bevor uns der Freund genommen wurde. Ich kann mir die zerstoßenen Wege voller Geleisspuren und Schlaglöcher vorstellen, die unfreundlichen Gastwirte, die schmutzigen Betten. Einmal schickte er mir einen Brief, von der Weichsel oder vom Main. Die Minen in San Domingo und Sankt Andreasberg, wo die Aufseher die unglücklichen Ureinwohner, die ihre Messer nicht gestochen, ihre Wolfshunde nicht zerrissen hatten, zur Arbeit peitschten, sollen erste Brutstätten der Syphilis gewesen sein. Das zum Beispiel versucht man uns einzureden. So schrieb er. Nie wieder habe ich etwas von ihm gehört. Ich machte die Lüge bekannt. Aber das Auswerfen der Kettenbriefe veranlaßte den Oberstadtdirektor von Göttingen zu einem Mahnruf, in dem er ausführte, daß diese Briefe, die rot auf weiß geschrieben würden, von nichtswürdigen Elementen verfaßt wären und die Einwohnerschaft der Stadt wichtigere Aufgaben habe, als sich mit solchen Machwerken zu befassen. Wenn der Unfug nicht bald aufhört, werde ich die Drahtzieher durch Veröffentlichung ihrer Namen anprangern. Vielleicht heißt der Oberstadtdirektor Busch. Und sagen wir es ruhig, er ist Mitglied der besseren schlechten Partei. Gewesen, jawohl. Der Nachbar war abgereist. Vorher kein Wort zu mir. Und keine Zeile zurückgelassen. Ich fand nur die Spuren der Kutsche im Schlamm vor dem Haus. Zwischen Oder und Neiße brach der Winter ein, Schneewehen wie Hügel und Rudel von Wölfen hielten ihn auf. Diese Ebene am Nordrand der Beskiden, hat er die wirklich gesehen. Möglich ist alles. Aber dann endet er doch auf eisglatter Straße an einem Baum. Ganz in der Nähe. In der gleichen Nacht, in der das Geschwür aufbrach. Die Schmerzen kamen immer deutlicher vom Magen. Es wurde schlimmer und schlimmer. Mein Gesicht war weiß. Schon begann die Todesangst. Da erklärte sich der Druck, und der Feind nahm, weil er die Tür zu beschwerlich fand, durch ein Fenster den Abzug. Das hatte ich zehn Jahre nicht erlebt. Später kamen die Verwandlungen. Frag mich besser nicht. Unter die Dinge, die nicht mehr sind, gehört die sogenannte alte Garde von zehn oder elf Mann, die ich neunzehnhundertfünfundsechzig noch im Kenter sah, deren Reste ich einundsiebzig in der Apex wiederfand und die mir so burlesk vorgekommen ist: in blau und gelb abgesetzter Livree, roten Westen, Mützen und Strümpfen. Sie glich einem Haufen Bedienter, dem man zum Spaß Bratenspieße gegeben und auf die Suche nach Fleisch geschickt hatte. Als ich in der Burgstraße den Verschlag über der Garage bezog, wohnten hier und in der Nachbarschaft noch der Lutz und der Otto Dubbe und der Heinz Raumschüssel und der Lothar Baier und der Christoph Derschau und der Wolf Wondratschek und der Michael Schulte und der Hugo und natürlich Gernot Grötzebach, der wichtigste von allen. Jedes Jahr einmal kamen Stomps, Bobrowski, Heißenbüttel in die Stadt und wurden vom Bahnhof abgeholt. Während wir zum Hotel gingen, unterhielt Christoph gewöhnlich den Besucher. Wir hatten einen, der sang mit besonders heller Stimme Vaterlandslieder. Aber als er Soldat werden sollte, schlich er über die nächste Grenze davon. Das muß Gernot gewesen sein. Wie kann man daran zweifeln, wenn man sich klargemacht hat, daß er, verfolgt wie er war, wegen Mangels an Freunden und Schlafgeld nächtelang im Freien übernachten mußte und keine ruhige Minute mehr erlebte, wildes Tier, das er spielte. Armut lehrt geigen. Trotzdem verdirbt viel Kunst in eines armen Mannes Beutel. In jener Nacht sah ich den Nachbarn erstmals aus der Kutsche steigen und auf mich zukommen. Der Tag danach so ziemlich verloren. Es wurde nicht richtig hell. Das sind die Schatten der Zukunft, des Alters und der restlosen Vernichtung, sagte Heidrun und legte mir die Zeitung aufs Bett. Dabei ist es geblieben. Was sonst.

AUGUST KÜHN

Wenn ich nicht Münchner wäre

Das Motiv der beiden Türme mit den rundlichen Humpendeckeln, die sie überdachen, abgenutzt ist es, öfter zu sehen auf Fremdenverkehrsprospekten und Firmenreklamen als das Original, denn der alte Dom samt seinen Hundertmeter-Türmen ist von vielen Punkten der Stadt nicht mehr zu erblicken, verstellt ist die Aussicht darauf durch Dutzendware moderner Architektur aus Beton und Glas. Nun, ich muß nicht auf den Dom sehen, ich kenne ihn bereits aus dem Heimatkundebuch, und Kirchgänger bin ich ohnehin nie gewesen. Mit anderen Prospektmotiven ist es ebenso: Für das Hofbräuhaus habe ich wegen des Touristentrubels nichts übrig, im Maximilianeum über der Isar, nunmehr Gebäude des Landesparlaments, sitzt kein einziger Abgeordneter, der meine Stimme bei einer Wahl hätte erhalten können. So viel zu meiner Person.

1946, ein Jahr nach dem Krieg, der in dieser Stadt viel verwüstet hatte, kam ein Zehnjähriger her, mit seinen Eltern, aus einer anderen Stadt, die in der Vergangenheit zu verschiedenen Königs- und Kaiserreichen gehört hatte. Heimatvertrieben. Aus dem Fenster der Wohnküche im dritten Stock des grauen Hauses, sogar vom Eßtisch aus, an dem er seine Schulaufgaben machte, hatte er das Bierreklamemotiv der Türme als Hintergrund einer Aussicht über seine neue Umgebung. Diese Umgebung nur hatte nun Bedeutung für ihn. Seine Mutter, eine fürsorgliche Frau, die ihm aus Mullbinden weiße Pullover strickte, für den Schulweg, erläuterte ihm in harter schlesischer Aussprache sinngemäß etwa folgendes: »Solche Bierkeller, wie der dort drüben mit den vielen Bäumen, solche hat es bei uns in der alten Heimat nicht gegeben.«

Diese Bierkeller wurden in diesem Nachkriegsjahr nicht bewirtschaftet und waren deshalb einen Sommer lang mit ihren schattenspendenden Kastanienbäumen der ideale Ort für Spiele barfuß laufender Kinder dieser Gegend. Gegen das eiszeitliche Hochufer der Isar auf der Höhe droben gelegen, waren sie mit einer Mauer umgeben, anderthalbmannshoch zum äußeren Gehsteig hin, innen war der Grund höher, und aufrecht stehend überragte auch ein Zehnjähriger die Mauerkrone um den Kopf. Ich nenne ihn nun einfach Kalutza, obwohl er auch einen anderen Namen hätte haben können und einen Vornamen dazu, aber mit dem ist er von den alteingesessenen Buben nie gerufen worden.

»Kalutza, greif o!«

Angreifen durfte der Kalutza die Burg, zu der die stilliegende Bieroase ernannt worden war, zusammen mit etlichen anderen Buben, und es war schon ein Entgegenkommen der Einheimischen, daß er überhaupt mitspielen durfte. Sich die Knie schürfen am rauhen Mauerputz, die mürben Hosenböden zerreißen beim Übersteigen des versperrten Eisengittertors, Kalutza investierte in seine neue Heimat.

Kennt einer nicht das Gefühl, das sich einstellt, wenn man eines Freitags ein paar Mark, Schilling, Franken hingezählt bekommt, zum ersten Mal im Leben? Von einem Lehrmeister, der einem sagt, es sei eine Beihilfe, verdient hätte man es eigentlich nicht? Und dann, mit der Hälfte des Betrages in der Tasche am folgenden Samstag?

Mein, unser Kalutza, immer noch nur Kalutza nach dem siegreichen Fußballspiel der Jugendmannschaft, zu der er nun gehört, sonst Lehrling, wohnend immer noch bei den Eltern, die vom Wohnungsamt ein Zimmer dazubekommen haben in derselben Wohnung, so daß er nun mit seinem jüngeren Bruder die Kammer überlassen erhielt. Eine Woche lang sägen, Sägemehl kehren, Blasen an den Händen, Hinterhofwerkstatt mit Glühbirnenlicht bis hoch in den Vormittag, Mittagessenbrote aus dem Papier, strahlende Hoffnung, es bald besser zu können, ohne sich Blasen zu holen, und beängstigende, zähe Beklemmung, daß es nun lebenslänglich so bliebe. Doch, der Lohn würde wachsen. Drei Jahre alt ist die Mark, die er ausgeben kann, jede stellvertretend für drei Werkstattstunden.

»Du, Kalutza, eine Runde von dir ist noch fällig! Wenigstens fünf Maß!«

Nie mehr in deinem bisherigen Leben ist auf deine Kosten so teures Bier getrunken worden. Eine Hälfte deiner ersten Arbeitswoche! Und zwei Halbzeiten zwischen den Torpfosten auf dem holprigen Feld hinter der Kleingartenanlage bei der Trambahnendstation! Warst nicht gern Torwart, Fußball ist nicht unbedingt deine Leidenschaft, aber wenn du dazu gehören willst, zu den anderen, dann blieb dir nichts anderes übrig, als anderthalb Stunden auf den Ball zu starren, der von Fuß zu Fuß hüpft, immer wieder auf dich zu, daß du dich hinwerfen mußtest, auf den graslosen Fleck, das Leder greifend, wütig und angstgestoßen. Danach keine Zeit, das »Gut, Kalutza, guuut!« zu genießen. Mehr schon das »Flasche« zu leiden, wenn du einmal zu spät nach dem Ball gegriffen hast. Da schmerzen auch die Blasen an deinen Schreinerlehrehänden gleich mehr. Dafür die Runde an deine Mitspieler. Sie kennen immer noch nicht deinen Vornamen, du investierst in die neue Heimat.

Das Mädchen aus dem benachbarten Stadtviertel jedoch redete dich, vier oder fünf Jahre später war es, mit dem Vornamen an, noch später wiederum hätte sie es ohnehin tun müssen, denn mit einem verheiratet sein schließt die Anrede »Kalutza« beinahe aus. Doch, manchmal ruft sie dich auch so, Kalutza. Nicht so deinen älteren Sohn, den ihr zusammen nach einem Schlagerstar »Alexander« getauft habt. »Aläx« rufen ihn seine Spezis. Der braucht nicht fußballspielen, um Anerkennung zu finden. Auch nicht über schrundige Mauern klettern. Die deine, Kalutza, steht nicht mehr, auch nicht die Kastanien dahinter. Der windige Fußballplatz ist überbaut, Investitionen einer ehemaligen Rüstungsfirma haben darauf eine Werkshalle erstehen lassen.

Schön, Kalutza, daß du dir ein Auto leisten kannst, mit dem du die Familie hinausfahren kannst, vor die Stadt, ins Grüne, daß du nicht mehr auf die Kastanienbäume vor dem Hintergrund der Zwiebeltürme angewiesen bist, nicht auf das buckelige Wiesenstück, weil du den Sohn mitnehmen kannst zum Bundesligaspiel im von »allerersten« Architekten entworfenen Olympiastadion mit dem teppichgleich gepflegten Spielfeld, leisten kannst du dir das.

Auch die Umgebung hast du längst gewechselt. Damals, in dem alten Mietshaus war die Toilette, in der ewig das Wasser aus dem Spülkasten rauschte — du brauchtest als Kind deswegen die Treppenhausbeleuchtung nicht anmachen, fandest auch so hin bei Nacht —, außerhalb der Teilwohnung, in die ihr eingewiesen wart. Für den fünften Teil deines und deiner Frau Monatslohn hast du am Rand der Stadt, wo man garantiert nicht die beiden Türme sieht, seit längerer Zeit: Küche, Wohn-, Schlaf- und Kinderzimmer, Bad mit Toilette, Kellerabteil, Stellplatz in der Tiefgarage, Anschluß an die Gemeinschaftsantenne für alle Programme, auch für den Österreichischen Fernsehsender. Die Zahlen im Aufzug auf der Tafel mit den Knöpfen, die Stockwerke bezeichnend, waren das erste, was dein jüngerer Sohn, Michael, lesen konnte. Glückwunsch, Kalutza! Bist also beinahe echter Münchner geworden.

Zurück zu der Mauer und den Kastanien. Ich habe gegen die Investition eines Kaufhauskonzerns, der sie vor einigen Jahren, 1974 war es, glaube ich, verschwinden machte zugunsten eines Betongebirges, mit Entschiedenheit demonstriert. Dabei habe ich unter anderem auch an deine Knie gedacht. Deshalb bekam auch keiner der Abgeordneten in dem Haus über der Isar meine Stimme, keiner derjenigen mein Kreuz auf dem Wahlstimmzettel, der nun im von den Glanzpostkarten her bekannten Rathaus meint, die Interessen der Münchner zu vertreten. Sie nicht vertritt, sondern die einer kleinen, radikalen, gewinngeilen Minderheit. Kalutza, Fritz, Jochen oder wie dein Name ist, deine Investitionen hab ich mir gefallen lassen, aber diese anderen, die meine Heimatstadt ausplündern wie eine Vandalenhorde, sag, Jochen, Klaus-Peter oder wie du auch immer heißt, soll ich die klaglos erdulden? Hab ich kein Recht auf Heimat?

»›Schau, ein Reh!‹, sagte Rudolf Prack zu Marianne Hold, und die deutschen Herzen schlugen höher. ›Heimat‹ hieß dieses Lichtspiel.«

MICHAEL SPOHN

Luise Rinser

Am Chiemsee

Mein Vater war Lehrer, und es litt ihn nie lange an einem Ort. So kam es, daß ich in einem winzigen Dorf am Lech geboren wurde, als Einjährige in ein anderes, etwas größeres Dorf zwischen Weilheim und Garmisch kam und als Siebenjährige in ein noch größeres am Chiemsee, und dort blieben wir verhältnismäßig lang, nämlich acht Jahre. Es war meine eigentliche, bewußte Kindheit, die ich dort verbrachte. Da meine Familie väterlicherseits aus dieser Gegend stammt, nämlich vom Rinser-See westlich des Chiemsees (die Rinsseer hießen wir und unser ältester auffindbarer Ahn war, laut einer Eintragung in einer Chronik der Münchner Staatsbibliothek, der Hanns Rinnser von Rinns) betrachte ich mit allem Recht den Chiemgau als meine wahre Heimat. Mein Herz hängt an ihm, und bisweilen, in meiner Wahlheimat Italien sitzend, tausend Kilometer entfernt, das Mittelmeer vor Augen, denke ich, daß ich eigentlich ebenso gern am Chiemsee leben würde, und manchmal habe ich Heimweh. Wenn ich dann bei meinen Deutschlandreisen an den Chiemsee fahre, sehe ich, daß es MEIN Chiemsee, MEIN Chiemgau nicht mehr ist, und ich erfahre, daß mein Heimweh meiner Kindheit am Chiemsee gilt, eine Erfahrung, die mich nicht davor bewahrt, tausend Kilometer entfernt im Süden, wiederum zu meinen, ich könnte auf der nächsten Reise den Chiemgau meiner Kindheit wiederfinden. Aber ich finde ihn nur wieder in meinem Innern, wo er aufbewahrt ist unverlierbar. Mein Blut ist es, in dem er lebt, es ist voll von seinem Duft und mein Herz voll von Bildern. Eines Tages werde ich dem Chiemgau einen Hymnus singen, den, den er verdient. Ich weiß: Fast jedermann besingt seine Heimat, findet sie groß und schön, und er hat recht, für sich. Aber meine Heimat ist nicht nur für mich schön, sie ist schön schlechthin, sie ist etwas Besonderes unter den Landschaften Deutschlands, und nicht nur, weil sie die südlichste ist, dem lateinischen Süden am nächsten und verwandtesten. Doch jetzt will ich die Bilder zu halten versuchen, so wie sie auftauchen, auf mich zuschwimmen, Traumfische, wirklicher als alles, was mich hier umgibt.

Unsere Ankunft in der neuen Heimat Übersee: Ich, sieben Jahre alt, finde mich in einem ganz verwilderten Garten, in dem die Beete, von morschen bemoosten Brettern eingefaßt, überquellen von Vergißmeinnicht; nichts als Vergißmeinnicht, ein himmelblaues Gewirr, bevölkert von Bienen, Hunderten von Bienen. Wenn ich den Blick hebe, sehe ich ganz nah die Berge, freundliche, schön geschwungene Berge. Die Gärten rings um unser Haus sind voll von Obstbäumen, Zwetschgenbäumen vor allem, und in den Gärten neben den Bauernhöfen gibt es kleine Häuser: Backöfen fürs Brot und Brennöfen für den Zwetschgenschnaps. Eine Bäuerin gibt mir etwas angenehm Heißes in die Hand, es kommt frisch aus dem Backofen: ein kleiner Fladen, gebacken aus dem zuletzt im Backofen zusammengekratzten Brotteig. Ein herrlich knuspriger Fladen. Da drauf ein Stück frischer Bauernbutter aus dem Rührfaß; unvergeßlicher Genuß.

Im Sommer ist einmal eine Beerdigung auf der Fraueninsel. Ein Maler (es gibt deren viele in unserm Dorf) ist gestorben und wird zu Schiff über den See gebracht. Ein Konvoi von Kähnen, blumenbeladen, folgt. Auch ich darf in einem der Boote mitfahren. Auf der Insel ist ein Kloster. Ich warte in einem stillen Sprechzimmer. Hinter dem Gitter erscheint eine Nonne, Tante Felicitas, eigentlich keine Tante, sondern eine angeheiratete Verwandte meines Vaters, sie ist heute immer noch dort, uralt, sicher über neunzig, und bis vor kurzem wusch sie immer noch die Klosterwäsche. Die Insel ist klein. Geht man am Ufer entlang, so hat man nach einer Viertelstunde den Kreis wieder geschlossen. Was sieht man? Die Klostermauern, die ausgespannten Fischernetze, die Rosen und Malven und Lilien in den Gärtchen, und die alten Linden, die zerklüftet sind wie Mauerwerk und so geflickt wie alte Mauern: mit Steinen und Mörtel und Zement ausgefüllt. Das Kloster ist alt, wir lernten seine Geschichte in der Schule: Es ist das älteste Benediktinerinnenkloster Deutschlands, gegründet von Herzog Tassilo von Bayern; der Kern des Münsters ist tausend Jahre alt; eine Basilika. Das Kloster ist Spätbarock. Der Glockenturm, achteckig, mächtig, freistehend, ist so alt wie die Basilika, und ebenso alt ist die Kapelle, in der jetzt die Chiemseemaler ihre Bilder ausstellen. Meine Eltern erzählten mir, wenn ich widerspenstig war, im Kloster seien die unbotmäßigen Töchter der Bayrischen Aristokratie eingesperrt worden, bis sie zur Räson kamen. Das mißfiel mir. Dennoch stellte ich mir einen Aufenthalt hier für mich so schlimm nicht vor. Aber es kam nie dazu. Die Fraueninsel liebte ich, aber die Herreninsel konnte ich nicht ausstehen, darum lernte ich auch ihre Geschichte nie und darum muß ich jetzt nachlesen, was da war, ehe unser schöner wahnsinniger König Ludwig II. sein Märchenschloß dort baute, in dem er, wie ich erfahre, nie wohnte, ja das er, so steht zu lesen, nicht einmal mehr sah.

Die Geschichte der Insel beginnt im achten Jahrhundert. Ein griechischer oder — nach andern Quellen — ein irischer Mönch gründete dort eine Schule, die bald berühmt war, die junge Aristokratie Bayerns wurde dort erzogen. Später baute Tassilo ein Kloster für die Benediktiner. Seit jener Zeit heißt die Insel »Herreninsel«. Im elften Jahrhundert kamen die Hunnen, vertrieben die Mönche und zerstörten alles. Hundert Jahre später begann man von neuem zu bauen und zu leben. Der Salzburger Erzbischof baute ein Augustiner-Chorherrn-Stift. Wieder hundert Jahre später wurde die Insel selber Bischofssitz unter der Herrschaft des Salzburger Erzbischofs, dem sein Bistum viel zu groß geworden war. Sechshundert Jahre regierten nun auf der Herreninsel Bischöfe, fünfundvierzig waren es bis zur Säkularisation, und sie regierten gut. Fast alle diese Bischöfe trugen adelige Namen und waren bayrische oder auch österreichische Grafen und Fürsten. Bis 1805. Da wurde die Insel, nachdem man alle Wertsachen, die nicht niet- und nagelfest waren, weggebracht hatte, kurzerhand an den Meistbietenden versteigert. Sie kostete 40000 Gulden. Einige Zeit später wechselte sie den Besitzer und brachte dem Verkäufer einen Gewinn von 12000 Gulden. Der neue Herr verwandelte die Kirche in eine Brauerei, die Bischofsgruft in einen Bierkeller, und so blieb es, bis Ludwig II. kam, das Schloß baute und Gärten und Wasserspiele anlegte. Wieviel er für die Insel bezahlt hat, weiß ich nicht, aber alle meine damals lebenden Ahnen haben als brave Steuerzahler mitbezahlt. Als ich zum erstenmal durch das Schloß geführt wurde, riesige Filzpantoffeln an den Füßen, um das spiegelnde Parkett zu schonen, erwarteten meine Eltern Ausrufe des Entzückens. Aber mir gefiel die Pracht nicht und im Spiegelsaal wurde mir schwindelig.

Es war nicht das einzige Mal, daß mich unsre Wittelsbacher enttäuschten. Eines Tages sagten meine Eltern: Morgen fahren wir zu den Prinzessinnen nach Wildenwart. Das ist ein Schloß südlich des Chiemsees. Ich schlief kaum in der Nacht. Nie hatte ich erwartet, je eine echte, eine wirkliche lebende Prinzessin zu sehen, und nun sollte ich gleich mehrere sehen dürfen, genau gesagt drei. Wir marschierten sehr lange, ich war müde, aber ich trabte freudig dem Wunder entgegen. Schließlich standen wir vor einem hohen Gitterzaun, der einen Hühnerhof umgab. Meine Eltern riefen: Schau, da sind sie! Wer denn? Nun, die Prinzessinnen doch. Wo denn? Da, bist du denn blind? Mitten im Hühnerhof standen drei ganz gewöhnliche Frauen, alte Lederjacken umgeworfen und alte Lederhüte auf dem Kopf, und fütterten die Hühner und waren ziemlich häßlich. Aber das sind doch keine Prinzessinnen! Natürlich sind es Prinzessinnen. Nein, keine richtigen. Dummes Ding du, natürlich sind es richtige, und schau sie dir nur genau an, wie einfach sie sind, wie sie arbeiten ganz wie andre Leute auch, und so sparsam sind sie. Aber gerade das alles paßt doch für Prinzessinnen nicht, die müssen anders sein als alle andern, schön und lieblich müssen sie sein und goldene Krönchen tragen und himmelblaue lange Seidenkleider, goldbestickt, und wehende Schleier auf dem Haar, und sie dürfen nie niemals arbeiten. Ich weinte und weinte und wollte weg und nie mehr irgendwo hin, wo Prinzen oder Prinzessinnen waren — angeblich. Nur einmal noch sah ich einen Wittelsbacher dicht neben mir, er gab meinem Vater die Hand. Das war damals, als Ludwig III. gestorben war und seine Leiche in einem langsamen Zug durch Oberbayern fuhr, an Übersee vorbei oder vielmehr nicht vorbei, sondern er hielt da, und das war vorgeplant: Mein Vater, als Leiter der Schule, stand mit allen Schülern am Bahnhof, und da schüttelte ihm Prinz Franz die Hand, was meinen königstreuen Vater so erschütterte (es war nach dem Sturz der Monarchie), daß er, als er hernach meiner Mutter von dem Erlebnis berichtete, sagte, es habe ihm »Frinz Pranz« die Hand gegeben; das Wort blieb natürlich in unsrer Familie lange am Leben. Wenn jemand recht verwirrt und zerstreut war, hieß es: Der hat Frinz Pranz gesehen. Aber das gehört eigentlich nicht hierher.

Der Chiemsee ist groß und er kann sehr wild sein, besonders bei Westwind in der Chieminger Bucht, dem »Weitsee«. Einmal waren wir auf die Fraueninsel gerudert, bei heiterstem Wetter. Als wir drüben saßen unter den Linden des Inselgasthofs, begannen sie plötzlich mächtig zu rauschen, und ein Gewitter ging nieder. Nach einigen Stunden hatte sich der Wind gelegt und die wetterkundigen Fischer sagten, wir könnten ruhig zurückrudern. Ich weiß nicht, ob sie sich öfters irrten, damals taten sie es; als wir mitten auf dem See waren, erhob sich der Sturm von neuem, Weststurm, der uns abtrieb von der Feldwieser Bucht in den gefürchteten Weitsee hinein. Wir sahen unser Ende nahe und wir wären nicht die ersten gewesen, die der See dort verschlungen hat. Gegen Mitternacht erreichten wir dennoch das Ufer, wo Fischer warteten, um uns, tot oder lebend, aus der Brandung zu ziehen.

Wenn die Tiroler Ache Hochwasser führte, war sie wild und riß vieles mit sich, was, wäre sie damals schon gut eingedämmt gewesen, sie nicht hätte mitreißen können: halbe Heuschober, Balken aller Ausmaße, riesige Baumstämme, Blechgeschirr, Möbel, Kühe, Ziegen, Schafe, halbtot oder ganz tot, und bisweilen Menschen, und alles schwemmte sie in den See, der dann, Monate später, die Leichen wieder freigab und ans Ufer trug. Manchmal waren es auch Selbstmörder oder jedenfalls Menschen, von denen man annahm, daß sie es waren. Die Leichen kamen ins Feuerhaus, das im Schulgebäude war. Vor den hochliegenden Fenstern war das Schulholz aufgestapelt. Da hinauf kletterten wir Kinder und versuchten mit Neugier und Grausen, etwas zu erspähen, wenn der Arzt kam, die Leichen zu sezieren. Unvergeßlich das Grün des aufgequollenen Fleisches. Unvergeßlich auch der Gestank, der durch die Fenster drang. Magisch gezogen kehrten wir immer wieder zurück, so oft man uns auch verscheuchte.

Da wo heute die Autobahn München-Salzburg durch kultiviertes Wiesen- und Ackerland läuft, war damals Moor, Torfstich, »Schöneggart« genannt. Einmal, gekränkt von den Eltern, lief ich fort, in die Schöneggart hinein, immer weiter und weiter, sie nahm kein Ende und sie sollte keines nehmen, sie sollte unendlich sein und jede Rückkehr unmöglich machen. Es war heiß, der Boden, bedeckt mit dem Kraut der Moosbeere, knisterte, es raschelte überall, es gab Schlangen, sie äugten mich an. In den Gräben war braunschwarzes öliges Wasser. Die Torfstücke waren zu kleinen dunklen Türmen aufgeschichtet, wie ein Friedhof sah das aus, und kein Mensch war zu sehen, lange lange nicht, aber auf einmal lag da in einiger Entfernung ein großes Gebäude, und davor arbeiteten Leute auf den Feldern, Leute in graugestreiften schlotternden Anzügen, und alle Köpfe waren glatt geschoren: Sträflinge des Zuchthauses Bernau. Fünfundzwanzig Jahre später stopfte ich, selber Sträfling, politische Gefangene in Traunstein, die groben Socken der Bernauer Häftlinge. Damals, als Kind, starrte ich die Männer an, und sie starrten mich an, und plötzlich bekam ich Angst und nahm kleinlaut Abstand von meinem Plan, nie nie mehr heimzukehren. Erschöpft kam ich zu Hause an. Meine Eltern hatten Besuch, und meine Abwesenheit war nicht bemerkt worden. So hatte ich nicht einmal die ingrimmige Genugtuung zu sehen, wie sie sich um mich geängstigt hatten. Umsonst war der ganze Aufwand an Flucht, umsonst sogar die Demütigung der Rückkehr. Aber ich hatte im Moor eine Schlangenhaut gefunden, die, wie ich beziehungssüchtig glaubte, mir geheimnisvoll Glück bringen würde. Vielleicht hätte ich ohne den Glücksbringer Prügel bekommen von den Eltern, oder eine Schlange hätte mich gebissen, oder die schweigenden grauen Männer hätten mir ein Leid angetan, wer weiß.

Einmal, ich meine es war 1922, gefror der ganze See. Das geschieht sehr selten. Er gefror so, daß man ihn mit Autos, ja mit Lastwagen befahren konnte. Wir Kinder setzten uns auf Rodelschlitten und stakten uns mit Schistöcken übers Eis. Als es wärmer wurde, weckten uns nachts unheimlich donnernde Laute, langhingezogene.

»Der See bellt«, sagten die Leute. Das Eis bekam Sprünge. Der Tod drohte, und immer wieder gab es Tollkühne, Törichte, die sich aufs gesprungene Eis wagten und ertranken. Einmal übersprang auch ich eine Bruchstelle und blickte dann neugierig in die Tiefe. Da sah ich, daß etwa einen Meter unter dem Wasserspiegel eine andere Eisschicht war. Ich hätte also gar nicht ertrinken können. Diese Erfahrung ist vielleicht eine der Ursachen dafür, daß ich mich auch in schlimmen Lebenslagen aufgefangen und getragen weiß.

Als ich größer war, machten meine Eltern mit mir viele und lange Wanderungen. Einige dieser Wege bin ich seither wieder gegangen und gefahren. Eine unsrer schönsten Wanderungen war die nach Siegsdorf und weiter nach Inzell und von dort den Salinenweg nach Reichenhall. Man ging auf einer ganz schmalen Straße, oder vielleicht war es nur ein Fußpfad längs eines dicken hölzernen Rohrs, in dem es geheimnisvoll rauschte: das Salzwasser, das man vom Berchtesgadener Salzbergwerk über das Reichenhaller Gradierwerk in die Saline von Rosenheim leitete. Manchmal gingen wir wallfahrten nach »Maria Eck«, lieblich gelegen auf einem Hügel, oder wir stiegen auf einen der Achtzehnhunderter: den Hochgern, den Hochfelln oder die Kampenwand. Ich stieg und kletterte wie ein Wiesel und einmal, während meine Eltern in der Sonne schliefen, machte ich, zwölf Jahre alt, allein eine Felskletterei, auf eine der Zacken der Kampenwand, die man nur mit Seil und Kletterschuhen machen konnte. Ich wußte das nicht. Als ich zurückkam, erhitzt und zerschrammt, erwarteten mich die entsetzten Hüttenwirte, die meine Kletterei mit dem Feldstecher verfolgt hatten, es erwarteten mich die zu Recht erzürnten Einheimischen, einige dumm bewundernde Touristen und die Haue meiner Eltern. Ich hatte ein Edelweiß mitgebracht, das ich den Eltern triumphierend überreichen wollte, das ich aber nun wütend wegwarf und zertrat. Harmlos waren die Aufstiege zur Staudacher Alm, auf halber Höhe des Hochgern gelegen, in einer sanften Mulde, die im Juni rosa und rostrot war von der Fülle der Alpenrosen. Die Sennerinnen jodelten, und ich lernte von ihnen den kehligen Überschlag und verdarb mir die Stimme dabei. Bisweilen gingen wir über Teisendorf nach Eisenärzt, da gab es zwischen finsteren Wäldern seltsame langgestreckte Gebäude, leer, verwahrlost, mit blinden Fensterscheiben. Ich mochte diesen saturnischen Ort nicht und begriff nicht, was meine Eltern, genau gesagt meinen schwermütigen Vater, immer wieder da hin zog. Es waren verlassene Erzhämmer. Einmal, im Mittelalter, gab es im Chiemgau Metalle, Eisen und Kupfer und Blei, aber niemand wurde reich davon, und der Bergbau gedieh nicht, obgleich die Fugger ihre Hände im Spiel hatten. Einige der Hütten fristeten sich bis ins neunzehnte Jahrhundert durch; jetzt sind alle Feuer erloschen.

Ich weiß nicht, ob damals das Wunder von Urschalling schon entdeckt war: eine kleine romanische Kirche bei Prien, Wände und Gewölbe bedeckt von Fresken, eine Biblia Pauperum, gemalte Heilsgeschichte; unter den Fresken des vierzehnten Jahrhunderts andere aus dem zwölften, byzantinisch beeinflußt. Diesseits der Alpen gibt es keine andere Kirche dieser Art (man hört den Stolz aus meinen Worten).

Einmal hatten wir es uns in den Kopf gesetzt, rings um den Chiemsee zu gehen, das war wohl weiter als ein Kind verkraften kann. Darum kamen wir nur bis zum Kloster Seeon, das auf einer kleinen Insel in einem Waldsee liegt, ein ehemaliges Benediktinerkloster mit gotischen Grabdenkmälern, wie es denn überhaupt in dieser Gegend noch viele guterhaltene spätgotische Kirchen und Kapellen gibt. Uraltes Kulturland.

Nun bin ich auf den Spuren meiner Kindheit alte Wege gegangen, aber ich habe den Duft jener Landschaft nicht eingefangen, und gerade dieser Duft ist es, so scheint mir, nach dem ich Heimweh habe: Geruch nach geteerten Fischerbooten, nach den feuchten Flußauen, nach frischgeschlagenem Erlenholz, nach nassen und in der Sonne trocknenden Fischernetzen, nach den feuchten Pflastern uralter Kirchen und Klöster, nach den Schilfdickichten am See, nach dem Heu der Hügelwiesen, nach den harzigen Bergkiefern und Alpenrosen und frischem Schnee, Gerüche, die der Bergwind mit sich brachte, der nachts wehte und am Morgen, und der vormittags schweigen mußte, sollte das Wetter schön bleiben; er war unser zuverlässigster Wetterbote.

Wie vieles müßte ich noch sagen, um das Bild lebendig zu machen. Ich müßte zum Beispiel von meinem Vater erzählen und von seinem Orgelspiel in der Überseer Kirche. Die Orgel war neu und sehr gut und groß, und mein Vater spielte zu seiner Übung oft des Nachmittags, und während er spielte, sammelten sich Zuhörer an, meist »Sommerfrischler«, und aus Vaters Übungsstunden wurden schließlich Orgelkonzerte. Einmal fiel der elektrische Strom aus, und ich mußte den Blasebalg treten. Aber mein Vater vergaß, daß nicht der Strom, sondern seine kleine Tochter für die Luft sorgte, die ein großes Präludium samt Fuge von Bach braucht, und plötzlich konnte ich nicht mehr; die Fuge endete in einem jämmerlich absinkenden Geheul. Ich schämte mich und versuchte verzweifelt, die hölzernen Pedale noch einmal zu bewegen. Der Vater, aus seiner Musik auftauchend, erlöste mich und führte mich ins Freie, wo ich mich erbrach, ganz in der Nähe des kleinen Grabhügels mit dem Stein, auf dem nichts steht als: »Unser Ernst, 1911—1918.« Das ist der kleine Jude, den ich David nannte und über den ich eine Geschichte geschrieben habe. Immer noch ist das Grab gepflegt, obgleich die Eltern des Kleinen gewiß umgekommen sind im Dritten Reich.

Ich müßte jetzt auch noch vieles erzählen von unserm chiemgauerischen Temperament, von unsrer Lust am Tanz und am Theaterspiel und von unsrer Raufsucht. Wir hatten ein Bauerntheater wie die meisten Dörfer, und wir Kinder führten in den Schulpausen, von niemand angeleitet, Stegreifspiele auf. Viele waren von mir erfunden und inszeniert: Bauernstücke von unglücklicher Liebe zumeist und im reinsten Dialekt gesprochen, wobei es mir besonders daran gelegen war, uralte Wörter zu gebrauchen, deren Bedeutung mir nicht ganz klar war und die ich von den Fischern oder vom alten Weber aufgeschnappt hatte. Wir Kinder konnten alle die einheimischen Tänze, die »Schuhplattler«, wir tanzten auch dann und dort, wo wir nicht durften, zum Beispiel einmal im geräumigen Mädchenabort, der nur durch eine Bretterwand, die nicht bis zur Decke reichte, von dem der Buben getrennt war. Diese Wand genügte zwar für die Moral, war aber nicht hoch genug, die Buben davon abzuhalten, darüber zu klettern, wenn wir tanzen wollten. Da ein Schuhplattler auf dem Bretterboden einen Höllenlärm macht, konnte unser Treiben meinem Vater nicht lange verborgen bleiben. Er stand plötzlich da. Wir stoben auseinander. Er brüllte: Halt! Da standen wir nun, der Strafe gewärtig. Mein Vater sah uns lange mit gerunzelter Stirne an, dann sagte er: »Zur Strafe ...« Er machte eine unheilvolle Pause, ehe er von neuem begann: »Zur Strafe ...« Wieder eine Pause. Wir begannen zu schwitzen. Dann zum drittenmal: »Zur Strafe werdet ihr jetzt unten im Schulhof tanzen.« Wir wagten nicht zu glauben, was wir hörten, aber dann rasten wir die Treppe hinunter, und mein Vater, sonst eher hart und streng, was Disziplin anging — er lachte. Von diesem Tage an tanzten wir in allen Schulpausen, und sogar ich, sonst von den Eltern allzu gut behütet, durfte mittanzen.

Vieles könnte ich noch erzählen, ein ganzes Buch schreiben über meine Kinderheimat, und doch gelänge es mir nicht, so fürchte ich, irgend jemandem, der nicht selber dort Kind war, den Zauber jener Landschaft und jener Jahre zu vermitteln, die mich entscheidend formten und mir jene Mischung aus Übermut und Melancholie mitgaben, die das Wesen aller Chiemgauer ausmacht.

Günter Herburger

Das Allgäu

Wenn ein Allgäuer über das Allgäu schreibt, hat er bereits Gummistiefel an, wenigstens derbe Halbschuhe mit Profilsohlen. Ein Allgäuer ist sozusagen von Geburt aus zwiegenäht. Ich bin Allgäuer, lebe aber seit meiner Jugend in Großstädten, die es im Allgäu nicht gibt. Vielleicht deshalb ist mir diese Landschaft kostbar geblieben. Die schweren Schuhe von damals trage ich noch immer oder deren Imitationen, wie sie zur Zeit bei den Städtern Mode sind, die zweckmäßig gern mit teuer verwechseln und gesund mit Charme. Es bleibt ihnen bei den derzeitigen Zuständen unserer Zivilisation wohl nichts anderes übrig. Wer auf dem Land wohnt, hätte wenigstens den Vorteil, könnte man meinen, gemächlicher alt zu werden. Doch aus Mißtrauen gegenüber den Städten, auf die der Provinzler neidisch oder furchtsam starrt, untergräbt er sein Selbstbewußtsein, also seine Widerstandskraft im selben Maße wie diejenigen, die in Dunstglocken leben müssen.

Ein Allgäuer ist weder ein Gebirgler, noch ein Flachländler, sondern ein Zwischenstadium, ein Mischmasch. Weder sind die Berge bei uns hoch und bedrückend, noch die Wiesen zu fruchtbar oder gar betäubend. Alles hat Maß und Aussicht, selbst die fette Milch, die seit jeher in den allgäuer Kühen gedeiht. Sie bringt so viel Geld, wie sie vom Staat subventioniert wird pro Liter, auch pro Kuh, die dem, der sie vorzeitig schlachtet, noch einmal staatliche Prämien schenkt, damit der Butterberg, der Sorgen macht, abnimmt. Je weniger Kühe, desto besser, verlangt der Gesetzgeber, die Landschaft dagegen und ihr Werbegehalt bestünde ohne das gewohnte Bild schönen geduldigen Viehs in unseren Köpfen nicht.

Wir können uns darauf verlassen, glaube ich, daß schon in naher Zukunft die Bauern ganztägig dafür bezahlt werden, Bauern zu bleiben, Landschaftsgärtner mit Tierbetrieb. Denn das Allgäu wird, mit seinen Seen und Grasbergen, Heuflächen und Höfen immer mehr zu einem Erholungsgebiet der Städter und Kranken. Über die Herrschaftsverhältnisse, die sich dadurch dokumentieren, werden wir noch stolpern, trotz der hübschen Barockkirchen, der alten Reichsstädte mit Fresken auf den Toren, die meistens wie eine Art Brauereiwerbung aussehen, trotz der Kopfsteinpflaster, der malerischen Winkel und Panoramen. Ich liebe diese Landschaft, in der ich Kind war, mit all den dazugehörenden Schrecken und Wundern, doch ich kann mich nicht dumm stellen, der Verklärung soll die Wirklichkeit die Waage halten. Das bin ich bei meinem Handwerk als Schreiber gewohnt.

Der allgäuer Dialekt ist grob und fintenreich. Er setzt sich aus Schwäbisch, Bayrisch, ein wenig Schwyzerdeutsch und einer, behaupte ich, besonderen Variante des Vorarlbergischen zusammen, dem Bregenzer Wäldlerischen. Von Dorf zu Dorf, von Tal zu Tal sich nuancenreich verändernd wie in jeder ausgeprägten Landschaft, erreicht er seine Höhepunkte in kurzen, witzigen Spruchweisheiten, die sich oft auch selbst persiflieren.

Där hot glade ket, doss'r knialings uss'm Dachkäner gsuffa hot. Das heißt so viel wie, er war betrunken, daß er kniend aus der Dachrinne trank. Diese buchstabengetreue Übersetzung kann jedoch nicht den hypothetischen Charakter berücksichtigen, denn die bewußte Grobheit des beschriebenen Zustands mildert im Dialekt, je rauher er sich gibt, insgeheim lächelnd ab, so daß der Spruch bei Zustimmung und Kenntnis der lächerlichen Lage eigentlich heißt: Er war so betrunken, daß er glaubte, er könnte kniend aus der Dachrinne trinken.

Jeder Dialektkenner wird natürlich sofort Einspruch erheben und noch genauere oder syntaktisch kitzligere Übersetzungen oder Gleichungen anbieten. Sobald das Hochdeutsche sich hinter Gewohnheiten oder landschaftlichen Eigenarten verstecken muß, wird jeder Dörfler und Kleinstädter zum unschlagbaren und triumphierenden Germanisten. Das freut mich, denn nur was sagbar ist, kann auch vorhanden sein, weshalb die Provinz, die sich gegenüber den Städten meistens unterlegen fühlt, weil sie zum Beispiel kaum über Medienindustrie verfügt, auf jeden Fall in ihrer Sprache sich zu behaupten versteht.

Duascht blieta?
Wenn blieta duascht, kascht heila.
Duascht heila?
Wenn heila duascht, kriascht a Pflaschter.
Hoscht a Pflaschter?
Wenn koi Pflaschter hoscht, muascht blieta.

Diesen sanften, heimtückischen Wahnwitz empfinde ich als beispielhaft für das Allgäuerische. Zielgerichtet durch Fragen wird einem Verletzten scheinbar zugesprochen, doch am Ende steht er wieder ungetröstet da, verlassen und mit offener Wunde wie vorher. Die sprachliche Boshaftigkeit setzt zwar den Fragenden ins Unrecht, was einen, der diesen Dialekt spricht, jedoch wenig kümmert, so lange er Übersicht behält.

Im Klartext lautet die Rondoform demnach:
Blutest du?
Wenn du blutest, kannst du weinen.
Weinst du?
Wenn du weinst, bekommst du ein Pflaster.
Hast du ein Pflaster?
Wenn du kein Pflaster hast, mußt du bluten.

Bei diesem irrlichten Dialog, der im Dialekt hinterhältiger und gemütlicher klingt, was vor allem an dem Verb dua = tun liegt, sehe ich allgäuer Gesichter mit vor Vergnügen zusammengekniffenen Augen, als müßten sie gegen scharfen Wind blicken, sehe Hakennasen und störrische Kopfhaltung, die den nächsten sprachlichen Tiefschlag abwartet, der kommen wird, quasi als Pause, ein Städter hätte sich längst übersprudelnd gerechtfertigt oder wäre, im eigenen Schmerz befangen, sentimental geworden.

Wenn koi Pflaschter hoscht, muascht blieta.
Wenn du kein Pflaster hast, mußt du bluten.
I hon a Pflaschter ket.
Ich habe ein Pflaster gehabt.
I hon's nimma.
Ich habe es nicht mehr.
Aber blieta dua i it, bloß du.
Aber ich blute nicht, nur du.
Duascht heila?
Weinst du?

Dieses Einkreisen, Lauern, Locken, Zustechen und täuscherische Abschieben beeindruckt mich immer wieder, wenn ich zu Hause im Allgäu zuhöre, meine Dialektkenntnisse ausprobiere, auch zu gängeln und zu foppen versuche, aber meistens auf der Strecke bleibe und dann ungeschickt ins Hochdeutsche klettere, dessen anderes Maß plump und vordergründig wirkt, obwohl es vorgibt, genauer zu sein.

Die Sprache spult, um ein altes Vorurteil zwischen Stadt und Land auszuspielen, wie ein Schrittmaß ab, das zum Beispiel den Berg hinauf Stetigkeit einhält, deshalb von Flinkeren anfangs überholt wird, umtrippelt, gestört, auch verführt, zuletzt aber immer noch frisch am Ziel ankommt und Muße bewahrt hat, auszuruhen ohne Erschöpfung. Die Spannung, die die Anstrengung verursachte, gibt langsam nach und läßt Platz für Erinnerung und Humor.

So sehe ich besonders meinen Großvater, den ich verehrte, der noch mit siebzig Jahren Schritt um Schritt stundenlang schattenlose Serpentinen stieg, kein Bergwasser trank, nicht den Hut abnahm, sondern schwitzte und im Rhythmus der Bewegung immer weniger Luft zu benötigen schien, während ich, vorauseilend, neugierig den Weg verlassend, aufgeregt stolpernd und redend bald Mühe hatte, Anschluß zu halten. Mein Großvater hat mir, wenn ich nicht mehr weitergehen wollte oder konnte und auf die Berge und die unnütze Steigerei zu schimpfen begann, höchstens ein Malzbonbon gegeben und ist wortlos wieder vorwärtsgeschritten. Seine stählerne Stockspitze klang hell gegen Steine, sein Rucksack wiegte sich gleichmäßig vor mir her, als sei der Großvater ein bepacktes Muli.

Seit er tot ist, bin ich nie mehr in den Bergen gewesen, denn ich sehe es tatsächlich nicht ein, weshalb ich, etwa um Leistung zu zeigen oder einzigartige Gipfelblicke zu ergattern, auf Berge klettern soll. Aber die Wanderungen mit meinem Großvater vermisse ich, sie haben sich in der Erinnerung zu einem verschwiegenen Einverständnis verklärt, das ich bei anderen Gelegenheiten mit anderen Menschen, bilde ich mir ein, nie mehr gefunden habe, das vielleicht auch, als ich noch jung war, nie bestanden hatte. Manchmal erwische ich, wenn ich in meiner Heimatstadt Isny in der Wirtschaft am Bahnhof sitze, die Gifthütte genannt wird, und in der fast täglich auch mein Großvater gesessen hatte, Dialekt sprechend, wieder einen Zipfel davon, ahne wieder das Maß zwischen Pausen und Lärm, Grobheiten und Volten, zwischen Bosheit und Gelächter, Zigarrendampf und nassen Bierfilzen. Zuletzt trank mein Großvater, der seine Freunde, die Eisenbahner, Holzfäller, Weichensteller und Kiesfahrer, aushielt, eine Mischung aus Schnaps und Schlafmitteltinktur, die Residorm hieß, damit, wie er sagte, sich nicht alles wiederhole, sondern in Nebel untergehe wie seine kleine Fabrik, die er, ein frühkapitalistischer Besitzer, Stück für Stück in der Gifthütte ausgab. Für dieses Beispiel bin ich ihm heute noch dankbar, obwohl er rational nicht wußte, was er tat, er fühlte nur, daß seine Zeit und seine Privilegien abgelaufen waren und handelte folgerichtig. Ich behaupte nicht, daß dazu allgäuer Dialekt gehört, doch Sprache, die im Dialekt hervorragend dialektisch kurzzuschließen versteht, machte mich zum ersten Mal auf mögliche Mittel aufmerksam.

Die grüne, liebliche Landschaft ist genauso grün geblieben und verweist auf die hohen deutschen, österreichischen und schweizer Gipfel am Horizont, die viel bekannter sind als unsere Hügel. Bei uns werden Kriegsversehrte in Sanatorien betreut und trainiert, Versicherungen schicken zivilisationsgeschädigte Angestellte zur Erholung ins Allgäu, damit sie wieder volle Arbeitskraft erlangen, wie jeher ausbeutbar bleiben. In Wäldern und um Seen werden Trimmstrecken angelegt, und auf den geschwungenen Straßen, die bis zu den entlegensten Bauernhöfen asphaltiert sind, fahren sich die jungen, besonders an Wochenenden beduselten Einheimischen zu Tode. Der Kreis Ravensburg hat eine der höchsten Unfallziffern der Bundesrepublik.

Soweit ich weiß, stehen im Allgäu, wie wahrscheinlich auch in anderen schönen Gegenden, die teuersten Altersheime Deutschlands. Weit ab von Stadträndern oder völlig einsam an Wiesenflanken geschmiegt, erheben sich diese klinischen Klinker- und Trachtenbauten. Es gibt welche, die nur nach vorheriger Testamentsüberschreibung aufnehmen, andere verlangen achthundert Mark pro Monat und mehr, wobei dann die Alten, die Nestwärme, Schwatz und gewohnte Nachbarschaft, die vertrauten Kauflädchen und Sträßchen zum Weiterleben brauchen, nur noch aus den mächtigen Panoramascheiben in die grüne Hölle, eben jene Landschaft starren können, die sie noch einsamer macht, unnütz und vergessen in einer Gesellschaft, die die Alten abschiebt hinter Hecken und mit zu viel Sauerstoff vorzeitig vereist. Auf den Straßen aber in der Ferne überholen sich die Sportwagen.

Im Winter, wenn die Kühe in den Ställen stehen, sind die Hänge von Skifahrern bevölkert. Es gibt wohl kaum mehr Berge, auf die nicht ein, zwei Liftstrecken führen. Ich bin selbst Skifahrer und war lange Zeit eitler Pistenfex, der in den neuesten Abfahrtsstiefeln Bukkel und Kröpfe durchstand und dann leergepumpt unten an der Station frierend warten mußte, bis er wieder an die Reihe kam. Das kostet Geld, Knochen, ist langweilig, hastig im kurzen Rausch abwärts, verschleißt, pumpt aus, macht mürrisch und ungeduldig, denn immer gibt es auf den brettharten Kampffeldern noch bessere Fahrer, bessere Sturzhelme, Dreßkombinationen, Rennbiesen, Kipplagen, die Sportindustrie feiert Triumphe mit immer neueren Aufmachungen und Reizen und verlegt Unsicherheit und Dynamik bis in die Schwungfolgen, die jedes Jahr wechseln. Wehe dem, der sie nicht beherrscht in der Hocke oder gestreckt oder geschraubt, gespreizt oder geblockt, im Knick oder Schub, schon ist man veraltet, schon verwundet, schon schert man aus, schon zahlt man einen neuen Skikurs an als deprimierter Einzelkämpfer, der nicht mehr zu glänzen vermag.

Gleichmütig wellt sich die Pracht der weißen Landschaft, doch von Übermut oder sirrender Stille, wenn die Stockteller, nacheinander eingesetzt, kleine Fahnen kalten Schnees hochwirbeln, kann keine Rede mehr sein.

Es ist nichts dagegen zu sagen, daß in der Idylle der Publikumsverkehr zugenommen hat, schließlich braucht die Massenzivilisation, in der wir alle bequem zu leben fordern, Platz und neue Quellen der Regeneration. Doch wenn auch, zum Beispiel in meiner heimatlichen Landschaft, dem Allgäu, kleine Fabriken dazugekommen sind, die Plastikwaren herstellen, Vorhangschienen, Wohnanhänger, Strohhüte, Metallski und Bettfedern, so sind die Abhängigkeitsverhältnisse doch die alten geblieben. Wer früher viel besaß, besitzt heute um so mehr, nimmt Einfluß, befiehlt, schurigelt, unterdrückt, macht gefügig und steht, wie jeher, blankgeputzt im Licht.

Weiland in Chroniken vorgeprägt, könnte man den Singsang alter Feudalherrschaft anstimmen:

Wem gehören die Wälder? — Dem Fürsten.
Wem gehören die Felder? — Dem Fürsten.
Wem gehören die Seen? — Dem Fürsten.
Wem gehören die Sanatorien? — Dem Fürsten.
Wem gehören die Berge? — Dem Fürsten.
Wem die Bahnen, die auf die Berge fahren? — Dem Fürsten.
Wem gehört die Meinung? — Dem Fürsten.
Wem deren Veredlung? — Dem Fürsten.
Und wem gehört die Luft? — Die gehört uns.

Der Fürst heißt Seine Durchlaucht Georg Fürst von Waldburg zu Zeil und Trauchburg. Er wohnt in einem großen Schloß in der Nähe des Städtchens Leutkirch und sieht auf einen Flugplatz hinunter, der auch ihm gehört. Er ist der größte Grund- und Meinungsbesitzer des Allgäus. Seine Macht greift um sich wie ein lautloser Flächenbrand, gespeist und beschützt von Argumentation, Information und deren Auswahl, denn der Fürst ist auch Mehrheitsgesellschafter der beiden konkurrenzlos größten Zeitungen Baden-Württembergs und des Allgäus, der Schwäbischen Zeitung und des Allgäuer Tagblatts. Die Schwäbische Zeitung hat Ausgaben in Leutkirch, Biberach, Ehingen, Friedrichshafen, Laupheim, Ravensburg, Riedlingen, Saulgau, Sigmaringen, Tettnang, Waldsee, Wangen und Lindau. Das Allgäuer Tagblatt druckt Kopfblätter für Kempten, Füssen, Kaufbeuren, Marktoberdorf, Memmingen, Sonthofen-Immenstadt und Weiler-Lindau. So schließt sich der Ring, das System ist perfekt.

Wäre noch von den Bauern zu reden, die sich früher, der Not gehorchend oder durch Einsicht und Überlegung, zu vielen einzelnen Molkereigenossenschaften zusammengeschlossen haben. Inzwischen hat ein Konzern die meisten Genossenschaften und Käsereien nacheinander aufgekauft. Gegen Abend sieht man überall durch das Allgäu aluminiumblitzende Kesselwagen fahren, die die Milch einsammeln und zu zentralen Schmelzwerken transportieren. Was ist also übriggeblieben von einer Erinnerung an Kindheit, Großvater,

Sport, protestantische ehemalige Reichsstädte, Dialekt und grüne Berge? Ich fürchte, nur die verführerische Optik einer Landschaft, in die ich immer wieder zurückkehren werde, die sich aber, je genauer man sie betrachtet, aufschlüsselt in grob Besitzgieriges, modifizierte Natur und stumm Ohnmächtiges, wie jede Landschaft in unserem Land, das wir zu kennen glauben, jedoch erst zaghaft uns anzueignen wagen.

Wenn es sich um Heimat handelt, wird man leicht bedenkenlos. Volkskundler waren eine Zeitlang gefährdet wie Marihuana-Raucher. Andererseits gibt es heute noch Leute, die können keinen Gamsbart sehen, ohne sich gleich als schneidige Intellektuelle zu fühlen. Heimat scheint es vor allem in Süddeutschland zu geben. Wo gibt es mehr Gamsbärte, Gesangvereine, Gesundbeter, Postkartenansichten, Bauernschränke, Messerstechereien, Trachtengruppen, Melkschemel, Beichtstühle, Bekenntnisschulen usw. Heimat, das ist sicher der schönste Name für Zurückgebliebenheit.

MARTIN WALSER

Gerhard Amanshauser

Daheim

Ich habe einen Bekannten, nennen wir ihn N, der ist viel intensiver daheim als ich jemals daheim war. Dabei war ich eigentlich immer daheim, das heißt, ich saß oder lag meistens in meinem Zimmer und hörte, solange ich wach war, den Verkehrslärm meiner Heimatstadt. Für den aber, der sich wahrhaft daheim fühlt, scheint es nicht zu genügen, daß er einfach nur daheim ist, wenn man ihn anruft.

N ist selten daheim, wenn man ihn anruft. Bald treibt er sich auf dem Land herum, an Orten, die ich nur dem Namen nach kenne (ich wüßte nicht, was ich dort suchen sollte), bald ist er im Gebirge, bald am Meer oder sonst irgendwo im Ausland. Psychisch aber ist er viel stärker daheim als ich es bin. Je mehr er herumreist, so sagt er, desto intensiver fühlt er sich in seiner Heimat daheim. Vielleicht geht es ihm wie jenen Moralisten, die ständig über die Unmoral besorgt sein müssen und dabei immer moralischer werden.

Es mag da gewisse Zusammenhänge geben. Ich selbst bin nämlich amoralisch, während sich an N ausgesprochen moralische Anwandlungen beobachten lassen. Wenn ich sage, ich sei amoralisch, so meine ich damit nicht, daß ich mich als Wüstling jemals besonders hervorgetan hätte. Dazu bin ich zu feig. Es ist vielmehr so, daß ich die Unterschiede zwischen Moral und Unmoral nicht genügend drastisch erlebe. Ich lese zum Beispiel in der Zeitung von einem angesehenen Politiker und gleich danach von einem Verbrecher oder vom Papst und gleich danach von einem Playboy, und muß dabei bemerken, wie sich meine Sympathie weder den Gerechten zuwendet noch sich von den Ungerechten abwendet. So etwas kann N nicht passieren.

Damit mag es zusammenhängen, daß N, wie in der Moral so auch in der Heimat sozusagen (wenn dieser Ausdruck hier erlaubt ist) viel daheimer ist als ich es je sein könnte. Daheim ist daheim, sagt ein Sprichwort. Aber manche sind daheim viel daheimer als andere.

Bei uns in Österreich scheint es sich nun so zu verhalten, daß die meisten, die hier daheimer als daheim sind, sich auch wesentlich deutscher als die anderen fühlen. Natürlich gehen sie nicht so weit, daß sie sich etwa nicht über die Deutschen mokieren, wenn sie leibhaftig über die Grenze kommen. Offenbar ist Deutschsein nicht etwas banal Praktisches, sondern eine Art inneres Fest.

Da mag es dann ein besonderes Festvergnügen sein, sich als Österreicher intensiv deutsch zu fühlen, weil man gleichsam deutscher ist, als es ein Deutscher je sein könnte. Für ihn ist Deutschsein mehr oder weniger selbstverständlich, so daß er es schwerer hat, das Aparte daran herauszufinden. Für den Österreicher dagegen hat Deutschsein offenbar einen historischen Hautgout. Er kann also penetrant deutsch sein.

N behauptet manchmal, mir fehle es an Gemüt. Da hätten wir also ein Organ, wo das intensive Heimatgefühl möglicherweise nistet. Ich muß zugeben, daß ich nur ungefähr weiß, was ein Gemüt eigentlich ist; der Verdacht liegt also nahe, daß dieses Organ mir entweder fehlt oder nur rudimentär vorhanden ist.

Es kann sein, daß ich ohne Gemüt geboren bin. Dies wäre die Schuld meiner Vorfahren. Nun hatten aber meine Eltern wahrscheinlich sehr starke Gemüter, weil sie sowohl penetrant deutsch als auch intensiv daheim waren. Freilich könnte es sein, daß mein Gemütsmangel beziehungsweise meine Gemütsschwäche von entfernteren Ahnen herkommt und in meinen Eltern nur latent vorhanden war. Wahrscheinlicher ist es aber, daß ich ursprünglich die Anlage zu einem normalen Gemüt hatte, daß dieses aber durch widrige Einflüsse sich nicht entwickeln konnte.

Schließlich wurde in meiner Jugend, als ich im empfindlichsten Alter war, in meiner Heimat eine Orgie des Deutschseins gefeiert. Ich habe schon von einem inneren Fest gesprochen, das nach außen hin, seines idealen Charakters wegen, sehr unpraktisch ist. Dieses innere Fest ging also damals, wie es bei Festen manchmal vorkommt, in eine Orgie über, und die wurde natürlich auch im Freien ruchbar. Und wie es bei Idealen zu geschehen pflegt, wenn sie praktisch werden: es kam zu größeren Verwüstungen. Die Erwachsenen litten danach, wenn auch nur vorübergehend, an einem starken Kater. Dieser Anblick hat mich vielleicht so irritiert, daß eine ursprüngliche gute Gemütsanlage in mir keine Zinsen trug; sonst wäre ich womöglich heute viel daheimer und viel deutscher und hätte wie N ein starkes und gleichzeitig weiches Gemüt.

Auf N hat die Orgie des Deutschseins, von der ich gesprochen habe, offensichtlich keinen bleibenden Eindruck gemacht. In der ersten Zeit nach dem Krieg allerdings, als er noch normale Konfektionsanzüge trug, sah man ihm das Gemüt zunächst nicht an. Es überwinterte gleichsam, hütete sich davor, auszuschlagen, sammelte Säfte und Kräfte. Vielleicht war es am Hut, wo dann die ersten, die Frühlingsblüten des Gemüts sich zeigten: einige Abzeichen, Embleme oder Bänder. Nach und nach kam aber das Gemüt an der ganzen

Kleidung zum Vorschein, bis hinab zu den Schuhen. Das hat natürlich alles österreichischen, heimatlichen Zuschnitt, doch dahinter schimmert diskret, als eine Art Seelenglanz, das Deutsche.

Auch an Ns Eigenheim zeigten sich, als es langsam prunkvoller wurde, überall die Spuren des Gemüts. Hier gedeiht vor allem das Bäuerliche, das Urwüchsige, die Symbole der Handarbeit und der Jagd. Wer die Heimat pflegt wie N, ist eigentlich kein Städter, oder, da er doch notgedrungen in der Stadt lebt, kein Allerweltsstädter, sondern ein hintergründiges Wesen in einer Bauernstube, wo ein geheimes, inneres Fenster sich in den Zauberwald öffnet.

Der Stadtbetrieb eignet sich nicht fürs Gemüt. N, das habe ich zu sagen vergessen, ist Rechtsanwalt, und als solcher ist er darauf spezialisiert, die Hauseigentümer gegen die Mieter zu schützen. Es scheint so zu sein, daß Hauseigentümer im allgemeinen mehr Gemüt haben als Mieter, denn diese ähneln doch letzten Endes den Nomaden, während die Eigentümer viel stärker in ihren Gemäuern wurzeln. Trotzdem aber hat die Tätigkeit eines Rechtsanwalts etwas Mechanisches an sich, das dem Gemüt nur wenig zusagt. N nimmt zwar von ganzem Herzen für die Hausherrn Partei und liebt es, in sarkastischem Ton Anekdoten zu erzählen, die das absurde Benehmen von Mietern und Untermietern herausstreichen, aber sein Gemüt reicht doch viel tiefer.

»Das ist mein Reich!« sagt er manchmal, wenn er am offenen Kamin, umgeben von ursprünglichen Möbelstücken, Platz nimmt und mit einer schmiedeeisernen Gabel im Feuer stochert, das neben der kleingestellten Zentralheizung eine gemütliche Wärme spendet: die Wärme eines Waldprodukts.

»Diese Gemütlichkeit«, sagt er, »findest du nirgends im Ausland«, und dabei zeigt er das kindliche Lächeln, das mich an einen Landsknecht denken läßt, der sich nach langen Irrfahrten zur Ruhe streckt. Er schlägt eigens drei Wörterbücher auf, um mir zu zeigen, daß die Ausländer das Wort Gemüt überhaupt nicht kennen. Im Französischen finden wir als Übersetzung âme und cœur, im Italienischen animo und sentimento und im Englischen sogar sechs Ausdrücke: mind, feeling, soul, heart, disposition, temper. Da müsse man, meint N, in Gelächter ausbrechen, wenn man derartig hilflose Übersetzungsversuche betrachte, die in ihrem Übereifer so wirkten, als sollte eine geheime Schwäche vertuscht werden: eben ein Mangel an Gemüt, unter dem diese Ausländer leiden.

Ich dagegen freue mich, daß in den Wörterbüchern kein Gemüt zu entdecken ist. Wenn so große Völker so lange Zeit ohne Gemüt durchgekommen sind und es nicht einmal vermißt haben, dann wird es mir um so leichter fallen, mein kleines, beiläufiges Leben auch ohne dieses Organ zu durchlaufen.

Freilich werde ich in meiner Heimat nie so ursprünglich daheim sein wie N. Von außen muß ich die Heimatverbundenen beobachten, wie sie sich mit ihren Emblemen durch meine Heimatstadt bewegen und einander, von Gemüt zu Gemüt, befühlen und betasten. Sie stecken unter einer Decke, unter die ich niemals gelangen werde. Ich stehe zum Beispiel samstags auf dem Markt, wo immer Gruppen von Gastarbeitern sich versammeln, und da fühle ich plötzlich die Neigung, mich diesen Fremden anzuschließen, was natürlich unmöglich ist, weil ich von dem was sie sagen, kein Wort verstehen kann.

Da kommt N um die Ecke: grüne Rockaufschläge und Hirschhornknöpfe deuten auf die Wälder hin, wo sein Gemüt zu jagen pflegt. Er erzählt mir von einem Prozeß, in dem er einen Hausherrn gegen Gastarbeiter zu schützen hat, die den Besitzstand durch nomadenhaft randalierende Lebensweise gefährden. Ich denke an Ns Wohnung, an sein Reich, an die Eichentruhen und Bauernschränke, an all die verkappten Altäre, vor denen das Gemüt seine Andachten abhält. Und dann denke ich an die desolaten Unterkünfte der Gastarbeiter und es erfaßt mich die Zuneigung zu einem Pin-up-girl, das dort mit Reißnägeln an der Wand befestigt ist.

Ingeborg Bachmann

Jugend in einer österreichischen Stadt

An schönen Oktobertagen kann man, von der Radetzkystraße kommend, neben dem Stadttheater eine Baumgruppe in der Sonne sehen. Der erste Baum, der vor jenen dunkelroten Kirschbäumen steht, die keine Früchte bringen, ist so entflammt vom Herbst, ein so unmäßiger goldner Fleck, daß er aussieht, als wäre er eine Fackel, die ein Engel fallen gelassen hat. Und nun brennt er, und Herbstwind und Frost können ihn nicht zum Erlöschen bringen.

Wer möchte drum zu mir reden von Blätterfall und vom weißen Tod, angesichts dieses Baums, wer mich hindern, ihn mit Augen zu halten und zu glauben, daß er mir immer leuchten wird wie in dieser Stunde und daß das Gesetz der Welt nicht auf ihm liegt?

In seinem Licht ist jetzt auch die Stadt wieder zu erkennen, mit blassen genesenden Häusern unter dunklen Ziegelschöpfen, und der Kanal, der vom See hin und wieder ein Boot hineinträgt, das in ihrem Herzen anlegt. Wohl ist der Hafen tot, seit die Frachten schneller von Zügen und auf Lastwagen in die Stadt gebracht werden, aber von dem hohen Kai fallen noch Blüten und Obst hinunter aufs vertümpelte Wasser, der Schnee stürzt ab von den Ästen, das Tauwasser läuft lärmend hinunter, und dann schwillt er gern noch einmal an und hebt eine Welle und mit der Welle ein Schiff, dessen buntes Segel bei unserer Ankunft gesetzt wurde.

In diese Stadt ist man selten aus einer anderen Stadt gezogen, weil ihre Verlockungen zu gering waren; man ist aus den Dörfern gekommen, weil die Höfe zu klein wurden, und hat am Stadtrand eine Unterkunft gesucht, wo sie am billigsten war. Dort waren auch noch Felder und Schottergruben, die großen Gärtnereien und die Bauplätze, auf denen jahrelang Rüben, Kraut und Bohnen, das Brot der ärmsten Siedler, geerntet wurden. Diese Siedler hoben ihre Keller selbst aus. Sie standen im Grundwasser. Sie zimmerten ihre Dachbalken selbst an den kurzen Abenden zwischen Frühling und Herbst und weiß Gott, ob sie ein Richtfest gesehen haben vor ihrem Absterben.

Ihren Kindern kam es darauf nicht an, denn die wurden schon eingeweiht in die unbeständigen Gerüche der Ferne, wenn die Kartoffelfeuer brannten und die Zigeuner sich, flüchtig und fremdsprachig, niederließen im Niemandsland zwischen Friedhof und Flugplatz.

In dem Mietshaus in der Durchlaßstraße müssen die Kinder die Schuhe ausziehen und in Strümpfen spielen, weil sie über dem Hausherrn wohnen. Sie dürfen nur flüstern und werden sich das Flüstern nicht mehr abgewöhnen in diesem Leben. In der Schule sagen die Lehrer zu ihnen: Schlagen sollte man euch, bis ihr den Mund auftut. Schlagen ... Zwischen dem Vorwurf, zu laut zu sein, und dem Vorwurf, zu leise zu sein, richten sie sich schweigend ein.

Die Durchlaßstraße hat ihren Namen nicht von dem Spiel, in dem die Räuber durchmarschieren, aber die Kinder dachten lange, das wäre so. Erst später, als die Beine sie weiter trugen, haben sie den Durchlaß gesehen, die kleine Unterführung, über die der Zug nach Wien fährt. Hier mußten die Neugierigen hindurch, die zum Flugfeld wollten, über die Felder, quer durch die Herbststickereien. Jemand ist auf die Idee gekommen, den Flugplatz neben den Friedhof zu legen, und die Leute in K. meinten, es sei günstig für die Beerdigung der Piloten, die eine Zeitlang Übungsflüge machten. Die Piloten taten niemand den Gefallen, abzustürzen. Die Kinder brüllten immer: Ein Flieger! Ein Flieger! Sie hoben ihnen die Arme entgegen, als wollten sie sie einfangen, und starrten in den Wolkenzoo, in dem sich die Flieger zwischen Tierköpfen und Larven bewegten.

Die Kinder lösen von den Schokoladetafeln das Silberpapier und flöten darauf ›Das Maria Saaler G'läut‹. Die Kinder lassen sich in der Schule von einer Ärztin den Kopf nach Läusen absuchen. Die Kinder wissen nicht, wieviel es geschlagen hat, denn die Uhr auf der Stadtpfarrkirche ist stehengeblieben. Sie kommen immer zu spät von der Schule heim. Die Kinder! (Sie wissen zur Not, wie sie heißen, aber sie horchen nur auf, wenn man sie »Kinder« ruft.)

Aufgaben: Unter- und Oberlängen, steilschriftig, Übungen im Horizontgewinn und Traumverlust, auswendig Gelerntes auf Gedächtnisstützen. In der Ausdünstung von Ölböden, von ein paar Hundert Kinderleben, Zwergenmänteln, verbranntem Radiergummi, zwischen Tränen und Tadel, Eckenstehen, Knien und unstillbarem Schwätzen sind zu leisten: ein Alphabet und das Einmaleins, eine Rechtschreibung und zehn Gebote.

Die Kinder legen alte Worte ab und neue an. Sie hören vom Berg Sinai und sie sehen den Ulrichsberg mit seinen Rübenfeldern, Lärchen und Fichten, von Zeder und Dornbusch verwirrt, und sie essen

Sauerampfer und nagen die Maiskolben ab, eh sie hart und reif werden, oder tragen sie nach Hause, um sie auf der Holzglut zu rösten. Die nackten Kolben verschwinden in der Holzkiste und werden zum Unterzünden verwendet, und Zeder und Ölbaum wurden nachgelegt, schwelten darauf, wärmten aus der Ferne und warfen Schatten auf die Wand.

Zeit der Trophäen, Zeit der Weihnachten, ohne Blick voraus, ohne Blick zurück, Zeit der Kürbisnächte, der Geister und Schrecken ohne Ende. Im Guten, im Bösen: hoffnungslos.

Die Kinder haben keine Zukunft. Sie fürchten sich vor der ganzen Welt. Sie machen sich kein Bild von ihr, nur von dem Hüben und Drüben, denn es läßt sich mit Kreidestrichen begrenzen. Sie hüpfen auf einem Bein in die Hölle und springen mit beiden Beinen in den Himmel.

Eines Tages ziehen die Kinder um in die Henselstraße. In ein Haus ohne Hausherrn, in eine Siedlung, die unter Hypotheken zahm und engherzig ausgekrochen ist. Sie wohnen zwei Straßen weit von der Beethovenstraße, in der alle Häuser geräumig und zentralgeheizt sind, und eine Straße weit von der Radetzkystraße, durch die, elektrischrot und großmäulig, die Straßenbahn fährt. Sie sind Besitzer eines Gartens geworden, in dem vorne Rosen gepflanzt werden und hinten kleine Apfelbäume und Ribiselsträucher. Die Bäume sind nicht größer als sie selber, und sie sollen miteinander groß werden. Sie haben links eine Nachbarschaft mit Boxerhund und rechts Kinder, die Bananen essen, Reck und Ringe im Garten aufgemacht haben und schwingend den Tag verbringen. Sie freunden sich mit dem Hund Ali an und rivalisieren mit den Nachbarskindern, die alles besser können und besser wissen.

Noch lieber sind sie unter sich, nisten sich auf dem Dachboden ein und schreien manchmal laut im Versteck, um ihre verkrüppelten Stimmen auszuprobieren. Sie stoßen leise kleine Rebellenschreie vor Spinnennetzen aus.

Der Keller ist ihnen verleidet von Mäusen und vom Äpfelgeruch. Jeden Tag hinuntergehen, die faulen Bluter heraussuchen, ausschneiden und essen! Weil der Tag nie kommt, an dem alle faulen Äpfel gegessen sind, weil immer Äpfel nachfaulen und nichts weggeworfen werden darf, hungert sie nach einer fremden verbotenen Frucht. Sie mögen die Äpfel nicht, die Verwandten und die Sonntage, an denen sie auf dem Kreuzberg über dem Haus spazierengehen müssen, Blumen bestimmend, Vögel bestimmend.

Im Sommer blinzeln die Kinder durch grüne Läden in die Sonne, im Winter bauen sie einen Schneemann und stecken ihm Kohlenstücke an Augenstatt. Sie lernen Französisch. Madeleine est une petite fille. Elle est à la fenêtre. Elle regarde la rue. Sie spielen Klavier. Das Champagnerlied. Des Sommers letzte Rose. Frühlingsrauschen.

Sie buchstabieren nicht mehr. Die lesen Zeitungen, aus denen der Lustmörder entspringt. Er wird zum Schatten, den die Bäume in der Dämmerung werfen, wenn man von der Religionsstunde heimkommt, und er ruft das Geräusch des bewegten Flieders längs der Vorgärten hervor; die Schneeballbüsche und der Phlox teilen sich und geben einen Augenblick lang seine Gestalt preis. Sie fühlen den Griff des Würgers, das Geheimnis, das sich im Wort Lust verbirgt und das mehr zu fürchten ist als der Mörder.

Die Kinder lesen sich die Augen wund. Sie sind übernächtig, weil sie abends zu lang im wilden Kurdistan waren oder bei den Goldgräbern in Alaska. Sie liegen auf der Lauer bei einem Liebesdialog und möchten ein Wörterbuch haben für die unverständliche Sprache. Sie zerbrechen sich den Kopf über ihre Körper und einen nächtlichen Streit im Elternzimmer. Sie lachen bei jeder Gelegenheit, sie können sich kaum halten und fallen von der Bank vor Lachen, stehen auf und lachen weiter, bis sie Krämpfe bekommen.

Der Lustmörder wird aber bald in einem Dorf gefunden, im Rosental, in einem Schuppen, mit Heufransen und dem grauen Fotonebel im Gesicht, der ihn für immer unerkennbar macht, nicht nur in der Morgenzeitung.

Es ist kein Geld im Haus. Keine Münze fällt mehr ins Sparschwein. Vor Kindern spricht man nur in Andeutungen. Sie können nicht erraten, daß das Land im Begriff ist, sich zu verkaufen und den Himmel dazu, an dem alle ziehen, bis er zerreißt und ein schwarzes Loch freigibt.

Bei Tisch sitzen die Kinder still da, kauen lang an einem Bissen, während es im Radio gewittert und die Stimme des Nachrichtensprechers wie ein Kugelblitz in der Küche herumfährt und verendet, wo der Kochdeckel sich erschrocken über den zerplatzten Kartoffeln hebt. Die Lichtleitung wird unterbrochen. Auf den Straßen ziehen Kolonnen von Marschierenden. Die Fahnen schlagen über den Köpfen zusammen. »... bis alles in Scherben fällt«, so wird gesungen draußen. Das Zeitzeichen ertönt, und die Kinder gehen dazu über, sich mit geübten Fingern stumme Nachrichten zu geben.

Die Kinder sind verliebt und wissen nicht in wen. Sie kauderwelschen, spintisieren sich in eine unbestimmbare Blässe, und wenn sie nicht mehr weiterwissen, erfinden sie eine Sprache, die sie toll macht. Mein Fisch. Meine Angel. Mein Fuchs. Meine Falle. Mein

Feuer. Du mein Wasser. Du meine Welle. Meine Erdung. Du mein Wenn. Und du mein Aber. Entweder. Oder. Mein Alles ... mein Alles ... Sie stoßen einander, gehen mit Fäusten aufeinander los und balgen sich um ein Gegenwort, das es nicht gibt.

Es ist nichts. Diese Kinder!

Sie fiebern, sie erbrechen sich, haben Schüttelfrost, Angina, Keuchhusten, Masern, Scharlach, sie sind in der Krise, sind aufgegeben, sie hängen zwischen Tod und Leben, und eines Tages liegen sie fühllos und morsch da, mit neuen Gedanken über Alles. Man sagt ihnen, daß der Krieg ausgebrochen ist.

Noch einige Winter lang, bis die Bomben sein Eis hochjagen, kann man auf dem Teich unter dem Kreuzberg schlittschuhlaufen. Der feine Glasboden in der Mitte ist den Mädchen in den Glockenröcken vorbehalten, die Innenbogen, Außenbogen und Achter fahren; der Streifen rundherum gehört den Schnelläufern. In der Wärmestube ziehen die größeren Burschen den größeren Mädchen die Schlittschuhe an und berühren mit den Ohrenschützern das schwanenhalsige Leder über mageren Beinen. Man muß angeschraubte Kufen haben, um für voll zu gelten, und wer, wie die Kinder, nur einen Holzschlittschuh mit Riemen hat, weicht in die verwehten Teichecken aus oder schaut zu.

Am Abend, wenn die Läufer und Läuferinnen aus den Schuhen geschlüpft sind, sie über die Schultern hängen haben und abschiednehmend auf die Holztribüne treten, wenn alle Gesichter, frisch und jungen Monden gleich, durch die Dämmerung scheinen, gehen die Lichter an unter den Schneeschirmen. Die Lautsprecher werden aufgedreht, und die sechzehnjährigen Zwillinge, die stadtbekannt sind, kommen die Holzstiege hinunter, er in blauen Hosen und weißem Pullover und sie in einem blauen Nichts über dem fleischfarbenen Trikot. Sie warten gelassen den Auftakt ab, eh sie von der vorletzten Stufe — sie mit einem Flügelschlag und er mit dem Sprung eines herrlichen Schwimmers — auf das Eis hinausstürzen und mit ein paar tiefen, kraftvollen Zügen die Mitte erreichen. Dort setzt sie zur ersten Figur an, und er hält ihr einen Reifen aus Licht, durch den sie, umnebelt, springt, während die Grammophonnadel zu kratzen beginnt und die Musik zerscharrt. Die alten Herren weiten unter bereiften Brauen die Augen, und der Mann mit der Schneeschaufel, der die Langlaufbahn um den Teich kehrt, mit seinen von Lumpen umwickelten Füßen, stützt sein Kinn auf den Schaufelstiel und folgt den Schritten des Mädchens, als führten sie in die Ewigkeit.

Die Kinder kommen noch einmal ins Staunen: die nächsten Christbäume fallen wirklich vom Himmel. Feurig. Und das Geschenk, das sie dazu nicht erwartet haben, ist für die Kinder mehr freie Zeit.

Sie dürfen bei Alarm die Hefte liegen lassen und in den Bunker gehen. Später dürfen sie Süßigkeiten für die Verwundeten sparen oder Socken stricken und Bastkörbe flechten für die Soldaten, für die auf der Erde, in der Luft und im Wasser. Und derer gedenken, in einem Aufsatz, unter der Erde und auf dem Grund. Und noch später dürfen sie Laufgräben ausheben zwischen dem Friedhof und dem Flugfeld, das dem Friedhof schon Ehre macht. Sie dürfen ihr Latein vergessen und die Motorengeräusche am Himmel unterscheiden lernen. Sie müssen sich nicht mehr so oft waschen; um die Fingernägel kümmert sich niemand mehr. Die Kinder flicken ihre Sprungseile, weil es keine neuen mehr gibt; und unterhalten sich über Zeitzünder und Tellerbomben. Die Kinder spielen ›Laßt die Räuber durchmarschieren‹ in den Ruinen, aber manchmal hocken sie nur da, starren vor sich hin und hören nicht mehr drauf, wenn man sie »Kinder« ruft. Es gibt genug Scherben für Himmel und Hölle, aber die Kinder schlottern, weil sie durchnäßt sind und frieren.

Kinder sterben, und die Kinder lernen die Jahreszahlen von den Siebenjährigen und Dreißigjährigen Kriegen, und es wäre ihnen gleich, wenn sie alle Feindschaften durcheinanderbrächten, den Anlaß und die Ursache, für deren genaue Unterscheidung man in der Geschichtsstunde eine gute Note bekommen kann.

Sie begraben den Hund Ali und dann seine Herrschaft. Die Zeit der Andeutungen ist zu Ende. Man spricht vor ihnen von Genickschüssen, vom Hängen, Liquidieren, Sprengen, und was sie nicht hören und sehen, riechen sie, wie sie die Toten von St. Ruprecht riechen, die man nicht ausgraben kann, weil das Kino darübergefallen ist, in das sie heimlich gegangen sind, um die ›Romanze in Moll‹ zu sehen. Jugendliche waren nicht zugelassen, aber dann waren sie es doch, zu dem großen Sterben und Morden ein paar Tage später und alle Tage danach.

Es ist nie mehr Licht im Haus. Kein Glas im Fenster. Keine Tür in der Angel. Niemand rührt sich und niemand erhebt sich.

Die Glan fließt nicht aufwärts und abwärts. Der kleine Fluß steht, und das Schloß Zigulln steht und erhebt sich nicht.

Der heilige Georg steht auf dem Neuen Platz, steht mit der Keule, und erschlägt den Lindwurm nicht. Daneben die Kaiserin steht und erhebt sich nicht.

O Stadt. Stadt. Ligusterstadt, aus der alle Wurzeln hängen. Kein Licht und kein Brot sind im Haus. Zu den Kindern gesagt: Still, seid still vor allem.

In diesen Mauern, zwischen den Ringstraßen, wieviel Mauern sind da noch? Der Vogel Wunderbar, lebt er noch? Er hat geschwiegen sieben Jahr. Sieben Jahr sind um. Du mein Ort, du kein Ort, über Wolken, unter Karst, unter Nacht, über Tag, meine Stadt und mein Fluß. Ich deine Welle, du meine Erdung.

Stadt mit dem Viktringerring und St. Veiterring ... Alle Ringstraßen sollen genannt sein mit ihren Namen wie die großen Sternstraßen, die auch nicht größer waren für Kinder, und alle Gassen, die Burggasse und die Getreidegasse, ja, so hießen sie, die Paradeisergasse, die Plätze nicht zu vergessen, der Heuplatz und der Heilige-Geist-Platz, damit hier alles genannt ist, ein für allemal, damit alle Plätze genannt sind. Welle und Erdung.

Und eines Tages stellt den Kindern niemand mehr ein Zeugnis aus, und sie können gehen. Sie werden aufgefordert, ins Leben zu treten. Der Frühling kommt nieder mit klaren wütenden Wassern und gebiert einen Halm. Man braucht den Kindern nicht mehr zu sagen, daß Frieden ist. Sie gehen fort, die Hände in ausgefransten Taschen und mit einem Pfiff, der sie selber warnen soll.

Weil ich, in jener Zeit, an jenem Ort, unter Kindern war und wir neuen Platz gemacht haben, gebe ich die Henselstraße preis, auch den Blick auf den Kreuzberg, und nehme zu Zeugen all die Fichten, die Häher und das beredte Laub. Und weil mir zum Bewußtsein kam, daß der Wirt keinen Groschen mehr für eine leere Siphonflasche gibt und für mich auch keine Limonade mehr ausschenkt, überlasse ich anderen den Weg durch die Durchlaßstraße und ziehe den Mantelkragen höher, wenn ich sie blicklos überquere, um hinaus zu den Gräbern zu kommen, ein Durchreisender, dem niemand seine Herkunft ansieht. Wo die Stadt aufhört, wo die Gruben sind, wo die Siebe voll Geröllresten stehen und der Sand zu singen aufgehört hat, kann man sich niederlassen einen Augenblick und das Gesicht in die Hände geben. Man weiß dann, daß alles war, wie es war, daß alles ist, wie es ist, und verzichtet, einen Grund zu suchen für alles. Denn da ist kein Stab, der dich berührt, keine Verwandlung. Die Linden und der Holunderstrauch ...? Nichts rührt dir ans Herz. Kein Gefälle früher Zeit, kein erstandenes Haus. Und nicht der Turm von Zigulln, die zwei gefangenen Bären, die Teiche, die Rosen, die Gärten voll Goldregen. Im bewegungslosen Erinnern, vor der Abreise, vor allen Abreisen, was soll uns aufgehen? Das Wenigste ist da, um uns einzuleuchten, und die Jugend gehört nicht dazu, auch die Stadt nicht, in der sie stattgehabt hat. Nur wenn der Baum vor dem Theater das Wunder tut, wenn die Fackel brennt, gelingt es mir, wie im

Meer die Wasser, alles sich mischen zu sehen: die frühe Dunkelhaft mit den Flügen über Wolken in Weißglut; den Neuen Platz und seine törichten Denkmäler mit einem Blick auf Utopia; die Sirenen von damals mit dem Liftgeräusch in einem Hochhaus; die trockenen Marmeladebrote mit einem Stein, auf den ich gebissen habe am Atlantikstrand.

In unsrer Seele gibt es einen Winkel, in dem wir alle Poeten sind. Was mit unsrer Kindheit und unsrer Heimat zusammenhängt, lebt in uns mit so zauberhaften Farben, daß der größte Maler es nicht wiedergeben könnte, und mit so zart und sehnsüchtig verschwebenden Gefühlen, daß wir in diesem Bezirk auch von der höchsten Kraft lyrischen Ausdruckes uns nicht befriedigt finden würden. Das alles liegt in dem seltsamen Blickpunkt unseres geistigen Lebens, dessen Individualität für jeden anderen, ja für uns selbst unausschöpfbar ist, und an dem wir uns allenfalls mit Gott verstehen, aber mit keiner fremden Seele. In dem Heimaterlebnis schwingt etwas tief Religiöses mit, auch bei dem, der es sich nicht eingestehen will, und wenn wir von jemandem sagen: er habe keine Heimat, so ist das ungefähr so viel, als ob wir sagten: sein tieferes Dasein habe keinen Mittelpunkt.

EDUARD SPRANGER

PETER HANDKE

Das kalte Feld

Zum Unterschied von den Pariser Straßen, die mir immer wieder als unverhoffte Weiterungen erscheinen, auch wenn ich in einer nur kurz gegangen bin, hat sich mir seit damals das Massiv der Sainte-Victoire noch kein einziges Mal in der Fantasie gezeigt. Dafür kehrt der Berg aber in der Analogie von Farben und Formen fast alltäglich wieder. Unscheinbare Anstiege können zu freien Gipfelpunkten und abenteuerlichen Hochebenen führen; und auch ohne spezielle Wissenschaft glaube ich dann, die Gegend um mich zu verstehen.

Die Nachwirkung des Berges geht über eine luftige Naturkunde freilich weit hinaus.

Es gibt einen Pariser Hügel, den man, anders als den Montmartre, kaum wahrnimmt. Er liegt am Westrand der Stadt, gehört eigentlich schon zum Vorort Suresnes und heißt *Mont Valérien.* Kaum als besondere Erhebung zu erkennen in der Hügelkette, die westlich an der Seine entlangzieht, ist der Mont Valérien befestigt mit einem Fort, das im zweiten Weltkrieg von den deutschen Besatzern als große Hinrichtungsstätte benutzt wurde.

Ich war nie oben gewesen, aber nach der Sainte-Victoire drängte es mich hinauf; und an einem schönen Sommersonntag sah ich da einen Steinfriedhof gegen den blauen Himmel als helle Totenstadt; pflückte Brombeeren, die hart und süß waren; und erfuhr mit dem Blick auf die mit vielen kleinen Häusern bebauten Hügelausläufer, wo hier und da ein Hund bellte und vereinzelt der Rauch aufstieg, nichts als die gespensterlose Gegenwart. Langsam ging ich wieder ostwärts bergab, über die Flußbrücke zurück ins Stadtgebiet, und bestieg im Park des Bois de Boulogne gleich eine zweite, kaum merkliche Erhebung, die ebenfalls vom Krieg her, *Mont des Fusillés* heißt und an den Baumstämmen noch Kugelspuren zeigt (unter denen jetzt, wie überall, die Sonntagsausflügler lagerten); und an jenem Nachmittag war es das einzige Mal, daß mir bei Cézanne, dessen Bilder doch oft mit Musik verglichen worden sind, auch etwas Derartiges in den Sinn kam: als ich nämlich die Gegenwart, um sie zu erhalten, schütteln wollte »wie eine Marimba«.

Am Abend schaute ich dann von einer Straßenbrücke am Stadtrand auf die Peripherie-Autobahn hinunter, die sich in beweglichen Goldfarben zeigte; und es kommt mir auch hier noch vernünftig vor, was ich damals dachte: daß jemand wie Goethe mich beneiden müßte, weil ich jetzt, am Ende des 20. Jahrhunderts, lebe.

Die Kreise um die Sainte-Victoire wurden immer weiter, ungewollt; es ergab sich so.

Mein Stiefvater ist aus Deutschland. Seine Eltern kamen vor dem ersten Weltkrieg von Schlesien nach Berlin. Auch mein Vater ist Deutscher; er stammt aus dem Harz (wo ich noch nie war). Alle Vorfahren meiner Mutter dagegen waren Slowenen. Mein Großvater hatte 1920 für den Anschluß des südösterreichischen Gebiets an das neugegründete Jugoslawien gestimmt und wurde dafür von den Deutschsprachigen mit dem Erschlagen bedroht. (Die Großmutter warf sich dazwischen; Ort der Handlung: »Die Ackerwende«; slowenisch: »ozara«.) Später hat er zu den öffentlichen Ereignissen fast nur noch geschwiegen. — Meine Mutter spielte als Mädchen in einer slowenischen Laientheatergruppe mit. Sie war später immer stolz, die Sprache zu sprechen; ihr Slowenisch half auch uns allen, nach dem Krieg, in dem russisch besetzten Berlin. Sie konnte sich freilich nie als Slowenin fühlen. Man hat gesagt, es mangle diesem Volk überhaupt am nationalen Selbstbewußtsein, weil es, anders als die Serben oder Kroaten, sein Land nie in einem Krieg verteidigen mußte; so sind sogar die gemeinsamen Lieder oft traurig nach innen gekehrt. — Auch meine Anfangssprache soll das Slowenisch gewesen sein. Der Friseur des Ortes hat mir später immer wieder erzählt, bei meinem ersten Haarschnitt hätte ich kein Wort Deutsch verstanden und einen rein slowenischen Dialog mit ihm geführt. Ich erinnere mich nicht und habe die Sprache fast vergessen. (Ich bildete mir wohl schon immer ein, ich käme woanders her.) Während der Schulzeit auf dem österreichischen Land hatte ich manchmal Heimweh nach Deutschland, das für mich großstädtisch — das Berlin des Nachkriegs — war. Als ich vom Dritten Reich erfuhr, wußte ich, daß es nie etwas Böseres gegeben hatte, handelte auch, wo ich konnte, nach dieser Erkenntnis und fühlte doch nie das Deutschland, wie das Kind es erfahren hatte, damit verbunden.

Später lebte ich fast ein Jahrzehnt lang an verschiedenen Orten der Bundesrepublik, die mir weiter und heller vorkam als mein Geburtsland; und konnte mich dort, anders als in Österreich, wo — es war eine Erfahrung — kaum jemand meine Sprache sprach, zuweilen sogar mit Leidenschaft einmischen (wenn ich auch oft dachte, dabei etwas anderes zu verraten). Es ist mir immer noch vorstellbar, dort zu leben; denn ich weiß, daß es nirgends sonst so viele von jenen »Unentwegten« gibt, die auf die tägliche Schrift aus sind;

nirgends so viele von dem verstreuten, verborgenen Volk der Leser.

Aber erst in Paris erlebte ich den Geist der Menge und verschwand im Getümmel. Aus der französischen Entfernung betrat ich dann eine, wie mir auffiel, immer bösere und wie versteinerte Bundesrepublik. Die Gruppen, mochten sie noch so von »Zärtlichkeit«, »Solidarität« und »Mutmachen« reden, traten als Meuten auf, und die einzelnen wurden sentimental. (»Eigensinn, Sentimentalität und Reisen«, ist das Motto eines deutschen Freundes.) Die Vorbeigehenden, gleich welchen Alters, wirkten verlebt; *ohne Augenfarben.* Es war, als ob selbst die Kinder, statt zu wachsen, bloß so aufschössen. Die bemalten Hochhäuser fuhren zerstückelt auf den öden Straßen als bunte Autos weiter, und die Leute in den Autos erschienen ersetzt durch Nackenstützen. Die typischen Geräusche waren das Rasseln der Parkuhren und das Geknalle der Zigarettenautomaten; die entsprechenden Wörter »Abflußsorgen« und »Fernsehkummer«. Die Aufschriften an den Geschäften waren nicht »Brot« oder »Milch«, sondern Verballhornungen und Anmaßungen. Überhaupt hatte fast jedes Ding, auch in den Zeitungen und Büchern, einen gefälschten Namen. An den Sonntagen flatterten in der Leere die Kaufhausfahnen. Die einzelnen Dialekte, einst »die Akzente der Seele«, waren nur noch ein Radebrechen der Seelenlosigkeit, das sich einem (wie in Österreich auch) im Herzen umdrehte. Wohl gab es Briefkästen für »Andere Richtungen« — jedoch kein Gefühl einer Himmelsrichtung mehr: selbst die Natur schien ungültig geworden; die Baumwipfel und auch die Wolken darüber vollführten bloß ruckende Bewegungen — während die Neonröhren der Stockwerkbusse auf einen zielten, es hinter den Wohnungstüren von Hundeketten klirrte, an den offenen Fenstern die Leute in eine Ferne bloß nach Unfällen ausschauten, aus einer Sprechanlage in eine verlassene Straße hinein eine Stimme »Wer?« schrie, im Kopf der Zeitungen künstlicher Rasen angeboten wurde und etwas wie traurige Schönheit nur manchmal um die öffentlichen Toiletten schwebte.

Damals verstand ich die Gewalt. Diese in »Zweckformen« funktionierende, bis auf die letzten Dinge beschriftete und zugleich völlig sprach- und stimmlose Welt hatte nicht recht. Vielleicht war es woanders ähnlich, doch hier traf es mich nackt, und ich wollte jemand Beliebigen niederschlagen. Ich empfand Haß auf das Land, so enthusiastisch, wie ich ihn einst für den Stiefvater empfunden hatte, den in meiner Vorstellung oft ein Beilhieb traf. Auch in den Staatsmännern dort (wie in all den staatsmännischen »Künstlern«) sah ich nur noch schlechte Schauspieler — keine Äußerung, die aus einer

Mitte kam —, und mein einziger Gedanke war der von der »fehlenden Entsühnung«.

In dieser Zeit verabscheute ich sogar die deutschen Erdformen: die Täler, Flüsse und Gebirge; ja, der Widerwille ging bis in den tiefen Untergrund. So war es für die Geschichte von dem Mann mit den gekreuzten Armen vorgesehen, daß dieser als Erdforscher in seiner Abhandlung »Über Räume« auch eine sogenannte Landschaft *Am kalten Feld* in der Bundesrepublik beschreiben sollte. Zwei Flüsse hatten da in der Vorzeit um die Wasserscheide »gekämpft«. Der eine, durch sein stärkeres Gefälle, verlegte den Lauf zurück und zapfte, »räuberisch zurückschneidend« (so die Terminologie), jenseits der ursprünglichen Wasserscheide den anderen Fluß an. Dessen Tal, wie man sagte, wurde von der »Klinge« des ersteren »geköpft« und verödete. Sein unterhalb der Anzapfungsstelle gelegenes Laufstück wurde derart zum »Kümmerfluß«, so daß das Tal da heutzutage viel zu breit erscheint und deswegen auch *Das kalte Feld* heißt.

Aber der Geologe hatte sich noch vor dem europäischen Boden in mich zurückverwandelt, und ich wohnte in jener Zwischenzeit wieder in Berlin. Ich las neu den *Hyperion,* begriff endlich jeden Satz und konnte die Worte darin betrachten wie Bilder. — Ich stand auch oft vor den alten Gemälden in Dahlem. Einmal trat ich aus der U-Bahn auf den kleinen runden Platz von Dahlem-Dorf, sah ihn gesäumt von vielteiligen Laternen wie die *Place Concorde* in Paris, erschaute die Schönheit einer »Nation« und empfand sogar etwas wie Sehnsucht nach dergleichen. Gerade in Deutschland zeigte mir dann auch das Wort »Reich« seinen neuen Sinn; als ich nämlich, immer noch in dem größeren Bogen, in den nördlichen »Ebenen« unterwegs war, die Nicolas Born beschrieben hat, und bei den gekurvten Sandwegen und dunklen Wasserstellen wiederum an die holländischen Landschaftsbilder aus dem 17. Jahrhundert dachte. Der veränderte Sinn kam aus einer Unterscheidung: jene Landschaften, wenn auch nur ein verkümmerter Baum oder eine einzelne Kuh in ihnen stand, zeigten den Glanz eines »Reichs« — und ich bewegte mich hier in einem glanzlosen »Landkreis«.

Bis dahin war mir zudem nie aufgefallen, daß Berlin in einem breiten Urstromtal liegt (und es hätte mich vorher wohl auch kaum interessiert); die Häuser schienen immer nur wie zufällig in einem steppenähnlichen Flachland verstreut. Jetzt bekam ich heraus, daß einige Straßenzüge entfernt eine der wenigen Stellen der Stadt war, wo einst das schmelzende Eiswasser einen deutlichen Hang gebildet hatte. Dort befand sich der *Matthäusfriedhof,* und auf seiner Kuppe, gerade haushoch über dem sonstigen Niveau, sollte der Stadtteil

Schöneberg seine größte Meereshöhe erreichen. (Die künstlichen Trümmerberge aus dem Krieg zählten nicht.) — An einem Nachmittag machte ich mich dahin auf den Weg. Passend die Schwüle und der ferne Donner. Schon die erste winzige Steigung der Straße versetzte mich in aufgeregte Erwartung. Ein sichtbarer Hang zeigte sich aber erst im Friedhof. Oben auf der Kuppe verlief die Landschaft, üblich bebaut, in der Fläche weiter, die durch die kleine Böschung jedoch zur Terrasse wurde. Ich setzte mich da nieder (auf dem Grabstein neben mir die Namen der Brüder Grimm) und blickte in eine große Senke hinunter, wo sich die Stadt jetzt ganz anders erstreckte, und von weit weg, aus dem Talboden, sogar ein Flußgefühl kam. Die ersten Tropfen des Gewitterregens waren warme Schläge auf den Kopf, und ich kann jetzt auf den da Sitzenden rechtens einen Satz aus den alten Romanen anwenden: »Niemand war in diesem Augenblick glücklicher als er.« Beim Zurückgehen fühlte ich an der leicht abschüssigen *Langenscheidtstraße* das Spülen des Vorzeitwassers nach: eine linde und klare Empfindung. Am Abend leuchtete die Graphitspitze am Bleistift, und für ein paar Tage wehten die Fahnen am »Kaufhaus des Westens« in einem Talgrund.

Schließlich war ich unterwegs zum *Havelberg*, der, kaum hundert Meter über dem Meer, die höchste Erhebung Westberlins sein sollte. Beim Anstieg lagen auf einer Lichtung im Gras große graue Säcke, aus denen sich dann schlaftrunkene Soldaten aufrichteten. Auf einem Umweg gelangte ich zum Gipfel, den ich selber bestimmte, weil die Havelberge einen ziemlich gleichmäßigen Kamm bildeten, legte mich dort unter eine große Kiefer und atmete wieder den Wind der Gegenwart. In der Dämmerung blickte ich von einem Hochsitz, unter dem die Wildschweine liefen, hinüber nach Ostberlin, wo wir nach dem Krieg gelebt hatten.

Es kam zufällig, daß ich in diesem Jahr auch meinen Vater besuchte. Es gab schon lange keine Nachricht mehr von ihm, und ich war überrascht, als er dann das Telefon abhob. Er wohnte in einer norddeutschen Kleinstadt. Wie die paar Male, die wir einander bisher gesehen hatten, verabredeten wir uns ausführlich, verfehlten uns wie üblich und suchten den ganzen Abend die Gründe dafür. Er lebte nach dem Tod seiner Frau allein im Haus; nicht einmal einen Hund hatte er mehr. Seine gleichfalls verwitwete Freundin traf er nur an den Wochenenden; dazwischen ließ einer beim anderen kurz am Abend das Telefon anklingeln, zum Zeichen, daß man noch am Leben war. (Doch weder Haus noch Mann sollen hier mit den einschlägigen Formeln bekanntgemacht werden.) Ich sah in seinen Augen die Todesangst und fühlte eine verspätete Verantwortung. Er kam mir wie jemandes Sohn vor. Die halbherzige Fragerei wich dem Geist des Fragens, und ich konnte das lang Verschwiegene fordern (ich mußte es nur meinen). Und er gab Auskunft, auch sich selber zuliebe. Beiläufig sagte er, schon wenn er sich am Morgen im Spiegel sähe, würde er sich am liebsten »in die Visage hauen«, und erschien mir dann erstmals in der Verlorenheit, Bitterkeit und Aufsässigkeit eines Helden. Als er mich spätnachts zum Zug brachte, brannte an einem Bahnhofsbaum lichterloh ein Plakat, das die unbeschäftigten Taxifahrer da in Brand gesteckt hatten.

Danach erblickte ich einmal ein anderes Deutschland: nicht die Bundesrepublik und ihre Länder, und auch nicht das grausige Reich, oder das Fachwerk der Kleinstaaten. Es war erdbraun und regennaß; es lag auf einem Hügel; es waren Fenster; es war städtisch, menschenleer und festlich; ich sah es aus einem Zug; es waren die Häuser jenseits des Flusses; es lag, Ausdruck von Hermann Lenz, gleich »nebendraußen«; es schwieg humorvoll und hieß *Mittelsinn;* es war »das schweigende Leben der regelmäßigen Formen in der Stille«; es war »schöne Mitte« und »Atemwende«; es war ein Rätsel; es kehrte wieder und war wirklich. Und der es sah, kam sich schlau vor wie der Inspektor Columbo bei der Lösung eines Falls; und wußte doch, daß es nie ein endgültiges Aufatmen geben konnte.

RUDOLF BAYR

Heimatgeschichten

Wenn vom Pöstlingberg die Rede ist und vom Pfennigberg und wie lange man nach Steyregg braucht und durch den Haselgraben und daß die Maximiliantürme von Erzherzog Maximilian erbaut worden sind und wie aus Flachs Leintücher werden in Rohrbach, dann haben wir Heimatkunde. Babylon und Cäsar und die Entdeckung Amerikas kommen später, dann aber zweimal, einmal im Untergymnasium, das zweite Mal im Obergymnasium mit etwas mehr Schlachten dazwischen und ihren geistigen Hintergründen.

Natürlich kommen in der Heimatkunde auch Kelten vor, der Funde halber, die im Museum zu sehen und für den Unterrichtsgebrauch vorgeschrieben sind, aber sonst ist alles näher als in Geschichte, wie denn auch die Wege kürzer sind, Heimatkunde kann man überall zu Fuß oder mit der Tramway erreichen.

Die Heimat kennenzulernen sind von der Unterrichtsverwaltung Wandertage unter Aufsicht einer Lehrperson vorgesehen. Die Wanderung führt durch Wälder und über Wiesen in ein Wirtshaus mit Kracherl; die schlechte Lernerfolge haben, trinken heimlich Most. Man sieht, Heimat ist eher ein Berg- und Wiesenbegriff, das Vaterland hingegen, das erst im Gymnasium durchgenommen wird, eher einer mit Marschmusik. Beide muß man lieben. Für den Fall, daß die Heimatliebe sich nicht äußert, ist anzunehmen, daß sie noch schlummert, weshalb der Lehrplan Maßnahmen empfiehlt, sie wachzurufen; halbwache Heimatliebe wird gefördert. Sehr geeignet dafür ist ein Spruch von Eichendorff, aus dem deutlich wird, wie es dem Wanderer weit von der Heimat ergeht. Und das kann einem, von Linz aus gesehen, beispielsweise schon in Wien passieren.

Wer in die Oper geht, weiß, daß Heimat dort ist, wo seine Wiege stand. Trotzdem haben manche in diesem Zusammenhang Schwierigkeiten, etwa in Orten, wo Schnellzüge nur kurz halten, Schwangere demnach oft zurückbleiben müssen. Eine Tramway allein macht dann noch keine Heimat.

Oberösterreich wird eingeteilt in das Mühlviertel (das Obere und das Untere), in das Innviertel, das Traunviertel und das Hausruckviertel. Der Mühlviertler (der Obere wie der Untere) ist gern nach Linz gekommen, meistens der landwirtschaftlichen Produktenbörse wegen oder weil ein lahmendes Pferd in den Schlachthof hat müssen. Die

Linzer nennen den Mühlviertler einen Surm, mit Most gesäugt, wie er ist und bedächtig und rundköpfig. Über das Innviertel wußte ich zu sagen, daß von dort der Großvater her ist und daß der Vater des Großvaters Seilermeister in Ried war und oft den Großvater gehaut hat mit dem Seil, das der Großvater selbst gedreht hatte, und ich konnte erzählen, daß im Linzer Museum eine Truhe steht, in der lauter Totschläger sind aus Kopfing, das ein Dorf im Innviertel ist. Beim Traunviertel habe ich gefehlt und auch meine Familie hat keine Verbindung damit.

Mein Vater ist aus Linz, sein Vater war es, und meine Mutter ist aus Linz und deren Mutter war es, und ich bin aus Linz. Die Mutter meines Vaters ist im Gitterbett gestorben und den Vater meines Vaters haben sie am St. Nikolaustag tot aus dem Warenhaus gebracht und der Bruder meines Vaters hat sich erhängt. Er hat sehr gut Klavier gespielt. Und meinen Vater hat meine Mutter einmal mit dem Rasiermesser überm Puls erwischt und einmal hat er in den Hallstätter See gehen wollen. Auch mein Vater hat gut Klavier gespielt, aber er hat es mit meiner Mutter getan, und da war die Tristan-Ouvertüre nur in der Verlobungszeit, dann waren es meistens Walzer und Märsche. Und einmal haben sie ihn heimgetragen, den Schädel hatte er von einem Gewehrkolben beinahe zertrümmert, derlei passiert gern, wie man weiß, wenn sie auf der Straße den Weg in die bessere Zukunft suchen.

Obwohl Heimat sehr nahe ist und beiderseits einer Tramway oder in vier Vierteln, ist der Blick in der Heimat fast immer in die Weite gerichtet, wenn dafür geeignete Gebirge vorhanden sind. Ich habe den Heimatblick aber nicht zuerst in Oberösterreich bemerkt, sondern auf einer farbigen Postkarte abgebildet gesehen, das Mädchen, im Dirndl (für Bergtouren unpraktisch, weil man darin leicht schwitzt), sah zum Langkofel hin und auf dem unteren Rand des Fotos stand geschrieben »Heimat Südtirol« oder »Verlorene Heimat Südtirol«, und das hat auch mich traurig gemacht, weil der Vater erklärt hatte, daß da drunten die Katzlmacher sind und daß das eine Schweinerei gewesen ist und Verrat, wo doch die Isonzoschlachten und daß eben ein Schnitzl immer größer wird, je mehr man es klopft. Es hätte nicht lange gedauert, bis ich auch so ähnlich hätte blicken können, allein das war in Ischl und daher ohne Langkofel, die Katrin ist ja kaum halb so hoch, und drunten waren keine Katzlmacher, sondern Sommerfrischler gleich uns, und der Heimatblick war Teil des Gipfelglücks, und weil drunten Fanny war, die gestern wieder um die Milch war, als ich ihr hätte was Bestimmtes sagen wollen.

Er wurde am Ladogasee erschossen. Erschossen wurde er, man darf nicht sagen, er sei gefallen. Gefallen, das ist für die Nachrichten und den Namen auf dem Grabstein oder auf dem Denkmal im Dorf. Markus wurde am Ladogasee erschossen.

Das war der, mit dem du geklettert bist?

Ja.

Und — warum bist du eigentlich geklettert?

Wahrscheinlich hat es sich leichter pubertiert, wenn man klettert. Und einen Trenkerhut auf hat. Und eine Pfeife. Und drunten ein Mädchen. Ich habe immer darauf geachtet, daß drunten ein Mädchen ist, wenn ich hinaufgehe. Man klettert angenehmer, wenn man weiß, daß man hinunterfallen und tot sein kann und das Mädchen weinen muß, denn sicher ist sie den Abend zuvor aus Trotz um die Milch gegangen.

Depp.

Das hat sie auch gesagt. Aber dann hat einmal eine gesagt: ich habe Angst.

Und?

Das hat mich demoralisiert. Ich bin in der Scharte sitzen geblieben, und Markus ist allein hinauf.

Und da war es aus zwischen euch?

Ich weiß es nicht. In der Scharte hat er mich dann noch umarmt und hat gesagt, ich mag dich so gern, und dann hat er ausgespuckt und gesagt: Scheißzeug, diese Weiber. Und das Nächste war dann der Brief seiner Schwester, wo das dringestanden ist vom Ladogasee.

Meine Mutter sagt immer, daß sie dort und dort nicht einmal möchte begraben sein. Sie sagt es von Orten, die Bahnknotenpunkte sind oder keine Gebirge haben. Und es waren im Lauf der Zeit viele Orte, an denen meine Mutter nicht einmal hätte begraben sein mögen, woraus man einigermaßen hatte schließen können, wo sie hatte leben wollen. Ich hingegen möchte dort und dort nicht leben, und es sind in dieser Zeit immer mehr Orte, an denen ich nicht leben möchte, und bald werden es alle Orte dahin gebracht haben, daß man an ihnen nicht leben mag und dann wird Heimatliebe unter Erde gehen. Und da der Österreicher seine Heimat liebt, hält Österreich jetzt schon die Spitze in der Selbstmordstatistik.

Reinhard P. Gruber

Heimat ist, wo das Herz weh tut

35 Fragmente eines konkreten Beitrags zu einer antiutopischen Heimatentheorie

Duden, Band 7, Etymologie:

»Heimat: Das auf das deutsche Sprachgebiet beschränkte Wort (ahd: heimuoti, heimōti) ist mit dem Suffix-ōti, mit dem z. B. auch Armut und Einöde gebildet sind, von dem unter Heim dargestellten Substantiv abgeleitet.«

»Das gemeingermanische Wort Heim ist eine Substantivbildung zu der indogermanischen Wurzel kei- (›liegen‹) und bedeutete demnach ursprünglich ›Ort, wo man sich niederlegt oder niedergelegt wird‹.«

1. Die Schönheit der Heimat

Jeder Mensch hat nur eine Heimat. Sie ist schön wie keine zweite. Dieses Faktum hat nicht unwesentlich zur Meinung beigetragen, daß der Planet Erde mit Ausnahme seiner unbewohnten Gebiete die schönste aller Welten ist.

Heimat ist, wo irgendeiner wohnt, und überall, wo einer wohnt, ist es schön, weil, wo gewohnt wird, Heimat ist, und Heimat immer schön ist.

Selbst die vom Menschen unbewohnten Gebiete werden Heimat genannt, nämlich vom Menschen, wie zum Beispiel die Antarktis, die wir als die Heimat der Eisbären kennen, oder die Wüste Sahara, die Heimat der Wüstenstürme. Selbst die verschiedenen Meere, die insgesamt viel mehr Fläche zusammenbringen als alle Länder zusammengerechnet, nennen wir keine Unheimat, nur weil wir etwa nicht in ihnen wohnten, sondern wir nennen sie trotzdem Heimat, nämlich: Heimat der Tintenfische, Heimat der Quallen, Heimat des Zitterrochens, Heimat des Tangs oder Heimat der Meerwasserwellen.

Zwar ist die Schönheit der Heimat jedes einzelnen nicht mit der Schönheit der Heimat jedes anderen einzelnen vergleichbar, weil die Heimat unvergleichlich schön ist, doch würde sich jeder einzelne (und auch jeder andere einzelne) dagegen verwehren, daß seine Heimat an eine Unheimat grenzen sollte, weshalb alle zusammen die ganze Welt als eine Heimat betrachten, wenn auch jeweils als die Heimat von jemand oder etwas anderem, und sei es auch nur eines unnützen Raubtiers.

Die Heimat des anderen ist zwar nie so schön wie die eigene Heimat, aber immerhin eine Heimat. Adolf Hitler beispielsweise hat schon gewußt, daß selbst die Polen beispielsweise eine Heimat hatten, wenn auch nur eine kleine, eine verschwindend kleine, die sie den Deutschen vorenthalten hatten.

Anmerkung: Er war es auch, der die Deutschen mitsamt seinem Heimat-Blutsstamm der Österreicher mit Erfolg davon überzeugen konnte, daß die Rückkehr zur Heimat, respective ihre Einverleibung, nie eine Rückkehr zum Provinzialismus sein kann, weil ja auch das Großdeutsche Reich nie in Provinzen gegliedert war, sondern in Gaue und Marken, also in Heimaten. Der Begriff Heimat, einer der reindeutschesten überhaupt, hat nie den Begriff »Heimatprovinz« oder »Provinzheimat« hervorgebracht. Ende der Anmerkung.

Spätestens bei dieser Vorenthaltung von Heimat, die mit ihrer Erhaltung identisch ist, ist erkennbar, daß Heimat mit Eigentum zu tun hat, und zwar mit schönem Eigentum. Heimat im weitesten Sinn kann daher als der schöne Besitz definiert werden.

Ein Taschenfeitel zum Beispiel, sofern er für den Besitzer schön ist, ist, wenn er der einzige Besitz des Besitzers ist, die Heimat des Besitzers.

Die meisten Menschen besitzen nur deshalb eine Heimat, weil sie von der Idee einer Heimat besessen sind. Diese Idee ist oft ihr einziger Besitz. Immerhin ein schöner.

Hier klärt sich einerseits der Zusammenhang zwischen Heimat und Armut, den der Etymologie-Duden behauptet, andererseits verweist die Heimatideebesessenheit auch direkt auf den zweiten vom Duden erwähnten Begriff der Einöde. Denn das Hirn, dessen einziger Besitz die Idee der Heimat ist, hat sich schon zur Ruhe begeben, ist niedergelegt worden, in diesem gelegten Hirn herrscht nur mehr die Einöde, die auch Heimat genannt wird. Die schöne Heimat ist es also, die Armut und Einöde erst schön macht.

2. Die Heimatenwurzeln

Die Heimatenbewohner sind aus den Heimaten gewachsen, sie wurzeln in den Heimaten; die Heimaten sind daher Gründe und Böden, auf denen die Heimatenbewohner wachsen. Mit dem Begriff der Heimaten ist der Begriff der Wurzeln engumschlungen verwurzelt.

Wurzeln kommen nur in der Pflanzenwelt und im übertragenen Sinn vor. Alles, was daher in den Heimaten wurzeln kann, sind die Pflanzen und der übertragene Sinn.

Anmerkung: »Übertragen« bedeutet im Österreichischen im übertragenen Sinn auch »abgetragen«. Ende der Anmerkung.

Zu den mit den Heimaten verwurzelten Heimatengewächsen zählen wir demnach sämtliche Heimatenpflanzen wie den Heimatenapfelbaum, die Heimatenbirne ebenso wie die Heimatenbirke, den Heimatenmenschen, die Heimatenrinder und -schweine nebst den Heimatenliedern und den Heimatentomaten, die besonders nahrhaft sind. Der Heimatenboden selber aber ist es, der den Heimatenbewohner wachsen und gedeihen läßt, er ist es, von dem sich alles Heimatenhafte nährt.

Die Heimatenbewohner sind daher den Heimatenböden nicht nur mit den Wurzeln, sondern auch mit dem Dank verbunden, daß sie wurzeln dürfen.

Besonders die heimatenhaften Menschen sind sehr wurzelbewußt. Die meisten von ihnen heißen Joseph, nennen sich aber aus Dankbarkeit Wurzelsepp. Reißt man den Wurzelseppen aus seiner Heimat heraus, so bleibt nur ein entwurzelter, blanker Josef zurück. Ähnliches gilt vom Wurzelkarl, dem Wurzelotto und der Wurzeljosefa.

6.
b) Ernst und Heimaten. Abschweifung für Ernst Jandl

Der Ernst, der von den Heimatenliedern ausgeht, geht ursprünglich vom Heimaten selber aus. Der Heimaten hat einen männlichen, stolzen Ernst, den man nicht leichtfertig verletzen sollte. Nicht umsonst sagen wir »Vater Heimaten«, wenn wir von ihm sprechen, und auch das Sprichwort weiß: »Quäle nie den Heimaten zum Schmerz, denn es tut ihm weh.«

Wenn uns der Heimaten ernst entgegentritt, so können wir auch von uns Heimatenbewohnern verlangen, daß wir dabei ernst bleiben. Denn der Heimaten hat ein Anrecht darauf, von uns geernstet zu werden!

Ende der Abschweifung für Ernst Jandl.

15. Heimat und Mode

Die Mode der Heimat heißt Tracht und Knorpel. Nicht umsonst sagt das Sprichwort: »All mein Trachten, all mein Sehnen, Heimat, das gilt dir.«

Trachten und Sehnen der Heimat sind so verschieden, wie die Heimaten verschieden sind. Da die meisten Heimaten in den Tälern, also tief angelegt sind, ist ihre häufigste Mode die Niedertracht. Wie dem auch sei, jede Heimat ist trächtig, und zwar nicht nur zweimal im Jahr, sondern immer. Das ist es, was ihre Inbrunst ausmacht.

Von der Mode her kann also die Heimat als trächtiger Muskel definiert werden, dem das Fleisch fehlt, weil es durch Knorpel und Sehnen — und der Sucht danach, also durch Knorpelsucht und Sehnsucht — ersetzt worden ist.

Anmerkung: Die Sehnsucht kommt wie die Heimat alle drei Jahrzehnte in Mode. Mit ihr nagt der heimatmodebewußte Literat am eigenen Fleisch, das aus Knorpeln besteht.

33. Heimat und Intellekt

Der Intellektuelle haut die Heimat nie ganz zu, sondern läßt sie immer einen Spalt offen, in den er sich zurückziehen kann. Deshalb nennt der die Heimat auch Mutter Heimat. Es ist die Spalte, nach der er sich hauptsächlich sehnt.

Geht es eine Zeitlang faschistisch zu, dann sehnt sich der Intellektuelle eine Zeitlang nicht nach Heimat, weil ihm nun zuviel davon in die Nase geraten ist. Verständlicherweise beschäftigt er sich in dieser Zeit lang mit dem Nasenbohren, um seine Nase sauber zu halten. Er benötigt zwischen zwanzig und dreißig Jahren, um den faschistischen Geruch der Heimatspalte zu verdrängen.

Der Rest von Heimat, der ihm danach noch immer in der Nase steckt — der sich auch bei größter Fingerfertigkeit nicht entfernen hat lassen — wird ihm danach zum neuentdeckten Objekt seiner in Wahrheit utopischen Libido, die auch Sehnsuchtsfrust genannt wird.

Die Heimat des Intellektuellen wohnt also in den verborgenen Winkeln seiner schmalen, finsteren Nasenhöhlen. Der Intellektuelle denkt daher bei jedem Atemzug an die Heimat. Begreifen kann er sie nicht, dazu sind seine Finger zu breit. Könnte er sie begreifen, er würde sie zu einem Kugerl rollen und davonschnepfen. Da das nicht der Fall sein kann, verleiht er ihr einen utopischen Anstrich: Er redet von ihr als von einem unbegreiflichen Reich des Friedens und der Freiheit, das er schon in sich trägt, bei jedem Atemzug spürt, aber doch noch nicht erreicht hat. Sie liegt immer vor ihm, nämlich knapp vor seinen Augen, aber leider verborgen in den Gewölben der Nase. Sie ist der Grund dafür, daß sein Geruchssinn ständig leicht heimatgestört ist. Außerdem geht sein Atem schwerer als der gewöhnliche. Er muß ja an der Heimat vorbei.

Die Heimat ist also ein Reizkörper in den Nasenlöchern der Intellektuellen, der in der Regel zu schleimigen Erkrankungen, aber auch zu Husten und Brechreiz führt. Je nachdem, ob es sich beim Intellektuellen um einen extrovertierten oder um einen introvertierten Typ handelt, bemüht er sich entweder darum, die Heimat ans Tageslicht zu bringen — durch häufiges Niesen, Schneuzen oder Rotzen — oder er versucht sie sich einzuverleiben, indem er den Schleim, der sie umgibt, hinunterschluckt. Diese Versuche sind zwar konkret, bleiben aber utopisch. Denn die Heimat läßt sich nicht verpflanzen. Wo sie sich einmal eingenistet hat, dort läßt sie sich nicht mehr vertreiben. Selbst die Heimatvertriebenen tragen sie immer mit sich, auf Schritt und Tritt. Alle Heimatvertriebenen, mit Ausnahme der Intellektuellen, die die Heimat in der Nase tragen und diese Nase wegen der Last der Heimat auch so hoch tragen, tragen die Heimat im Herzen, und auch dort ist die Last schwer zu tragen, denn wo sie gehen und stehen, tut ihnen das Herz so wehen, wie das Volkslied weiß.

So berichtet also schon der berüchtigte Erzherzog-Johann-Jodler von der heimatlichen Tachykardie, welches ein medizinisches Wort für das Herzwehen ist. Damit sind wir beim eigentlichen Krankheitsbild, das die Heimat verursacht, angelangt.

34. Heimat, deine Schmerzen

Wo Heimat ist, tut das Herz weh, wo immer man geht und steht. In der Statistik zu den häufigsten Todesursachen rangiert das Herzweh gleich nach dem Krebs an zweiter Stelle, ausgenommen solche Gegenden, wo besonders viel Heimat ist; dort hat das Herzweh dem Krebs bereits den Rang abgelaufen. Die heimatlichen Regierungen dieser Gegenden nehmen den Heimatbewohnern all ihr überflüssiges Geld für die Krebsforschung ab, damit die Heimatbewohner von ihrer eigentlichen Krankheit, der Heimatkrankheit, abgelenkt werden.

Anmerkung: Die Krankheit der Heimat ist wie erwähnt eine Herzkrankheit, deren frühestes Stadium die Tachykardie ist. In der Folge treten Beklemmungszustände, Pulsjagen etcetera ein, schließlich ein unkontrolliertes Überfluten der Herzkammern mit Heimatblut, das bekannte home-floating. Bedingt durch den schnellen Pulsschlag wird der Sauerstoffgehalt übermäßig angereichert, was Schwindelzustände zur Folge hat. Die hohe Blutumlaufsgeschwindigkeit bewirkt weiters, daß die Blutsäuberungsorgane immer mehr leer ausgehen, weil das Blut so schnell an ihnen vorbeirauscht, was unweigerlich zu einer Reihe von schwerwiegenden Bluterkrankungen führt, speziell zum heimatlichen Blutrausch. Daher rührt auch das bekannte Sprichwort, daß der Heimatbewohner nichts lieber als sein Blut für die Heimat läßt. Ende der Anmerkung.

Stirbt der Heimatbewohner an der Heimatkrankheit, dann erklärt der Heimatarzt den Hinterbliebenen ausweichend, daß nur dessen Gefäße um den Herzkranz erkrankt gewesen seien und fordert unverhohlen zu Kranzspenden auf. Nach dem Begräbnis sammeln die Hinterbliebenen die Kranzschleifen und lesen an ihrer Anzahl ab, wie heimatverbunden der Verblichene war. Das Andenken wird um so größer sein, je mehr Schleifen den Toten bedeckt haben. In der Heimat ist ein Begräbnis ohne Kranz unmöglich. Deswegen wird die Heimat vielfach mit einem Blumenkranz verglichen.

35. Heimat, deine Lieder

Die Heimaten haben die Lieder, die sie verdienen.

Die Basis der Heimat ist der Boden.

Die Anhäufung von Boden wird Land genannt.

Das Heimatland ist daher ein Haufen Boden.

Es wird von einer Atmosphäre umgeben.

Die unterste Schicht der heimatlichen Atmosphäre wird von Heimatliedern gebildet, vornehmlich aus Jodlern.

Diese Schicht reicht bis zur Stratosphäre.

Die darüberliegende Schicht eignet sich nicht mehr zum Atmen, weil sie zu dünn ist.

Sie ist auch keine heimatliche Schicht im eigentlichen Sinn, weil sich in ihr der Schall der Heimatlieder nicht fortpflanzen kann.

Die Jodlerschicht ist daher die einzige Atmosphäre der Heimat, ihre wahre Einschicht.

Alles, was auf dem Heimatland atmet, atmet Heimatlieder.

Jeder Atemzug eines Heimatbewohners ist ein Heimatlied.

Egal, ob ein- oder ausgeatmet wird.

Die bekanntesten Atemzüge der Heimatbewohner sind das Schnaufen, das Schnauben, das Keuchen, das Hecheln, das Röcheln, das Schnarchen, und in Verbindung mit einem herausfordernden Vorgang der Übergabe: das Kotzen.

»Heute fuhr ich Mercedes. Links und rechts der Autobahn nichts als Heimat. Ihr lieben Heimatfreunde, wenn ihr wüßtet, wie flott dreispurig es jetzt an Durmersheim und Ötigheim vorbeigeht. Da sendet das Radio, daß die Daimler-Aktien gerade um hundert Deutschmark gestiegen sind. Ich trat so stolz ins Pedal, daß ein Heiermann klingend aus dem Auspuff sprang. Wenn mir auch von der Heimat nichts gehört, vermag ich mich doch an ihr zu erfreuen. Und wie.«

OTTO JÄGERSBERG

LUDWIG HARIG

Das Heim und das Reich

Eine Beschreibung des saarländischen Heimwehs unter Berücksichtigung des schweizerischen Heimwehs und der griechischen Nostalgie

1

Es gibt keine zwei Orte in der Welt, die weiter voneinander entfernt liegen als das Heim und das Reich. Das Heim ist der Ort, an dem der Mensch sich niederläßt; das Reich ist der Ort, an dem der Mensch von einem Bein auf das andere tritt. Daheim weiß der Mensch, was geschieht, und er ist ruhig; im Reich weiß der Mensch nie, was in der nächsten Stunde passieren kann, und er ist voller Unruhe. So läßt sich der eine Mensch in aller Ruhe daheim nieder, ist vergnügt und bei sich selber vor lauter Genügsamkeit; und so tritt der andere Mensch unruhig im Reich von einem Bein auf das andere, ist geil und außer sich vor lauter Begehrlichkeit. Die Genügsamkeit macht vergnügt und läßt den Menschen heimkehren, was sich ganz deutlich in einem Anwachsen des persönlichen Glückes zeigt; die Begehrlichkeit macht geil und läßt den Menschen reich werden, was sich nicht nur in Reichsverfassungen, sondern ja auch in den Regierungserklärungen und -bilanzen von Republiken als Aufforderung zum notwendigen wirtschaftlichen Wachstum niederschlägt. Auf der einen Seite steht das Glück, und auf der anderen Seite steht die Wirtschaft; nein, es gibt keine zwei Orte in der Welt, die weiter voneinander entfernt liegen als das Heim und das Reich.

Das Heim ist klein und vergleichbar einem ganz und gar gegenständlichen Brunnen, der immerzu am Fließen, das Reich aber ist groß und ein völlig ungreifbarer Popanz, der immerzu am Fressen ist. Das Heim nährt, und so ist das Heimkehren ins Heim auch ein immerwährendes Teilen und Bescheiden; das Reich dagegen zehrt, und so ist das Reichwerden im Reich zugleich mit einem ständigen Kapital- und Konkurrenzkampf verbunden. Das Heimkehren ins Heim und das Reichwerden im Reich sind so verschieden voneinander, daß man sich nicht vorstellen kann, wie jemals ein Mensch auf den Gedanken verfällt, sein Heim zu verlassen, um sich ins Reich zu begeben, wiewohl es jedermann begreiflich erscheint, wenn jemand fluchtartig dem Reich seinen Rücken kehrt, um flugs sein Heim aufzusuchen.

Aber nicht jeder kann heimkehren, und nicht jeder kann reichwerden. Was ist der Mensch für ein sonderbares Geschöpf, es gibt welche, die wollen es noch nicht einmal! Wer aber nicht heimkehren kann, der leidet ein Weh, dieses Weh ist das Heimweh; und wer nicht reichwerden kann, der wird in die Pflicht genommen, und diese Pflicht ist die Reichspflicht. Was haben wir nicht alles erleben müssen mit Menschen, die ein so schreckliches Heimweh gelitten haben und die so fürchterlich in die Reichspflicht genommen worden sind, daß ihnen zuerst das Lachen und am Ende das Hören und Sehen verging. Wie es auch sei, das Heimweh war immer nach der Heimkehr ins Heim und die Reichspflicht war immer nach dem Reichtum im Reich gerichtet, man hat nie davon gehört, daß jemand eine Heimatpflicht empfunden oder gar, daß jemand am Reichsweh gelitten hätte.

Und doch, dem Saarländer ist es geschehen, daß er verschiedene Male in der Geschichte, davon allein zweimal in unserem Jahrhundert, in diesen scheinbar ausweglosen Widerstreit, in diesen scheinbar unausgleichbaren Gegensatz, in diesen tragischen Konflikt zwischen Heim und Reich geriet. Man hat von vielen tragischen Konflikten gehört zwischen Neigung und Pflicht, zwischen Freiheit und Notwendigkeit, zwischen Wirklichkeit und Idee, aber nie zuvor im Trauerspiel der Geschichte waren Neigung, Freiheit und Wirklichkeit so innig mit dem Heim des Saarländers und waren Pflicht, Notwendigkeit und Idee so eng mit dem Reich der Deutschen verknüpft wie im Falle dieses Konfliktes.

Im eigenen saarländischen Heim geboren, aber vom Reich der Deutschen abgetrennt, schallte den Saarländern plötzlich der völlig kontradiktorische Ruf entgegen: »Heim ins Reich!«, was soviel heißen sollte wie: »Ihr Saarländer, kehrt heim ins Reich.« Die Saarländer ihrerseits, von diesem Ruf zum einen Teil überrumpelt, zum anderen Teil geschmeichelt, griffen ihn begierig auf und gaben ihn zurück, indem sie riefen: »Heim ins Reich!«, was aus ihrem Munde soviel heißen sollte wie: »Wir Saarländer kehren heim ins Reich.«

Nun sagten die Saarländer nicht »heim«, sondern sie sagten »hemm«, was nicht nur ihrer Sprache, sondern vor allem ihrem Wesen und ihrem Temperament entsprach. Sie sagten allerdings auch nicht: »Hemm ins Reich«, was die folgerichtige Umsetzung ins Saarländische gewesen wäre, nein, sie drehten und sie modelten an diesem Ruf, sie kürzten und sie verstellten, sie wandelten ihn schließlich völlig um, und am Ende sagten sie: »Nix wie hemm«, was sich beim ersten Anhören so auslegen läßt, als hätten sie Tag und Nacht nichts im Sinn gehabt als dieses Heimkehren ins Reich.

Aber so wenig wie es eine Heimpflicht und ein Reichsweh gibt, so wenig gibt es im Grunde ein Reichwerden im Heim und ein Heimkehren ins Reich. Der Saarländer, der ja weder eine geschlossene tragische Weltsicht noch einen geschlossenen tragischen Konflikt, ja nicht einmal eine geschlossen tragische Situation aushält, mußte diesen unaufhebbaren Widerspruch auf saarländische Weise aus der Welt schaffen. Geborgenheit im Reich, das dem Saarländer immer etwas Fremdes und auf der anderen Seite des Rheines Gelegenes war, konnte ihm nicht zuteil werden, und so wandelte sich der Sinn dieses Rufes: »Nix wie hemm!« allmählich wieder zurück, und beim zweiten Anhören begreift jedermann, daß aus dem Heimkehren ins Reich wieder ein Heimkehren ins Heim geworden und der Konflikt damit auf eine unspektakuläre Weise aufgehoben worden war. Geborgenheit im Reich, wo ihm schon der Pfälzer, der vor seiner Haustüre wohnt, ein furchteinflößender Fremder ist, nein, das würde es für den Saarländer nicht geben können. Wenn ein Saarländer eines Pfälzers ansichtig wurde, dann rettete er sich und rief: »Uff die Bääm, die Pälzer kumme!« Und von Schnappach, dem weitesten pfälzischen, ja bayrischen Vorposten hart an den Toren von Sulzbach und Altenwald, von Schnappach, wo es nie ohne Striemen und Schrammen abgegangen ist, sagt er respektvoll: »Seng, Schnappach!«

Seng, Schnappach, in diesem Ruf ist die auswärtige Peitsche zu hören, aber auch das Sulzbacher Grausen vor dieser Peitsche der Fremde, die so scharf knallt und so hart trifft, daß es einem ganz krank im Ohr und ganz elend im Magen wird. Diese Krankheit und dieses Elend ist das Heimweh, das, wie eine auf lauter Erfahrungen gestützte Untersuchung der Sendereihe DIALOG der Europawelle Saar nachweist, eine durch und durch saarländische Erscheinung ist, und man kann infolgedessen mit Fug und Recht vom saarländischen Heimweh sprechen.

Zum Glück haben wir kein Reich mehr, sondern einen vertraulichen Zusammenschluß von lauter Heimen, so daß das saarländische Heim neben dem rheinland-pfälzischen, dem baden-württembergischen, dem bayrischen, dem hessischen, dem nordrhein-westfälischen, dem hamburgischen, dem bremischen und dem schleswig-holsteinischen Heim die Segnungen des Föderalismus genießt, und der Saarländer braucht nicht mehr ins Reich heimzukehren. Nein, von nun an darf er bis in alle Ewigkeit in sein Heim heimkehren, und darauf hat er lange gewartet. Wenn er auch nicht mehr in die Reichspflicht genommen wird, so muß er doch Heimweh leiden, und zwar sein eigentümliches und von allen anderen Heimwehen der Welt grundverschiedenes saarländisches Heimweh, das in seiner Heftigkeit nur aus diesem kontradiktorischen Konflikt zwischen Heim und Reich zu erklären ist und, als extrem saarländisches Gebrechen, nicht Heimweh, sondern »Hemmweh« heißt.

2

Als Jean-Jacques Rousseau am 20. Januar 1763 aus seinem Schweizer Exil einen Brief an seinen Freund und Gönner, den Marschall von Luxemburg, schrieb, da sprach er von einer Krankheit, die er nur in der Schweiz angetroffen habe und die so schlimm sei, daß sie in manchen schweren Fällen tödlich verlaufe, eine Krankheit, die die Schweizer in Ströme von Tränen ausbrechen läßt, sobald irgendwo Kuhglocken ertönen oder der Kühreigen erklingt, eine alte Volksweise der Hirten. Rousseau nennt diese Krankheit beim Namen, er schreibt diesen Namen hin und unterstreicht ihn, damit dem Marschall die außergewöhnliche Besonderheit dieser Krankheitsbezeichnung ganz deutlich bewußt werden soll; er schreibt »le Hemvé«, mit großem H und mit accent aigu auf dem letzten E.

Nun gibt es zu dieser Zeit schon ein paar Erwähnungen und sogar einige Schriften, die sich mit dem Erscheinungsbild dieses Übels befassen: ein Ludwig Pfyffer schrieb am 14. März 1569, am Tag nach der blutigen Schlacht von Jarnac, an den Luzerner Rat, unter den Verwundeten sei ein gewisser »Sunnenberg« »gestorben von heimwehe«; und 1636 vermerkt Justus Georg Schottelius in seiner »Deutschen Sprachlehre« das Wort »Heimwehe«, »wovon jener starb«. Johannes Hofer aus Mülhausen legt am 22. Juni 1688 der Basler medizinischen Fakultät seine »Dissertatio medica de Nostalgia oder Heimwehe« vor; und 1705 führt Johann Jakob Scheuchzer aus Zürich das Wort in seiner »Naturgeschichte des Schweizerlandes« in die deutsche Schriftsprache ein.

Fast ist man geneigt, diese beschriebene Krankheit ausschließlich als ein Schweizer Gebrechen anzusehen. Pfyffer und Schottelius, Hofer und Scheuchzer sprechen vom »Heimweh« oder vom »Heimwehe«, als seien es nur das Läuten der Kuhglocken und die Milchsuppe zum Frühstück wert, daß der auswärts lebende Schweizer von dieser schrecklichen Krankheit heimgesucht wird.

Indes hatte der Mülhausener Hofer aber auch schon den Begriff der »Nostalgia« empfohlen, und so schien es eine Zeitlang, als würden sich mit dem »nostos« und dem »algos« die grauenhaftesten griechischen Krankheitsbilder einfinden, zu dem Läuten der Kuhglocken würde sich das Flöten der arkadischen Schäfer und zu der Milchsuppe würden sich die gefüllten Paprikaschoten hinzugesellen, es schien, als hätte sich Odysseus, der mit diesem griechischen Heimkehrschmerz Geplagte, nach Schoten und Schalmeien verzehrt wie der Schweizer nach Milchsuppe und Kuhglocken. Aber nichts dergleichen, Odysseus hatte sich in der Fremde getröstet, bei Nausikaa hatte er die balsamischen Birnen gegessen und bei Kirke den herzerfreuenden Wein getrunken, ja wäre er nicht dazwischengetreten, seine Gefährten hätten den Lotos der Lotophagen und die Ochsen des Helios verzehrt, ohne je ein Verlangen nach den heimatlichen ionischen Schoten zu verspüren. Nein, die Griechen sind keine Schweizer, sie trösten sich in der Fremde, die Schweizer dagegen sind untröstlich, wenn sie auf ihre Milchsuppe verzichten müssen.

Dennoch, aus dem schweizerischen Heimweh, einem landläufigen Gebrechen, wurde die griechische Nostalgie, eine legitime Krankheit. Das Naturübel wandelte sich in ein Kulturübel um, dem Naturwort folgte das Kulturwort, das physische Leiden entpuppte sich als eine Geisteskrankheit. 1763 widmete Professor Sauvage von der medizinischen Fakultät in Montpellier dem Leiden eine systematische Untersuchung in seiner methodischen Krankheitslehre »Nosologia Methodica«. Darin unterschied er die Nostalgia simplex, die Nostalgia complicata und die Nostalgia simulata, also die einfache Nostalgie, die als Magendrücken auf Reisen, die verwickelte Nostalgie, die als Magen- und Herzdrücken auf Montage, und die vorgetäuschte Nostalgie, die als Magen-, Herz- und Kopfdrücken in der Armee auftritt.

Und doch, die nosologische Systematik konnte den landläufigen Konsensus nicht verdrängen. Bei aller griechischen Methodenliebhaberei, die Schweizer hatten sich verabredet, ihr ländliches Geläute und ihre einfache Speise zum Inbegriff des heimatlichen Anrufs zu setzen, da nutzte alle triadische Logik von leiblicher, seelischer und geistiger Beanspruchung und Abnutzung der Nervenbahnen nicht das geringste. Der Tatbestand der Milchwirtschaft, nämlich die notwendige Erzeugung agrarischer Produkte, steht in enger Beziehung zum schweizerischen Heimweh, während die griechische Nostalgie eher auf erkenntnistheoretische Spekulationen beschränkt bleibt.

Das physiologische, auf reinen Sinnenbefriedigungen basierende schweizerische Heimweh steht der intellektualistischen, auf Geistestätigkeiten beruhenden griechischen Nostalgie gegenüber, und man könnte diese polaristische, diese kontradiktorische Krankheitsbeschreibung als umfassend und erschöpfend ansehen, wenn es nicht noch ein drittes, ein höheres, ein entscheidenderes Heimweh geben würde, das weder ein schweizerisches Naturübel noch ein griechisches Kulturübel, sondern ein fundamentales, quasi ein phänomenologisches Übel darstellt, das aus größerem Hunger gespeist und aus tieferem Verlangen in Gang gesetzt wird und nicht mit Milchsuppe und Paprikaschoten, nicht mit helvetischen Glocken und nicht mit arkadischen Schalmeien gestillt werden kann. Es ist ein Gebrechen, eine tödlich verlaufende Krankheit, die die Franzosen zuerst als »maladie du pays«, dann als »maladie allemande« und schließlich mit einem Namen bezeichnen, der nicht einmal ihrer Sprache angehört.

Im Jahre 1719 kommt nämlich der Abbé Jean-Baptiste Du Bos mit seinen »Kritischen Reflexionen über die Poesie und die Malerei« und 1765 der Chevalier von Jaucourt mit seinem Artikel in der Enzyklopädie, und sie sagen, trotz ihrer erkenntnisförderischen und aufklärerischen Gelehrsamkeit, nicht »Nostalgie« und sagen, trotz der bekannten landläufigen Übereinkünfte, nicht »Heimweh«, nein, sie sagen »Hemvé«. Und auch Jean-Jacques Rousseau tauchte seine Feder in die Tinte und schrieb an den Marschall von Luxemburg nicht »Heimweh«, sondern »Hemvé«.

Wie kommt diese eigentümliche Schreibung in die französische Tradition des 18. Jahrhunderts, ja, wie kommt diese saarländische Aussprache in den Mund französisch sprechender Menschen, wenn sie jene seltsame schweizerische Krankheit beschreiben, aber weder dieses allgemeingebräuchliche Wort »Heimweh« noch diesen wissenschaftlich eingeführten Begriff »Nostalgie« benutzen wollen?

Das Saarländische, in aller seiner unspektakulären Kleinheit, ist für sie zu einer unabweisbaren Größe geworden.

3

Das Schweizerische und das Saarländische sind nicht nur verschiedene Arten und Weisen des menschlichen Existierens, o nein, es sind verschiedene Arten und Weisen der Menschenmöglichkeit überhaupt. Es sind nicht nur unterschiedliche Existenzialien, es sind unterschiedliche Essentialien, sie stellen völlig verschiedenartige Ideen vom Menschen dar, und zwar das Schweizerische eine konstitutive, das Saarländische eine regulative Idee. Am Schweizerischen erkennt man, daß dem Menschen alles angeboren ist, das Milchsuppenessen am Morgen und die Freude an den harmonischen Kuhglocken den ganzen Tag über; am Saarländer aber erweist sich, daß die Seele ein unbeschriebenes Blatt geblieben ist: ein französisches Weißbrot erfreut den saarländischen Menschen ebenso wie das Rauschen der deutschen Bäume. Kein Saarländer würde, wie es die ausländischen Gäste des Hotels Atlantis Sheraton zu Zürich am See tun, das nächtliche Abhängen der Kuhglocken verlangen, die dort am Ütliberg die ganze Nacht über klingen, so wie der Saarländer auch keinen Appenzeller Käse zum Morgenessen verschmäht, wenn gerade kein saarländischer Laxem oder kein Fenner Harz zur Hand sind; im Gegenteil, sein Ohr und sein Mund sind offen, sein Sinnen und Trachten sind noch nicht festgelegt und dürfen als Richtmaß, als Richtschnur, als Richtscheit für die ganze Menschheit gelten.

So gibt es das schweizerische Heimweh, und es gibt das saarländische Heimweh, von denen sich alle anderen Heimwehe dieses Universums ableiten lassen. Das österreichische Heimweh ist eher mit dem schweizerischen, das deutsche Heimweh eher mit dem saarländischen Heimweh verwandt, wie ja auch die skandinavischen Heimwehe mit allen ihren Sonderquerelen den Stempel des saarländischen, die balkanesischen und mediterranen Heimwehe mit ihren ausgefallenen Formen dagegen rudimentäre Züge des schweizerischen Heimwehs tragen. Ermanarich, Theoderich und Alarich zogen mit ihren Goten durch Italien und über die Halbinsel Krim immer weiter in die Ferne und sagten: »Haims«. Aber Jarl und Wasa blieben bei ihren Bären und Rentieren sitzen, schürften nach den Schätzen ihres Bodens wie die Saarländer und sagen: »Hem«.

Das schweizerische Heimweh hat eine körperliche Herkunft, die sich über außerkörperliche Beschwerden in ein nichtkörperliches Leiden verwandelt; das saarländische Heimweh hat eine nichtkörperliche Herkunft, die sich über außerkörperliche Beschwerden in ein ganz und gar körperliches Leiden verwandelt. Beide Gebrechen, das schweizerische Heimweh mit seinem konstitutiven und das saarländische Heimweh mit seinem regulativen Urgrund, verzeichnen zwar ein und dasselbe Krankheitsbild, die Beschwerden jedoch zeigen sich in gegenläufiger Abfolge.

Der heimwehkranke Patient, gleichviel, ob er ein auswärts dienender Schweizer Soldat, ein in der Fremde lebender Schweizer Jüngling, ein seine Familie entbehrender Schweizer Student, ein in einem Krankenspital weilender Schweizer Pflegling oder ob er einfach ein seiner Heimat entsagenmüssender saarländischer Mensch ist, leidet an Schlaflosigkeit und Herzklopfen, an Appetitlosigkeit und Niedergeschlagenheit, an schleichendem Fieber und fortschreitender Auszehrung, was sich, infolge des gegensätzlichen Verlaufs, beim Schweizer zuerst als das Fieber der Auszehrung und zuletzt als das Herzklopfen der schlaflosen Nächte zeigt, während sich der Saarländer zuerst schlaflos in den fremden Betten wälzt, um dann am Ende fiebernd in den Kissen zu schmachten. Herzklopfen aus lauter Heimkehrschmerz, das ist begreiflich, aber Fieber ohne die geringste Entzündlichkeit, das ist unerklärbar und ohne jeden Sinn.

Aber die Angst und die Sorge, das In-der-Welt-sein und die Geworfenheit, alle diese bitterlichen Existenzialien, vor denen der Mensch zittern und erschrecken muß, weil sie ihn immerzu auf die Erde niederwerfen, das Rohe und das Gekochte, die Köchinnen und die Menschenfresser, alle diese gräßlichen Schreckbilder und Quälgeister, die ihn drücken und plagen, sollen sie ihn in alle Ewigkeit nicht aus ihren Klauen lassen? Oder ist nicht vielmehr eine Heilkraft nötig, die nicht an Milchsuppe und an Kuhglocken gebunden ist?

Was das schweizerische Heimweh anbelangt, so wird zuverlässig berichtet, daß ein heimwehkranker Berner Jüngling bei seiner Heimkehr schon auf halbem Wege genesen war, daß eine Basler Bäuerin bereits schon bei der Entlassung aus dem Krankenhaus, worin sie wegen eines schweren Leidens eingeliefert worden war, nach total erfolgloser Behandlung sofort genas, daß ein Appenzeller Bedienter durch die bloße Erlaubnis seines Pariser Dienstherrn, nach Hause gehen zu dürfen, völlig gesundete, ohne daß er überhaupt Gebrauch von diesem Anerbieten machen mußte.

Das zeigt, allein die Vorstellung, die Kuhglocken wieder läuten zu hören und der Milchsuppe zum Frühstück wieder teilhaftig zu werden, genügt schon, das Übel zu kurieren. Der Schlaf und der Appetit stellen sich wieder ein, die Niedergeschlagenheit verwandelt sich in ein freudiges Hochgefühl, und die abgezehrten Wangen beginnen sich wieder zu röten.

Ganz anders zeigt sich der Verlauf der saarländischen Heimwehkrankheit. Die Überbeanspruchung jener Nervenbahn, die das regulative Heimweh hervorruft, durch dieses einzige, immerzu nagende Gefühl der Saarferne und den damit verbundenen bohrenden Gedanken, diese Saarferne wieder in eine Saarnähe zu verwandeln, strapaziert die saarländische Seele dermaßen heftig, daß sie ihre Erschöpfung und Entkräftung auf den saarländischen Körper überträgt und ihn schließlich auf den Tod gefährdet. Auslösendes Moment, die Saarferne zu empfinden, ist dabei nicht ein physiologischer Vorgang wie dieser akustische des Kuhglockenhörens oder dieser chemische des Milchsuppenessens beim Schweizer Menschen, nein, die Triebfeder des saarländischen Heimwehs ist ein psychischer Drang, der darauf beruht, daß es an der Saar etwas gibt, das sonst nirgendwo auf der Welt existiert, und zwar nicht etwas Ohrgängiges wie eine

Glocke oder etwas Zungengreifliches wie eine Suppe, sondern etwas völlig Irreales und Irrationales.

Der Saarländer könnte gut und gerne die preisgekrönte Lionerwurst der Firma Kunzler aus Überherrn der Schweizer Milchsuppe an die Seite stellen, und auch die Trompeten der Saarbrücker Stadtkapelle, die sogar die georgischen Menschen aus Tbilissi in eine tiefe Rührung versetzt haben, brauchen den Schweizer Alphörnern nicht aus dem Wege zu gehen, nein, das ist es nicht. Es ist auch nicht eine schon eher unkörperliche Ursache wie der Mangel an dünner und feiner Luft, den der Schweizer leidet, wenn er die dickere und gröbere Luft der Ebenen atmen muß, was der Zürcher Scheuchzer vermutet, nein, es ist ein ganz und gar anderer Beweggrund, der die saarländische Schlaflosigkeit und das saarländische Herzklopfen, die saarländische Appetitlosigkeit und die saarländische Niedergeschlagenheit, das saarländische Fieber und die saarländische Auszehrung hervorruft.

Da hilft kein Schwitzen und kein Aderlaß, da helfen keine herzstärkenden Arzneien und keine schlafbefördernden Mixturen, da helfen keine Brech- und keine Laxierpillen, da hilft nur ein einziges Mittel. Erst wenn dem Patienten dieses besondere saarländische Lebenselixier, dieses einzige Heilmittel zugeführt und wiedergeschenkt wird, erst wenn dieses ganz und gar saarländische Nähegefühl, das aus diesem irrationalen Urgrund entsteht, sich wieder einstellt, dann läßt der verheerende Einfluß dieses Übels nach und der Patient kann wieder genesen.

Diesem eigentümlichen saarländischen Heimweh am nächsten kommt das, was Johann Georg Zimmermann eine ganz spezifische Traurigkeit genannt hat, die »Traurigkeit aus der vergeblichen Begierde, seine Leute wiederzusehen«. Da braucht niemand erst zu singen: »Zu Straßburg auf der Schanz!« oder: »Das Alphorn hat mir solches angetan!« Da braucht kein Kühreigen getanzt zu werden und braucht auch keine Suppenschüssel auf einem Frühstückstisch zu erscheinen, nein, dieses Gefühl hat eine völlig andere Herkunft, und es hat eine andere Bewandtnis mit ihm. Und auch das Heilmittel liegt nicht außerhalb und muß erst einverleibt werden wie eine Suppe oder wie die Melodie einer Sackpfeife.

Ein saarländischer Mensch genest nicht von seinem Heimweh, wenn er bereits die Hälfte der Wegstrecke zwischen der Fremde und dem Saarland zurückgelegt hat, er genest nicht schon bei der Entlassung aus dem Krankenhaus, und er genest schon gar nicht, wenn ihm die Heimkehr lediglich in Aussicht gestellt und angeboten wird. O nein, der Saarländer mit diesem seinem Saargefühl muß der Saarnähe aufs innigste teilhaftig werden, denn nur an der Saar selbst gedeiht dieses Elixier seines Lebens.

Als mein Bruder, der ein Maler- und Anstreichermeister ist, seinen dreiwöchigen Urlaub in Kärnten verbrachte, da sagte er am dritten Tage »Vater« zu mir, am vierten stieg er auf die Leiter und wollte dem Hotelier sein Gasthausschild neu anmalen, am fünften bekam er Fieber und am sechsten probierte er aus, ob seine Koffer noch in den Kofferraum unseres Autos paßten; und als er mich ein Jahrzehnt später in Paris besuchte, da saß er eine Stunde früher als verabredet am abgesprochenen Treffpunkt in einem Café in Les Sonnettes und sagte bei unserem Einteffen: »So, nur noch drei Tage, und dann sind wir wieder daheim.«

Ihm schmeckten die Kärntner Knödel und die französischen Hechtklöße, er lauschte der Feuerwehrkapelle von Treßdorf im Gailtal mit dem gleichen Wohlbehagen wie dem Bandonionspieler von der Pont Marie, nein, es waren keine Entbehrungen der physischen Natur, Gott bewahre. Aber daß er ausprobierte, ob die Koffer noch in den Kofferraum paßten, die ja kaum eine Woche zuvor bequem Platz darin gefunden hatten, und daß er eine Stunde zu früh in Paris angekommen war, seine Heimat also früher als notwendig verlassen hatte, das alles kann nur Gründe haben, die tiefer hinabreichen als in physiologische Bezirke.

Er war auch nicht auf Vorteile bedacht, er dachte nicht nach, wie er diesen Heimkehrschmerz am wirkungsvollsten bekämpfen könne. Er dachte nicht, je früher ich wegfahre, um so früher bin ich wieder daheim. Er dachte auch nicht, wenn ich erst einmal sicher bin, daß die Koffer bei der Heimfahrt noch genauso groß sind wie bei der Herfahrt, dann ergeben sich von vorneherein keine Verzögerungen bei der Abfahrt, die darin bestehen könnten, die zu groß gewordenen Koffer zu verkleinern oder sie so geschickt zu plazieren, daß sie alle zusammen den gleichen Platz einnehmen wie bei der Herfahrt. Nein, mein Bruder würde keinen Augenblick zögern, Ballast abzuwerfen, wenn es darum geht, heimzukehren und seine Leute wiederzusehen, und er würde sich nicht scheuen, früher daheim zu sein, auch wenn er später weggefahren sein sollte, selbst wenn er damit einen Vorsatz über den Haufen werfen müßte. Man bedenke, er hatte, nach drei Tagen Abwesenheit von den Eltern, zu mir, seinem Bruder, »Vater« gesagt. Dabei kann es nichts Berechnendes geben, nein, das saarländische Heimweh ist nicht etwas Spekulatives.

Das saarländische Heimweh ist eine Leitidee. Nur wer wie der saarländische Mensch am Heimweh erkrankt, glühend vor Fieber und über alle Maßen nichtkörperlich zugleich, der entwickelt auch in sich selbst eine Heilkraft, die das Weh besänftigt und verwandelt. Es ist ein Elixier, das an der Saar gedeiht, nicht in Gärten oder am Wegrand wie ein Gewächs, das man in eine Milchsuppe tut, damit sie das erschlaffte Gemüt stimuliere, oder mit dem man die Glocken einer Kuh bestreicht, damit sie herzergreifender klinge, nein, dieses Gewächs ist eine geheime Kraft, die sich in dem Augenblick entfaltet, in dem man seine Leute wiedersieht, wie sie sich wohlfühlen in ihrer Haut, eine Kraft, die beileibe nicht hartnäckig im Menschen eingeschlossen bleibt, sondern sich entäußert und allen anderen Menschen mitteilt, sonst könnte man von ihr nicht als von einer Leitidee sprechen.

Diese Heilkraft ist die Freude. Die Freude ist das Regulativ am saarländischen Heimweh, sein moralischer Zug, seine Botschaft für die Welt. »Es ist die Freude«, das sagt auch Hölderlin in seinem Gedicht »Heimkunft«, worin das Wort »Freude« das häufigste Wort ist. Ja, die wahre Freude besteht darin, heimzukehren, und in der Heimkehr selbst liegt die Freude tief beschlossen. Aber das saarländische Heimweh in seiner regulativen Impulsität läßt es nicht dabei bewenden, daß das Heimkehren Freude *macht*, ja noch nicht einmal, daß das Heimkehren selbst die Freude *ist*, nein. aus dem regulativen Affekt des saarländischen Heimwehs springt der dichterische Funke auf alle anderen Menschen über.

Was sagt Heidegger über dieses Heimkehrgedicht Hölderlins? Er sagt: »Das Dichten macht nicht erst dem Dichter eine Freude, sondern das Dichten *ist* die Freude, die Aufheiterung, weil im Dichten das erste Heimkommen besteht. Die Elegie ›Heimkunft‹ ist nicht ein Gedicht über die Heimkunft, sondern die Elegie ist als die Dichtung, die sie ist, das Heimkommen selbst«, aber Heidegger fährt leider fort und sagt: »das sich noch ereignet, solange ihr Wort als die Glocke in der Sprache der Deutschen läutet.«

Nun läutet nämlich dieses Wort auch in der Sprache der Österreicher und der Schweizer, der Luxemburger und der Lothringer, und es läutet vor allem in der Sprache der Saarländer, von denen allen man nicht sagen kann, ihr Sinnen und Trachten stünde nur nach diesem Deutschen und nach sonst nichts. Die schweizerische Glocke ist nun wahrhaftig mehr eine Kuhglocke und die saarländische ein ganz und gar innerliches und unsichtbares Seelenglöckchen, die beide nicht »heim ins Reich« läuten, wohl aber zusammenklingen, physikalisch und moralisch, und die Freude aus dem Weh entbinden. Hölderlin hätte wohl, nicht aber hätte Heidegger von saarländischer Herkunft sein können!

Im Weh ist die Freude eingeschlossen, aber nicht für alle Zeit. Je ferner die Ferne ist, um so größer ist das Weh, je näher die Nähe rückt, um so größer wird die Freude. Und so sagt der saarländische Mensch: »Nix wie hemm!« und kehrt heim in die Freude, von der er den anderen Menschen allen so viel abgeben kann, so viel sie immer mögen. Ja, Physik und Moral läuten auf einmal zusammen, und es klingt wie das Gedicht eines Dichters, wenn die Menschen der verschiedensten Zungen sich die Hände reichen und sagen: »Hemmweh.«

Womöglich ist es ein Dichter gewesen, von dem der Abbé Du Bos und der Ritter von Jaucourt das saarländische Wort gehört und gelernt haben. Aber in historischer Ermangelung eines solchen ist es viel eher ein saarländischer Handwerksbursch aus dem Maler- und Anstreichergewerbe gewesen, der vor ihren Augen schon am vierten Tage seiner Wanderschaft auf eine Leiter stieg, um dem Herbergsvater sein Schild neu anzumalen, am fünften in ein hitziges Fieber fiel und am sechsten nachzuprüfen begann, ob seine Siebensachen, die er eben erst ausgepackt hatte, noch Platz in seinem Rucksack hatten. Da saß er mitten zwischen den weltläufigen Enzyklopädisten, glühte vor Fieber und sagte »Vater« zu ihnen. Hätten Du Bos und Jaucourt diesen Menschen für etwas anderes als einen Dichter halten können?

RICHARD HEY

Heimat, deine Sterne

Heimat, deine Sterne — Das sang ein triefäugiger Baß in den Wunschkonzerten der Nazi-Zeit. Den deutschen Soldaten, die unter fremden Sternbildern in Rußland und Afrika töteten und krepierten, wurde es ins Ohr geblasen, den Frauen und Kindern in den Luftschutzkellern unter dem Schutt ihrer Heime, den Blockwarten und KZ-Bewachern, damit sie alle wußten, wofür sie ihre schwere Pflicht erfüllten, durchhielten, draufgingen und draufgehen ließen. Heimat, das war ein Volk, ein Reich, ein Führer.

So hieß es, als ich Luftwaffenhelfer war und versuchte, amerikanische Bomber über Frankfurt abzuschießen. Der Qualm der brennenden Stadt verdeckte die Sterne über ihr. Seitdem sehe ich mir die Leute an, die von Heimat reden. Bergbauern und Nordseefischer, deren Familien seit Generationen am selben Ort leben, benutzen das Wort kaum. Wer singt »dor is mine Heimat, dor bün ick to Huus«, ist meistens nicht aus der Gegend. In Vorträgen (»Erwandere dir deine Heimat«) sind Gräser und Steine gemeint, Rest von Römern oder anderen Leuten, die früher mal da waren, man achte auf das für diese Gegend typische Walmdach, und wenn es hochkommt, ist von Infrastruktur die Rede oder von Bismarck, der in der nahen Kreisstadt übernachtet hat. Auf politischen Versammlungen bemühen sich Redner nach wie vor, den Raum zwischen den Symbolen ihrer Partei am Rednerpult und dem Sternbild über ihnen mit dem Wort Heimat zu füllen. In den fünfziger Jahren hat es sogenannte Heimatfilme gegeben, die alles mögliche zeigten, nur nicht, wie die Leute, die zu sehen waren, wirklich lebten. Filme, die zeigen, wie Leute in einer bestimmten Landschaft wirklich leben, werden nicht Heimatfilme genannt. Zwar haben in letzter Zeit Österreicher und Schweizer hervorragende Filme gemacht, die das materielle Elend und die Härte des Lebens von Alpenbauern schildern, und sie fassen ihre Filme auch als Heimatfilme auf. Aber im üblichen Wortgebrauch ist Heimat, wie Vaterland, eine überwiegend metaphysische Angelegenheit geblieben. Und Gräser, Steine, Meer und Bismarck dienen weniger der Beschreibung als der Verklärung.

Um die Zeit, in der »Heimat, deine Sterne« im Radio gesungen wurde, las ich zum erstenmal die Ballade von Archibald Douglas, der nichts wollte, als die Luft im Vaterland zu atmen, und plötzlich hatte ich Schuld- und Neidgefühle, weil ich zur Teilnahme an dieser Verklärung nicht fähig schien. Oder ich las, jemand, der ausgewandert war nach Amerika oder Australien, sei am Ende seines Lebens als reicher Mann in sein karges Heimatdorf zurückgekehrt, um da zu sterben. Ich wollte auch so ein Heimatdorf haben, das einen beschützt, selbst in der Fremde, selbst wenn man reich wird, das einem Kraft gibt, selbst zum Sterben. Später hörte ich von Juden, die im Ersten Weltkrieg das Eiserne Kreuz erhalten hatten; sie waren sicher, der Führer werde sie in Frieden lassen, da sie ja die Heimat verteidigt hatten. Aber es ging ihnen nicht wie Archibald Douglas, der Führer sagte nicht: »Der ist in tiefster Seele treu, der die Heimat so liebt wie du«, und er ritt mit den Juden nicht nach Linlithgow, um dort zu fischen und zu jagen, froh als wie in alter Zeit, sondern nach Auschwitz und Theresienstadt.

Für die Verklärung der Heimat muß gezahlt werden. Und zwar immer von denen, die sie sich verklären lassen. Wahrscheinlich hat das Verklären schon früh angefangen. Laut Wörterbuch steckt in Heimat auch »Grundbesitz, Anwesen«. Wer was besaß, mußte darauf achten, daß andere, die für ihn schufteten, ihm nicht an den Besitz wollten. Er mußte ihnen klarmachen, was alles sie ja schon mit ihm gemeinsam besaßen: die Schönheit der Sonnenaufgänge hinter den Bergen oder über dem Meer, die Linie der sanften Hügel in der Dämmerung, das Wogen der reifen Weizenfelder, Tanz unter der Linde, Gesang von Amsel, Nachtigall und Lerche, nicht zu vergessen die gemeinsame Religion, der gemeinsame Dialekt, die gemeinsamen Sitten und Gebräuche. Später sagten die Fabrikherrn zu den Arbeitern: Seht, das ist eure Fabrik, wir sitzen alle im selben Boot. Aber das bißchen Mitbestimmung, das sie inzwischen den Arbeitern zugestehen mußten, würden sie doch lieber wieder abschaffen.

Die Fabrik als Heimat. Den entwurzelten Kleinstädtern und Bauernkindern, die im vorigen Jahrhundert in die Industriestädte zogen, um dort für Hungerlöhne zwölf bis vierzehn Stunden am Tag zu malochen, blieb nichts anderes übrig, als es so zu sehen. Die Hinterhoflöcher, in denen sie hausten, waren kein Zuhause. Und nur wenige werden sich den Komfort erlaubt haben, als Wracks in ihr früheres Heimatdorf zurückzukehren, um da zu sterben. Heimat hat mit Vergangenheit nichts zu tun. Wer sich an die Heimat erinnert, hat sie nicht mehr. Im Lebensbericht einer Arbeiterin, die als junges Mädchen während des Ersten Weltkriegs von einer Munitionsfabrik zur anderen »vershanghait« wurde, von Hamburg nach Leverkusen, lese ich, daß sie Hunger, Kälte, Ausbeutung, Schikanen, Trennung von Familienangehörigen nur ausgehalten hat, weil sie Mitglied der

SPD-Jugendorganisation war und später Mitglied der KPD. Heimat, sagt Bloch, ist das, was erst noch werden soll.

Im Moment machen Grüne und Alternative einen neuen Versuch, Heimat herzustellen. Ich mag zwar den Hirsebrei nicht, den sie propagieren. Und ich glaube auch nicht, daß unsere Zivilisation jemals wieder einen quasi techniklosen Zustand erreichen wird, es sei denn als Folge einer atomaren Superkatastrophe. Einen weitgehend techniklosen Zustand anstreben zu wollen würde bedeuten, Heimat in der vortechnischen Vergangenheit zu suchen. Es wäre die rückwärts gewendete, sentimentale Utopie von Heimat. Aber ich halte es für wichtig, daß eine nicht unbeträchtliche Anzahl von Leuten dabei ist, andere Modelle des Zusammenlebens von Mensch und Mensch, von Mensch und Natur auszuprobieren. Die bisher üblichen erweisen sich ja zunehmend als unbrauchbar. Und vielleicht ist die Hoffnung erlaubt, daß diese Heimathersteller der Hirsebreiverklärung entgehen, daß die Konzentrierung auf kleine Einheiten, auf bisher vernachlässigtes Regionales nicht notwendig zur Abkehr von der Welt führt, sondern im Gegenteil zur Verstärkung der Einsicht, daß kein Hälmchen auf dem biologisch gedüngten Beet wachsen wird, wenn es dem Nachbarn sechstausend Kilometer entfernt nicht gefällt. Daß es keine metaphysisch behüteten und behütenden Heimatdörfer mehr gibt, trotz Schützenverein, Kriegerdenkmal und Wallfahrtskirche.

Auch der einsamste Einödbauer wird erreicht vom Satellitenfernsehen, von Hubschraubern, radioaktiv strahlenden Wolken. Autobahnbrücken werden neben seinem Gehöft aus dem Felsen gesprengt, das angrenzende Grundstück gehört einem Konzern von einem andern Kontinent. Vielleicht also können uns Grüne und Alternative, auch wenn sie an ihren Widersprüchen scheitern sollten, lehren, mehr Mut zu haben. Den Mut, beispielsweise, sich zu verhalten wie international miteinander verflochtene Konzerne oder Kapitalseigner sich eben schon lange verhalten, die den gesamten Planeten als Operationsfeld benutzen.

Der Planet als Heimat. Die Leute im Iran, in Afghanistan, die Einwohner von Soweto und El Salvador haben andere Sorgen. Und wenn es schon einem Berliner aus Charlottenburg schwerfällt, die Türken in den Kreuzberger Abbruchhäusern als Nachbarn zu akzeptieren, wie sollten wir da begreifen, daß in Indien, China, Kambodscha, Äthiopien, Nicaragua nur Nachbarn wohnen, deren Ängste und Hoffnungen von unsern Ängsten und Hoffnungen nicht zu trennen sind? Andererseits, können die Leute in Teheran, in Irkutsk, in Denver mit den Ängsten und Hoffnungen, die jemand in Berlin oder Italien hat, irgendwas anfangen? Aber ich wüßte nichts anderes für Heimat als die bläulich schimmernde birnenförmig verzerrte Kugel, auf der wir durchs Weltall schießen. Ich sehe Fotos von Gary Davis vor mir, der sich vor dreißig Jahren selbst einen Weltbürgerpaß ausgestellt hatte und im Schlafsack vor dem Gebäude der Vereinten Nationen kampierte. Es war leicht, über den Spinner zu lachen; es war leicht, dem Propheten zuzustimmen. Beides kostete nichts. Inzwischen haben Hunger, Elend, Bedrohungen jeder Art für die Bewohner des Planeten zugenommen. Und einige wenige Leute an den Schalthebeln veralteter atomgepanzerter Machtstrukturen in West und Ost können aus Angst, Hochmut, Hilflosigkeit uns samt unsern Nachbarn den Planeten um die Ohren fliegen lassen. Bis die Lichtblitze der Explosionen die Sterne erreichen, die über unserer bisherigen Heimat standen, vergehen dann Tausende von Jahren. So lange wird wohl auch das Leben brauchen, bis auf dem verseuchten Klumpen, der um die Sonne torkelt, wieder halbwegs brauchbare Programme entwickelt sind.

»Wo das Vaterland ist, da hat man sich allemal noch wohlzufühlen und gefühlig einzufinden. Zumindest aber abzufinden, einzurichten, das Maul zu halten. Und: Militärdienst abzuleisten. Und: Steuern zu zahlen. Denn das ist sie doch immer noch: Heimat, der fiktive Ort, wo unser Wunsch nach Verbundenheit, unsere Sehnsucht nach Heimat von einem Vaterland genotzüchtigt werden.«

JOCHEN KELTER

GABRIELE WOHMANN

Deutschlandlied

Vorher machte es sich ja aber immer so gut. Bekannten gegenüber. Und auch am Telephon, wenn jemand eine Verabredung treffen wollte. Zu irgendwelchen Anrufern sagte Greta es einfach richtig gern. Genau wie sie auch Wert drauf legte, Frieders jahrzehntelange Anhänglichkeit an die Firma Renault zu erwähnen, immer wenn die Rede auf Autos kam. Diese ganzen deutschen Fabrikate, verströmten nicht schon ihre Markennamen ein bißchen was Spießiges? Diese ganzen Opel-Audi-Kategorien für Familien mit Ausflüglerbedürfnissen, eben einfach Mittelklasse, während ein R16 zwar auch in weiter Entfernung von Luxus, aber immerhin FRANZÖSISCH, nicht so ganz bieder seine Strecken abfuhr. Von sämtlichen VW-Ausgeburten gar nicht zu reden. Im tiefsten Innern bin ich ein frenetischer Nestbeschmutzer, stellte Greta fest, allerdings nur im Inland, offenbar. Denn eindeutig hing die übellaunige Verfassung dieses Vormittags mit der Außenwelt zusammen. Heute der von Graz. Es war ungerecht und nicht ganz zu fassen. Nicht in den Griff zu bekommen. Lag es am Frühstück? Die Geßners hatten das deutsche Hotelfrühstück lang über die Dauer seiner wirklich miserablen Qualität hinaus beschimpft. Das stellten sie nun fest, dem Grazer Angebot gegenübersitzend. Bei uns würde man so was nicht mehr wagen, sagte Greta. Sie empfand in sich nichts Wohliges beim Bedürfnis, Frieder anzustecken. Womit eigentlich? Mit Groll auf Graz? Die Geßners könnte man lebenslänglich nie einer patriotischen Haltung verdächtigen, das stand einfürallemal fest. Beide waren zu stark und für immer vorgeschädigt, aufgewachsen in der Nazizeit, und das führte Greta auch jeweils als tiefwurzelndes Motiv an, wenn sie, absolut freiwillig, dann und wann verkündete: Für alles politisch Aktive, gar für PARTEI-Mitgliedschaften, aber sogar auch schon für harmlosere Sachen wie Wählerinitiativen oder wirklich sympathische GRÜNE LISTEN sind Menschen wie wir einfach total verloren. Wir sind superkritisch, o ja. Pessimistisch. Allergisch. Gruppenuntauglich in alle Ewigkeit. Laßt uns bloß damit in Ruhe. Sie litten beide wahrhaftig im Sinn von Kränkung und Ohnmachtsempörung unter so Phänomenen wie aussterbenden Vogelarten, vergifteten Bäumen, unter der architektonischen Mißhandlung von Städten und Landschaften, sie litten sehr, ästhetisch, ökologisch, politisch. Sie nahmen durchaus teil: als trauernde, zornige, unbestechliche Zuschauer. Sie wären gewiß nie als Opfer von Politikergeschwätz zu vereinnahmen. Von Heuchlern. Machtbesessenen Strebern, STADTVÄTERN. Der Anblick des Kernkraftwerks in der wie vorgewarnten stillen gelblichen Riedlandschaft setzte ihnen zu. Aber auf keinem ihrer Renault-Modelle fuhren sie ATOMKRAFT NEIN DANKE oder ähnliche Aussagen über ihre Gesinnung durch die bedrohte Gegend.

Bei uns, wirklich, in unseren Hotels hat man inzwischen doch mehr Ahnung von Frühstück, sagte Greta, zum Beispiel auch von Diät, denn es gibt nicht erst seit gestern Diätmargarine klein abgepackt auch beim Hotelfrühstück, du.

Greta, die beruflich viel herumkam, sich dann aber überwiegend von den deutschen Hoteliers reingelegt fühlte, hetzte Frieder immer mehr auf. Es tat ihr ein bißchen leid. Eigentlich hatte Frieder vor, gut gelaunt zu sein. Er wollte diesen Tag genießen, ohne besonderen Ehrgeiz.

Was sie hier unter SCHWARZBROT verstehen, sieh dir diesen grauen Wischlappen mal an! Greta fuhr fort, die übersichtliche Szenerie zu bezichtigen. Das Zimmer 29 im 2. Stock, mit den viel zu dünnen Wänden nach dem Innenhof gelegen, mit der Tapetentür wie für eine billige Theaterdekoration: war das nicht eigentlich eine Schande? Eine gewisse Zumutung doch wohl. Wirklich sauber schien es auch nicht zu sein. Zumindest kam keine rechte Lust auf, irgendwas anzufassen. Man möchte sich lieber nicht auf diesen Sessel da setzen, hm?

Frieder, immer ziemlich sang- und klanglos, ohne Jubel, aber auch ohne rebellischen Schmerz, wurde so ganz allmählich, so ganz schön soghaft wieder das Opfer einer Ansteckung durch seine Frau, und sie merkte das, sie lobte sich ganz und gar nicht dafür, mein Armer, dachte sie, mein liebes geduldiges ahnungsloses bedauernswertes Opfer einer Gehirnwäsche, schon wieder ein Stückchen mehr verdorben für den Tag unterwegs, auch für diesen leider, es fault und fault an deinem Reisebewußtsein herum. Durch mich! Mich Schadstoff!

Ein wenig glücklich machte sie schließlich doch auch ihn, ihren Mann, so gut kannte sie ihn, wußte sie Bescheid in seinen seelischen Innenräumen, ein wenig schadenfroh glücklich, ja, das wurde er, im Verlauf ihrer kleinen chauvinistischen Sticheleien gegen jegliche ausländische Umweltbedingung. Es war schon eine Spur mystisch, das alles, ging nicht mit rechten Dingen zu, nicht mit berechenbaren Dingen, blieb etwas irreal. Zu Haus war Greta, ob es nun einen Sinn ergab oder nicht, einfach froh beim Antworten, wenn damit eine Verachtung für ihre einheimischen Umstände zu verbinden war. Vor allem ihre eigene Region beschimpfte sie ziemlich gern. Diese Stadt wird immer häßlicher. Immer großmannssüchtiger. Ich laufe nur noch mit einem Befehl an meine Augen herum, nicht so genau hinzusehen. Sozusagen mit Scheuklappen. Überhaupt sollten bundesrepublikanische Städte oder Dörfer und Gegenden eher Wettbewerbe für die größtmögliche Häßlichkeit ausschreiben. UNSER DORF SOLL SCHÖNER WERDEN! Ah, das alles tut mir weh.

Sie liebte es TUT MIR LEID ABER IN DIESEM GANZEN ZEITRAUM WERDEN WIR IM AUSLAND SEIN, MEIN MANN UND ICH zu erklären. IN BELGIEN, JA. IM FRIAUL, TRIEST ZUM BEISPIEL WIRKLICH JEDER ÄLTERE MANN SIEHT AUS WIE VON ITALO SVEVO BESCHRIEBEN LAUTER ROMANFIGUREN UND JAMES JOYCE LITT HIER GANZ SCHÖN ENTSETZLICH! Als Mitteilung taugte es sehr, daß Gretas allerengste LIEBEN seit Jahrzehnten auf dem Zürichberg lebten. Erstklassige Adresse sowieso. Das drang ja wohl jeweils unkommentiert durch. Die Staatenlosigkeit des Schwagers vermittelte etwas Weltläufiges, auch Lässiges, oder nicht? Auch politisch war das irgendwie in Ordnung, sozusagen selbsttätig. Es setzte einen Nachdenklichkeitsmechanismus über diesen Schwager in Gang. Meine Schwester könnte sich überhaupt nicht mehr vorstellen, hier in der Bundesrepublik zu sein, sie sagte DEUTSCHLAND dazu, erzählte Greta, die fand, daß man sie zu selten nach ihrer halbschweizerischen Schwester fragte. Für länger hielte sie es nicht aus, es ist einfach alles das DEUTSCHE, etwas bazillisch vielleicht oder so, es fängt bei den Lettern für Reklameschriften an, hört nicht auf beim Oppositionsführer, habt ihr das gestern abend gehört, wie frisch von der Rednerschule Ludwigshafen.

Und doch saßen die Geßners mittlerweile bei den polyglotten Verwandten auf dem Zürichberg und langweilten sich mit der Tageszeitung herum. Wie du siehst, Frieder, sagte Greta, die Schweizer kämen überhaupt nicht aus ohne UNSERE Innenpolitik, schau dir diese ganze Seite mal an. Die hiesigen Politiker, man kennt sie eigentlich überhaupt gar nicht erst, findest du nicht?

Frieder fand es auch. Die österreichischen Zeitungen hatten zwar etwas mehr von Österreich gehandelt und deutscher Skandale weniger bedurft, im Niveau aber doch wohl kaum einige deutsche Blätter erreicht. So oft und so intensiv man sich ja auch ärgern mußte, zu Haus. Die Geßners waren froh, nicht mit irgendeiner erzählfreudigen politischen Geisel verwandt oder befreundet zu sein. Aber immerhin: Ärgern erschien ja jetzt schon als ein Wert!

Beim Abendessen mit Schwester und Schwager kamen die Geßners plötzlich mal wieder überhaupt nicht vom Thema KAUFHOF los. Sie waren wie dran festgebissen. Frieder beschrieb soeben das Innere der Lebensmittelabteilung bis in die Nischen des Alkoholbezirks hinein. Das Schlaraffenland persönlich: jetzt griff Frieders Prosa auf die Milchproduktgalerien über. Daß Ihr keine Dickmilch habt, in einem Land der Kühe, tz tz. Zu fassen ist es eigentlich kaum. Doch, und natürlich haben wir dann im KAUFHOF ständig die Sonderangebote, also für einen Wein wie diesen hier geben wir fast die Hälfte aus. Neulich das Glück bei einer neuen Sorte, ganz trocken, Chateau Guibon, kennt Ihr nicht?

Sah der staatenlose Schwager bereits etwas ermüdet aus? Gretas Schwester Dolly ganz entschieden, ja, ermüdet. Frieders KAUFHOF-Euphorien begannen, auf Greta eine Spur geistlos zu wirken. Da saßen sie, die reichlich provinziellen Geßners, kaum im Ausland, und schon heimwehkränklich, ein leicht verfressenes Ehepaar Mitte 40, zwei Deutsche. Nie ist mir wohl, und so bleibt es leider auf Lebenszeit, wenn ich mich im Ausland als DEUTSCH zu erkennen geben muß, sagte Greta wahrheitsgemäß. Ich überwinde immer ein Unbehagen, wenn ich in die Rubrik STAATSANGEHÖRIGKEIT auf Meldeformularen in Hotels DEUTSCH eintrage und ich schreibe nur zwei Buchstaben hin, ein schnuddliges kleines D vor ein schlampiges kritzliges T. So ist das nun mal. Wir stammen nun mal aus diesen verfluchten Dreißiger- und Vierzigerjahren. Ich kann ja nicht jedesmal hinzusetzen, daß unsere Eltern Gegner des Naziregimes waren. Eigentlich ist DAS das Einzige, was mich mit meinem etwas zu hohen Lebensalter aussöhnt, und ich möchte eigentlich nur aus dem EINEN Grund nicht beispielsweise ein jetzt fünfunddreißigjähriger deutscher Mensch sein, weil meine Eltern damit eben nicht den Geschmack bewiesen hätten, während der Nazizeit das sein zu lassen, zeugen, empfangen, und so weiter, Ihr versteht?

Frieder sagte: Ich könnte mir es so denken. Der Deutsche, sein Wesen, ich meine, es hat etwas Ruheloses, auf jedem Gebiet. Zerrissen, aber erfinderisch. Also ruht er nicht aus beim Fabrikat Yoghurt, Kefir oder Quark, also haben wir die Dickmilch. Er ging jetzt auf die absolut gigantische Käseabteilung vom KAUFHOF über, nachdem er vorläufig fertig war mit den Vorzügen der telephonischen Lebensmittelbestellung als Monatskonten-Kunde. Dolly, es gibt ja wirklich nichts Praktischeres. Du würdest dir eine Menge Zeit und Kraft für das Wichtigere im Leben sparen. Aber im Moment sah es so aus, als gäbe es in Frieders eigenem Leben überhaupt nichts Wichtigeres als die Lebensmittelbereiche des KAUFHOFS. Im Oktober werden wir in Brüssel sein, sagte Greta zum staatenlosen Schwager. Brüssel? Bruxelles, ja. Warum warum nur machte sich das einfach doch immer wieder so gut, schon einfach als Wort und Klang, wo doch Brüssel selber wieder als völlig zerfetzte, wie planlose, ausufernde Stadt ihnen beiden, Frieder und noch viel mehr ihr, Greta, zur Last fiele, im Oktober? Eigentlich erregten doch sowieso Auslandsreisen längst überhaupt kein Aufsehen mehr. Sämtliche Rentner überwinterten aufs Selbstverständlichste unter spanischen Wolkenlosigkeiten. Die Bayerlings, fast tranige Menschen, zog es in diesem Herbst in die Wüste Sahara. Im Jahr zuvor hatten sie, vielleicht als Fußgänger, ganz Nepal abgeklappert. Temlings, denen man auf der Sparkasse begegnete, wenn man sie nicht beim Wirtschaften in einem furchtbar fruchtbaren und gegen sämtliche Tierarten giftig gewappneten Schrebergarten ertappte, sie fühlten sich längst als halbe Tibetaner, fernöstlich, wo sie mit Vögeln und Schnecken und Rehsorten plötzlich sympathisierten.

Frieder und Greta gehörten überhaupt nicht zu den Leuten, die es sehr weit weg zog. Ihnen beiden war eigentlich nie nach Indien zum Beispiel zumute. Der übrige Orient ist für mich abgehakt und erledigt, hatte Frieder nach vier Tagen Israel beschlossen. Fernsehquizkandidaten, die am Ende einer Sendung zu Gewinnern wurden, zumeist von sehr großen Reisen, taten Greta immer etwas leid. Nach der tapsigen kecken Art, wie sie sich ihre Wagnisse erspielten, errieten, erblödelten, wirkten diese eben noch namenlosen, nur privaten Helden von Unterhaltungsabenden viel zu hilflos für die Flughäfen, die ihnen bevorstanden. Aber die Leute freuten sich. Ihre Gesichter nahmen einen törichten Glückseligkeitsausdruck an. Greta konnte sich nicht vorstellen, daß NEW YORK und ACAPULCO und HAIDARABAD sie noch lockte, wenn sie riskieren mußte, diesen gutartigen Glückspilzen aus DREIMAL DARFST DU RATEN dort zu begegnen. Sie war einfach gern ein Snob, einfach freiwillig, zu ihr und Frieder paßte nun mal das etwas Elitäre und Hochempfindliche, und insofern war es nicht so ganz stimmig, immer weiter vom KAUFHOF zu schwärmen, jetzt unter der erstklassigen Adresse, auf dem berühmten Zürichberg, und jetzt sehr erstaunt, sehr skeptisch WIE BITTE IHR BEKOMMT KEIN FRISCHES KALBSFILET zu sagen, während wirklich offenkundig die KALBSPLÄTZLI eine Spur zu fest waren, nicht eigentlich zäh, aber das lag vielleicht auch an Dolly's Pfanne, einem wie vorgeschichtlichen Monstrum, womöglich noch eine UNBESCHICHTETE SACHE?

Greta fand, daß es höchste Zeit war für eine Mitteilung dieser Qualität: Das Gefühl von Heimat habe ich nirgends, Frieder, du doch auch nicht. Ich bin nur einfach irgendwas gewöhnt.

Dolly verstand das gut, aber ihr war die Schweiz zur Heimat geworden. Heimat, rief Greta, schon die Vokabel kotzt mich an. Trotz

Bloch, fragte der staatenlose Schwager. Er war hier der einzige, der kaltblütig bleiben konnte, mitten in diesem Wortschatz.

O ja, trotz Bloch, behauptete Greta, etwas verstimmt. Etwas ratlos. Es ist so mitläuferhaft, von einem Bloch-Satz an wieder hinter alten Begriffen herzuhecheln.

Frieder, der Ehrliche, erzählte von den überaus schmutzigen Polsterriefen in der 1. Klasse von ÖBB-Waggons. Laut sagte Greta zu ihrer Schwester Dolly, auf deren Recht, schweizerisch zu fühlen, sie neidisch war, plötzlich sehr sehr neidisch: Weißt du, Menschen wie wir, wie Frieder und ich, die sind nirgendwo bis zur Identifizierung heimisch, trotz KAUFHOF, der wirklich was bietet. Aber am ehesten zu Haus fühlt man sich doch wohl da, wo man einen Anspruch drauf hat, zu schimpfen. Zürich ist schön und gut, und zu sehr Ausland, als daß ich richtig aggressiv sein dürfte. Verstehst du? Ein Emigrant möchte ich nicht sein, weißgott nicht.

Sie schwieg. Sie war erhitzt und erschöpft. Sie wollte auf der Stelle mit Frieder zusammen weg, nach Haus nach Haus, nicht um zu schimpfen, wenigstens vorläufig mal noch nicht, noch gar nicht.

WOLF BIERMANN

Das Hölderlin-Lied »So kam ich unter die Deutschen«

In diesem Lande leben wir
wie Fremdlinge im eigenen Haus
  Die eigne Sprache, wie sie uns
  entgegenschlägt, verstehn wir nicht
  noch verstehen, was wir sagen
  die unsre Sprache sprechen
In diesem Lande leben wir wie Fremdlinge

In diesem Lande leben wir
wie Fremdlinge im eigenen Haus
  Durch die zugenagelten Fenster dringt nichts
  nicht wie gut das ist, wenn draußen regnet
  noch des Windes übertriebene Nachricht
  vom Sturm
In diesem Lande leben wir wie Fremdlinge

In diesem Lande leben wir
wie Fremdlinge im eigenen Haus
  Ausgebrannt sind die Öfen der Revolution
  früherer Feuer Asche liegt uns auf den Lippen
  kälter, immer kältre Kälten sinken in uns
Über uns ist hereingebrochen
                    solcher Friede!
                        solcher Friede
  Solcher Friede.

KLAUS STILLER

Deutschland

1
Ich habe mir dieses Land nicht ausgesucht.
Und hätte ich es mir aussuchen können, ich hätte es mir nicht ausgesucht.

2
Da ich nun einmal hier bin, da ich hier geboren und aufgewachsen bin, da ich mit der Zeit hineinwuchs in Sprache, Gebräuche, Vorstellungswelt und Verhaltensweisen, da ich umfangen bin von starrsinniger Ordnungsliebe, da ich schon selber zum Werbeträger geworden bin für alle Deutschheiten, die mich überkamen wie Regenschauer und Schnee, und da es davor ein Entfliehen nicht gibt, entfliehe ich nicht.

3
Ich muß es ertragen wie ein Buckliger seinen Buckel, und ich nehme es hin unter Protest. Aber ich kann es nicht hinnehmen, wie es mir vorkommt, und nicht, wie es ist. Also habe ich mir ein Bild davon entworfen, und dieses Bild ist schöner als die Wirklichkeit. So ertrag' ich mein Land.

4
Ich behaupte nicht, daß es Deutschland nicht gäbe. Mögen andere behaupten, es existiere nicht mehr. Ich weiß genau, wo es ist.

5
Und ich sprach zu mir: Was ist das für ein Land, dessen Bewohner nicht wissen, wo sie sind? Und ich sprach: Was müssen das für Menschen sein, deren Land für sie selber nicht existiert?

6
Und ich sah des Landes Grenzen, und siehe: Sie durchschnitten das eigene Land. Und ich überschritt die Landesgrenzen auf der Suche nach Fremden. Die aber jenseits der Grenzen wohnten, waren Deutsche wie ich, nicht mehr und nicht minder. Und siehe: Auch jene erkannten weder ihr Land noch sich selbst.

7
Und ich ging weiter und kam unter Menschen mit anderer Sprache, fremden Sitten und unterschiedlicher Denkart. Diese aber kannten besser als wir: uns und unsere Grenzen.

8
Und da ich in der Fremde war, nahm ich mir eine Fremde zur Frau. Und als ich heimkehrte mit ihr, fragten mich die Leute, ob es nicht Weiber genug gäbe im eigenen Land. Ich aber sagte: Mir gefällt diese, so wie sie ist.

9
Sie kam mit mir und entzückte meine Sinne. Und liebevoll hingen wir aneinander mit Lust.

10
Ich verstand ihre Sprache besser und besser. Und mit der Zeit wurde mir fremde Lebensart vertrauter als die Eigenart meiner Landsleute.

11
Da fragte ich mich, wohin ich gehöre, da auch ich genug von uns weiß. Gleiche ich, so fragte ich mich, diesen Landsleuten, die nicht anerkennen ihr Land und sich selbst? Oder ähnele ich jenen Fremden, die wohl merken, daß es uns gibt, wo wir wohnen?

12
Schon wollte ich mich heißen: Fremdling im eigenen Land. Doch mich verdroß diese Fremdheit sich selbst gegenüber, und ich sprach zu mir: Wenn nun auch ich noch anfange, mich dem eigenen Land zu entfremden, dann gleiche ich diesen Landsleuten aufs Haar, die da nicht wahrhaben wollen sich und ihr Land.

13
Und ich sagte von mir: Ja, ich bin deutsch, ich gebe es zu. — Weder west-, noch ost-, sondern süddeutsch. Süddeutsch, doch deutsch.

14
So deutsch aber wollt' ich nicht sein, daß ich nicht wahrhaben wollte, daß ich es bin.

15
Freilich sah ich: Wir sind besser als unser Ruf. Doch unser Ruf könnte schlechter nicht sein.

16
Nunmehr mühte ich mich, daß Mißtrauen der Nachbarvölker zu ergründen. Also betrachtete ich das eigene Volk mit den Augen eines Fremden, und ich empfand nach der Fremden Gefühl.

17
Da sah ich Leisetreter protzen mit Kraft und Kraftprotze leisetreten. Doppelt gepanzert fuhren wieder einher die hundertfältig Besiegten. Fanfaren, Fackeln und Fahnen empfingen die ängstlich blickenden Gäste. Und ich sah, wie der Pfennigfuchser den Krösus mimte und als Lehrmeister sich aufblies der Analphabet. Des Massenmörders Spießgesellen aber erhoben den Anspruch, Moral zu vermitteln. Das Heute wimmelt von Gestrigen.

18
Da sprach ich in meinem Herzen: Dies ist mir eine miese Heimat, wo einem die eigenen Landsleute fremder sind als die fremdesten Fremden.

19
Und ich fragte mich: Wie soll ich etwas verteidigen, was nicht zu verteidigen ist? Soll ich kämpfen und mich schlagen lassen für das, was da ist?

20
Und ich gedachte heimlich, fortzuziehen für immer, zu verlassen das Land meiner Geburt.

21
Mich umblickend, sah ich kein Land, wo ich ankommend nicht angekommen wäre als Deutscher, wo ich zeitlebens nicht verkörpert hätte das Land, das ich soeben verließ.

22
Da blieb ich, wohin ich geworfen ward, ohne mein Zutun.

23
Ich habe mir dieses Land nicht ausgesucht.
Und hätte ich es mir aussuchen können, ich hätte es mir nicht ausgesucht.

RAHEL HUTMACHER

Heimat

Wo ich gelebt habe

Endlich, sage ich und erkenne die Gräser wieder: ein Rispenfeld. Nie wieder habe ich das gesehen, seit ich von hier weggegangen bin.

Da sind die Holzäpfel wieder, sie wachsen auf dem Berg. Da liegt er, mit Steinen zugedeckt, und schläft.

Ich warte darauf, daß ich glücklich werde, daß ich zu lachen beginne, zu weinen, zu singen. Aber ich lache nicht, ich weine nicht; ich denke nach, wie war das früher.

Da sind die Holzäpfel wieder, da sind die schwarzen Nüsse wieder. Ich sollte glücklich sein. Ich halte die Holzäpfel in der Hand, sie sind schwer; ich denke an die kargen Büsche, an die nasse Erde, in der ich die letzten Jahre gelebt habe. Ich gehe zwischen den Steinen und esse von den schwarzen Nüssen, aber sie sind nicht mehr wie früher.

Der Berg ist noch da; er schläft. Wo ich die letzten Jahre gelebt habe, waren keine Berge. Ich gehe auf ihn zu; die Rispenwiesen, die auf seinen Schultern wachsen, sind schön. Seine Bäche sind weiß und grün. Sie sind kalt wie Eis; sie sind vollkommen klar. Wo ich die letzten Jahre gelebt habe, war das Wasser trübe und langsam, war kein Himmel. Hier ist er weit offen und grün.

Ich gehe bergein; die Rispenwiesen sind silbern, die Holzäpfelchen sind aus Gold; ich bin zurückgekommen. Ich stehe still und denke nach.

All die Zeit hab ich mir vorgestellt, wie das sein wird: Ich komme zurück und gehe wieder in den Berg; ich lache und weine; ich sitze im Berg, esse Nüsse und singe. Jetzt sitze ich im Berg; der Himmel ist grün, die Bäche sind eisig und vollkommen durchsichtig; glücklich bin ich nicht.

Sich verändern

Ich möchte zurückgehen, wo ich hergekommen bin; gib mir Urlaub, sage ich zur Dona.

Es ist gut, du kannst gehen, sagt die Dona. Bleibe dort, solange du willst.

Sei willkommen, sagen sie freundlich, als ich zurückkomme. Sie sagen: Hast du nun ausgelernt.

Wie anders hier jetzt alles ist, sage ich. Der Berg ist rot, war der nicht früher weiß.

Alles ist wie immer, sagen sie. Der Berg ist immer gleich, ein Berg verändert sich doch nicht. Du hast dich verändert.

Was ist mit dem Stein, sage ich. Waren da nicht früher Bäume.

Der Stein ist wie immer, sagen sie; niemand hat hier etwas verändert. Du hast dich verändert. Was haben sie mit dir gemacht.

Was hat die Dona mit mir gemacht. Gesagt: Lerne; mir im Schlaf die alten Augen weggenommen und mir neue eingesetzt; ich habe geschlafen und nichts gemerkt. Mir nachts die Zunge abgeschnitten und eine neue Zunge angenäht; ich habe nichts gespürt und nichts gewußt, bis ich es höre, jetzt: Ich spreche nicht mehr wie alle hier.

Weshalb hat die Dona das mit mir gemacht. Sagte zu mir: Lerne, lerne; fuhr rot mit mir durchs Holz und sagte: Sei ein Feuer; und nahm mir während all der Zeit die Augen aus dem Kopf, die Zunge aus dem Mund, die Fingerspitzen von den Händen weg.

Sei ein Vogel, sei ein Feuer; legte mir andere Augen ein, schlug mir im Schlaf die Ohren auf. Sei eine Spinne, web hinter mir die Türe zu; und wechselte mein Haar aus, meine Haut aus; ich merkte nichts.

Was hast du mit mir gemacht, werde ich sie fragen, wenn ich zu ihr zurückkehre. Ich höre nicht mehr wie früher, ich spreche nicht mehr wie früher. Gib mir meine alten Hände wieder und mein altes Haar, werde ich zu ihr sagen; ich will nicht eine andere sein. Ich will sein wie früher, als ich hier wohnte, unter einem weißen Berg, hinter einem großen Stein.

Will ich das.

Nein.

Du hast dich verändert, sagen sie.

Ja, sage ich; das stimmt, das ist richtig, sage ich.

Bleibst du jetzt hier, sagen sie und zeigen auf den roten Berg, auf den zusammengeschmolzenen Stein; hast du nun ausgelernt.

Nein, sage ich.

Weshalb bist du denn zurückgekommen, sagen sie vorwurfsvoll.

Karl Krolow

Ich weiß, wo ich herkam

Ich weiß, wo ich herkam,
wird weiter Plattdeutsch gesprochen,
verstohlen, seltener,
man hat Glück, wenn
man es zu hören bekommt —
derbes, langsames Deutsch,
eine langsame, gekaute Melodie
zwischen den Zähnen,
die man nicht zeigt oder
anders als erwartet.
Wiesen, Weiden, gezüchtete
Pferde und als Wappen
das springende Pferd,
ein Bundesland heute,
flach wie eine Hand,
Heide rieselt durch die Finger,
Torf wurde früher
in vielen Gegenden gestochen.
Der Himmel, der Himmel —
weit, schon maritim.
Die Schiffe der Unterweser
trugen früher Auswanderer,
jetzt bekommen sie Elektronik
als Fracht mit Zukunft.
Bananen und Vogelspinnen
in den Häfen, zum Beispiel.
Fischauktionen um 5 Uhr früh,
und Container um Container
für Übersee. Doch ländlich
immer noch das Bauernland
zwischen Aller, Elbe, Weser.
Die spröde Hauptstadt —
Ich weiß, woher ich komme.
The Hanoverians als englische Könige
seit Georg I. Doch Heimat
ist der Duft nach Waldmeister,
Welfenpudding, und das Strohblond

der Mädchen, so spröde
wie trockenes Heu.
Der Hanomag fuhr
über Landstraßen zweiter Ordnung.
Kein Niedersachsenlied
hielt sich auf Lippen.
Frisia non cantat.
Nur Harzer Roller zwitscherten
auf Wettbewerben aus ihren Käfigen.
Göttingen war die Hohe Schule.
Nobelpreisträger hielten still
unterm Rasiermesser.
Die Nachtigallen waren aus Hannover
geflüchtet, sangen zusammen
mit dem Sprosser
in der akademischen Hainbergnacht.
Der kleine Süden begann hier,
wo früher Latein statt Platt
gesprochen wurde.
Kein Torffeuer brannte dort mehr.
Ich weiß, das Deutsche
hört sich spröder an
und die Heimat
in Schlüsselblumengelb, Anemonenweiß,
trug ihre Landesfarben, draußen,
in einer Landschaft für Ökologen.

Margarete Hannsmann

Heimatweh oder: Der andere Zustand

Heimat. Es gibt kein Wort, das mich zerreißt wie dieses. Seit ich erwachsen bin, überschattet ein Mißtrauen, das sich zuweilen zu schierer Angst steigert, den reinsten Glückszustand, der mir beschieden sein kann. Solang ich lebe, überglänzt dieser Zustand jede Furcht. Bevor ich sterbe, muß ich versuchen, so großen Behauptungen auf den Grund zu kommen.

Dem Kind erschien das Wort früh. Nicht die Eltern, auch wenn sie die Voraussetzungen schufen, nicht die Lehrer, auch wenn sie etwas aufpfropfen wollten, ich allein erschuf es mir: »Und alle Tage nahe an der Erde / Und in Beziehung zu Gestalt und Stein«*.

Alles begann damit: Gräser, Blumen, Steine, Käfer, Falter und Schneckenhäuser; ich war besessen davon, ich war versunken, selbstvergessen, kein Spielzeug lockte mich. Der Fluß kam dazu, gesäumt von Pappeln, dann fügten sich die Wälder, Hügel und Berge zur Landschaft im Wechsel der Jahreszeiten, und ich war Eins mit ihr im Anschaun, Eintauchen. Alles, was Eltern, Freunden, einem Gott zukommen sollte, verströmte ich in die Natur meiner Kindheit, die mich mit einem Glückszustand bedachte. Lustgewinn? Schönheit? Oder waren die Augenblicke auf der rauhreifglitzernden Heide, zwischen Wacholderbüschen, Wermutstauden im Morgenlicht, unterm Schein der Herbstsonne, im ersten Frühlingsvollmond eine Ahnung? Bestandteil des »Anderen Zustands«? Ich wußte nichts von Mystik, und später wollte ich keine Drogenerfahrungen machen; was ich besaß, war mir genug. Es konnte durch nichts übertroffen werden.

Stammt also Heimat aus der Kindheit? Wie kann ein Kind sich aneignen, was erst Heimat werden soll? Ist der Wunsch nach Heimat durch die Jahrtausende in ihm angelegt? Fühlte ich mich nicht alterslos, zeitlos, unzerstörbar, wenn ich in meinem »Zustand« war? Warum empfand ich nie Angst in den Wäldern, Höhlen? Wenn ich später verreiste, in andere Landschaften fuhr, tastete ich alles, was mein Auge aufnahm, nach den vertrauten Elementen ab. Fand ich sie, stellte sich Glück ein. Mit zunehmendem Erwachsenwerden wuchs die Fähigkeit, auch aus Abweichungen, ja, aus dem ganz Anderen das herauszufiltern, was ich zum Leben brauchte.

* Rainer Maria Rilke

In den großen Städten versiegte diese Fähigkeit. Doch stellten sie, als Äquivalent, etwas Neues her: Heim-Weh. Heimatweh. Auch damit ließ sich leben. Auch damit lernte ich umzugehn: es zu steigern, bis aus Not Lust wurde: Sehnsucht. War ich süchtig, wenn mein Heimweh mich antrieb, immer wieder zurückzukehren, um, kaum angelangt, in immer kürzeren Abständen, fortzubegehren, zurück zur Sehnsucht? Bis heute weiß ich nicht, was stärker ist: Daheimsein oder mich danach sehnen. Warum ist Stuttgart für mich nie zur Heimat geworden, obwohl ich die meiste Zeit dort verbracht habe? Auf der Alb bin ich überall daheim. Ihre Formen finde ich nicht nur in ihrer östlichen, westlichen Ausdehnung, sie können mich in Frankreich, Jugoslawien, Griechenland trösten. Selbst der Wüste noch gewinne ich mehr ab als den großen Städten.

Doch warum möchte ich nie wieder in die kleine Heimatstadt zurück? Weil nichts mehr so ist, wie es war, als ich ein Kind war? Warum stellen sich heimatliche Augenblicke ein im Dorf Mykene, in der Haute Provence, irgendwo in Sachsen, Thüringen, in der Eifel? Muß man, um Heimat zu besitzen, in ihr Kind gewesen sein? Ist Heimat ein Fluch? Eine Auszeichnung? Woraus bezieht ein Kind, was es später Heimat nennt? Oder eben nicht nennt, weil es sie nicht kennt? Kann ein Kind, aufgewachsen in Berlin, Hamburg, Gelsenkirchen, London, dasselbe erfahren wie ich? Ist Heimat gleich Haus, Hinterhof, Straße, Bäckerladen, ein Baum, ein Stück Himmel? Was ist mit denen, die aus ihrer Heimat vertrieben wurden? Die nie aufhörten, ihre Erz- und Riesengebirgserinnerungen zu pflegen? Den Entwurzelten aus Ostpreußen, Siebenbürgen, der Batschka, dem Banat? Ich kann nicht Stellung nehmen, denn ich weiß nicht, wie das ist, wenn nur noch Erinnerung die Brücke bildet.

Was hat Heimat mit Sprache zu tun? Heimatsprache, Mutterlaut? Ich spreche nur Deutsch. Mit keinem Menschen kann ich mich in einer anderen Sprache verständigen. (Mag sein, es ist der Preis für meine Hinwendung an die Natur, rührt von der Ausschließlichkeit meiner Kindheit her, lebenslang diese eine Sprache ausschöpfen zu wollen.) Ich fühle mich fremd bei Deutschen, die mir sagen, mit Natur, mit Landschaft hätten sie nichts am Hut. Ich kann mich wohlfühlen bei Hirten, Fischern, Bauern fremder Völker, an den Abenden bei ihnen sitzen, in der Landschaft, wo sie tagsüber ihrer Arbeit nachgegangen sind, am Wasser, im Gebirge, auf den Feldern, denn ich finde in ihren Gesichtern, Augen, Gesten, was mir vertraut ist. In ihren Liedern, die ich nicht versteh', in ihrer Musik begegnet mir Heimat. Verfremdet.

Aber ich fürchte mich, bei denen zu sitzen, die Trachten, Lieder,

Blasmusik, Spruchweisheiten, Mundart gepachtet haben, wie auf Bannern als Zeichen für Heimat vor sich hertragen. Ich fürchte mich vor den Wörtern Brauchtum, Volkstum. Mir graust vor den Relikten einer längst untergegangenen Welt, vor Giebel- und Fachwerkseligkeit, den neuen hölzernen Brunnentrögen und handgeschnitzten Wegweisern, den Deichseln, Wagenrädern, Dreschflegeln an Häuserwänden, den Spinnrädern, Kupfergeschirren in den Stuben, der ganzen Gartenzwergkultur.

Und dennoch: Ich muß auf Ursache und Wirkung kommen. Heimat als Geschichte.

Meine Generation hat den Begriff Heimat eingebleut und ausgetrieben bekommen; niemals zuvor wurde einer Generation dermaßen das Rückgrat gebrochen. Unsere Väter waren in den Ersten Weltkrieg marschiert, ihre Brüder bei Langemarck mit dem Deutschlandlied auf den Lippen gefallen. Später sangen die Mütter uns »ins Blut«: Kein schöner Land in dieser Zeit. Und als wir marschierten, sangen wir »Ja die Fahne ist mehr als der Tod«. Fahne und Ehre, Boden und Blut, dies alles bedeutete nun Heimat. Deutsches Blut würde die Welt beherrschen. Mit Heimatliedern brachen wir den Zweiten Weltkrieg vom Zaun. Im Namen der Heimat nahmen wir anderen Menschen die Heimat weg. Vernichteten, was nicht »unseres Blutes« war. Wir führten aus, was die Väter uns lehrten. Als alles zu Scherben gefallen war, wie wir gesungen hatten, gab es auch keine Heimat mehr.

Kindheit, Jugend, Glaube, Liebe, Wahrheit, Gerechtigkeit waren nichts als Lug und Trug und Verführung gewesen. Ursprung, Wurzelgrund, vierfaches *U* leergedroschen; starres Klischee, was einst Leben bedeutet hatte. Und weil wir erzogen waren durch zwölf Jahre Nationalsozialismus und den Krieg an vielen Fronten und in der bombenzerstörten Heimat überlebt hatten, waren wir hart genug geworden, mit dem Stigma der Mörder noch einmal die Ärmel hochzukrempeln, um endlich jeder allein an sich zu denken und eine neue Existenz aufzubauen. Anstatt einer gemeinsamen: Millionen von Heimaten. Statt der Trauer über das halbierte Deutschland ein Wirtschaftswunder. Wir hatten genug von Blut und Boden, Vaterland, Mutterland, wir wollten endlich unser Teil vom Leben, einen neuen Sinn statt Schuld und Sühne. Geschichte? Die überließen wir von nun an denen, die nicht so viel Glück gehabt hatten wie wir: während wir von einem Auto ins nächstgrößere umstiegen, während wir unsere Städte aufbauten und dabei schlimmer hausten als alle Bombenflieger zuvor, während wir an den Stränden der Welt und in allen fünf Erdteilen vergaßen, was wir verloren hatten, übernahm das andere Deutschland die Geschichte und nannte es »Erbe-Rezeption«.

Wir merkten kaum, daß unsere Kinder Weimar, Leipzig, Dresden, Eisenach, Magdeburg, Potsdam, Stralsund, Rügen nicht mehr zu Deutschland zählten, noch wußten, welche Männer und Frauen dort in Jahrhunderten geschrieben, gemalt, komponiert, Erfindungen gemacht, Handel und Wandel so betrieben hatten, daß aus dem Zusammenspiel entstehen konnte, was man deutsche Kultur und Geschichte nannte. Ich komme ohne das Wort Nation aus. Aber ich fühle mich als Teil der historischen Heimat, deshalb fuhr ich immer wieder in die DDR, stand auf der Brücke in Torgau an der Elbe, wo die Sieger sich getroffen und danach getrennt hatten, damit Deutschland niemals wieder im Namen der Heimat Unglück über die Welt bringe. Leiden an der deutschen Teilung stirbt vermutlich erst dann aus, wenn keiner mehr sich an das vorherige Ganze erinnern kann.

Anfang der siebziger Jahre sah ich: In der leibhaftigen Heimat, vor der Haustür, im mittleren Neckarraum, auf meiner Alb geht etwas kaputt, was »in die Kindheit scheint«*: Profit und Habgier verplanen, zersiedeln, decken mit Beton zu, was allen gehört. Sie haben ein Raster über die Erde gezogen, Natur heißt jetzt Flächennutzungsplan, zur Rechtfertigung haben sie den Mechanismus des Sachzwangs erfunden, im Namen der Arbeitsbeschaffung wird gedroht und erpreßt, Landschaftsschutz ist eine beliebige Größe, das Lebendige muß schrumpfen, damit dem Leblosen Wachstum nachgesagt werden kann. Pflanzen und Tiere verschwinden für immer aus den stetig kleiner werdenden Planquadraten. Luft, Erde, Wasser sind vergiftet. Die Heimat wächst uns als Müll übern Kopf, hat Martin Walser gesagt.

Längst ist es nicht mehr meine Generation, die diese Zerstörung betreibt. Wir haben sie nur angestiftet, wie unsere Väter die Weltkriege. Wir stehn schon am Rand, bereit, abzutreten aus einer Lebensspanne zwischen Gaslicht, Völkermord, Elektronik. Da entdekken die Erfinder des Computers, seine Nutznießer und Leidtragenden, neue Begriffe: Ökologie, Biotop, Umweltschutz, Lebensqualität (ich verzeihe ihnen das Wortmonstrum, ist es nicht ehrlicher als Blut und Boden und Ehre?). Sie protestieren und demonstrieren, stehen Mahnwache vor Kernkraftwerken, Raketenstationen, in Manövergebieten, in Heide- und Waldstücken gegen Flugplatzerweiterungen und Flußkanalisierung.

---

* Ernst Bloch

Und irgendwann vereinigen sich die vielfältigen Aktionen unter dem neuen uralten Wort Heimat. Soll ich denen mit Argwohn begegnen, nur weil immer noch Anhänger der vergangenen Ideologien dieses Wort mißbrauchen? Soll ich ihnen mißtrauen, weil andere es mit neuen Ideologien verknüpfen? Ach mögen sie sich doch ernähren und kleiden und wohnen wie sie wollen, Gemüse pflanzen, ihr Brot selber backen, wieder spinnen und weben lernen, Töpferscheiben drehn, ihre Mundart pflegen und bei den Festen zusammenhokken, wenn es sie nur motiviert, zu handeln gegen Ausbeutung, Ausverkauf ihrer Heimatlandschaften, gegen die Vergiftung von Wasser, Luft, Erde. Wenn sie beginnen, Igel und Frösche und Vögel und Schmetterlinge zu retten, indem sie neue Feuchtgebiete anlegen, Flußschlingen wieder öffnen, Hecken pflanzen. Indem sie Rodungen verhindern und das Trockenlegen von Mooren, die Sanierung von Weinbergen, das Bebauen von Seeufern, das Asphaltieren der Waldwege. Überall wo sie leben, lieben, ihre Kinder aufziehen, kann Heimat entstehen, Ansporn zum Handeln. Auch die Alten gesellen sich ihnen, auch die Schuldigen, wenn sie vor dem Tod einen Rest von Gewissen spüren.

Die Jungen helfen mir, den eigenen Rest zu Ende zu leben — nicht ganz ohne Hoffnung, daß Kinder nachwachsen, die einen »Anderen Zustand« erfahren: Sehnsucht, Heimweh. Wie ich, als ich ein Kind war.

QUELLENVERZEICHNIS

Gerhard Amanshauser (geb. 1928), österr. Schriftsteller. ›*Daheim*‹ aus *Daheim ist daheim. 18 Autoren aus Österreich, Deutschland und der Schweiz erzählen neue Heimatgeschichten.* Hrsg. von Alois Brandstätter. Salzburg 1973. Mit freundlicher Genehmigung des Autors.

Jean Améry (1912—1978), österr. Schriftsteller und Publizist. ›*Wieviel Heimat braucht der Mensch?*‹ Aus *Jenseits von Schuld und Sühne. Bewältigungsversuche eines Überwältigten.* Stuttgart 1970. Mit freundlicher Genehmigung des Klett-Cotta Verlags, Stuttgart.

Bettina von Arnim (1785—1859), dt. Romantikerin. ›*Der Rhein von Bingen*‹ aus *Achim und Bettina in ihren Briefen.* Hrsg. von Werner Vordtriede. Frankfurt 1962.

Ingeborg Bachmann (1926—1973), österr. Dichterin. ›*Jugend in einer österreichischen Stadt*‹ in *Werke in vier Bänden.* München 1978. Mit freundlicher Genehmigung des R. Piper Verlags, München.

Rudolf Bayr (geb. 1919), österr. Schriftsteller. ›*Heimatgeschichten*‹ aus *Daheim ist daheim.* Hrsg. von Alois Brandstätter. Salzburg 1973. Mit freundlicher Genehmigung des Autors.

Peter Bichsel (geb. 1935), schweiz. Schriftsteller. ›*Ich bin meine Heimat*‹ aus *Ohnmacht der Gefühle. Heimat zwischen Wunsch und Wirklichkeit.* Hrsg. von Jochen Kelter. Weingarten 1986. Mit freundlicher Genehmigung des Autors.

Horst Bienek (geb. 1930), dt. Schriftsteller. ›*Die Türme meiner Stadt*‹ aus *Sommer gab es nur in Schlesien.* Stuttgart 1982. Mit freundlicher Genehmigung der Edition Erdmann in Thienemanns Verlag, Stuttgart.

Wolf Biermann (geb. 1936), dt. Liedermacher. ›*Das Hölderlinlied ‚So kam ich unter die Deutschen'*‹ aus »*Nachlaß 1*«, Köln 1977. Mit freundlicher Genehmigung des Kiepenheuer & Witsch Verlags, Köln.

Johannes Bobrowski (1917—1965), dt. Dichter und Schriftsteller. ›*Pruzzische Elegie*‹ in *Gesammelte Werke, Band I.* Berlin 1987. Mit freundlicher Genehmigung des Union Verlags, Berlin.

Heinrich Böll (1917—1985), dt. Erzähler und Publizist. ›*Köln eine Stadt — nebenbei eine Großstadt*‹ in *Essayistische Schriften und Reden I,* 1952—1963. Mit freundlicher Genehmigung des Kiepenheuer & Witsch Verlags, München.

Wolfgang Borchert (1921—1947), dt. Dramatiker und Erzähler. ›*Stadt, Stadt: Mutter zwischen Himmel und Erde*‹ in *Das Gesamtwerk.* Hamburg 1949. Mit freundlicher Genehmigung des Rowohlt Verlags, Hamburg.

Bertolt Brecht (1898—1956), dt. Dramatiker, Lyriker und Schriftsteller. ›*Deutschland*‹ in *Gesammelte Werke.* Frankfurt 1967. Mit freundlicher Genehmigung des Suhrkamp Verlags, Frankfurt

Christine Brückner (geb. 1921), dt. Erzählerin. ›*Alle Wege führen nach Poenichen*‹ aus *Jauche und Levkojen* (Kap. 30). Mit freundlicher Genehmigung des Ullstein Verlags, Berlin.

Annette von Droste-Hülshoff (1797—1848), dt. Lyrikerin. ›*Bilder aus Westphalen*‹ in *Sämtliche Werke in zwei Bänden, Band I.* Hrsg. von F. Weydt und W. Woesler, Darmstadt 1975.

Joseph von Eichendorff (1788—1857), dt. Lyriker und Erzähler. ›*Die Heimat / Heimweh*‹ in *Werke, Auswahl in vier Teilen, Teil 1.* Hrsg. von Ludwig Krähe, o. J., Berlin, Leipzig, Wien, Stuttgart.

Theodor Fontane (1819—1898), dt. Erzähler und Publizist. ›*Spreewaldfahrt*‹ aus *Wanderungen durch die Mark Brandenburg,* 1862—1882.

Max Frisch (geb. 1911), schweiz. Schriftsteller und Dramatiker. ›*Die Schweiz als Heimat?*‹ in *Gesammelte Werke, Band VI.* Frankfurt 1976. Mit freundlicher Genehmigung des Suhrkamp Verlags, Frankfurt.

Oskar Maria Graf (1894—1967), dt. Schriftsteller. ›*Ein Bauer rechnet*‹ aus *Der große Bauernspiegel.* München 1982. Mit freundlicher Genehmigung des Süddeutschen Verlags, München.

Günter Grass (geb. 1927), dt. Erzähler, Lyriker und Dramatiker. ›*Kleckerburg*‹ in *Die Gedichte 1955—1986.* Frankfurt 1988. Mit freundlicher Genehmigung des Luchterhand Literaturverlags, Frankfurt.

Martin Gregor-Dellin (1926—1988), dt. Schriftsteller. ›*Die vertauschten Augen*‹ aus *Heimat. Neue Erkundungen eines alten Themas.* Hrsg. von Horst Bienek, München 1985. Mit freundlicher Genehmigung des Carl Hanser Verlags, München/Wien.

Reinhard P. Gruber (geb. 1947), österr. Schriftsteller. ›*Heimat it wo das Herz weh tut*‹ aus *Heimwärts, einwärts.* Frankfurt 1980. Mit freundlicher Genehmigung des Athenäum Verlags, Frankfurt.

Peter Handke (geb. 1942), österr. Erzähler und Dramatiker. ›*Das kalte Feld*‹ aus *Die Lehre der Sainte-Victoire.* Frankfurt 1980. Mit freundlicher Genehmigung des Suhrkamp Verlags, Frankfurt.

Margarete Hannsmann (geb. 1921), dt. Lyrikerin. ›*Heimatweh oder: Der andere Zustand*‹ aus *Die Ohnmacht der Gefühle.* Hrsg. von Jochen Kelter, Weingarten 1986. Mit freundlicher Genehmigung der Autorin.

Ludwig Harig (geb. 1927), dt. Schriftsteller. ›*Das Heim und das Reich*‹ aus *Deutschland, Deutschland. 47 Schriftsteller aus der BRD und der DDR schreiben über ihr Land.* Salzburg 1979. Mit freundlicher Genehmigung des Autors.

Gerhart Hauptmann (1862—1946), dt. Dramatiker und Erzähler. ›*Letzte Nacht im Elternhaus*‹ aus *Die Spitzhacke — Ein fantastisches Erlebnis. Sämtliche Werke. Band VI, 1963.* Mit freundlicher Genehmigung des Ullstein Verlags, Berlin.

Heinrich Heine (1797—1836), dt. Lyriker und Erzähler. ›*Aus der Harzreise*‹ in *Sämtliche Schriften in 12 Bänden,* hrsg. von K. Briegleb, München/Wien 1976.

Günter Herburger (geb. 1932), österr. Schriftsteller. ›*Das Allgäu*‹ aus *Daheim ist daheim.* Hrsg. von Alois Brandstätter. Mit freundlicher Genehmigung des Autors.

Hermann Hesse (1877—1962), dt. Erzähler und Lyriker. ›*Heimat Calw*‹ in *Bilderbuch.* Frankfurt 1958. Mit freundlicher Genehmigung des Suhrkamp Verlags, Frankfurt.

Richard Hey (geb. 1926), dt. Dramatiker und Erzähler. ›*Heimat, deine Sterne*‹ aus *Heimat. Almanach 14 für Literatur und Theologie.* Hrsg. von Jochen R. Klicker. Wuppertal 1980. Mit freundlicher Genehmigung des Autors.

Friedrich Hölderlin (1770—1843), dt. Dichter. ›*Heimkunft*‹ in *Werke in vier Bänden, Band 2 — Gedichte.* Hrsg. von Manfred Schneider. Stuttgart 1922.

Ricarda Huch (1864—1947), dt. Lyrikerin und Erzählerin. ›*Jugenderinnerungen an Braunschweig*‹ aus *Neue Städtebilder.* Mit freundlicher Genehmigung des Carl Schünemann Verlags, Bremen.

Rahel Hutmacher (geb. 1944), schweiz. Erzählerin. ›*Heimat*‹ aus *Heimat. Almanach 14 für Literatur und Theologie.* Hrsg. von Jochen R. Klicker. Wuppertal 1980. Mit freundlicher Genehmigung der Autorin.

Uwe Johnson (1934—1984), dt. Erzähler. ›*Berlin für ein zuziehendes Kind*‹ aus *Berliner Sachen,* Frankfurt 1975. Mit freundlicher Genehmigung des Suhrkamp Verlags, Frankfurt.

Franz Kafka (1883—1924), dt.-österr. Schriftsteller. ›*Heimkehr*‹ in *Sämtliche Erzählungen.* Frankfurt/Hamburg 1970. Mit freundlicher Genehmigung der Fischer Bücherei GmbH, Frankfurt und Hamburg.

Marie Luise Kaschnitz (1901—1974), dt. Erzählerin und Lyrikerin. ›*Das Dorf Bollschweil*‹ aus *Orte.* Frankfurt 1973. Mit freundlicher Genehmigung des Insel Verlags, Frankfurt.

Gottfried Keller (1819—1890), schweiz. Erzähler. ›*Heimatsträume*‹ aus *Der grüne Heinrich. 4. Teil des Romans in 2. Fassung.* Stuttgart 1873/74.

Heinrich von Kleist (1777—1811), dt. Dichter, Dramatiker und Erzähler. ›*Würzburg*‹ in *Briefe an Wilhelmine v. Lenge. Würzburg, den 11. Okt. 1800. Sämtliche Werke und Briefe, Band 2.* München 1952.

Karl Krolow (geb. 1915), dt. Lyriker. ›*Ich weiß, wo ich herkam*‹ aus *Heimat. Neue Erkundungen eines alten Themas.* Hrsg. von Horst Bienek, München 1985. Mit freundlicher Genehmigung des Carl Hanser Verlags, München/Wien.

Alfred Kubin (1877—1959), österr. Künstler. ›*Besuch in der Heimat*‹ aus *Vom Schreibtisch eines Zeichners. Erstausgabe 1939.* München 1989. Mit freundlicher Genehmigung der Edition Spangenberg, München.

August Kühn (geb. 1936), dt. Schriftsteller. ›*Wenn ich nicht Münchner wäre*‹ aus *Deutschland, Deutschland.* Salzburg 1979. Mit freundlicher Genehmigung des Autors.

Elisabeth Langgässer (1899—1950), dt. Dichterin. ›*Landschaft im Herzen gespiegelt*‹ in *Gesammelte Werke, Band 5.* Hamburg/Düsseldorf 1964. Mit freundlicher Genehmigung des Claassen Verlags, Düsseldorf.

Siegfried Lenz (geb. 1926), dt. Erzähler. ›*Das masurische Heimatmuseum*‹ aus *Heimatmuseum.* Roman. Hamburg 1978. Mit freundlicher Genehmigung des Hoffmann und Campe Verlags, Hamburg.

Detlev von Liliencron (1844—1909), dt. Lyriker. ›*Heidebilder*‹ in *Gesammelte Werke in acht Bänden, Band 2 — Gedichte.* Berlin 1915.

Thomas Mann (1875—1955), dt. Erzähler und Publizist. ›*Ansprache vor Hamburger Studenten*‹ in *Gesammelte Werke in 13 Bänden, Band XIII.* Frankfurt 1974. Mit freundlicher Genehmigung des S. Fischer Verlags, Frankfurt.

Conrad Ferdinand Meyer (1825—1898), schweiz. Dichter. ›*Firnelicht*‹ in *Sämtliche Werke in vier Bänden, Band 2 — Gedichte.* Leipzig o. J.

Eduard Mörike (1804—1875), dt. Dichter. ›*Besuch in Urach*‹ in *Werke in drei Bänden, Band 1 — Gedichte.* Stuttgart 1922.

Adolf Muschg (1934), schweiz. Schriftsteller. ›*Der Zusenn oder das Heimat*‹ in *Ausgewählte Erzählungen.* Frankfurt 1983. Mit freundlicher Genehmigung des Suhrkamp Verlages, Frankfurt.

Friedrich Nietzsche (1844—1900), dt. Dichter und Philosoph. ›*Vereinsamt*‹ in *Werke, Band V.* Hrsg. von A. Baemler.

Leonie Ossowski (geb. 1925), dt. Erzählerin. ›*Assoziationen zu der Fluchszene aus ‚Hermann und Dorothea'*‹ aus *Blumen für Magritte, Erzählungen.* München 1987. Mit freundlicher Genehmigung des R. Piper Verlags, München.

Jean Paul, eigentl. Johann Paul Friedrich Richter (1763—1825), dt. Erzähler. ›*Wanderung von Kuhschnappl nach Baireuth*‹ aus *Blumen-, Frucht- und Dornenstücke oder Ehestand, Tod und Hochzeit des Armenadvokaten F. St. Siebenkäs, Werke, Bd. 2.* Hrsg. von Norbert Miller, München 1970 ff.

Heinz Piontek (geb. 1925), dt. Schriftsteller. ›*Oberschlesische Prosa*‹ in *Gesammelte Erzählungen.* München 1985. Mit freundlicher Genehmigung des Franz Schneekluth Verlags, München.

Hans Werner Richter (geb. 1908), dt. Schriftsteller und Publizist. ›*Bansiner Topographie*‹ in *Geschichten in Bansin.* München 1982. Mit freundlicher Genehmigung der Nymphenburger Verlagsbuchhandlung in der F. A. Herbig Verlagsbuchhandlung, München.

Luise Rinser (geb. 1911), dt. Erzählerin. ›*Am Chiemsee*‹ aus *Mysterium Heimat.* Herrenalb 1959. Mit freundlicher Genehmigung der Verlagsagentur Erdmann, Waldkirch.

Wolfdietrich Schnurre (geb. 1920), dt. Schriftsteller und Lyriker. ›*Erinnerungen an die Gegenwart*‹ aus *Berlin, ach Berlin.* Hrsg. von Hans-Werner Richter, Berlin 1981. Mit freundlicher Genehmigung des Siedler Verlags, Berlin.

Rudolph Alexander Schröder (1878—1962), dt. Dichter. ›*Bremen*‹ in *Gesammelte Werke, Bd. 1.* Frankfurt 1952. Mit freundlicher Genehmigung des Suhrkamp Verlags, Frankfurt.

Adalbert Stifter (1805—1868), österr. Erzähler. ›*Waldburg*‹ aus *Der Hochwald/ Erzählungen in der Urfassung, Bd. 1.* Augsburg o. J. Hrsg. von Max Stefl.

Klaus Stiller (geb. 1941), dt. Schriftsteller. ›*Deutschland*‹ aus *Deutschland, Deutschland.* Salzburg 1979. Mit freundlicher Genehmigung des Autors.

Theodor Storm (1817—1888), dt. Erzähler und Lyriker. ›*Meeresstrand / Die Stadt am Meer*‹ in *Werke in sechs Bänden, Band 1 — Gedichte.* Leipzig/Wien o. J.

Arno Surminski (geb. 1934), dt. Schriftsteller. ›*Gewitter im Januar*‹ aus *Gewitter im Januar. Erzählungen.* Hamburg 1986. Mit freundlicher Genehmigung des Hoffmann & Campe Verlags, Hamburg.

Kurt Tucholsky (1890—1935), dt. Schriftsteller und Journalist. ›*Heimat*‹ in *Gesammelte Werke, Band III.* Hamburg 1960. Mit freundlicher Genehmigung des Rowohlt Verlags, Reinbeck.

Guntram Vesper (geb. 1941), dt. Lyriker und Erzähler. ›*Heimat Göttingen*‹ aus *Kriegerdenkmal ganz hinten.* München 1970. Mit freundlicher Genehmigung des Carl Hanser Verlags, München.

Martin Walser (geb. 1927), dt. Schriftsteller. ›*Rede über das eigene Land*‹. München 1988. Mit freundlicher Genehmigung des Autors.

Robert Walser (1878—1956), schweiz. Schriftsteller. ›*An die Heimat*‹ in *Gesamtwerk*, Zürich/Frankfurt 1978. Abdruck mit Genehmigung der Inhaberin der Rechte, der Carl-Seelig-Stiftung, Zürich. Mit freundlicher Genehmigung des Suhrkamp Verlags, Frankfurt.

Gabriele Wohmann (geb. 1932), dt. Schriftstellerin. ›*Deutschlandlied*‹ aus *Paarlauf*. Frankfurt 1981. Mit freundlicher Genehmigung des Luchterhand Literaturverlags, Frankfurt.

Christa Wolf (geb. 1929), dt. Schriftstellerin aus der DDR. ›*Das Vergangene ist nicht tot*‹ aus *Kindheitsmuster*. Berlin 1976. Mit freundlicher Genehmigung des Aufbau Verlags, Berlin/Weimar.

Carl Zuckmayer (1896—1977), dt. Dramatiker und Erzähler. ›*Die Weinberge von Nackenheim*‹ aus *Ein Bauer aus dem Taunus und andere Geschichten*. Berlin 1927. Mit freundlicher Genehmigung des S. Fischer Verlags, Frankfurt.

Kristiane Allert-Wybranietz

Die erfolgreichste Poetin unserer Zeit

Der Autorin gelingt es in einzigartiger Weise, ihre Leser direkt anzusprechen. Ob mit ihren eigenen Texten oder mit ausgewählten: immer macht sie Mut und gibt Hoffnung auf mehr Verständnis und Menschlichkeit in unserem anonymen Alltag.

ISBN 3-453-02295-5

ISBN 3-453-00020-X

ISBN 3-453-00549-X

ISBN 3-453-03219-5

Wilhelm Heyne Verlag München